한국현대문학논고
韓國現代文學論攷

전광용문학전집 5

한국현대문학논고韓國現代文學論攷

초판 제1쇄 인쇄 2011년 11월 20일
초판 제1쇄 발행 2011년 12월 15일
지은이 | 전광용
엮은이 | 전광용문학전집 간행위원회 편
펴낸이 | 지현구
편집장 | 박종훈
편 집 | 김수영 김보미
디자인 | 이보아 이효정
펴낸곳 | 태학사
등록 | 제406-2006-00008호
주소 | 경기도 파주시 문발동 파주출판도시 498-8
전화 | 마케팅부 (031) 955-7580~82 편집부 (031) 955-7585~89
전송 | (031) 955-0910
전자우편 | thaehak4@chol.com
홈페이지 | www.thaehaksa.com

ⓒ 2011 전광용, 태학사

전6권 150,000원

ISBN   978-89-5966-466-5 04810
       978-89-5966-461-0 (세트)

전광용 문학전집 5

한국현대문학논고

태학사

『전광용문학전집』을 내면서

　소설가이며 국문학자이셨던 백사(白史) 전광용(全光鏞) 선생의 모든 저작을 한데 모아『전광용문학전집』전6권을 새로 펴낸다. 1권, 2권, 3권에는 선생이 발표한 소설들을 수록하였고, 4권과 5권은 단행본으로 말산된 바 있는『한국현대문학논고』와『신소설연구』를 각각 수록하였다. 그리고 6권은 선생이 생전에 발표한 수필과 산문들을 찾아 한 권의 책으로 꾸몄다.

　전광용 선생은 호적부에 1919년 3월 1일 출생으로 기록되어 있지만 실제로는 1918년 음 9월 5일 함경남도 북청군 거산면(居山面) 하입석리(下立石里) 1011번지에서 태어났다. 성천촌(城川村)이라는 작은 마을의 과수원집에서 성장한 선생은 부친 전주협(全周協)과 모친 이녹춘(李泰春)의 2남 4녀 가운데 장남이었다. 고향인 북청에서 북청공립농업학교을 졸업한 후 경성경제전문학교에 입학하였는데, 해방 직후 이 학교가 서울대학교 상과대학으로 바뀌자 2년을 수료한 후 진로를 바꾸었다. 1947년 9월 서울대학교 문리과대학 국어국문학과에 입학하면서 문학에 뜻을 두게 된 것이다.

　전광용 선생의 글쓰기 작업은 소설가로서의 창작활동을 통해 그 특징이 잘 드러나고 있다. 선생은 1948년 11월 정한숙(鄭漢淑), 정한모(鄭漢模), 남상규(南相圭), 김봉혁(金鳳赫) 등과 함께 《주막(酒幕)》 동인을 결성하고 창작활동을 시작하였고, 1955년 1월 조선일보 신춘문예에 단편소설「흑산도(黑山島)」가 당선되면서 정식으로 소설문단에 등단한다. 비록 다작은 아니지만 열정을 담은 많은 문제작을 내놓았다. 선생의 작품은 주로 냉철한 현실적 시각으로 인간의 삶을 그려놓고 있기 때문에, 현실에 대한 비판적 의미가 두드러지게 나타나고 있다. 선생은 생전에 『흑산도』, 『꺼삐딴 리』, 『동혈인간』, 『목단강행 열차』 등의 작품집과 장편소설 『태백산맥』, 『나신(裸身)』, 『창과 벽』, 『젊은 소용돌이』 등을 발표하였다. 이러한 소설적 작업은 '동인문학상', '대한민국문학상' 등의 수상으로 더욱 그 권위를 인정받게 되었다. 선생의 소설은 대부분 인간의 삶과 현실에 대한 진실 탐구에 그 목표를 둔 것이었고, 엄격한 윤리적 가치관에 의해 그 주제가 표출되곤 하였다. 선생은 창작활동 후반기에 이르면서 망향의 정을 그린 소설을 자주 발표하였다. 북에 두고 온 가족과 고향에 대한 사무친 그리움이 단편집 『목단강행 열차』에 감동적으로 스며들어 있다.

전광용 선생은 국문학자로서 모교인 서울대학교 국어국문학과에서 교육과 연구에 평생을 바쳤다. 선생이 주로 관심을 두었던 학문영역은 우리 근대문학의 성립 단계에 형성된 신소설에 대한 연구이다. 6 · 25전쟁 직후 한국현대문학 연구가 대학에서 학문적 기반을 제대로 갖추고 있지 못한 상태에 놓여 있을 때, 선생은 아무도 거들떠보지 않는 신소설 연구에 몰두하였다. 처음으로 서울대학교 문리과대학 국어국문학과 전임교수가 되어 한국현대문학 강의를 맡으면서 그 학문적 체계화를 위해 힘을 기울였다. 선생의 신소설 연구는 철저한 자료조사, 정밀한 해독, 엄격한 가치평가로 이미 널리 알려져 있거니와, 그 성과에 힘입어 한국현대문학의 첫머리에서 서술되게 마련인 신소설에 대한 설명이 명확한 소설사적 체계를 갖출 수 있게 되었다. 이러한 학문적 성과는 '사상계논문상'으로 높이 평가되기도 하였다. 선생은 모교에서 정년퇴임을 맞이할 무렵에 제자들의 권유에 따라 그동안 발표한 연구논문들을 모아 『한국현대문학논고』와 『신소설연구』를 발간하였다. 선생의 「이인직연구」를 서두에 신고 제자들이 논문을 모아 한국현대소설사를 정리한 정년퇴임 기념논문집인 『한국현대소설사연구』가 만들어지자 당신의 저작을 책으로 묶는 것을 허락하였다. 이 두 권의 책은 선생의 학문적 열정과 태도를 확인할 수 있는 중요한 업적이라고 할 수 있거니와 『한국현대소설사연구』와 더불어 현대문학 연구의 학문적 토대가 쌓여진 과정을 그대로 드러내고 있는 것이라고 하겠다.

전광용 선생은 고향인 함경도 북청을 떠나 문학 공부를 위해 서울로 올라왔고, 분단 후 다시 고향을 찾을 수 없었다. 그렇기 때문에 단신으로 온갖 어려움 속에서 문학과 학문의 꿈을 키워야만 하였다. 문학이 유일한 길이었고 삶의 전부였던 것이다. 선생은 문학에 대한 열정을 강조하면서도 이것을 생업으로 삼기에는 너무 고달픈 일이라고 하였다. 창작이든 문학 연구든 간에 각별한 사랑과 열정이 없이 문학을 한다는 것은 잘못이며, 거기서 물질적인 것을 구한다는 것도 기대할 수 없는 일이라는 거였다. 아마도 이러한 충고와 훈계는 모두 개인적 경험에서 비롯된 것이 아닌가 생각된다.

전광용 선생은 언제나 학문의 성과에 대한 엄격한 평가를 강조하였지만, 다른 학자들의 연구업적에 대해 결코 무시하는 법이 없었다. 학위논문을 쓰면서, 선배들의 연구업적에 대한 소개를 소홀히 하거나, 자기주장에만 매달린 학생에게는 몹시 꾸중을 하였다. 이는 앞서 걸어간 사람들의 고통을 생각하지 않는 경망을 훈계하기 위한 일이었다. 그러면서도 선생은 결코 당신께서 해온 연구작업을 부추겨 내세우는 법이 없었다. 1950년대 중반부터 시작된 신소설 연구가 거의 10여 년에 걸쳐 지속되었고, 그것을 함께 모아 한 권의 책으로 묶을 수 있는 분량이 훨씬 넘었을 뿐만 아니라, 국문학계에서도 그 업적의 발간을 기다렸지만 선생님께서 한사코 이를 사양하였다. 책을 간행한다는 것이 자칫 자기 학문의 불필요한 과시가 될 수도 있다는 말씀을 하신 일이 있다. 그러나 이보다도 한국현대소설사의 윤곽을 해명할 수 있을 때까지 그 간행을 미루었던 것이 아닌가 생각되기도 한다.

전광용 선생은 1988년 6월 21일 세상을 떠났다. 이제는 다시 선생의 모습을 뵈올 수 없고 그 음성을 들을 수도 없지만, 선생이 남긴 소설과 연구 논문은 한국문학의 한복판에 자리하고 있다. 선생의 가르침을 따라 한국현대문학 연구의 학풍을 이어가는 것이 우리 제자들이 선생의 뜻을 기리는 일일 것이다. 오늘 『전광용문학전집』이라는 이름으로 한데 묶여진 선생의 책과 글 속에 담긴 소중한 뜻이 조금도 헛되지 않게 이어지길 기대한다. 이 책을 엮는 데에 참여한 모든 제자들은 함께 머리 숙여 선생의 명복을 빈다. 어려운 여건 속에서 전집의 간행을 맡아준 태학사 지현구 사장께 감사드린다.

2011년 가을에 권영민

『전광용문학전집』을 내면서 • 005

3

이인직(李人稙)의 생애와 문학

1

국초(菊初) 이인직은 1862년(임술(壬戌)) 음력 7월 27일에 출생하여,[1] 1916년(병진(丙辰)) 11월 25일(음력 11월 1일) 55세를 일기로 세상을 떠났다.[2]

국초는 1900년 2월 구한국(舊韓國) 정부의 관비 유학생으로 일본에 건너가 동경정치학교(東京政治學校) 청강생(과외생)으로 수학하고, 일로전쟁(日露戰爭)(1904~5년)때는 일본 육군성(陸軍省) 한어(韓語) 통역에 임명되어, 제일군 사령부에 소속되어 종군하였다.[3] 그는 1906년《국민신보(國民

---

1 졸고, 「이인직연구(李人稙研究)」,《서울대학교 논문집》, 인문사회편(人文社會篇), 제6집, 1957, p.164.
2 〈이인직씨(李人稙氏) 별세(別世). 조선의 첫 소설가 경학원(經學院) 사성(司成) 이인직씨(李人稙氏)는 신경병(神經病)으로 11월 21일부터 총독부의원(總督府醫院)에 입원하여 치료중이던 바 마침내 25일 밤 11시에 영면(永眠)하였는데, 향년(享年)이 55세이더라〉《매일신보(每日申報)》, 11월 28일).
3 〈명치(明治) 33년 2월 구한국정부(舊韓國政府)의 관비 유학생으로 동경(東京)에 파견되어 동경정치학교(東京政治學校)에 입학하고 36년 7월에 졸업하자 일로전쟁(日露戰爭)을 당하여 육군성(陸軍省) 한어통역(韓語通譯)에 임명되어 제일군사령부에 부속되어 종군하였더라〉《매일신보(每日申報)》, 동상(同上)).
 〈명치(明治) 30년 전후라고 생각되는데 내가 성형(星亨) 송본군평(松本君平) 등이 창립(創立)한 신전(神田)의 정치학교(政治學校)에서 열국정치제도(列國政治制度)의 강의를 한 일이 있다. 그 무렵에 조중응(趙重應)과 이인직은 과외생(科外生)으로서 그 강의록(講義錄)을 강습(講習)하고 있었다.〉(소송록(小松錄),『조선병합의 이면(朝鮮併合の裏面)』, 1920, 동경(東京), p.124.
 〈명치(明治) 30년 전후(前後)에 판원퇴조(板垣退助) 성향(星亨) 등이 고문(顧問)이 되어 송본군평(松本君

新報)》주필을 거쳐《만세보(萬歲報)》주필로 옮겼고, 다시《대한신문(大韓新聞)》사장에 취임할 무렵에는 이완용의 비서역을 겸하였으며, 그 후에는 선릉참봉(宣陵參奉), 중추원(中樞院) 부찬의(副贊議) 등을 역임하였다.[4] 한편 그는 한일합방 후인 1911년에는 경학원(經學院) 사성(司成)에 취임하여 세상을 떠날 때까지 현직으로 있었다.[5]

이인직은 한말의 풍운이 거세던 시기에 수상 이완용의 비서격으로 있으면서 한일합방의 전초역으로 병합의 일본측 선봉역인 통감부(統監府) 외사국장(外事局長) 소송록을 합방조인 3주일 전인 1910년 8월 4일 밤 그 관저로 방문, 합방의 구체적인 제의를 하였고,[6] 다시 사태의 진전에 박차를 가하여, 합방조약 체결 단계에까지 이르도록 매개역할을 하고 나섰다.[7] 이같은 이인직과 소송록의 밀회 과정의 한 단면을 당사자인 소송(小松)의 기록에서 찾아보면 다음과 같다.

저자가 병합(倂合) 담판(談判)을 열 기회를 붙잡을 자신이 있다고 사내통감(寺內統監)에게 대답한 것은 무슨 터무니 없는 한때의 농담은 아니었다.

실은 당사자인 한국정부(韓國政府)의 중심세력이었던 수상(首相) 이완용과 농상(農相) 조중응(趙重應)을 간접 직접으로 설복시킬 희망이 있었기 때문이다. 조중응과는 직접 말할 수 있었지만 이완용만은 일

■

平)이 주간(主幹)으로 신전(神田)에 동경정치학교(東京政治學校)를 설립한 일이 있었다. 그때 저자는 열국정치제도(列國政治制度)와 국제법(國際法)의 강의를 담당하고 있었는데 이인직은 조중응(趙重應)과 함께 청강생(聽講生) 속에 있었다.)(소송록, 『명치외교비화(明治外交秘話)』, 1936, 동경(東京), p.441).

4 《매일신보(每日申報)》 1916년 11월 28일.

5 《경학원잡지(經學院雜誌)》 소재.

6 소송록, 『명치외교비화(明治外交秘話)』, p.442.

7 소송록, 『조선병합의 이면(朝鮮倂合의 裏面)』, p.139.
　황의돈, 「위국항일의사열전」, 《동아일보》, 1956년 6월 8일.

본말을 모르므로 그 복심인 이인직을 통하여 기초 이야기를 할 작정이었다.

그렇지만 무더워 견딜 수 없는 한여름에 이런 힘든 이야기를 끄집어낼 계제도 못되어 쳐박아 놓고 있는 참에 갑자기 이인직이 찾아왔으므로 저자는 우물 속에 고기가 제깐으로 뛰어 들어온 것만 같은 생각이 들었다.[8]

만나본즉 이인직은 전에 없이 침울한 모습으로 입을 열었다. 면식이래 4년이나 되는 지금까지 아직 감히 허탈하게 이야기한 일이 없는 정도의 일대 중대사에 대하여 고충을 호소하고 하교(下敎)를 받기 위하여 굳이 야밤중에 들어와서 괴로움을 끼친다는 사유를 유창하지는 못하나 알기 쉬운 일본말로서 이야기하기 시작하였다.

자기의 내방(來訪)이 순전히 자기 의사에서 나온 것이지 이완용이나 조중응과 상의한 결과가 아니라는 것, 오늘 밤의 대화는 이 자리에 한한 밀담(密談)으로서 사내통감의 귀에까지 전하게 하고 싶지는 않다는 등, 그는 우선 특별히 주의를 했다.

그러나 그가 서두에서 일대 중대사라고 말하였고, 이(李)·조(趙) 양상(兩相) 및 사내통감에까지 언급하는 것으로 미루어 나는 그가 당면의 병합문제(併合問題)에 대하여 이·조 양대신(兩大臣)의 뜻을 받아서 소위 자상한 임무를 띠고 온 것을 깨달았다.

그러므로 나는 그를 통하여 이수상(李首相)과 대담하는 기분으로 응답하였다. 이 대화는 결국 병합담판(併合談判)의 단서를 연 것이었다. 마치 대전전(大戰前)의 척후전(斥候戰)이라고도 말할 수 있는 것이었다. 내가 이 일장(一場)의 사담(私談)을 상세히 서술하고자 한 까닭

---

8 소송록, 『명치외교비화(明治外交秘話)』, p.442.

은 이 때문이다.

그는 양미간에 찬 빛을 띠우면서 우선 근본문제부터 밝히기 시작하였다.

『이등(伊藤) 전통감(前統監)은 합이빈(哈爾賓)에서 조선인(朝鮮人) 때문에 암살되었고, 그때 이어 일진회(一進會)가 합방론(合邦論)을 제창하고 또한 일본(日本)에서도 병합설(倂合說)이 대단하여졌다는 사정 등을 합쳐보면 오늘날 무엇인가 대변혁이 일어나지 않으면 안 되리라고 저희들은 깨달았기 때문에 최근 저는 이수상을 만나서 빨리 거취의 각오를 결하시도록 권고해 보았습니다.

이천만(二千萬)의 조선사람과 함께 쓰러질 것인가, 그렇지 않으면 육천만(六千萬)의 일본인(日本人)과 함께 나아갈 것인가, 이 두 길밖에 따로 수상(首相)의 취할 길은 없습니다. 만약 수상(首相)의 힘이 도저히 시국 해결의 책임을 감당할 수 없으시다면 왈가왈부 시비를 따질 필요도 없습니다. 차라리 치욕을 고국에서 헤벌리기보다는 이미 한국(韓國)을 떠나서 일신의 책임을 끝마친 이학균(李學均)을 본받아서 일한(日韓) 어느 쪽의 법권(法權)도 미치지 못하는 상해(上海)에라도 은둔하는 길밖에 없을 것입니다. 어느쪽 길로 나가시겠냐고 물었습니다.

이수상은 잠깐 침음(沈吟)하다가 말하시기를 실은 구랍(舊臘) 흉한(凶漢)에게 피습된 칼의 상처가 아직 완전히 쾌유치 못하였으므로 한동안 한가한 곳에서 정양하려고 생각하여 내부대신(內部大臣) 박제순(朴齊純)에게 수상(首相)의 직(職)을 양보하려고 상의하였으나 좀처럼 응낙하지 않았고, 농상공부대신(農商工部大臣) 조중응에게 부탁하여 보았으나 그도 또한 자기는 수상(首相)의 그릇이 되지 못한다고 사퇴하였다. 그러므로 자기가 만일 물러가면 내각(內閣)은 와해(瓦解)할 길밖에 없다. 오적(五賊) 또는 팔흉(八兇)이라고 불리울 정도의 친일파(親日派)의 현 내각이 와해된다면 현 내각 이상의 친일파 내각이 새로 될

수 있을 것인가, 참으로 통심(痛心)할 일이라고 대답하셨습니다. 이수
상의 경우는 참으로 가엽고 동정해야할 경우가 아니겠읍니까.』

나는 이와 같은 이인직의 말을 듣고서 이것은 참 좋은 문제를 가져
온 것이라고 내심(內心) 기뻐하였다. 이 문제를 추구하여 가노라면 이
수상(李首相)의 병합(倂合)에 대한 의향이 저절로 판명될 것이라고 생
각하였기 때문이다. (……)

나는 유달리 하하 웃으면서 손수 맥주를 따라서 그에게 권하고 나
도 마셨다. 넓은 응접실에는 단 둘뿐 다른 누구도 있지 않았다.

이인직은 나의 간절한 말을 듣고서 약간 안도의 느낌을 가지는 모
습으로 곧 그의 말을 다음 문제로 옮겼다.[9]

8월 4일과 8월 8일 2차에 걸친 이같은 이들의 밀회는 병합회담의 중요
한 실마리가 되어 결국 1910년 8월 22일의 합방조인으로까지 몰고갔던
것이다.

그러나 그는 한일합방 후의 논공행상(論功行賞)에서는 무슨 영문인지,
배후의 실질적인 수훈공로자임에도 불구하고, 그 흔한 수작(受爵)의 은전
도 입지 못하고, 경학원(經學院) 사성(司成)이라는 말직에 보임되었을 뿐
이다. 다만 그는 죽음에 임하여, 당시의 최고 의료시설을 갖춘 조선총독
부 의원에서 신경통의 병명으로 마지막 숨을 거두었고, 장례는 그가 평소
신앙하던 천리교 의식에 의하여, 당국에서 보내온 450원의 공로금으로
집행되었으며, 한말의 고관이요, 합방의 수작자(授爵者)인 이완용·조중응
(趙重應) 등 총독부의 현직 고위 관리들에 호종(護從)되어 아현화장장(阿
峴火葬場)에서 한 줌의 재로 화하였다.[10]

■

9 소송록, 『조선병합의 이면』, p.125.
10 《매일신보》 1916년 12월 12일.

이인직은 장편으로 「혈(血)의 누(淚)」「모란봉(牧丹峰)」「귀(鬼)의 성(聲)」「치악산(稚岳山)」「은세계(銀世界)」, 단편으로 무제(無題)의 「단편(短篇)」 및 「빈선랑(貧鮮郎)의 일미인(日美人)」 등의 작품을 1906년부터 1913까지 약 8년간에 걸쳐 발표하였다.

「혈의 누」(상편)는 광무(光武) 10년(1906년) 7월 22일부터 동년 10월 10일 50회에[11] 걸쳐 《만세보(萬歲報)》에 연재된 이인직의 처녀 장편소설로, 한낱 습작에 지나지 않는 그의 초기작품 「단편(短篇)」[12]을 제외하면, 이 땅에 있어서 본격적인 신소설의 효시에 해당되는 작품이기도 하다. 이 작품은 청일전쟁 때 격전이 휘몰고 간 뒤의 피비린내 나는 모란봉의 참상을 시발점으로 하여, 그후 10년간의 시간의 경과 속에서 한국·일본 및 미국을 무대로, 여주인공 옥련의 기구한 운명의 전변(轉變)에 얽힌 개화기의 시대상을 그린 것으로서, 자주독립·신교육·신결혼관 등이 그 주제로 다루어져 있다. 「혈의 누」의 출현으로써, 비로소 이 땅의 소설은 형식 및 내용면에 있어서, 고대소설의 국가에서 탈피하여 서구적인 근대소설의 제일보를 내디딜 수 있는 문학사적인 새로운 계기를 마련할 수 있었다.[13]

「모란봉(牧丹峰)」은 「혈의 누」의 하편에 해당되는 작품으로, 상편 「혈의 누」가 발표된 지 7년 후인 1913년 2월 5일부터 동년 6월 3일까지 65회에 걸쳐 《매일신보(每日申報)》에 연재되다가 미완으로 끝난 이인직의 최종작이다. 「혈의 누(淚)」「모란봉(牧丹峰)」은 상하 양편으로 이루어진

---

11 실지 신문에 연재된 회수는 53회이나, 3회에 걸친 번호 중복으로 끝회가 50회로 되어 있다.
12 광무(光武) 10년(1906년) 7월 3일부터 수회에 걸쳐 〈단편(短篇)〉이라는 이름 아래 제목 없이 국초(菊初)의 명으로 발표된 단편소설.
13 졸고, 「혈의 누」, 《사상계(思想界)》, 1956년 3월호 참조.
    졸고, 「이인직 연구」, 《서울대학교 논문집》 인문사회편, 제6집 참고.

하나의 작품이나, 또한 상하 각각 별개의 독립된 작품으로도 볼 수 있는 일면의 이유를 지니고 있으므로, 그 경위를 밝히면 다음과 같다.

「혈의 누」는 《만세보》에 연재시 그 작품 말미에 〈아래권은 그 여학생이 고국에 돌아온 후를 기다리오〉라고 하여, 하권이 계속될 것을 막연히 예고하는 동시에, 〈상편종(上篇終)〉이라고 하여 이 작품이 상편만으로 일단 끝났음을 밝혔으며, 다음해인 1907년에는 역시 「혈의 누」의 제하(題下)에 상편만으로 단행본이 출간되었다. 그 후 〈혈루(血淚) 하편(下篇) 인쇄중(印刷中)〉[14]이라는 광고까지 난 일이 있으나, 예고로 그쳤을 뿐 실지로 출간되지는 못하였고, 결국 1913년에 와서야 「모란봉(牧丹峰)」의 이름으로 하편이 신문에 연재되게 되었다.

> (……) 다음에 모란봉(牧丹峰)이라 하는 신소설을 게재하옵는데 이 소설은 조선의 소설가로 유명한 리인직(李人稙)씨가 교묘한 의량을 다 하여 혈루(血淚) 하편으로 만든 것인데, 곧 옥련의 17세 이후 사적을 서술한 것이요, 또한 상편되는 혈루와 독립되는 성질이 있으니, 그 진진 취미는 매일 아침에 본보를 고대치 못하리라.[15]

고 하여, 「혈의 누」의 하편임을 밝히는 동시에, 또한 상편인 「혈의 누」와 별개의 작품이라는 뜻을 나타내고 있음을 볼 수 있다. 또한 「모란봉」이 연재됨에 즈음하여, 그 서문격으로 「혈의 누」와 「모란봉」의 관계를 작자 스스로 다음과 같이 서술한 바 있다.

---

14 융희(隆熙) 2년 11월 20일 동문사에서 발간된 『은세계(銀世界)』의 뒤표지 광고란에 〈혈루(血淚) 하편 (下篇) 인쇄중(印刷中)〉이라는 광고가 나 있다.
15 《매일신보》, 1913년 2월 4일.

牧丹峰

모란봉

국초(菊初) 이인직

차(此)소설(小說)은 낭년(曩年)에 강호(江湖) 애독자(愛讀者)의 환영
(歡迎)을 득(得)하든 옥련(玉蓮)의 사적(事蹟)인대, 금(今)에 기(其)전편
(全篇)을 정정(訂正)하고 차(且) 혈루(血淚)라 하는 제목(題目)이 비관
(悲觀)에 근(近)함을 혐피(嫌避)하여 모란봉(牧丹峰)이라 개제(改題)하
고 히편(下篇)을 저술(著述)하여 옥련(玉蓮)의 말로(末路)를 일고자 하
시던 제씨(諸氏)의 일람(一覽)을 공(供)하옵는데 차(此) 모란봉(牧丹峰)
이 비록 상하편(上下篇)이나 양편(兩篇)이 공(共)히 독립(獨立)한 성질
(性質)이 유(有)하여 상편(上篇)은 옥련(玉蓮)의 7세(歲)부터 세간풍상
(世間風箱)을 열(閱)하던 사실(事實)로 조직(組織)하였는데 기하편(基下
篇)이 무(無)하여도 무방(無妨)하며 하편(下篇)은 옥련(玉蓮)의 17세
(歲) 이후(以後) 사적(事蹟)을 술(述)한 것인데 기(其) 상편(上篇)이 무
하더더래도 또한 무방한 고로 자(玆)에 기(其) 하편을 게재(揭載)하오
니 혹 상편을 열람(閱覽)코자 하시는 인씨(人氏)는 경성(京城) 중부(中
部) 철물교(鐵物橋) 동양서원(東洋書院)에 청구(請求)하시압.[16]

여기서 보여주는 바와 같이, 작자는 이미 발표한 「혈의 누」의 전편(全
篇)을 정정했음과 「혈의 누」라는 제목의 어의가 주는 비관적인 점을 피하
기 위하여 「모란봉」이라 개제(改題)했음과 아울러 상하 양편이 각각 독립
한 작품이라는 작자의 의도를 선명히 밝혔음을 볼 수 있다.
    실제에 있어서, 1907년에 초판[17]이 발간된 『혈의 누』는 1908년의 재

16 《매일신보》, 1913년 2월 5일.
17 광무(光武) 11년 3월 17일 광학서포(廣學書舖)(김상만서포金相萬書舖)에서 「혈의 누」 초판본이 출간되

판[18]을 마지막으로 절판되었으며, 위에서 작자가 말한 정정본은 1912년 「혈의 누」 상편이 「모란봉」[19]으로 개제되어 출간되었다. 한편 다음해인 1913년 하편 역시 「모란봉」의 이름으로 신문에 연재 발표되었으나, 이 하편은 단행본으로 출간되지는 않았다. 즉, 상편은 처음 신문에 발표될 때에는 「혈의 누」의 제목으로 연재되었으나, 단행본에서 볼 때에는 「혈의 누」와 「모란봉」의 두 가지 제목을 지니게 되었고, 후에 하편은 「모란봉」의 제목으로 신문에 연재 발표되었으므로, 이 작품의 명칭은 상하편 할 것 없이 「혈의 누」와 「모란봉」의 두 제목이 혼동 병용될 수 있는 사적(史的) 연유를 작품 스스로 내포하고 있는 것이다. 그러나 상편은 처음 「혈의 누」의 제목으로 발표되었고, 하편은 「모란봉」의 제목으로 연재 발표되었으므로, 상하편 각각 '독립한 성질'이 있다는 작자의 의도를 살리는 동시에, 문학사를 비롯한 모든 문헌에서 이미 이인직의 처녀 장편인 「혈의 누」 상편을 정정본 『모란봉』의 명칭에 구애됨이 없이 「혈의 누」의 제목으로 다루고 있는 만큼, 상편은 「혈의 누」, 하편은 「모란봉」으로 그 발표 제목에 기준한 명칭으로 고정시켜 구분 사용함이 문학사 정리상의 혼란을 막고, 사적 사실에 바탕을 둔 분류방법이 아닐까 생각된다.[20]

상편 「혈의 누」에 있어서는 신문학의 섭취에 의한 국권의 자주적인 확

었다.
18 융희(隆熙) 2년 3월 27일에 광학서포에서 『혈의 누』 재판이 출간되었다.
19 1912년 11월 10일 동양서원(東洋書院)에서 〈모란봉〉으로 개제된 『혈의 누』 상편 수정본이 출간되었다.
20 졸고, 「이인직 연구」, 《서울대학교 논문집》 인문사회편, 제6집, 참조.
     한편, 1907년 5월 17일부터 6월 1일까지 11회에 걸쳐 《제국신문(帝國新聞)》에 「혈의 누」 하편의 표제 아래 국초(菊初)의 작(作)으로 발표된 작품이 있으나, 이는 연재 도중에 중단한 듯한 감을 주는 동시에 발표 연대로는 「혈의 누」와 「모란봉」의 중간에 놓이면서도, 내용의 사건전개는 「혈의 누」와 「모란봉」의 전체적 흐름에 들어맞지 않고, 또한 「모란봉」발표시, 작자 이인직이 《제국신문》에 연재 운운의 경위 해명은 전연 없이 다만 「혈의 누」와 「모란봉」의 상하편 연결관계에 대해서만 명확한 의도를 밝힌 것으로 보아, 작자 스스로도 몰각한 것으로 해석되기도 하고, 한편 작품 서술면에서의 필치의 이질성 및 「치악산」 하권의 경우에 비추어 타인의 집필로 볼 수도 있는 가능성마저도 완전 배제할 수는 없는 것 같다.

립이 가장 중추적인 주제로 되어 있으나, 하편인 「모란봉」에 와서는 남녀 애정문제와 혼인문제가 전편에 걸쳐 주류를 이루고 있음을 볼 수 있다. 특히 이것이 정식 결혼을 전제로 한 삼각관계의 애정문제를 다루었다는 점에서, 근대적인 자유연애의 시대의식이 싹트기 시작한 이 땅의 사회 배경적인 조건과 대조하여 생각할 때, 주제면에 대한 하나의 의의를 제시하는 바 없지 않다고 보인다.[21]

「귀의 성」은 상하 양편으로 되어 있으며, 1906년부터 1907년까지 《만세보》에 연재 발표되고,[22] 1908년에 단행본으로 그 초판본이 발간[23]된 작품으로, 발표 당시는 물론 그 후 계속 많은 애독자를 지니고 가장 감명을 주었던 작품의 하나이다. 이 작품은 「치악산」과 더불어 신소설 중에서 가장 방대한 양을 가진 장편의 하나로, 「혈의 누」의 뒤를 이어 발표된 신소설의 초기작품 중의 하나이며, 이인직의 저작 중에서 「은세계(銀世界)」와 더불어 수작의 한자리를 차지하는 작품이기도 하다.

「귀의 성」은 그 주제가 참신하다거나, 사건내용이 특이하다거나 한 점은 별로 발견할 수 없으나, 그 저류에 흐르는 현실의 반영 및 항거의식을 높이 살 수 있다. 즉, 갑오경장 후의 몰락해가는 양반계급의 무력한 면을 가정 내의 갈등을 매개로 하여 폭로하는 동시에, 귀족 지배계급의 가렴주구에 견디다 못해 반발하는 피지배계급의 모습을 돈에 대한 욕망에서, 또는 신분관계의 속량(贖良)에 대한 갈구로서, 적으나마 근대적인 요소를 지닌 인간상을 통하여 그려냈다는 점이, 장면이나 사건의 묘사에 적잖은 관심을 기울였다는 점과 더불어 이 소설이 근대소설의 산하에 들어갈 수

---

21 졸고, 「모란봉」, 《사상계》 1956년 4월호 참조.
22 「귀의 성」은 광무(光武) 10년 (1906년)10월 14일에서 익년(翌年) 5월 31일까지에 15장 134회로 《만세보》에 연재되었다.
23 『귀의 성』 초판본은 융희(隆熙) 2년(1908년) 7월 25일 중앙서관(中央書館)에서 발간되었으며, 상편은 20장 (제15장 결(缺))의 장회(章回)로 나뉘어졌고, 하편은 분장이 없이 통편(通篇)으로 되어 있다.

있게한 가장 뚜렷한 거점이라 하겠다.

특히 재래의 고대소설이 고진감래의 인생관이나 권선징악적인 윤리관을 내세우기 위하여, 작품의 결말을 해피엔딩으로 끌고간 데 비하여,「귀의 성」에서는 작자가 끝까지 객관적인 위치에서 냉정하게 사건을 다루어 참상에 빠져가는 인물을 가는 대로 내버려 두고, 하등의 설교도 가하지 않은 것이 주목할 점이다. 거기에다 치밀한 구성과 사건전개의 빠른 템포 및 내용이 주는 비극성은 독자를 끝까지 박력있게 이끌어 강한 충격 속에 공명을 일으키게 하였다.[24] 김동인(金東仁)은 일찍이 이 작품에 대하여 다음과 같은 찬사를 보낸 바 있다.

> 한국(韓國) 근대소설(近代小說)의 원조(元祖)의 영관(營冠)은 이인직의 〈귀(鬼)의 성(聲)〉에 돌아갈밖에는 없다. 당시의 많은 작가(作家)들이 모두 작중(作中) 주인공(主人公)을 재자가인(才子佳人)으로 하고 사건(事件)을 선인(善人) 피해(被害)에 두고 결말(結末)도 악인필망(惡人必亡)을 도모할 때 이 작가(作家)뿐은 〈귀(鬼)의 성(聲)〉으로서 학대(虐待)받은 한 가련한 여성(女性)의 일대(一代)를 우리에게 보여주었다. (……) 여하(如何)턴 이 〈귀(鬼)의 성(聲)〉뿐으로도 이 작가(作家)를 한국(韓國) 근대소설(近代小說)의 조(祖)라고 서슴치 않고 명언(明言)할 수 있다.[25]

「치악산(稚岳山)」은 상하 양편이 다 이인직의 작인 것으로 알려져 왔으나 사실은 그렇지 않고, 상편은 이인직, 하편은 아속(啞俗) 김교제(金敎濟)에 의하여 저작된, 말하자면 상하편이 각각 저자가 다른 작품이다.[26] 이

---

24 졸고,「귀의 성」,《사상계》, 1956년 1월호 참조.
25 김동인(金東仁),『한국근대소설고(韓國近代小說考)』, p.182.

인직의 작인 상편은 융희 2년(1908년)에 출간[27]되었으며, 김교제의 작인 하편은 융희 연대로 올라가는 것은 없고, 1911년에 간행된 초판본이[28] 가장 오랜 것으로 된다.

「치악산(稚岳山)」은 계모를 중심으로 한 가정비극에 개화풍조가 함께 얽혀진 작품으로서, 그 주제는 계모를 둘러싼 고부간의 갈등, 갑오경장 이후의 신·구 사조의 대립, 신교육 사상의 고취, 미신타파 및 노복(奴僕) 등 하층계급의 반발의식 등이 다각도로 다루어져 있다. 계모 문제의 비극성은 가부장제 하의 대가족제도에서 완전히 벗어나지 못한 한국가정에 있어서 항다반으로 가정불화의 화근이 되어 온 만큼, 이 문제는 문학작품의 소

---

26 「치악산(稚岳山)」 단행본에는 상편 이인직, 하편 김교제(金敎濟)로 각각 저자가 명시되어 있을 뿐 아니라, 1912년 10월 30일자 《매일신보》에 게재된 「치악산」 발매 광고문에는 작자에 대한 다음과 같은 기록이 있다.

치악산   이인직
(稚岳山) 김교제(金敎濟)   공저(共著)   전일편(全一篇)   국판(菊版) 320혈(頁)
                                                        정가(定價) 70전(錢)

분량(分量) 국초(菊初) 이인직 상권(上卷) 200혈(頁)
                                40전(錢)
        아속(啞俗) 김교제(金敎濟) 하권(下卷) 120혈(頁)
                                20전(錢)

〈이 소설(小說)은 「귀(鬼)의 성(聲)」의 자매편(姉妹篇)으로 강호(江湖)에 정평(定評)이 있는 것이라, 국초(國初) 이인직씨(李人稙氏)의 비밀(秘密)한 상상(想像)과 곡진(曲盡)한 필법(筆法)으로 전반부(前半部) 사실(事實) 전개(展開)가 서술(敍述)되고, 아속(啞俗) 김교제씨(金敎濟氏)의 명쾌(明快)한 판단(判斷)과 교묘(巧妙)한 조직(組織)으로 후반부(後半部) 사실결합(事實結合)이 기록(紀錄)된 이 치악산(稚岳山) 일편(一篇)은 만천하(滿天下)의 상탄중(賞嘆中)으로 그 성가(聲價)를 뽐내나니 그 대체(大體)는 조선(朝鮮) 가정(家庭) 사회(社會)에 가장 큰 폐풍(弊風)인 고부관계(姑婦關係)를 개선(改善)하랴 함이라.〉

또한 이보다 1개월 먼저인 1912년 9월 25일자 《매일신보》에는 다음과 같은 광고문이 실려 있다.

〈「현미경(顯微鏡)」「비행선(飛行船)」 우(右) 이책(二冊)은 향일(向日) 「모란화(牧丹花)」「치악산(稚岳山)」 하(下)를 저(著)하여 강호(江湖)의 대갈채(大喝釆)를 박(博)하던 김교제군(金敎濟君)의 탁의(托意)한 소저(所著)라.〉

27 『치악산(稚岳山)』 상편(上篇) 초판본은 융희 2년(1908년) 9월 20일 유일서관(唯一書舘)에서 발행한 것이 가장 오랜 것으로 된다.

28 『치악산』 하편 초판본은 1911년 12월 28일 동양서원(東洋書院)에서 발행한 초판본이 현재로는 가장 오랜 것이다.

재나 주제로서 고대소설 이후 거의 유형화된 대상이다. 그러나 「치악산」이 재래적인 하나의 가정비극에만 머무르지 않고, 고대소설의 타성에서 벗어난 것은 퇴영적인 보수적 가정과 진취적 개화풍 가정의 대조를 보여주는 동시에, 몰락해 가는 봉건사회의 배경 속에서 노주(奴主)를 싸고 도는 현실의 단면을 반영하고, 신교육의 필요성을 주장·실천한 점에 있다고 하겠으며, 근대소설적인 의의 또한 여기에 찾아볼 수 있는 것이다.[29]

「은세계(銀世界)」는 융희 2년(1908년)에 발표된 작품[30]으로 이인직의 작품 중에서 가장 주제가 강하고 뚜렷하며, 한편 신극과 불가분의 관계를 지니고 있는 작품이다. 「은세계」의 초판본 표지에는 제목 「은세계」가 '신연극(新演劇)'의 표상으로 구도가 되어 있음을 볼 수 있다. 즉 '은(銀)'은 '신(新)' 자(字)의 소활자(小活字)가 모이어 이루어졌고, '세(世)'는 '연(演)' 자(字), '계(界)'는 '극(劇)' 자(字)로서 각각 자획(字劃)을 이루어 「은세계」는 바로 '신연극'에 관계되는 소설이라는 것을 나타내고 있다. 실제에 있어서 「은세계」는 1908년 11월 이인직 자신에 의하여 원각사(圓覺社)에서 이 땅 최초의 신연극 작품으로 무대의 각광을 받았던 것이다.

이 작품은 처음부터 끝까지 부패와 학정으로 양민을 수탈하는 양반 관료에 대한 한 평민 최병도(崔秉陶)의 현실고발과 항거로 일관되어 있으며, 끝머리에 가서 미국 유학에 의한 신교육의 필요성이 절규되고 또한 실천에 옮겨져 있다. 특히 이 작품에 나타난 또 하나의 특색은 「농부가(農夫歌)」, 「나뭇군 노래」, 「상두소리」 등의 민요적인 가요가 많이 삽입되고, 그 내용은 사회현실에 대한 비판이 풍자적으로 토로 호소되어 있어, 관권(官權)에 대한 민중의 반발의식을 더욱 고취하고 있다는 점이다.

■

29 졸고, 「치악산」, 《사상계》, 1955년 11월 호 참조.
    졸고, 「이인직 연구」, 《서울대학교 논문집》 인문사회편, 제6집 참조.
30 융희 2년(1908년) 11월 20일 동문사에서 초판본이 발간되었다.

순사도난 쇠구신

호방비장은 노랑수건

례방비장은 소경불한당

공방비장은 쵸랑이

회계비장은 갈강쇠

별실마마난 계집망난이

수청기생은 불여우

－「민요(民謠)」

도적질을 하더래도

사모바람에 거드러거리고

망난이짓을 하여도

금관자서슬에 큰기침한다

애－고 날 살려라

강원도 두메골에 살찐백성을 다잡아먹어도

피똥도 아니누고

배병도 없다네

애－고 날 살려라

－「나뭇군 노래」

이 주검이 무슨 주검인고

학정밑에 생주검일세

워－허 워－허

생때같은 젊은목숨

불연목에 맞어죽었네

워―허 워―허

– 「상두소리」

그러나 「은세계」는 상권만 발간되고, 하권은 끝내 발표되지 못하였다.[31]

3

이인직은 그 행적에서 보여주듯이 국가 존망지추(存亡之秋)에 친일의 선
봉에 서서 매국적 행위를 자행하였으며, 그의 작품 속에도 그러한 의식의
일면이 스며들고 있음을 엿볼 수 있게 한다. 그러나 그는 이른바 '서양소
설투(西洋小說套)'[32]의 소설, 곧 서구적인 근대소설 양식에 의거한 새로운
소설의 창작을 시도한 초기 작가의 한 사람이다.

소설 서두의 연대기적인 투식(套式)에서의 탈피, 지문과 대화의 분리 표
기, 언문일치 문장으로의 접근, 사실적인 묘사에 대한 관심, 입체적 구성의
시도, 소재의 현실성, 근대의식에 연관되는 신교육 · 자주독립 · 자유결혼
· 계급타파 등의 주제의 반영 등 여러 면에서 새로운 소설의 창작을 모색

31 졸고, 「은세계」, 《사상계(思想界)》, 1956년 2월호 참조.
    졸고, 「이인직 연구」, 《서울대학교 논문집》 인문사회편 제 6집 참조.
32 《만세보》, 1907년 4월 3일.
    차소설(此小說)을 독(讀)하면 국민(國民)의 정신(精神)을 감발(感發)하여 무론(無論) 남녀(男女)하고 혈루(血
    淚)를 가(可)히 쇄(灑)할 신사상(新思想)이 유(有)할지니, 차(此)난 서양소설투(西洋小說套) (방점 인용자)
    를 모범(模範)한 것이오니 구현자(購賢子)난 세독(細讀)하심을 망(望)함.

하였다.

뿐만 아니라 그는 연극 개량에도 관심을 가져 전기한 바와 같이 1908년 11월 자작 소설 「은세계」를 원각사 무대에 올려 처음으로 서구 근대극에 연관되는 '신연극' 공연을 가지기도 했다.

따라서, 이인직을 논하는 데 있어서는 인간과 작가의 문제가 늘 연계되어 논의될 수밖에 없는 시대와 작가의 상관성이 문제가 되고 있는 것이다. 아무튼 이인직은 한국문학사에 있어서 그 비중은 어떻든, 그리고 부정적이든 긍정적이든 간에 빼놓을 수 없는 문학사적 대상으로 되어 있는 것만은 부인할 수 없는 엄연한 사실이다.

(1981)

이광수(李光洙)의 문학관과 그 성격

1. 서언(序言)

20세기 한국문학의 70년사를 통하여 춘원(春園) 이광수(李光洙)만큼 많은 글을 쓴 사람도 드물거니와, 또한 그처럼 시시비비(是是非非)빈번하게 그리고 계속적으로 논의의 대상이 된 작가도 별로 없는 것으로 생각된다.

그는 시, 소설, 희곡, 평론, 수필, 기행문 및 논설 등 각 분야에 걸쳐 폭넓게 그리고 방대한 양의 문필활동을 하였을 뿐더러 또한 많은 독자의 호응을 받기도 했던 것이다.

그러나 그는 작가로서 자기 작품에 대한 평가와 시대적인 풍운아로서의 계몽적인 논설에 대한 비판과 그리고 식민지 치하에 있어서의 조국과 겨레에 대한 반민족적 행위에 따르는 심판마저 아울러 받아야 하는 복합적인 미묘한 위치에 놓여 있는 것이다.

만약 그가 문학작품만을 창작한 순수한 작가였든가, 또는 정치나 사회운동에만 전념한 지도자였든가, 그렇지 않으면 변절을 하지 않은 지사였든가 했다면, 그에 대한 평가는 오히려 단순했을 것이나, 그의 성품과 재질에 바탕을 둔 박학다식과 독선적인 유폐된 영웅주의는 그의 생애와 업적에 훨씬 복잡한 결과를 가져오게 했을 뿐더러 그에 대한 각양각색의 역사적인 판정을 내리게 한 소인이 되기도 했던 것이다.

춘원에 대한 연구나 평가는 그가 집필하던 당시부터 현재에 이르기까지 많은 논자에 의하여 다각도적인 방법으로 시도되어 여러 가지 분석적 결과가 나왔지만 그러한 성과의 대부분의 논조가 작품에 대한 절대적인 단정보다는 배경적인 조건과의 상관관계에서 도출된 상대적인 논단에 기울어지는 경향이 적지 않음은 그의 문필생활이 그가 처한 시대적 배경과 함수관계에 놓여 있었다는 역사적 실증에 기인한 것이라고 보아지기도 하는 것이다.

한편 춘원을 논할 때, 천재니 문호니 또는 거장이니 하는 선입관적인 직관 내지 감정의 개입이 작용하거나, 반대로 계몽주의문학이라는 대전제 아래 그의 전 작품을 한데 묶어 도매금으로 농단(壟斷)하려 하거나, 또는 그의 변절행위에만 역점을 두고 여타의 업적은 아예 도외시 내지 폄하(貶下)하려는 자세 같은 것은 다 같이 자칫하면 인간 춘원이나 그의 작품의 정곡에 접근하기 어려운 장벽을 만들어, 우회하거나 오단(誤斷)하기 쉬운 결과를 가져오게 할 우려가 없지 않은 것이다.

따라서 본고에서는 가능한 그의 문필 속에 나타나 있는 그대로의 춘원의 모습과 문학관을 더듬어 인간 춘원 및 작가 춘원의 본질을 추출하고 아울러 그 바탕 위에서 그의 작품을 구체적으로 분석 · 검토하는데 필요한 기초작업의 터전을 마련하고자 하는 것이다.

지금까지의 춘원에 대한 주요한 논고에서, 그의 작가적 성과를 평가한 업적들을 대충 종합하여 보면, 첫째 대체로 긍정적인 면에서 본 것, 둘째로 일부의 업적에 대하여는 긍정적이나 여타는 부정적인 것, 그리고 셋째로 거의 전적으로 부정적인 안목에서 본 것 등으로 대별할 수 있는 것 같다.

우선 첫째 항목에 해당된다고 보아지는 것을 추려 보면 다음 제씨(諸氏)의 소론(所論)에서다.

조선사람으로서 서양(西洋)사람의 말하는 의미(意味)의 소설(小說)

을 쓰기 시작(始作)한 것도 씨(氏)요 조선말로 평이(平易)하게 아름답게 사상(思想) 감정(感情)을 표현(表現)할 수 있다는 것을 가르쳐 준 것도 씨(氏)다. 또 씨(氏)에 이르러 구미(歐米)의 개인주의(個人主義)는 철저(徹底)히 고취(鼓吹)되어 자유연애(自由戀愛), 자녀중심(子女中心)이 굳게 주장(主張)되었다. (……)

사실(事實) 춘원(春園)이야말로 형식(形式)에 있어 내용(內容)에 있어서 정통적(正統的)인 당대(當代) 조선시민(市民)의 이데오로기를 문학적(文學的)으로 표현(表現)한 작가(作家)다.[1]

김태준(金台俊)은 이 땅의 소설을 고대로부터 1930년대까지 체계적으로 정리한 최초의 저서인 『조선소설사(朝鮮小說史)』에서 춘원을 평이한 조선말로 사상 감정을 표현하여 서양식 소설을 처음 쓴 정통적인 작가로 평하고 있음을 볼 수 있다.

한국(韓國) 신문학(新文學)의 『아버지』로서의 춘원(春園)의 지위는 누구나 이론(異論)이 없고 그것만으로 그의 사상(史上)의 위치는 부동이다. 그런 그의 창작(創作)과 논설(論說)은 소위 『계몽적(啓蒙的)』인 색채가 농후(濃厚)하다 함도 사실이다. 만년(晩年)에 와서 그의 필치와 사상(思想)은 새로운 비약(飛躍)의 싹이 트기 시작하였던 것을 우리는 주목한다.[2]

춘원(春園)은 우리가 귀중(貴重)히 받드는 최초(最初)요, 최대(最大)의 작가(作家)입니다. 여기서 『최초(最初)』라 말하는 것은 우리의 신

■

1 김태준(金台俊), 『한국소설사(韓國小說史)』, 학예사(學藝社), 1939, pp.252~5.
2 주요섭(朱耀燮), 「춘원(春園)의 인간(人間)과 생애(生涯)」, 《사상계》 6권 2호, 1958.

문학(新文學)이 춘원(春園)으로부터서 시작된 까닭이요, 『최대(最大)』
라 말하는 것은 신문학(新文學) 발전(發展) 50년 동안 지금까지 춘원
(春園)만큼 커다란 존재(存在)가 나타나지 못하고 있는 까닭입니다.[3]

우리나라 근대문학(近代文學)을 수립(樹立)함에 있어 그 공로자(功勞
者)의 한사람은 누가 무엇이라고 하더라도 춘원(春園) 이광수(李光洙)
는 떼어 놓을 수 없다. 춘원(春園) 이광수(李光洙)는 문학(文學)에서
일어나고 문학(文學)에서 죽었다고 보아도 과언(過言)이 아닌 문학가
(文學家)다.[4]

주요섭(朱耀燮)은 춘원을 신문학의 아버지로 보는 동시에 그의 만년에
이르는 작품에까지도 의의를 부여하려 하고 있고, 김팔봉(金八峯)은 춘원
을 신문학 50년사에 있어서 최초 근대의 작가로 보고 있고, 홍효민(洪曉
民)은 근대문학 수립의 공로자(功勞者)로 볼뿐더러 춘원의 생애가 문학에
서 시작되어 문학 속에서 끝난 것으로 논하고 있음을 볼 수 있다.

춘원(春園)의 작품(作品)에 나타난 자유(自由)스러운 감정(感情)의 용
출(湧出)…… 그 분류중(奔流中)에 나는 즐겁게 뛰어 들어갔다. 낡은
도덕관념(道德觀念)을 깨뜨리는 신도덕관념(新道德觀念)의 열화(熱火)와
같은 선언(宣言)을 보는 나는 또한 박수(拍手)를 보내지 않을 수 없었
다. 이러한 반항적(反抗的)인 것이 정서(情緒)로 나타날 때 그의 작품
(作品)에는 자유연애(自由戀愛)의 불놀이가 어둔 하늘을 찬란(燦爛)케
하였다. 나도 밤이 새는 줄을 모르고 그것을 쳐다보며 즐기었다.[5]

---

3 김팔봉(金八峯), 「작가(作家)로서의 춘원(春園)」, 《사상계》 6권 2호, 1958.
4 홍효민(洪曉民), 「춘원(春園) 이광수론(李光洙論)」, 《현대문학》 5권 7호, 1959.

우리나라 작가중에서 넓은 학문적인 교양을 가진 작가가 드문 중에서 춘원(春園)이 오직 예외이다. 우리 신문학가(新文學家) 중에서 춘원(春園)이 대작가(大作家)의 풍모를 거느린 것은 그의 해박(該博)한 학문적(學問的) 지식과 거기서 오는 여러 가지를 종합한 도덕적인 상상성에서 느껴지는 문학적(文學的) 중량(重量)일 것이다.[6]

평론가요, 문학사가인 박영희(朴英熙)는 춘원의 작품 속에 나타난 신도덕관과 기성윤리에 대한 반항적인 애정관에 공명했을 뿐더러 하나의 독자로서의 공감까지 표출했고, 백철(白鐵)은 춘원을 해박한 학문적 바탕 위에 선 대작가로 평가하고 있음을 볼 수 있다.

이런 지나간 그의 업적(業績)을 돌아다 볼 때 하나하나 보석으로 빛을 발(發)하는 그의 일생(一生)이언만 그가 사랑한 그의 나라는 너무 그에게 반응(反應)이 없었다. 불쌍하고 고독한 그의 최후(最後)!![7]

모윤숙(毛允淑)은 다분히 정감에 넘치는 표현이지만, 춘원은 보석 같은 업적에 비하여 그 반응을 얻지 못한 고독한 작가라고 술회하였다.

무정은 조선의 신문학상(新文學上) 이러한 점만으로도 불후불멸(不朽不滅)의 큰 공적을 남겼다 할 것이다.[8]

---

5 박영희(朴英熙), 「초창기(草創期)의 문단측면사(文壇側面史)」, 《현대문학》 5권 8호, 1959.
6 백철(白鐵), 「춘원(春園)의 문학(文學)과 그 배경(背景)」, 《자유문학》 5권 8호, 1959.
7 모윤숙(毛允淑), 「춘원추모기(春園追慕記)」, 《현대문학》 8권 12호, 1962.
8 조영암(趙靈巖), 『한국근표작가전(韓國近表作家傳)』, 수문관(修文館), 1953, p.215.

조영암(趙靈巖)은 『한국대표작가전(韓國代表作家傳)』 이광수(李光洙)편에서 「무정(無情)」에 나타난 등장인물의 전형성, 어문일치의 구체화 등을 들어, 춘원을 조선 신문학사상 불후불멸의 공적을 남겼다고 논평하였다.

이상에 예시한 논평들은 대부분 춘원과 거의 같은 시대 내지 약간 시간적인 거리를 두고 문학활동을 하였거나, 춘원을 직접 접할 수 있었던 사람들의 견해이지만, 춘원에 대한 개인적 접촉보다 그의 작품만을 객관적으로 접하게 된 해방 후의 논진(論陣)들에 의한 춘원 평을 다음에 적시(摘示)하고자 한다.

> 필자(筆者)는 서슴지 않고 춘원(春園)을 한국신문학(韓國新文學) 50년사상(年史上) 최대(最大)의 작가(作家)라고 인정한다는 점이다.[9]

> 춘원은 그가 신문학 초창기의 선구자라는 사실을 논외로 하더라도 여전히 우리문학사의 거장임을 부인할 수 없을 만큼 비중이 큰 작가인 것이다.[10]

김붕구(金鵬九)는 「신문학(新文學) 초기(初期)의 계몽사상(啓蒙思想)과 근대적(近代的) 자아(自我)」 속에서 춘원을 한국 신문학 50년 사상 최대의 작가로 인정하였으며, 이형기(李炯基)는 춘원의 업적에서 일반적으로 높은 비중을 두는 초창기 선구자라는 점을 논외로 하고라도, 춘원을 우리 문학사의 거장으로 보고, 김동인(金東仁)의 「춘원연구(春園硏究)」의 가혹성을 비판하면서 춘원(春園)을 비호하고 있음을 볼 수 있다.

---

9 김붕구(金鵬九), 「신문학초기(新文學初期)의 계몽사상(啓蒙思想)과 근대적(近代的) 자아(自我)」, 『한국인(韓國人)과 문학사상(文學思想)』, 일조각(一潮閣), 1964, p.14.

10 이형기(李炯基), 「춘원연구(春園硏究)의 재검토(再檢討)」, 《문학사상(文學思想)》 창간호, 1972.

다음 김우종(金宇鍾), 신동한(申東漢), 유종호(柳宗鎬) 등 제씨(諸氏)의 소론(所論)을 살펴보기로 하겠다.

춘원(春園)은 고금(古今)을 통(通)한 이 나라의 소설사상(小說史上) 가장 큰 비중(比重)을 차지하는 작가(作家)다. 지금까지 이 나라의 소설사상(小說史上) 그의 공적(功績)에 비견(比肩)할만한 것을 남긴 작가(作家)는 아무도 없다.[11]

1917년의 그의 장편(長篇) 〈무정(無情)〉이 우리나라 신문학에서 언문일치(言文一致)의 소설(小說)로서 효시가 된다는 점에 있어서나 또는 그 후의 많은 장단편소설(長短篇小說)과 시가(詩歌) 그리고 시론(時論)의 발표에 있어서 아직 한국문학(韓國文學)에 있어서 춘원(春園)만큼 영향력을 끼친 사람은 없다.[12]

이광수(李光洙)는 우리에게 현존(現存)하는 과거(過去)다. 유행가사(流行歌詞)와 비슷한 표제(表題)를 붙인 참신한 철학자의 저서보다도 과거의 인물인 이광수(李光洙)를 읽어보라고 청년들에게 서슴지 않고 권하고 싶다.[13]

김우종은 춘원의 초기작품을 거의 망라하여 분석한 「춘원문학연구(春園文學硏究)」에서 춘원을 한국소설 사상 최고의 작가로 보았고, 신동한은

■

11 김우종(金宇鍾), 「춘원문학연구(春園文學硏究)」, 《충남대학교(忠南大學校) 논문집(論文集)》 인문사회과학편(人文社會科學篇), 제5집, 1966, p.35.
12 신동한(申東漢), 「이광수론(李光洙論)」, 《월간문학(月刊文學)》 2권 7호, 1969.
13 유종호(柳宗鎬), 「어느 반문학적(半文學的) 초상(肖像)」, 《문학춘추(文學春秋)》 1권 8호, 1964.

춘원이 초기와 후기의 소설, 시 및 시론 등을 통하여 영향력이 가장 큰 작가로 보고 있으며, 유종호는 이광수의 작품이 당시대에 한정된 것이 아니라, 현재에까지도 살아 있는 과거라고 논급하고 있음을 볼 수 있다.

이상의 춘원에 대한 긍정적인 평가들에 비하여 다음에 예시하는 제씨(諸氏)들은 춘원의 초기의 업적을 긍정하고 후기를 부정하거나, 또는 어느 일면은 긍정하나 다른 면은 부정하는 등 부분적인 긍정을 보이는 예에 속한다.

조선(朝鮮)의 소설가(小說家) 가운데서 그 지식(知識)의 풍부(豊富)함과 그 경험(經驗)의 광범(廣汎)함과 교양(敎養)의 많음과 정력(精力)의 절륜(絶倫)함과 필재(筆才)의 원만(圓滿)함이 춘원(春園)을 따를 자(者) 없다.14

(……) 새로운 감정(感情)이 포함된 소설(小說)이 조선(朝鮮)에 나타난 효시(嚆矢)로도 〈무정(無情)〉은 특필(特筆)할 가치(價値)를 가졌다.15

김동인은 1929년에 「조선근대소설고(朝鮮近代小說考)」를 발표하고 10년 후인 1939년에 「춘원연구」를 발표하여, 춘원의 작품 및 논설 등에 걸쳐 폭넓은 분석 검토를 시도하여 최초로 춘원에 대한 작가연구를 집대성했을 뿐더러, 가장 신랄하게 춘원을 비판한 사람이다.

그는 이들 논고에서 심한 폭언으로 처처에서 춘원을 극구 비난하면서도 춘원의 작가적인 재질을 인정하고, 「무정」에 대한 한 가닥의 긍정을

14 김동인(金東仁), 「조선근대소설고(朝鮮近代小說考)」, 『동인전집(東仁全集)』 8권, 홍자출판사(弘字出版社), 1964, p.589.
15 김동인(金東仁), 『춘원연구(春園研究)』, 신구문화사(新丘文化社), 1956, p.52

보여 소극적인 긍정, 적극적인 부정의 태도를 보여줌을 엿볼 수 있게 하는 것이다.

한국(韓國) 최초(最初)의 근대문학자(近代文學者)로서 남긴 그의 개척적(開拓的)인 공적(功績)은 한국현대문학사상(韓國現代文學思想)에 있어 가장 중요(重要)한 위치(位置)에 놓여져 있는 것이다.[16]

ㄱ 초기에는 충분히 문학사상 의의가 인정될 정도로 전위적이고 패기에 차 있었던 게 그였다.[17]

어떤 의미에서든지 (……) 이광수의 문학사적 위치는 부정할 수 없는 일이지요.[18]

〈무정〉에 의하여 비로소 우리는 근대소설이라는 이름에 합당한 문학적 창작을 가지게 되었다. 문학적 세련이라는 면에서 이 작품은 실로 획기적인 의의를 지니는 것이다. 세밀한 묘사와 비교적 치밀한 심리분석 및 언문일치(言文一致)에 거의 육박하는 산문체(散文體) 등은 이광수가 처음으로 개척한 영토였다.[19]

조연현(趙演鉉)은 현대문학사상에 있어서의 춘원의 개척자적인 공적을 중요시하였고, 김용직(金容稷)은 춘원의 초기문학의 사적(史的) 의의를 거

■
16 조연현(趙演鉉), 「이광수론(李光洙論)」, 『휴일(休日)의 의장(意匠)』, 인간사(人間社), 1957, p.198.
17 김용직(金容稷), 「통념(通念)과 작품(作品)의 진실(眞實)」, 《현대문학(現代文學)》 창간호, 1972.
18 김현, 「이광수(李光洙)와 개화기(開化期)의 문학(文學)」, 《문학사상(文學思想)》 창간호, 1972.
19 염무웅(廉武雄), 『일제시대(日帝時代)의 항일문학(抗日文學)』, 신구문화사(新丘文化社), 1974, p.171.

론하였으며, 김현 또한 문학사적인 위치라는 점에 역점을 두고 있으며, 염무웅(廉武雄)도 「무정」을 예로 들어 근대소설의 개척자로서의 의의를 강조하고 있는바, 이들이 모두 신문학 초기의 개척자 내지 선구자라는 문학사적 의의에 중점을 두고, 춘원 작품 자체의 예술적인 가치문제에는 그다지 큰 의의를 부여하고 있지 않음은 거의 공통되는 견해라고 볼 수 있는 것이다.

또한 다음에 예시하는 안동민(安東民)의 경우에는 그의 「춘원연구(春園研究)」에서 춘원을 위대한 작가라고 본 것이 아니라, 인간적인 작가로 본다는 결론에 도달했음을 보여주는 것이다.

춘원(春園)은 확실히 예술가(藝術家)는 예술가(藝術家)였고 위대(偉大)한 작가(作家)까지는 못 간다 하더라도 적어도 우리나라에 드물게 보는 너무나 인간적(人間的)인 작가(作家)였다는 것이 내 결론이다.[20]

한편 이들과는 달리 김동석(金東錫)을 비롯한 다음에 열거하는 제씨(諸氏)들은 춘원문학을 거의 부정적인 면에서 비판하고 있음을 볼 수 있다.

향산광랑(香山光郞)의 언행(言行)과 이광수(李光洙)의 문학(文學)을 구별(區別)해서 보라는 의미(意味)가 향산광랑(香山光郞)의 죄(罪) 때문에 〈무정(無情)〉이라든가 〈흙〉이라든가 〈무명(無明)〉이라든가 하는 이광수(李光洙)의 문학(文學)까지 덮어놓고 나쁘다고 해서는 아니 된다는 의미(意味)라면 나도 찬성(贊成)이다.[21]

20 안동민(安東民), 「춘원연구(春園研究)」, 『익춘(益春)』, 수도문화사(首都文化社), 1961, p.289.
21 김동석(金東錫), 「위선자(僞善者)의 문학(文學)」, 『뿌르조아의 인간상(人間像)』, 탐구당서점(探究堂書店), 1949, p.61.

춘원(春園)의 성인(聖人) 군자(君子) 애국자연(愛國者然) 하는 태도 (態度)가 이렇게 『불타는 애욕』을 누르려는 수단(手段)에 지나지 않는다는 것은 위선자(僞善者)로서의 그의 본질(本質)을 설명(說明)하는 열쇠가 될 것이다. 그가 내세우는 사랑이니 무슨 주의(主義)니 무슨 도(道)니 하는 것이 민족(民族)의 역사(歷史)나 과학적(科學的) 진리(眞理)나 인민(人民)의 노동(勞動) 같은 객관적(客觀的)인 것에서 울어나온 것이 아니고, 경중미인(鏡中美人) 같은 이광수(李光洙) 개인(個人)의 『리비도』에 뿌리를 박고 있는데 지나지 않기 때문에 변(變)하기를 잘한다. 민족주의(民族主義) 됐다가 황도주의(皇道主義) 됐다가 이제와서는 이상(異常) 야릇한 방공주의(防共主義)를 제창(提唱)하는 것이 다 그 까닭이다.22

춘원(春園)의 소설(小說)에 나오는 주인공(主人公)이 성인군자(聖人君子)거나 애국지사(愛國志士)거나 영웅호걸(英雄豪傑)다운 데가 없고, 『바쁘게 머리와 입을 움직이고』기껏해야 아름다운 여자(女子)하고 껴안거나 한 방(房)에서 자도 『아모르겐』이라는 『애(愛)의 인자(因子)』가 아니라 『금(金)』을 의미(意味)하는『아우라몬』이 혈액(血液)에 나오는 까닭은, 춘원(春園)이 관념적(觀念的)으로는 성인군자(聖人君子), 애국지사(愛國志士), 영웅호걸(英雄豪傑)이로되 행동적(行動的)으로는 이기적(利己的), 자기중심적(自己中心的) 소인(小人)에 불과(不過)하기 때문이다.23

김동석은 그의 '위선자(僞善者)의 문학(文學)'이라는 제하(題下)의 이광

■

22　김동석(金東錫), 동상(同上), p.85.
23　김동석, 동상, p.93.

수론(李光洙論)에서 철두철미하게 인간 이광수 및 그의 문학을 위선과 민족에 대한 배반에 초점을 두어 극언으로 통박하고 있으며, 앞에 인용한 첫 예의 경우도 자칫 일부의 조건부 긍정인 것처럼 느껴지기 쉬우나, 기실 긍정적 부정의 표현방식이라는 것은 전편(全篇)의 논조에서 즉각 감지될 수 있는 것으로, 그는 춘원의 그같은 귀결을 이기적, 자기중심적 소인성(小人性)에 연유된 것으로 단정하고 있는 것이다.

이에 비하여 다음 제씨들은 완곡히 부정적인 태도를 보이고 있음을 규지(窺知)할 수 있게 한다.

사실(事實)『동키호테』적(的)이요『루딩』적(的)인 민족주의(民族主義)의 인물(人物)을 창조(創造)한 춘원(春園)은 그 시대(時代)의 현실(現實)을 과학적(科學的) 실증적(實證的)으로 인식(認識)하기보다는 오히려 그 자신(自身)의 교양(教養)과 이상주의(理想主義)에 의(依)해서만 준비(準備)된 선입관(先入觀)으로서 현실(現實)을 재단(裁斷)한 인간(人間)이었기 때문에 그의 생활(生活)과 정신(精神)도 결국『동키호테』나『루딩』에 벗어나지 않는 일생(一生)을 마쳤음을 우리는 잘 알고 있다.[24]

춘원(春園)은 새로운 시대(時代), 신천지(新天地)를 꿈꾸되, 그것을『예술적(藝術的) 이상사회(理想社會)』나 혹은『예술공화국(藝術共和國)』이라 이름지을 수 있는 어느 영역(領域)에다 마련하려 하였던 유토피언이었던 것이다. 중요(重要)한 것은 바로 이 점(點)이다. 비록 냉엄(冷嚴)한 역사의식(歷史意識), 현실의식(現實意識)이 결여(缺如)되어 있었기에 그 아름다운 지역(地域)들이 필경(畢竟)은 신기루(蜃氣樓)일 수밖에 없

---

24 정태용(鄭泰鎔), 「한국적(韓國的) 동키호테상(像)」, 《현대문학(現代文學)》 6권 6호, 1960.

었기는 했으나, 그는 적어도 그 당시(當時)로는 그의 아름다운 영토(領
土)의 환영(幻影)에 취(醉)해 있었던 것이다.25

　민족(民族)의 현실적(現實的) 수난하(受難下)에서 근대적(近代的) 인
간(人間)을 어떻게 형성하느냐는 괴로운 문제와 대결하는 대신에 그
는 수난(受難)의 현실(現實)에서 초탈(超脫)된 유토피아니즘으로 달려
갔다. 일정한 이데올로기를 요구하는 사회계층(社會階層)의 부존재(不
存在)는 그로 하여금 민중(民衆) 위에 군림하면서 제개념(諸槪念)과 구
호(口號)의 잡연(雜然)한 전시를 할 수 있는 자유를 부여하였다.26

　정태용(鄭泰榕)은 춘원이 한국의 시대적인 현실을 과학적 실증적으로
인식하지 못하고 선입관으로 재단하였기 때문에 허황한 한국적 동키호테
상(像)을 그렸고, 아울러 그 자신의 생활이나 정신도 동키호테나 루딩을
벗어나지 못한다고 논평하였다.
　또한 김열규(金烈圭)는 그의 「이광수(李光洙) 문학론(文學論)의 전개(全
開)」에서 역사의식과 현실의식이 결여된 유토피언인 춘원은 신기루 같은
자신의 환영 속에 빠져 있었다고, 이광수의 문학론 전체를 근본부터 부정
적인 각도에서 비난하였고, 정명환(鄭明煥)은 춘원이 시대적인 수난의 현
실에서 초탈된 유토피아니즘으로 민중 위에 군림하여 잡연(雜然)한 구호
를 전시했음에 불과하다고 논단(論斷)하였음을 볼 수 있다.

　춘원의 〈무정(無情)〉〈개척자(開拓者)〉까지의 초기작품(初期作品)은 문

━━

25　김열규(金烈圭), 「이광수(李光洙) 문학론(文學論)의 전개(全開)」, 『한국근대문학연구(韓國近代文學研
究)』, 서강대학(西江大學) 인문과학연구소(人文科學研究所), 1969, p.44.
26　정명환(鄭明煥), 「이광수(李光洙)의 계몽사상(啓蒙思想)」, 《성곡논총(省谷論叢)》 제1집, 1970, p.394.

학사상(文學史上) 신소설(新小說) 영역(領域)에 넣어야 한다.[27]

한편 송민호(宋敏鎬)는 춘원의 작품을 광범위하게 예증분석한 결과로, 이 같이 그의 초기작품은 신소설(新小說)영역에 넣어야 한다는 견해를 내세워, 계몽의식(啓蒙意識)과 예술적인 표현면에서 춘원을 신소설(新小說) 작가 이인직과 동계열(同系列)로 다루고 있음을 볼 수 있는 것이다.

2. 인간 춘원

1 자화상(自畵像)

춘원은 1892년 평북(平北) 정주(定州)에서 몰락해 가는 가정의 장손으로 태어나 양친과 더불어 빈궁 속에서 허덕이던 중 11세 때 괴질(怪疾)로 아버지와 어머니를 1주일 간격을 두고 차례로 잃어 고아가 되었으며, 남겨진 노조부(老祖父)와 3남매는 뿔뿔이 헤어진 뒤 작은누이동생마저 그 다음해 이질로 요사(夭死), 앞길이 막막하던 중 13세에 진남포에서 선편(船便)으로 인천을 거쳐 상경, 그해 가을 다시 도일(渡日)하여 고학 또는 유지의 후원으로 학업을 닦는 역경 속에서 소년기를 보냈음은 그의 연보에 나타나 있는 일이지만, 이러한 자기의 생장(生長) 환경을 춘원(春園) 자신의 술회에서 더듬어 보면 다음과 같다.

뗄 나무는 내 손으로 날마다 닭의 똥만큼씩 해 온다 하여도 양식은

27 송민호(宋敏鎬), 「춘원(春園) 초기작품(初期作品)의 문학사적(文學史的) 연구(研究)」, 《고대육십주년기념논문집(高大六十周年記念論文集)》 인문과학편(人文科學篇), p.115.

구할 도리가 없었고, 인제는 팔아먹을래야 팔아먹을 것도 없었다. 있
다면 지금 들어있는 집—집이라 하기보다는 짓다가 중도에 내버린 것
밖에 없었으나 그것도 김 상사네 터에 지은 것이라 아무도 탐낼 것이
못되었다. (……)

『쌀이 떨어졌는데.』

하고 어머니는 빈 바가지를 들고 들어왔다.

아버지는 말이 없었다.

꼭 이날인지는 몰라도 내가 밖에서 들어오니까 아버지는 꿇어앉아
서 칼로 목을 겨누고 있었다. 그 칼은 어린 누이 동생이 나물 캐러 가
지고 갔다 온 시칼이었다. 나는 으아하고 울음이 터지면서 아버지 팔
에 매달려서 그 칼을 빼앗았다.[28]

어머니 생전에는 불이 붙게 가난해서 밥을 굶을 지경이면서도 생
일이면 그냥 지내보내지는 아니하였다. 그러나 어머니 없으시니 내
생일도 없었다.[29]

춘원은 10세 미만의 어린 나이에 땔나무를 해와야 했고, 쌀은 떨어졌
으나 인제 더 팔아먹을 것도 없고, 어머니보다 20세나 연장인 아버지는
처자 앞에서 목에 식칼을 대고 목숨을 스스로 끊으려 하는 극에 달한 적
빈(赤貧)은, 이 장면만으로도 능히 짐작할 수 있게 하는 것이며, 그것이
양친 사별 후는 더욱 극심했음을 알 수 있게 하는 것이다.

어린 시설부터 싹트기 시작한 춘원의 곤궁에 대한 비굴감은 청혼사건
을 계기로 더욱 조장되는 것이다.

■

28 『이광수전집(李光洙全集)』(이하 전집이라 약칭) 11권, pp.365~6(「나」 소년편(少年篇)).
29 동상. p.389.

『내 딸을 데려다가 무엇을 먹일텐가?』하던 김의관의 말을 생각하면 지금도 주먹이 불끈 쥐어지고 식은 땀이 흘렀다. 그것은 아버지가 돌아가기 바로 두어달 전 일이다. 아버지는 어머니의 며느리 보고 싶어 하는 마음을 채워주려고, 아마 또는(부끄러운 말이지마는) 그와 동시에 먹을 것까지 얻어볼 허욕으로 하루는 나를 데리고 섬바위 김의관 집에를 갔다. 그는 아버지와 동년배 되는 친구요 부자였다. 그는 이천냥을 쓰고 중추원 의관을 얻어 하여서 옥관자를 붙인 사람이었다. 그는 명주옷을 입고 탕건을 쓰고 사랑 아랫목에 도사리고 있었다. 그의 조그마한 얼굴에는 주름은 있었으나 기름기가 있었고 어딘지 모르게 귀골인 듯 어엿한 데가 있었다. 거기 비겨서 아버지는 폐포파립인 데다가 간골은 톡 불거지고 두뺨은 쪼그라지고 눈은 저공에 걸리고 궁상에 험상을 겸한 것 같았다. 아버지는 돌아갈 임박은 뼈와 가죽뿐이어서 목이 엉성하고 살먹만 툭 두드러져 있었다. 뽐내는 태까지 인제는 기운이 줄어서 앉은 자세를 꼿꼿하게 하기가 힘드는 모양이었다. 이러한 아버지와 김의관이 떡 버티고 앉아서 두손으로 버선발을 만지는 양을 대조하면 내 어린 마음이 슬펐다.

이러한 판에 아버지는 염치 없이도 김의관의 막내딸을 내 아내로 달라는 말을 꺼낼 때에 나는 쥐구멍으로 들어가고 싶었다. 그러면서도 나는 김의관의 얼굴을 꼭 지켜 보고 있었다.

김의관은 소리 안나는 코웃음을 하면서,

『자네 내 딸을 데려다가 무엇을 먹이려고 그러나.』

할 때에 몸부림을 하고 울고 싶었다.

『자네 딸에 먹을 것을 얹어 주게그려.』

아버지는 이런 말을 하였으나 물론 그 말이 통할리가 없었다. 이날의 망신은 내가 평생에 잊을 수가 없는 것이었다. 그러나 나는,

〈인제 두고만 보아라. 네가 나를 사위로 아니삼은 것을 후회할 날

이 있으리라.)

하고 풀죽은 아버지를 따라서 집에 돌아오는 길에 나는 이렇게 속으로 중얼거렸다.[30]

김의관의 딸에 대한 결혼문제가 있은 지 50년이 지난 후에 쓴 위의 글에서, 춘원은 지금도 그때 일을 생각하면 "주먹이 불끈 쥐어지고 식은 땀이 흐른다"고 하였을 뿐더러 이 날의 망신은 "평생에 잊을 수가 없는 것"이라고까지 했다.

철부지 어린 아들을 앞세워 서로 지체가 맞지 않는 처지에 혼인을 청하여 "자네 내 딸을 데려다가 무엇을 먹이려고 그러나" 하는 모욕적인 언사에 오불관언(吾不關焉), "자네 딸에 먹을 것을 얹어 주게그려" 하고 응수하는 아버지의 "먹을 것까지 얻어볼 허욕"의 파렴치는 잠시 접어두고 아들의 굴욕과 비굴과 분노를, 그리고 보복어린 결의를 직감하게 되는 것이다.

빈궁으로 말미암은 춘원의 혼인에 대한 이같은 열등감의 콤플렉스는 소멸되지 않고 다음 단계로 지속됨을 볼 수 있다.

고향에는 늙은 조부도 있고 어린 누이도 있으니 한해에 한번씩은 돌아오는 것이 마땅하건마는 고학하다시피 하는 외국유학에 그렇게 왔다갔다 할 여비가 없었다. 또 고향에 돌아오기로서니 간데마다 푸대접이 기다릴 뿐이요 나를 환영할 집이 없는 것도 한 이유일지 모른다.

부끄러운 일이어니와 내 초라한 꼴을 실단의 집에 보이고 싶지 아니하였다.

(……) 나이 이십이 가까우니 장가 들고 싶은 생각이 상당히 강하

■
30 동상. pp.394~5.

였다. 게다가 설단이를 그리워하는 마음이 억제하기 어렵도록 강하였
다. 나는 몇번이나 설단이 아버지에게 내 뜻을 고하는, 이를테면 청혼
편지를 썼으나 하나도 부치지는 아니하고 다 찢어버렸다. 집도 한간
없는 중학생 녀석이 남의 딸을 노리는 것이 몰염치한 것 같았고, 그
렇다고 해서 내가 성공하여 처자를 칠만한 힘이 생길 시기까지 설단
이를 시집보내지 말고 기다리게 하여 달라는 것은 더욱 뻔뻔스러울
일이었다. (……)31

조부님을 모시려면 살림을 차려야 하고 살림을 차리자면 장가를
들어야하고, 또 집을 장만해야 하고 직업을 구해야 할텐데.
　나는 부지깽이로 공연히 아궁이 앞을 쑤시면서 생각하였다.
　실단이한테 장가들 수가 있을까. 그것은 어려운 일일 것 같았다.32

먼저의 경우는 철부지 어린이가 부모의 의사로 미지의 혼인대상에게
끌려간 경우지만, 후자의 경우는, 자기 자신 호의를 가지고 애정을 느낄
뿐더러, 상대편 당사자인 실단이도 애정표시를 하고 있지만, 자신이 경제
적인 부양능력이 없는 것에 지레 실의에 빠져, 상대의 부모에게 적극적으
로 구혼을 하지 못하여 결국에는 기회를 놓치는 결과로 되고 마는 것이다.
　이 두 가지 혼담에 대한 비굴과 반발은 춘원의 의식 속에 깊이 잠재하
여 백혜순(白惠順)과의 결혼생활을 지속시키지 못한 원인(遠因)이 되게 했
을뿐더러, 「어린벗에게」를 비롯한 문학작품 및 「자녀중심론」 등 논설에
그 의도가 산견(散見)됨을 볼 수 있고, 허영숙(許英肅)과의 재혼에서 어느
정도 해소된 듯도 하지만, 결국 그러한 반발은 유폐된 영웅주의의 모태가

■

31　동상, p.390.
32　동상, p.394.

되기도 했던 것으로 보아진다.

그러기에 춘원은 굳센 의지의 씩씩한 사나이라기보다는 차라리 나약한 지식인의 대표격이라고 보는 것이 더 옳을지도 모른다.

그러나 나는 불의(不意)에 눈을 떴다. 그 보기 무서운 나의 얼굴은 아주 선명(鮮明)하게 거울에 비치었다—아아 나는 마침내 나의 얼굴을 보고야 말았다.

그 핏기 없고 얼빠진 듯한 얼굴, 피곤(疲困)하고 졸리는 듯한 흐릿한 눈, 푹 풀어진 그 입, 누렇게 여윈 두 뺨, 넓적하고 콧물 흘리는 그 코, 주름 잡히고 가죽 엷은 이마—게다가 몸에 들어 맞지 아니하는 보기 흉한 그 옷, 광택(光澤) 없는 거칠거칠한 머리털은 한가운데를 턱 갈라, 값싸고 천(賤)한 향(香)내 나는 밀기름으로 재어 붙이고, 여러 날 빗질 아니한데다가 더러운 방(房)에 뒹굴어 먼지가 더덕더덕 올라 마치 그 밑에서 구더기가 생겨날 듯하다.[33]

이것은 1917년 「무정」이 《매일신보(每日申報)》에 연재되고 있을 무렵에 발표된 것으로 춘원이 자신의 모습을 거울에 비춰보고, 자화상을 스스로 그린 것인데 속칭 '창백(蒼白)한 인텔리'라고 일컫는 그러한 일상의 일면을 연상시키는 바 없지 않다.

또한 그는 자기 자신이 마음이 약하고 실미지근함을 스스로 토로한 바도 있다.

나는 마음이 약하여 남의 말을 거절 못하는 성미가 어려서부터 있

---

33 외배, 「거울과 마주앉아」, 《청춘(青春)》 7호, 1917.

었다. 이것이 많은 불행의 원인이 되었다[34]

　누이야 너도 알거니와 과거(過去)의 내 생활(生活)은 참 실미지근하였다. 사랑의 생활(生活)에 제일(第一) 큰 병(病)이 이 『실미지근함』인 것 같다. 나는 불덩어리가 될란다. 빨갛게 작열(灼熱)한 불덩어리가 되어서 마치 벼락불 모양으로 빙글빙글 돌아가면서 닥치는 대로 뜨겁게 하고 태우고 말란다. 『뜨겁게, 뜨겁게, 뜨겁게 살자』함이 내 소원(所願)이오, 내 이상(理想)이다. 나는 오늘 생일(生日)로 뜨거운 내 생활(生活)의 신기원(新紀元)을 삼을란다. 그리고 평생(平生)에 16세(歲)의 뜨겁고 뜨거운 소년(少年)으로 뜨거운 노래를 부를란다.[35]

　「문(問)」 선생(先生)의 자화상(自畫像)
　답(答). 나는 할 수 있는 대로, 내 마음 본질(本質) 그대로 얼굴에 표(表)하기를 원하나, 그렇게 되는지 알 수 없읍니다. 내 성격(性格)은 의리(義理)에 있어선 편협하도록 힘과 열을 아끼지 않으나, 항시(恒時) 과단성(果斷性)이 부족(不足)하여 오해받는 일이 많습니다.[36]

　맨 처음 것은 어린 시절의 자신을 회상한 것으로, 마음이 약하고 남의 말을 거절 못하는 나약함을 수긍했고, 다음 것은 1917년 만 25세가 된 자신의 과거를 돌이켜 본 것인데 철저하지 못하고 "실미지근한" 자신의 성격을 스스로 비판하여, 이제부터 뜨겁게, 16세의 뜨겁고 뜨거운 소년으로 살리라고 생일을 기점으로 신기원을 이룩할 것을 다짐한 글이다.

■

34　전집 11권, p.368(「「나」 소년편(少年篇)」).
35　전집 14권, p.280(「25년을 회고(回顧)하여 애매(愛妹)에게」《학지광(學之光)》 12호, 1917).
36　전집 20권, p.120(「나의 자화상(自畫像)」, 《삼천리문학(三千里文學)》 1집, 1938).

그러면 그 이후의 춘원은 심리적으로나 행동 면에서나 그 실미지근한 우유부단에서 벗어날 수 있었는가 하는 문제이다. 여기에 그렇지 못하였다는 것을 반증해 주는, 위에서 끝에 인용한 그의 글이 있다. 그는 1938년 잡지사의 설문에 대답한 「나의 자화상」에서 아직도 과단성이 부족함을 시인하고 있음을 볼 수 있는 것이다.

조영암은 춘원의 이러한 성격을 다음과 같이 서술하고 있다.

> 그는 의지적(意志的) 정치가(政治家)는 물론 아니다. 그는 한낱 나약한 시인(詩人)이었고 소설가(小說家)였고 가장 낭만적(浪漫的)이요 또 이상주의(理想主義)의 신봉자(信奉者)였다.[37]

이것은 어쩌면 춘원의 성격을 가장 단적으로 축약한 표현일지도 모를 일이다. 그러나 나약한 그 속에는 거센 반발이 깃들어 있음을 놓쳐서는 안 된다.

> 저주와 불평과 불만과 육욕과, 이러한 열등감정의 포로가 되어버린 나는 밤이면 술이 취하는 때가 많았다. 같이 있는 H, K 등 친구들은 내가 이렇게 변하는 것을 보고 걱정해 주었으나 나는 「흥, 너희 같은 속물이 어떻게 내 깊은 사상을 알아?」하고 가장 깨달은 체 하였다.[38]

이같이 춘원은 동경유학시 중학시절부터 이미 주변 조건과의 괴리에서 오는 저주와 불평과 불만에 찬 열등감정에 번민했으며, 이것은 전기한 바 있는 어린 시절의 빈궁에서 온 멸시에 대한 열등감과 겹쳐 마침내는 상

---

37 조영암(趙靈巖), 『한국대표작가전(韓國代表作家傳)』, 수문관(修文館), 1953, p.226.

38 전집 9권, p.305(「그의 자서전(自敍傳)」, 《조선일보(朝鮮日報)》, 1936.

대를 속물로 보고 자신을 추켜세우려는 독선과 영웅의식이 서서히 대두
케 하여 끝내는 반발적인 우월감으로 변질되어 감을 볼 수 있게 하는 것
이다.

2 천재론(天才論)

춘원(春園)은 「천재(天才)」「천새(天才)야! 천새(天才)야!」 등의 논설(論
說)을 발표하였을 뿐만 아니라, 그 밖의 글에서도 '천재(天才)'라는 용어를
빈번히 썼으며, 천재에 대하여 관심이 적지 않았음을 보여주고 있다.

그렇다면, 천재란 어떤 사람을 가리키는 것인가 하는 일반적인 개념을
떠나서, 춘원(春園)이 생각한 천재란 대체 어떤 테두리에 드는 것이며 그
나름의 천재의 상(像)에 자기자신을 어떻게 비추고 있는가 하는 것은 춘
원(春園)의 선민의식이나 지도자관을 추출하는 데 상호 연관이 되겠기에
그의 천재에 대한 견해를 더듬어 보려는 것이다.

  나는 무론(毋論) 천재(天才)라는 것을 믿는 사람이오 (……) 내가
  말하려는 천재(天才)는 여러분의 통상(通常) 말에 잘 쓰시는 장기(長技)
  라는 것과 같으오. 아니, 같을 뿐 아니라 천재(天才) 즉(卽) 장기(長
  技), 장기(長技) 즉(卽) 천재(天才)올시다.[39]

  우리들은 오래오래 자기(自己)의 천재(天才)가 어디 있는가를 생각
  하여 그것으로 일생(一生) 의 목적(目的)을 삼아야만 하겠오.[40]

---

39 고주(孤舟), 「천재(天才)」, 《소년(少年)》 3년 8권, 1910.
40 동상.

이 보물(寶物)은 즉(卽) 천재(天才)외다, 위인(偉人)이외다. 칼라일의 이른바 영웅(英雄)이외다. 공자(孔子)와 노자(老子)와 야소(耶蘇)와 석가(釋迦)와 이백(李白)과 두보(杜甫)와 라파엘로와 베에토오벤과 비스마르크와 와싱턴과 링컨이외다. 퇴계(退溪)와 율곡(栗谷)과 매월당(梅月堂)과 난설헌(蘭雪軒)이외다. 코페르니크스와 뉴우턴과 뀌리와 칸트외다.[41]

천재(天才)를 몰라보는 백성(百姓)은 불쌍하외다. (……) 지금(只今) 조선(朝鮮)은 정(正)히 천재(天才)를 부를 때외다. (……) 그런데 조선인(朝鮮人)은 천재(天才)를 모릅니다. (……)

우리는 천재(天才)를 칭찬(稱讚)해 줍시다. 그리고 존경(尊敬)해 줍시다. 그래서 그네로 하여금 기쁘게 마음놓고 힘껏 자기(自己)네의 천재(天才)를 발휘(發揮)하게 합시다. 적어도 당장(當場) 천재(天才) 열 명(名)은 나야 되겠오. 시급(時急)히 열 명(名)은 나야 되겠오. 경제적 천재(經濟的天才), 종교적 천재(宗敎的天才), 과학적 천재(科學的天才), 교육적 천재(敎育的天才), 문학적 천재(文學的天才), 예술적 천재(藝術的天才), 철학적 천재(哲學的天才), 공업적 천재(工業的天才), 상업적천재(商業的天才), 정치적 천재(政治的天才)—이 열 명(名)은 시급(時急)히 나야 되겠오. 묻노니, 누구누구가 그 후보자(候補者)인가요?[42]

위에 든 처음 두 예에서 보면, 춘원의 천재관은 장기(長技) 또는 특수한 재질 정도의 뜻으로 나타나 있고, 그 다음에는 천재를 위인이나 영웅과 병렬로 놓아 공자에서부터 동서 전래의 성현, 문안, 철학자, 정치가,

■

41 전집 17권, p.48(「천재(天才)야! 천재(天才)야!」, 《학지광(學之光)》 12호, 1917).
42 동상, pp.51~2.

과학자, 미술가, 음악가 등을 총망라하여 거들고 있음을 볼 수 있다.

뿐만 아니라 끝의 예에서는, 경제적, 종교적, 과학적, 교육적, 문학적, 예술적, 철학적, 공업적, 정치적 천재, 그리고 심지어 상업적 천재까지를 들어, 어떤 분야든지 전문적인 면에 뛰어난 것은 다 천재로 본 듯한 인상을 주고 있는 것이다.

그는 또한 당시의 인물에서 다음 같이 '천재'를 들어 보기도 했다.

제(第) 2호(號)에는 이영섭군(李映燮君)의 〈도적질〉과 백주군(白洲君)의 〈과부(寡婦)〉를 택(擇)하였다. 〈도적질〉은 글은 비록 서툴지마는 그 취재(取材)와 구상(構想)에서 이군(李君)의 풍부(豊富)한 천재(天才)의 섬광(閃光)을 볼 수가 있고, (……) 백주군(白洲君)의 〈과부(寡婦)〉는 여자(女子)의 심리(心理)를 그린 것으로 우리 문단(文壇)에 드문 작품(作品)이다. 좀 힘을 덜 들인 듯한 점(點)이 없지 아니하나 독자(讀者)도 보시면 아실 바와 같이 전편(全篇)을 통(通)하여 천재적(天才的) 솜씨가 보인다.[43]

아동문학(兒童文學)의 천재아(天才兒) 윤석중군(尹石重君)의 동시집(童詩集) 〈잃어버린 댕기〉가 나왔다.[44]

나는 조운군(曺雲君)을 마음으로 깊이 사랑하였다. (……) 나는 몇 출판업자(出版業者)에게 그의 시고(詩稿)를 보이고 추천(推薦)하였으나 아무도 이 천재시인(天才詩人)을 알아주는 자(者)가 없었다.[45]

■

43 이광수, 「소설선후언(小說選後言)」, 《조선문단(朝鮮文壇)》 제2호, 1924.
44 전집 16권, p.370(윤석중(尹石重君)의 『잃어버린 댕기』, 《동아일보(東亞日報)》, 1933).
45 전집 14권, p.405(「다난(多難)한 반생(半生)의 도정(途程)」, 《조광(朝光)》, 1936).

위에서 보여주는 바와 같이, 춘원은 처음으로 작품을 응모하여 선(選)에 든 무명의 문단 초입자에까지도 천재라는 용어를 서슴지 않고 쓰고 있으며, 당시 신인으로 작품활동을 하던 동시(童詩)시인 윤석중(尹石重), 시조 시인 조운(曺雲) 등도 천재아, 천재시인 등으로 부를 정도로 천재란 말을 예사로 즐겨 썼음을 볼 수 있는 것이다.

그러면 춘원 자신은 자기의 재질을 '천재(天才)'에 비추어 어떻게 생각한 것이었던가?

과연(果然) 말이지, 나도 본국사(本國史)(나아가서는 만국사(萬國史)) 한 『페지』에나마 내 사진(寫眞)과 기사(記事)로 채이고 싶소마는 기약(期約)은 아니하오. 다만 나의 천재(天才)이니 그리로 나아갈 따름이라 하지.[46]

이같이 춘원은 자기자신도 천재의 테두리 속에 넣고 있으나, 여기 서도 어떤 분야의 뛰어난 재질 정도의 역(域)을 벗어나지 않은 그의 천재관이었음을 엿볼 수 있게 한다.

한편 춘원의 재질이나 업적에 대하여 춘원 이외의 제삼자가 평한 것을 보면 '천재(天才)', '문호(文豪)', '거장(巨匠)', '거대(巨大)한 작가(作家)' 등의 호칭을 썼음을 볼 수 있다.

이때부터 비롯하는 대학에서의 뛰어난 성적과 함께 눈부신 그의 창작활동은 실로 대춘원(大春園)의 천재를 말해 주는 하나의 경이가 아닐 수 없다.[47]

---

46 고주(孤舟), 전게논문(前揭論文).
47 노양환, 「동경유학시대의 이광수(東京留學時代의 李光洙)」, 《문학사상(文學思想)》 창간호, 1972.

그는 천생(天生) 문학(文學)을 위(爲)해 태어난 사람이며, 몇 세기 (世紀)에 한 사람 나올까 말까 하는 문호(文豪)임을 말해주는 것이 아 닐 수 없다.[48]

그가 현대(現代) 한국(韓國)의 거의 유일(唯一)한 문호(文豪)로서 인 상(印象)되는 것은 전기(前記)한 바와 같은 다방면(多方面)에 긍(亘)한 다량(多量)의 그의 문장생활(文章生活)이 그 원인(原因)의 하나이지만 (······)[49]

춘원(春園)은 우리의 60여년 신문학사에 도저히 지울 수 없는 거장 적(巨匠的) 발자취를 남기고 있다는 사실이다.[50]

또한 춘원(春園)도 쉬지 않고 창작(創作)을 계속하여 〈개척자(開拓 者)〉에 머문 것이 아니고, 성장(成長)을 거듭하여 〈사랑〉 〈원효대사 (元曉大師)〉 〈흙〉 〈무명(無明)〉 등 그의 특색(特色)이 짙은 작품(作品) 을 가지고 〈우리 현대작가(現代作家) 중(中)에서 거대(巨大)한 작가(作 家)다운 면모(面貌)를 가진 유일한 작가(唯一한 作家)〉로서 문학사(文 學史)에 군림(君臨)하고 있다.[51]

춘원에 대한 방대한 자료를 세밀히 종합 검토하여 가장 정확한 춘원연 보를 작성한 노양환은 춘원을 가리켜 '천재(天才)'라 하였고, 문학사가인

48 백철(白鐵), 해설(解說), 전집 1권, p.576.
49 조연현(趙演鉉), 「이광수론(李光洙論)」, 『휴일(休日)의 의장(意匠)』, 인간사(人間社), 1957, p.168.
50 이형기(李炯基), 「춘원연구(春園研究)의 재검토(再檢討)」, 《문학사상(文學思想)》 창간호, 1972.
51 구인환(丘仁煥), 「춘원(春園)의 처녀작고(處女作攷), 《국어 교육》 3, 1962.

백철은 몇 세기에 한사람 나올까 말까하는 '문호(文豪)'라 하였고, 조연현역시 일반인의 인상을 원용한 표현이지만 '문호(文豪)'로 지칭하였으며, 이형기(李炯基)와 구인환(丘仁煥)은 '거장(巨匠)' 및 '거대(巨大)한 작가(作家)'로 각각 호칭하고 있음을 볼 수 있다.

그러나 초기의 자신만만했던 데 비하여 1930년대 후반의 춘원(春園)은 겸허인지 본심인지 몰라도, 자기의 천품에 대하여 회의 비슷한 것을 나타낸 대목이 있으니 주목할 만한 일이다.

내가 변변한 글을 쓰지 못한 것은 결(決)코 검열관(檢閱官)의 가혹(苛酷)때문에도 아니요, 독자(讀者)의 몰이해(沒理解) 때문에도 아니요, 또 부득이(不得已)한 사정(事情)에 의(依)하여서 례(例)하면, 편집자(編輯者)나 출판업자(出版業者)의 강제(强制)에 의(依)하여서도 아니다. 나는 이런 모든 평계를 하려고 내심(內心)으로 생각도 하고, 유시호(有時乎) 남보고 말도 하여 보았다. 그러나 청정(淸淨)한 양심(良心)에서 볼 때에는 이것은 결국(結局)은 제 죄(罪)였다. 제 천품(天稟)이 부족(不足)하고 제 극기면려(克己勉勵)가 부족(不足)한 때문이었다.[52]

1936년이면 춘원의 작품활동이 가장 활발하던 시기이다. 그런데 춘원은 이 시기에 이러한 자기 재질의 한계점을 의식하는 글을 썼다. 이것은 상식론적인 검양이라고 해석하기보다는 문면(文面) 그대로 받아늘이는 것이 옳을 것 같다. 왜냐하면 춘원의 '천재'라는 관념은 그 출발점에서부터 이미 '장기'의 한계를 벗어나지 않았으니까.

춘원은 평생 병약의 몸임에도 불구하고, 부지런하고 그의 말대로 문필

52 전집 16권, p.296(『인생(人生)의 향기(香氣)』 서문(序文), 1936).

에 '장기'를 가져 다작(多作)한 작가이지 결코 몇 세기에 한 번 나는 '천재' 는 아니었던 것 같다.

3 유폐(幽閉)된 영웅주의(英雄主義)

춘원의 후천적인 성격 형성이나, 문필에 임하는 자세에 가장 큰 근간이 된 것은, 어린 시절의 빈궁에 대한 열등감, 그리고, 그에 반발하는 요소와 자기의 재질에 대한 자긍이 결부된 결과에서 온 우월감인 것 같다.

내가 M학교에 입학해서 처음으로 성경을 배운 것은 「마태복음」 삼 장부터였다.
『그때에 세례 요한이 유대의 광야에 나와서 설법하야 가로되, 너희 들은 회개하라. 하늘나라이 가까웠나니라.』로 시작된 것이다. (……) 나도 세례요한 모양으로 대동강 가나 한강 가에 서서,
『회개하라, 너희 조선 사람들아!』하고 외치고 싶었다[53]

처음 동경(東京)에 유학(留學)을 갈 때에는 세계(世界)에 이름난 사 람이 되리라는 막연(漠然)한 생각밖에 없었다.(……) 나는 처음에는 학부대신(學部大臣)이 되었다가 나중에는 총리대신(總理大臣)이 된다 고 양언(揚言)하였다.[54]

장래에는 대신이나 대장이나 다 내 마음대로 될 것으로 생각하였

---

53 전집 9권, p.286(그의 자서전(自敍傳)).
54 전집 14권, pp.398~9(「다난(多難)한 반생(半生)의 도정(途程)」).

다. 비록 우리나라가 일본의 보호국이 되고 군대가 해산되고 모두 불리하고 밉고 강개한 재료뿐이었으나 그것도 내 힘으로 내 손으로 다바로 잡힐 것만 같았다. (……)

〈오냐 이제 두고 보아라! 내 피로 조국의 영광을 회복할 것이다!〉하고 속으로 맹세하였다.[55]

나는 많은 희망(希望)과 끓는 정신(精神)으로 이 글을 조선민족(朝鮮民族)이 장래(將來)가 어떠할까, 어찌 하면 이 민족(民族)을 현재(現在)의 쇠퇴(衰頹)에서 건져 행복(幸福)과 번영(繁榮)의 장래(將來)에 인도(引導)할까 하는 것을 생각하는 형제(兄弟)와 자매(姉妹)에게 드립니다. 이 글의 내용(內容)인 민족개조(民族改造)의 사상(思想)과 계획(計劃)은 재외동포(在外同胞) 중(中)에서 발생(發生)한 것으로서 내것과 일치(一致)하여 마침내 나의 일생(一生)의 목적(目的)을 이루게 된 것이외다.[56]

위에 인용한 바와 같이 춘원은 명치학원(明治學院) 중학부(中學部) 시절부터 벌써 조선민족에 대한 구세주인 양 세례 요한으로 내심(內心) 자처(自處)하였고, 자기의 피로 조국의 영광을 회복하겠다고 관념적인 우국지사가 되어 있었으며, 그의 나이 30이 넘은 1922년에 발표한 「민족개조론(民族改造論)」에서는 자신의 이론이 조선민족을 번영으로 인도하는 유일 최상의 길인 것처럼 제창하여 당시 많은 물의를 일으키기도 했었다.

한편 춘원에게는 어린 시절부터 장차 대신(大臣)이나 대장(大將)이 되겠다는 명예욕이나 영웅심이 깃들고 있어, 이것은 후일 그의 처신과 상관

55　전집 11권, pp.392~3(「나」 소년편(少年篇)).

56　이광수, 「민족개조론(民族改造論)」, 《개벽(開闢)》 23호, 1922.

관계를 이루고 있는 것으로, 우발적인 현상은 아니었던 것 같다.

그는 또한 자기가 소설을 쓰는 것도 민족을 위한 것이라고 다음과 같이 표출한 바 있다.

내가 소설(小說)을 쓰는 구경(究竟)의 동기(動機)는 내가 신문기자(新聞記者)가 되는 구경(究竟)의 동기(動機), 교사(敎師)가 되는 구경(究竟)의 동기(動機), 내가 하는 모든 행위(行爲)의 구경(究竟)의 동기(動機)와 일치(一致)하는 것이니 그것은 곧 『조선(朝鮮)과 조선민족(朝鮮民族)을 위(爲)하는 봉사(奉仕)—의무(義務)의 이행(履行)』이다. (…….)
민족의식(民族意識) 민족애(民族愛)의 고조(高潮), 민족운동(民族運動)의 기록(紀錄), 검열관(檢閱官)이 허(許)하는 한도(限度)의 민족운동(民族運動)의 찬미(讚美), 만일 할 수만 있다면 선동(煽動), 이것은 과거(過去)에만 나의 주의(主義)가 되었을 뿐이 아니라 아마도 나의 일생(一生)을 통(通)할 것이라고 믿는다.[57]

이같이 그는 조선과 조선민족을 위해 봉사하는 의무로 소설을 통하여 민족의식 민족애를 고조하고 민족운동에 대한 찬미 선동까지 일생을 통해 하겠다고 하였다.

그러나 그의 후기의 행동은 이러한 그의 결의와 반드시 일치한 것은 아니었다.

그대들이 피를 흘린 뒤에도 일본이 우리민족에게 좋은 것을 아니 주거든, 내가 내 피를 흘려서 싸우마.[58]

■

57 전집 16권, pp.195~6(「여(余)의 작가적(作家的) 태도(態度)」).
58 전집 13권, p.272(「나의 고백(告白)」).

이것은 1942년 태평양전쟁이 격화되어 군국 일본이 한국인 대학생까지 '학도지원병'의 이름으로 강제 출병시킬 때 학병(學兵) 지원 권유차 동경(東京)에 가서 대상 학생(學生)들에게 설유한 말이다.

일부러 일본에까지 건너가서 한국인 학생들에게 이렇게까지 강권(强勸)을 해야만 하는 것이 춘원의 지도자관에 의한 구국론의 결론이었던가 하는 점에 상도할 때, 한 가닥의 의구를 금할 수 없는 것이다.

자신의 주관이 뚜렷하다면 앞장서서 스스로 먼저 피를 흘리든지, 그렇지 않으면 침묵을 지키든지 했어야 할 것이지, 젊은이의 흘린 피가 대가를 찾지 못할 때에야 겨우 피를 흘려서 싸우겠다고 했으니 그의 지도자관도 여기에서 판가름이 난 것 같다.

다음 사실은 이러한 판별을 뒷받침해 주는 하나의 예에 속하는 것이리라.

나는 시(詩)를 쓰겠다고 골몰하고 있던 친구와 함께 춘원(春園) 이광수(李光洙)를 찾아보기를 다짐했다. 춘원(春園)의 부인이 경영하고 있는 산부인과(産婦人科)병원(病院)에 전화를 걸었더니 곧 춘원(春園)과 이야기할 수 있었다. (……) 당시에 우리들 머리속에서 가장 위대한 한국인 중에 끼어 있었던 춘원(春園)을 두사람의 소년이 이렇게 쉽게 만나뵐 수 있었던 것은 정말 꿈밖의 일이라 우리는 어리둥절했다. 우상(偶像) 그것도 위대한 우상(偶像)을 직접 눈으로 볼 수 있구나!

간호부의 안내로 병원의 긴 북도를 지나 온돌방에 다다르니 춘원(春園)은 일어서서 두 소년을 반가이 맞이해 주었다. 우리는 황송해서 절을 하고 앉으며 선생님의 작품을 애독하는 나머지 이렇게 뵈러 왔노라고 인사를 드렸다. 『고맙습니다……』 라디오 소리가 들리고 있었다.

『이 방송은 이세대신궁(伊勢大神宮)에서 올리는 …… 제(際)의 실황(實況) 중계방송(中繼放送)이죠.』 이렇게 설명하고 있는 그의 표정은 자못 경건하였다. 일제시대(日帝時代)에 우리 민족의 대변인이며 요즈음의 표현을 빌리면 열렬한 정치참가(政治參加)의 작가가 일본군국주의 (日本軍國主義) 종교의 의식(儀式)에 방송을 통해서 참가하고 있는 것이 아닌가? 나는 이상한 느낌과 실망, 그리고 환멸을 한꺼번에 느끼면서 그와 작별하였다. 『이제부터는 작품을 일어(日語)로도 쓸 수 있고 우리말로도 쓸 수 있어야죠.』 이것은 그때 춘원(春園)이 한 말 가운데서 지금까지 내 기억에 남아 있는 것, 그 뒤에 나는 그의 글을 많이 읽지 않았다.[59]

결국 왜곡된 바탕에서 양성된 우월감에 바탕을 둔 춘원의 선민의식 내지 지도자관은 판단 착오의 관념 속에 부유(浮游)한, 그리고 자위적(自慰的)인 유폐된 영웅주의에 지나지 않았던 감이 없지 않다. 그리하여 그에 대한 선입관적인 우상은 서서히 허물어져간 것이다.

3. 사상적(思想的) 소지(素地)

1 민족주의(民族主義)

흔히들 춘원 작품의 특징을 들어, 그 주요한 하나로 민족주의를 거론하고 있음을 볼 수 있다. 그러면 그의 민족에 대한 관념의 원천으로 볼 수도 있는 논설을 비롯한 그의 글에서는 그것이 어떻게 표출되어 있으며, 또 어떠한 변모를 가져왔는지 그 과정을 더듬어 보기로 하겠다.

■

59 송욱(宋稢), 「한국지식인(韓國知識人)과 역사적(歷史的) 현실(現實)」, 《사상계(思想界)》 13권 4호, 1965.

내가 민족운동의 첫 실천으로 나선 것은 교사로였다. 열아홉살 먹은 중학교 졸업생이 교사가 된다는 것이 지금에 생각하여 우스운 일이었으나 그 때에는 애국지사의 행동이었다. (……) 그 때에 우리 또래 학생들 중에는 『나라를 위하여 저를 희생하자.』하는 생각이 유행하였다. 이러하기 때문에 내가 동경을 떠날 때에는 나도 비상한 결심을 가졌었고, 나를 보내는 동무들도 무슨 큰일로나 떠나는 지사를 전별하는 모양으로 나와 작별하여 주었다.[60]

지금까지 밝혀진 바에 의하면, 춘원의 문필생활이 우리 글로 시작된 것은 1910년으로 나타나 있는 바, 그가 민족운동의 첫 실천으로 나선 것도 동경에서 중학을 졸업하고 귀국하여 오산학교 교사로 재직한 일부터라고 하였으니 춘원의 민족운동은 문필생활과 함께 시작된 것으로 되며, 그것은 또한 나라를 위하여 자기를 희생하는 애국지사로 자처한 행동이기도 했다는 것을 그의 글에서 알 수 있다.

그러면 이 시기에 그가 지녔던 민족의식이란 어떤 양상을 띤 것이었던가.

학문(學問)을 박(博)히 하며 지식(知識)을 광(廣)히 하여 도탄(塗炭)에 오오(嗷嗷)하는 아한동포(我韓同包)를 자유(自由)의 복락(福樂)에 인도(引導)하여 자기(自己)의 방명(芳名)을 만대(萬代)의 역사(歷史)에 창(彰)하고자 하는 자(者) (……)[61]

소극적(消極的)으로는 반성(反省)으로 자기(自己)의 정신(精神)을 타

60 전집 13권, p.194(「민족운동(民族運動)의 첫 실천(實踐)」, 『나의 告白』, 1948).
61 전집 1권, pp.475~6(「일본(日本)에 재(在)한 아한유학생(我韓留學生)을 논(論)함」, 《대한흥학보(大韓興學報)》 12호, 1910).

락(墮落)하지 않게 주의(注意)하며, 적극적(積極的)으론 수양(修養)으로 우리의 정신(精神)을 향상(向上) 발전(發展)케 주의(注意)하여, 자기(自己)가 자기(自己)를 교양(敎養)하여서 신대한건설자(新大韓建設者) 될 제일세(第一世) 신대한민국(新大韓民國)이 될 만한 자격(資格)을 양성(養成)치 못할지라.[62]

위의 인용한 두 글은 한일합방이 되기 직전인 1910년 4월과 6월에 각각 발표된 것으로, 춘원은 자기의 방명(芳名)을 만대의 역사에 떨칠 신대한(新大韓) 건설자가 되어, 동포를 자유의 복락에 인도하고 신대한민국이 되게 하는 자격을 양성하는 것이 당시의 유학생과 청년의 할 일이라고 했다.

그러나 통감부 시대의 일제의 식민지 계략에 대하여 항거나 투쟁 등의 적극적인 자세를 표시한 것은 발견되지 않는다.

조선청년(朝鮮靑年)은 심(甚)히 절박(切迫)한 현실(現實) 속에 있기 때문에, 또 주위(周圍)의 사정(事情)이 너무도 민족적(民族的) 의식(儀式)(계급적(階級的) 의식(儀式)보다는)을 자격(刺激)하는 것이 많기 때문에 민족적(民族的) 의식(儀識)에서 초월(超越)해서 순연(純然)한 인도주의적(人道主義的) 태도(態度)를 취(取)한다든지 하기는 극난(極難)한 형편이다. 그래서 자연(自然)히 조선(朝鮮) 청년(靑年)의 사언행(思言行)이 전부(全部) 민족주의적(民族主義的) 색채(色彩)에 물들어 있게 되었다. 이것은 차디찬 사실(事實)이다[63]

■

62 고주(孤舟), 「금일(今日) 아한청년(我韓靑年)의 경우(境遇)」, 《소년(少年)》 3년 6권, 1910.
63 전집 16권, p.398(「문예만화(文藝漫話)」, 《동광》, 1931).

민족(民族)은 운명(運命)이다. 아무도 민족(民族)의 범위(範圍)에서 초탈(超脫)할 능력(能力)을 가지지 못한다. 조선인(朝鮮人)으로 태어난 사람은 어디를 가든지 아무리 조선인(朝鮮人)이 되기가 싫어서 이민족(異民族)의 언어(言語)를 쓰고 의복(衣服)을 입고 풍속습관(風俗習慣)을 따르더라도 그는 내심(內心)에 스스로 조선인(朝鮮人)인 것을 잊을 수 없고 남도 그가 조선인(朝鮮人)인 것을 잊어 주지 아니 한다. 그가 조선인(朝鮮人)이 아니라고 하면 할수록 남은 더욱더욱 그가 조선인(朝鮮人)임을 역설(力說)할 것이다. 히물며 그의 피에 흐르는 선천적(先天的), 유전적(遺傳的)인 조선민족적(朝鮮民族的)인 성격(性格)은 조물주(造物主)도 변역(變易)하고 좌우(左右)할 힘이 없는 것이다.[64]

이것은 1931년 소위 만주사변이 발발할 무렵, 일제의 발악이 고조되어 한국에 대한 식민지정책이 더욱 가혹해지던 시기에 발표된 것인 바, 절박한 현실 속에서도 조선청년은 민족주의적 색채에 물들지 않을 수 없고, 또한 조선인은 이민족의 치하에 있더라도 조선민족적인 성격은 변역될 수 없는, 말하자면 민족이란 초탈할 수 없는 운영이라고 논술하였음을 올 수 있다.

이때는 이만큼한 글도 자유롭게 쓰기 힘든 삼엄한 분위기가 맴돌기 시작한 시기라는 것을 역사적인 면에서 생각해 볼 필요는 있는 것 같다.

춘원은 또한 이 무렵의 잡지사 앙케이트에 다음과 같이 대답한 것을 볼 수 있다.

문(問) 1. 선생(先生)은 민족사회주의자(民族社會主義者)입니까?

---

[64] 전집 17권, p.326(「조선민족론(朝鮮民族論)」, 《동광(東光)》, 1933).

2. 선생(先生)은 실행가(實行家), 학자(學者)가 되겠읍니까?

답(答) 1. 민족주의자(民族主義者)입니다.

2. 소설(小說) 쓰고 신문기자(新聞記者) 되기를 목표(目標)로
   합니다.[65]

나의 문학상(文學上) 주의(主義)요? 잘들 아시는 바와 같이 민족주의문학(民族主義文學)이겠지요.[66]

이같이 춘원은 자신은 민족주의자(民族主義者)요, 자기가 하는 문학은 민족주의(民族主義) 문학(文學)이라고 선명하게 대답하고 있음을 볼 수 있다.

한편 춘원은 자기가 작품을 쓰는 주요한 목적이 조선민족을 위하여, 또는 민족의식을 고취하기 위한 것이라고 여러 곳에서 언급한 바 있지만, 다음에 그 한 예를 인용하여 보기로 하겠다.

〈원효대사(元曉大師)〉는 내가 친일파 노릇을 하는 중에 「매일신보(每日新報)」에 연재하였었던 것이다. 나는 검열이 허하는 한 이 소설 속에서 우리 민족의 전통적 정신과 영광과 애국심과 민족의식을 그려서 천황만세를 부르고 황국신민서사를 제창하지 아니하면 아니 될 운명에 있는 동포들에게 보낸 것이었다. 〈무정(無情)〉 이하로 〈마의태자(麻衣太子)〉나, 〈단종애사(端宗哀史)〉나, 〈이순신(李舜臣)〉이나, 또 〈재생(再生)〉, 〈그 여자(女子)의 일생(一生)〉이나 무릇 내가 쓴 소설은 민족정신 밀수입의 포장으로 쓴 것이었다.[67]

65 전집 20권, p.117 《삼천리(三千里)》, 1930.
66 전집 15권, p.396(「작가(作家)로서 본 문단(文壇)의 십년(十年)」, 《별건곤(別乾坤)》, 1930).
67 전집 13권, p.278(「해방(解放)과 나」).

이같이 춘원은 소설 「원효대사(元曉大師)」 속에서 우리 민족의 전통적 정신과 영광과 애국심과 민족의식을 그리려고 애썼고, 또한 일제의 가혹한 검열망을 피하기 위해, 그의 소설은 모두 민족정신 밀수입의 포장으로 쓴 것이라고 했다.

그러나 그는 8·15 해방 후 말년에 가서, 자기의 민족의식에 대한 반성과 스스로의 비판을 내린 바 있다.

〈나는 민족의 영웅이 아니냐, 애국지사가 아니냐〉히는 허영심에서였다.[68]

나는 다시는 세상에 안 나설 사람이기 때문이다. 과거 칠팔년 걸어온 내 길이 그 동기는 어찌 갔든지 민족정기로 보아서 나는 정경대로를 걸은 사람이 아니었다.[69]

춘원은 60여 가까운 인생의 고비와 조국광복이라는 세기의 격랑을 겪고 넘어선 회억(回憶)의 상념 속에서, 민족적 영웅을 내세우고 애국지사로 자처했던 자신을 허영심의 발로로 자성하며, 특히 일제 말기 수년간의 친일적인 자기 행각은 민족정기의 정경대로(正經大路)에 어긋난 길이었다고 회한어린 술회를 하였던 것이다.

2 인도주의(人道主義)

춘원을 논하는 데 있어서, 민족의식에 곁들여 인도주의를 그의 사상의

---

68 전집 11권, p.453(「「나」의 스무살고개」, 1948).
69 전집 13권, p.277(「나의 고백(告白)」).

배경적 요소로 보려는 견해는 문학사가들의 거의 공통적인 논조인 듯하며, 또한 춘원의 인도주의가 톨스토이의 영향 하에서 이루어진 것이라는 수용원(受容源)에 대한 관점도 거의 일반화된 정설(定說)로 되어 있는 것 같다.

따라서 이러한 논평의 근거를 춘원 자신의 술회에서 찾아보기로 하겠다.

나는 누구의 무엇을 읽기 전(前)보담도 목하상강(木下尙江)의 〈불기둥(火の杜)〉을 읽었고, 〈성경(聖經)〉을 읽기 전에 톨스토이의 작품(作品)을 읽어 깊은 감화(感化)를 받았읍니다.

앞으로도 톨스토이를 많이 읽은 터이며 그를 따를 터입니다.[70]

내가 좋아하는 문호(文豪)는 톨스토이이고 지금도 그의 〈부활(復活)〉과 〈천국(天國)은 네 안에 있다〉는 글을 애독(愛讀)합니다.[71]

내가 톨스토이의 책을 처음 읽기는 아마 열여덟 살 적인가 합니다. 동경(東京)에서 중학(中學) 4년 적 내 동창(同窓)에 산기준부(山崎俊夫)라는 아주 청교도적(淸敎徒的) 소년(少年)이 있었는데 그가 그의 형(兄)님의 서가(書架)에서 〈我が宗敎〉라고 일본역(日本譯)한 톨스토이 책을 갖다가 빌려 주었는데 나는 이 책을 읽고 이것이야말로 진리(眞理)다, 인류(人類)가 이 모양으로 살아야만 평화(平和)의 세계(世界)를 이룰 것이다, 나는 일생(一生) 이 주의(主義)로 살아가겠다, 톨스토이는 과연(果然) 큰 선생임(先生任)이시다, 이렇게 감격(感激)하였읍니다. (……)

■

70 전집 16권, p.397(「작가(作家)로서 본 문단(文壇)의 십년(十年)」, 《별건곤(別乾坤)》, 1930).
71 동상, p.406(「나의 문단생활(文壇生活) 삼십년(三十年)」, 《신인문학(新人文學)》, 1934).

나의 예술관(藝術觀)에 가장 큰 영향(影響)을 준 것은 톨스토이 선생(先生)이었읍니다. 지금(只今) 와서도 종교적(宗敎的) 인생관(人生觀)에 있어서 나는 톨스토이와 길이 달라졌지마는 그의 예수교의 해석(解釋)과 실천적(實踐的) 인생관(人生觀)에 있어서는 전(前)과 같이 톨스토이를 선생(先生)으로 섬기고 있습니다.[72]

처음 인용문에서 춘원이 읽었다고 하는 책은, 「나의 종교」 외에, 융희 3년(1909)외 그외 일기[73]에 니디니는 「부활(復活)」, 「인나 가레리나」 등을 가리키는 것으로 추정되며, 춘원은 그들 작품에서 많은 감화를 받아 계속 톨스토이의 글을 읽고 그를 따를 것을 표백하였으며, 둘째 예에서 그는 그 후 20수년이 지난 1934년에도 여전히 자기가 좋아하는 문호는 톨스토이이고, 그의 작품 「부활」 등을 계속 애독하고 있다고 했다.

또한 끝의 예문과 같이 그는 그 다음해에도 자기의 예술관에 가장 큰 영향을 준 것은 톨스토이이므로, 계속 전과 같이 톨스토이를 선생으로 섬기고 있다고까지 말하고 있음을 볼 때, 춘원이 얼마나 톨스토이에 심취되었는가 하는 것은 이루 다 헤아릴 수 없는 것 같다.

그 당시(當時)에는 우리가 이상(異常)하게 톨스토이의 인도주의(人道主義)를 가졌었지요. (……)

하여간(何如間) 그러한 관계(關係)로 해서 당시(當時)의 민족애(民族愛)를 중심(中心)으로 한 시가(詩歌)는 민족애(民族愛) 사상(思想)과 인도주의(人道主義) 사상(思想)이 합체(合體)되었다가 그 후(後) 시세(時勢)의 변천(變遷)과 당국(當局)의 말썽으로 말미암아 전자(前者)는 그

---

72 동상, pp.412~4(「두옹(杜翁)과 나」, 《조선일보(朝鮮日報)》, 1935).
73 전집 19권, p.16(1909.12.31의 일기(日記)).

대로 표현(表現)할 수가 없고, 그래서 인도주의(人道主義)로만 내려오다가 (……) 기미운동(己未運動)을 중심(中心)으로 하여 데카당 문학(文學)의 사상(思想)이 수입(輸入)되었습니다.[74]

이같이 춘원은 자신이 톨스토이의 인도주의에 경도되었을 뿐만 아니라, 그 인도주의 사상이 민족애 사상과 합체되어 자체의 문학작품에 반영되었음을 토로하고 있는 것이다.

뿐만 아니라 다음 예의 경우도 이 인두주의의 흐름에 기인되는 것이라고 생각되는 것이다.

자녀(子女)에게 독립(獨立)한 자유(自由)로운 개성(個性)을 주어라. 그네로 하여금 자기(自己)네는 부조(父祖)의 소유(所有)다 하는 관념(觀念)을 버리고, 자기(自己)네는 자기(自己)네의 소유(所有)다 하는 관념(觀念)을 가지게 하여라. 다음에는 자녀(子女)된 자(者)의 최대(最大)의 의무(義務)는 자기(自己)네 자신(自身)과 자기(自己)네의 또 자녀(子女)에게 있고 결(決)코 부조(父祖)에게 있는 것이 아니라는 관념(觀念)을 가지게 하여라.[75]

내가 왜 문예(文藝)를 쓰는가 하는 것입니다. 세상(世上)은 고해(苦海)요, 화택(火宅)이라고, 과연(果然) 괴롭고 슬픈 사람이 많습니다. 나는 그들에게 조그마한 위안(慰安)이라도 줄까 하고 글을 씁니다. 나는 여기 대(對)하여 시(詩)를 쓴 것이 있는데, 역려과객(逆旅過客)으로 괴로운 세상(世上)을 걸어가는 많은 길손에 대(對)하여 조그마한 휴식(休

74 전집 16권, p.428 「문예사상 문답(文藝思想問答)」, 《문예공론(文藝公論)》 창간호, 1929.
75 이광수, 「자녀중심론(子女中心論)」, 《청춘(靑春)》 15호, 1918.

息)과 이야기를 드리자는 의미(意味)에서 나는 소설(小說)을 씁니다.[76]

위에 나타난 바와 같이 춘원(春園)이 자녀의 독립된 자유로운 개성을 주장하고 또한 자신이 문예창작을 하는 것은 고해(苦海)요 화택(火宅)으로 생각되는 현실에서 괴롭고 슬픈 길손에게 위안을 주고 휴식을 주기 위한 것이라고 한 것은 전기(前記)한 바 그의 인도주의(人道主義)의 한 진폭이라고 볼 수도 있는 것이다.

그러나 톨스토이의 인도주의의 본질은 무엇이며, 그것이 춘원에게 수용될 때에는 그 과정에서 어떻게 굴절되었는가 하는 문제는 좀 더 구체적인 비교가 이루어져야 할 것으로 생각된다.

3 혼인관(婚姻觀)

춘원의 논설을 살펴보면 애정관에 있어서, 폭넓은 일반적인 인간의 애정문제보다는 혼인에 관한 문제, 그것도 당시에는 '연애(戀愛)'라는 말이 아직 생소하고 멋쩍어 일반이 별로 쓰지 않던 시기에, 혼인 및 연애 문제에 상당히 관심을 기울였던 것 같다.

그것은 그가 주장한 기성윤리나 인습에 대한 전반적인 반발의 일환으로 다루어진 것이라고 해석될 수도 있으나, 그가 본의 아닌 결혼을 환경적인 강요에 따라 부득이하게 되고, 애정 없는 결혼생활이 파탄으로 몰려가는 쓰라린 체험 및 애정을 느낀 처녀와는 자유로운 혼인이 성립되지 못한 열등의식 등에 따르는 자의적(恣意的) 반발의 소치라고도 해석될 수

━

76 전집 16권, p.406(「나의 문단생활(文壇生活) 삼십년(三十年)」).

있는 것이다.

이제 그가 나타낸 혼인에 태한 애정관을 살펴보기로 하겠다.

혼인(婚姻)에 득(得)하는 행복(幸福)이라 함은 개인(個人)으로 보면 연애(戀愛)와 원만(圓滿)한 가정(家庭)의 두 가지요, 사회(社會)로 보면 이 두 가지에서 나오는 호영향(好影響)이지요. 개인(個人)의 행복중(幸福中)에 최대(最大)한 행복(幸福)도 연애(戀愛)라 합디다. 인생(人生) 백년(百年)의 노역(勞役)은 오직 연애(戀愛)의 행복(幸福)에 대(對)한 대가(代價)라 함은 얼마큼 시인(詩人)의 과장(誇張)이라 하더라도 적어도 연애(戀愛)의 행복(幸福)이 인생(人生)의 행복(幸福)의 총화(總和)의 반(半)에 과(過)함은 사실(事實)이겠지요. (……) 이 연애(戀愛)야말로 혼인(婚姻)의 근본조건(根本條件)이외다. 혼인(婚姻) 없는 연애(戀愛)는 상상(想像)할 수 있으나, 연애(戀愛) 없는 혼인(婚姻)은 상상(想像) 할 수 없는 것이외다. 종래(從來)로 조선(朝鮮)의 혼인(婚姻)은 전(全)혀 이 근본조건(根本條件)을 무시(無視)하였습니다.[77]

연애(戀愛)의 근거(根據)는 남녀(男女) 상호(相互)의 개성(個性)의 이해(理解)와 존경(尊敬)과 따라서 상호간(相互間)에 일어나는 열렬(熱烈)한 인력적(引力的) 애정(愛情)에 있다 하오. 무론(毋論) 용모(容貌)의 미(美), 음성(音聲)의 미(美), 거동(擧動)의 미(美), 등 표면적(表面的) 미(美)도 애정(愛情)의 중요(重要)한 조건(條件)이겠지요마는 이지(理智)가 발달(發達)한 현대인(現代人)으로는 이러한 표면적(表面的) 미(美)만으로는 만족(滿足)하지 못하고 더 깊은 개성(個性)의 미(美)―즉(卽), 그의 정신(精神)의 미(美)에 황홀(恍惚)하고사 비로소 만족(滿足)하는 것

■

77 전집 17권, pp.54~5(「혼인(婚姻)에 대한 관견(管見)」, 《학지광(學之光)》, 1917).

이지요. (……) 무론(毋論), 육적(肉的) 요구(要求)도 있겠지요.─그것
이 연애(戀愛)의 완성(完成)이겠지요.[78]

여기서 춘원은 연애의 행복이 인생의 행복의 반 이상을 차지한다고 하
였고, 연애 없는 혼인은 상상할 수도 없으나, 종래 조선의 혼인은 이 근
본조건을 무시했다고 하였다.

또한 그는 연애의 근거는 남녀 상호의 개성의 이해와 존경에 따르는
인력적 애정에 있다고 하였고, 이성적인 현대인의 미는 개성의 미, 정신
의 미에 있다고 파격적인 선언을 하였던 것이다.

뿐만 아니라 그는 혼인문제에 대하여 부모들의 각성을 적극 촉구하기
도 했다.

그런데 조선(祖先)의 부부(夫婦)의 불행(不幸)은 실(實)로 부모(父母)
가 부부(夫婦)될 자(者)의 의사(意思)를 무시(無視)하고 자의(自意)로
부부(夫婦)를 삼음에 있습니다. 아직 연령(年齡)이 어리고 지각(知覺)
이 없는 기회(機會)를 타서, 부모(父母)가 자기에게 편(便)할 대로 자
녀(子女)의 배필(配匹)을 정(定)함에 있습니다. (……) 장가를 들이려
하지 말고 장가를 가게 하여 주며, 시집을 보내려 하지 말고 시집을
가게 하여 줌이외다. 신조선(新朝鮮)의 부모(父母)는 이리하여야 하고
신조선(新朝鮮)의 자녀(子女)는 이리하여야 합니다.[79]

자식의 운명을 부모의 마음대로 결정하는 우리나라의 인습에 대하
여 강하게 반항하는 마음이 불 일듯 일어나기도 하였다.[80]

■

78 동상. p.56.
79 전집 17권, pp.142~5(「혼인론(婚姻論)」, 《매일신보(每日申報)》, 1917).

이같이 춘원은 조혼(早婚)을 반대하고, 부모의 독단으로 혼인을 정함을 비난하고, 혼인 당사자의 자유의사로 결정할 것을 주장하는 동시에, 반항의 의도까지 표시했음을 볼 수 있는 것이다.

이러한 혼인론은 그 당시로는 첨단적인 주장이었으므로 많은 논란도 있었으나, 결국 춘원 자신은 전처와 이혼하고 자유의사에 의한 연애결혼을 자신의 이론대로 실천 성취했으며, 그의 작품의 등장인물들도 그러한 방향을 취하도록, 작품 속에서까지 자유연애론을 고취하였던 것이다.

4 기성전통관(旣成傳統觀)

춘원은 재래의 고루한 인습에 대하여 반발하였을 뿐만 아니라, 유교적인 기성 윤리 전반에 걸쳐 반기를 들었으며, 심지어 기성 전통문화까지 거부하는 극단적인 자세를 취했다. 그의 이러한 반전통관은 논설의 처처에서 그 부정적인 논조를 찾아볼 수 있는 것이다.

우리들의 부로(父老)는 실개(悉皆)라고는 할 수 없겠으나 대다수(大多數)는 거의 『앎이 없는 인물(人物)』, 『함이 없는 인물(人物)』이니, 그 『앎이 없는 인물(人物)』, 『함이 없는 인물(人物)』 되는 우리 부로(父老)가 어찌 우리들을 교도(敎導)할 수 있으며, 혹(或) 있다한들 그런 부로(父老)의 교도(敎導)를 받아 무엇에다 쓰리오?[81]

석일(昔日)의 윤리(倫理)는 석일(昔日)의 윤리(倫理)니라, 금일(今日)

■

80 전집 11권, p.397(「「나」 소년편(少年篇)」).
81 고주(孤舟), 「금일(今日) 아한청년(我韓靑年)의 경우(境遇)」, 《소년(少年)》 3년 6권, 1910.

에 와서는 몰가치(沒價値)니라. 금일(今日)에는 부득불(不得不) 금일(今
日)의 윤리(倫理)가 있어야 할지니라.[82]

위의 두 예문과 같이 춘원은 부로(父老)를 무지한 인물, 무능한 인물로
보아 그 교도를 받을 필요가 없다고 거부 자세를 취하고, 아울러 기성 윤
리는 몰가치하니 새로운 윤리로 대체되어야 한다고 주장하였다.
또한 그는 기성문화에 대하여는 다음과 같이 전적으로 부정적인 태도
를 보였다.

타국(他國)이나 타시대(他時代)의 청년(靑年)으로 말하면 그들은 그
들의 선조(先祖)가 이미 하여 놓은 것을 계승(繼承)하여 이를 보지(保
持)하고 발전(發展)하면 그만이언마는, 금일(今日)의 대한청년(大韓靑年)
우리들은 불연(不然)하여 아무것도 없는 공공막막(空空漠漠)한 곳에 온
갖 것을 건설(建設)하여야 하겠도다. 창조(創造)하여야 하겠도다.[83]
그러므로 한족(漢族), 인도족(印度族), 희랍족(希臘族), 로마족(族), 영
인(英人), 불인(佛人), 독일인(獨逸人), 일본족(日本族) 등은 다 세계(世
界)의 문화사상(文化史上)의 영광(榮光)스러운 지위(地位)를 가진 것이
니, 이러한 의미(意味)로 보아서 우리 조선족(朝鮮族)은 세계문화사상
(世界文化史上)에 거의 아무 지위(地位)도 없다고 하여 가(可)합니다.[84]

적어도 이씨조선(李氏朝鮮) 오백년간(五百年間)에는 오인(吾人)은 「우
리것」이라 할 만한 철학(哲學), 종교(宗敎), 문학(文學), 예술(藝術)을 가

82 이광수, 「조선(朝鮮)사람인 청년(靑年)에게」, 《소년(少年)》 3년 8권, 1910.
83 동상.
84 전집(全集) 20권, p.155(「우리의 사상(思想)」, 《학지광(學之光)》, 1917).

지지 못하였었다.[85]

춘원은 선조가 하여 놓은 것이 아무것도 없어 공공막막하고, 문화적으로도 아무 지위도 없다고 하였으니, 이 시기의 춘원은 고구려의 벽화나 신라의 문화나 고려의 청자, 대장경, 세계 최초의 활자, 그리고 이조의 백자 등에 대한 지식이 전무하였든가 자못 의심스러울 정도이며, 자기비하증에 의한 억지의 반발이 아닌가 하는 생각도 없지 않다. 그러나 그뿐인가, 전통문학도 전적으로 무시하는 태도로 나왔다.

조선문학(朝鮮文學)은 오직 장래(將來)가 유(有)할 뿐이요, 과거(過去)는 무(無)하다 함이 합당(合當)하니, 종차(從此)로 기다(幾多)한 천재(天才)가 배출(輩出)하여 인적부도(人跡不到)한 조선(朝鮮)의 문학부(文學部)를 개척(開拓)할지라.[86]

소설(小說)에는 〈구운몽(九雲夢)〉이라든지 〈창선감의록(彰善感義錄)〉, 〈사씨남정기(謝氏南征記)〉, 〈옥루몽(玉樓夢)〉 등의 조선인(朝鮮人)의 창작(創作)이 있으나 이것도 시(詩)와 같이 조선인(朝鮮人)이 잠간(暫間) 중국인(中國人)이 되어서 지은 것이요, 내가 조선인(朝鮮人)이라는 자각(自覺)으로 지은 것은 아니다. 그러하므로 오인(吾人)은 이러한 소설(小說)을 조선문학(朝鮮文學)이라고 허(許)할 수는 없다. 조선인(朝鮮人)이 작(作)하고 조선인(朝鮮人)이 독(讀)한 연고(緣故)로 조선문학(朝鮮文學)이라고 할 수 있으랴. 조선인(朝鮮人)의 진정신(眞精神), 진생활(眞生活)에 촉(觸)하고사 비로소 조선문학(朝鮮文學)이라 칭(稱)할 것이다.[87]

---

85 이광수(李光洙), 「부활(復活)의 서광(曙光)」, 《청춘(靑春)》 12호, 1918.
86 전집 1권, p.518(「문학(文學)이란 하(何)오」, 《매일신보(每日申報)》, 1916).
87 이광수, 「부활(復活)의 서광(曙光)」.

언문(諺文)의 창조(創造)는 실(實)로 조선문학(朝鮮文學) 발흥(發興)의 맹아(萌芽)이었어야 할 것이다. 세종(世宗)께서는 친(親)히 〈용비어천가(龍飛御天歌)〉, 〈월인천강지곡(月印千江之曲)〉 등을 지어 조선인(朝鮮人)에게는 조선문학(朝鮮文學)이 있을 것을 보였다. 그러나 유학(儒學)에 침취(沈醉)한 우매(愚昧)한 소주졸(小走卒)들은 자기(自己)의 군주(君主)를 중국(中國)의 병부상서(兵部尚書)에 비(比)하기 때문에 그 성의(聖意)를 받지 못하였다. 이리하여서 그 좋은 언문(諺文)이 생긴지 사백여년(四百餘年)에 마침내 조선문학(朝鮮文學)이라는 것을 보지 못하고 말았다.[88]

이같이 춘원은 춘원 당대 이전에는 조선문학이란 없었다고 한 마디로 단언하였다.

또한 「구운몽(九雲夢)」 「사씨남정기(謝氏南征記)」 등의 고전소설은 전적으로 조선문학으로 보지 않았고, 한글 창제 후의 「용비어천가(龍飛御天歌)」, 「월인천강지곡(月印千江之曲)」 등을 겨우 조선문학으로 인정했을 따름, 그 후의 4백여 년을 공백으로 보았으니, 송강(松江), 고산(孤山)의 시가나 임진왜란 후의 서민소설에는 전연 귀를 기울이지 않았던 것 같다.

그러나 본항에서 거론한 춘원의 논설들은 기미 이전 그의 나이 30미만의 시기에 집필된 것이므로 박학다식의 춘원에게도 약간의 지적 미숙에 겹쳐 젊은 혈기에서 오는 만용의 탓이 아닌가 생각되기도 한다.

다행히도 1935년에 발표된 그의 한 논설[89]에서 상고시대부터 이씨 조선에 이르기까지의 예술 및 과학분야의 민족문화전통을 수긍하고 있음을 보이고, 같은 해의 또 다른 글[90]에서 「구운몽(九雲夢)」, 「심청전(沈淸傳)」,

■

88 동상.
89 전집 13권, pp.547~8(「새싹들」, 1935).

「춘향전(春香傳)」 등을 문학사적인 면에서 긍정적인 안목으로 보았음을 발견하게 되니, 저간(這間)의 기우(杞憂)는 사라지는 듯한 느낌을 주기도 한다.

그러고 보면, 이러한 점에서도 춘원에 대한 천재론은 부정적인 방향으로 돌아갈 수밖에 없는 것 같다.

4. 문학관(文學觀)

1 정(情)의 문학(文學)

춘원은 초기의 문학론이나 논설 속에서 이 '정(情)'이라는 용어를 많이 썼음을 볼 수 있다. 그러면 춘원이 말하는 '정(情)'이란 대체 어떤 것을 가리키는 것일까.

그는 그의 가장 초기의 논설인 일반적으로 소위 "정육론(情育論)"이라고 불리는 「금일(今日) 아한청년(我韓靑年)과 정육(情育)」이라는 글에서, 재래 교육의 주안(主眼)인 지육(智育), 덕육(德育), 체육(體育)의 3자(者)에 덧붙여서 정육(情育)의 필요성을 주장하고, 지육(知育)에 맞설 수 있는 것을 정육(情育)으로 보아, 지식(知識)과 감정(感情)을 대조적인 면에서 논하고 아울러 인간 속성의 하나인 '정(情)'에 대하여 다음과 같이 서술하였다.

인(人)은 실(實)로 정적(情的) 동물(動物)이라, 정(情)이 발(發)한 곳에는 권위(權威)가 무(無)하고, 의리(義理)가 무(無)하고, 지식(知識)이 무(無)하고, 도덕(道德) 건강(健康) 명예(名譽) 수치(羞恥) 사생(死生)이

무(無)하나니, 오호(嗚呼)라 정(情)의 위(威)요, 정(情)의 력(力)이여, 인류(人類)의 최상(最上) 권력(權力)을 악(握)하였도다. (⋯⋯)

정육(情育)을 기면(其勉)하라. 정(情)은 제만물(諸萬物)의 원동력(原動力)이 되며 각활동(各活動)의 근거지(恨據地)니라. 인(人)으로 하여금 자동적(自動的)으로 효(孝)하며, 제(悌)하며, 충(忠)하며, 신(信)하며, 애(愛)케 할지어다. 맹이성(盲理性)의 통어지도(通御指導) 무(無)코는 군자(君子)되지 못한다 하니 기(其) 혹연(或然)할지니, 진정(眞正)하고 심각(深刻)한 사업(事業)은 정(情)에서 용(湧)한 자(者)인진저.⁹¹

이같이 춘원은 '정(情)'이 인간의 힘의 최상이요, 모든 활동의 원동력이 되는 것으로 보고, 감정을 이성보다 더 중요시하고 있다.

그는 또한 정을 문학과 연관시켜 다음과 같이 논급하였다.

문학(文學)이라는 자(字)의 유래(由來)는 심(甚)히 오원(오遠)하여 확실(確實)히 기(其) 출처(出處)와 시대(時代)는 고(攷)키 난(難)하나, 여하(如何)튼 기(其) 의의(意義)는 본래(本來) 「일반학문(一般學問)」이러니, 인지(人智)가 점진(漸進)하여 학문(學問)이 점점(漸漸) 복잡(複雜)히 되매, 「문학(文學)」도 차차(次次) 독립(獨立)이 되어 기(其) 의의(意義)가 명료(明瞭)히 되어 시가(詩歌) 소설(小說) 등 정(情)의 분자(分子)를 포함(包含)한 문장(文章)을 문학(文學)이라 칭(稱)하게 지(至)하였으며 (이상(以上)은 동양(東洋)). 영어(英語)에 「Literature(문학(文學))」이라는 자(字)도 또한 전자(前者)와 약동(略同)한 역사(歷史)를 유(有) 한 자(者)라.⁹²

■

91 전집 1권. pp.474~5(「금일(今日) 아한청년(我韓靑年)과 정육(情育)」, 《대한흥학보(大韓興學報)》 10호, 1910).

문학(文學)이란 특정(特定)한 형식하(形式下)에 인(人)의 사상(思想)과 감정(感情)을 발표(發表)한 자(者)를 운위(云謂)함이니라.[93]

문학(文學)이란 어떤 종류(種類)의 예술적(藝術的) 형식(形式)에 의(依)한 인류(人類)의 생활(生活)(사상(思想), 감정(感情) 급(及) 활동(活動))의 상상적(想像的) 표현(表現)인 문헌(文獻)으로서 오인(吾人)의 감정(感情)을 동(動)하는 것이다.[94]

여기서 춘원은 문학의 속성으로서 사상과 감정을 병립시키면서도, "정(情)의 분자(分子)를 포함(包含)한 문장(文章)을 문학(文學)이라" 칭한다든가 또는 "오인(吾人)의 감정(感情)을 동(動)하는 것"이 문학이라 하여 정(情)에 역점을 두고 있음을 볼 수 있다.

특히 그는 문학작품에 있어서의 정(情)과 흥미의 관계를 다음과 같이 구체적으로 논한 바도 있다.

문학(文學)은 정(情)의 만족(滿足)을 목적(目的) 삼는다 하였다. 정(情)의 만족(滿足)은 즉(卽) 흥미(興味)니, 오인(吾人)에게 최(最)히 심대(深大)한 흥미(興味)를 여(與)하는 자(者)는 즉(卽) 오인(吾人) 자신(自身)에 관(關)한 사(事)이라. (……) 고(故)로 문학예술(文學藝術)은 모재료(某材料)를 전(全)혀 인생(人生)에 취(取)하라. 인생(人生)의 생활상태(生活狀態)와 사상(思想) 감정(感情)이, 즉(卽) 모재료(某材料)니, 차(此)를 묘사(描寫)하면, 즉(卽) 인(人)에게 쾌감(快感)을 여(與)하는

■

92 동상, p.504(「문학(文學)의 가치(價値)」, 《대한흥학보(大韓興學報)》, 1910).
93 동상, p.507(「문학(文學)이란 하(何)요」).
94 이광수, 「문학강화(文學講話)」, 《조선문단(朝鮮文壇)》, 1924.

문학예술(文學藝術)이 되는 것이다. (……) 고(故)로 문학(文學)의 요의(要義)는 인생(人生)을 여실(如實)하게 묘사(描寫)함이라 하리로다. 문학적(文學的) 걸작(傑作)은 마치 인생(人生)의 모방면(某方面), 가령(假令) 연애(戀愛)라 하고 연애중(戀愛中)에도 상류사회(上流社會), 상류사회(上流社會) 중(中)에도 유교육자(有敎育者), 유교육자(有敎育者) 중(中)에도 재모(才貌) 유(有)한 자(者), 재모(才貌) 유(有)한 자(者) 중(中)에도 부모(父母)의 허락(許諾)을 득(得)키 불능(不能)한 자(者)의 연애(戀愛)를 과연(果然) 여실(如實)하게 진(眞)인 듯하게 묘사(描寫)히여, 하인(何人)이 독(讀)하여도 수긍(首肯)하리만한 자(者)를 위(謂)함이니, 여차(如此)한 자(者)라야 비로소 심각(深刻)한 흥미(興味)를 여(與)하는 것이다.[95]

이와 같이 춘원은 문학의 목적은 정(情)의 만족에 있고, 정(情)을 만족시키려면 흥미있게 하여 쾌감(快感)을 주어야 하며, 문학적 걸작은 심각한 흥미를 주게 된다고 하여, 문학작품에 있어서의 흥미문제에 지대한 관심을 가지고 있음을 보여주었다.

그러면 춘원의 이 '흥미' 내지 '재미'에 대한 관점은 그 후 어떻게 변하여졌을까.

고대(古代)의 「재미있다」 하던 것이 근대(近代)에도 「재미있는」 것이 유(有)하고, 타인(他人)에게 「재미있는」 것이 아(我)에게도 「재미있는」 것이 유(有)하니, 차(此)는 불변(不變)코 공통(共通)타 할지라. 대문학(大文學)의 입각지(立脚地)는 실(實)로 차점(此點)에 재(在)하니 하

95 전집 1권, pp.508~9(「문학(文學)이란 하(何)요」).

시(何時)에 독(讀)하여도 하지(何地)에 독(讀)하여도, 하인(何人)이 독(讀)하여도 「재미있는」 문학(文學)은 즉(卽) 대문학(大文學)이다.[96]

예술품을 짓는 것은 장난이 아니다. 장사는 더욱 아니다. 재미없는 예술품은 예술품이 아니어니와 재미만이 예술품의 생명도 아니다.[97]

우리가 일편(一篇)의 소설(小說)을 구상(構想)할 때에는 어찌하면 내 속에 먹은 생각을 가장 핍진(逼眞)하게 그리되 가장 힘있게 표현(表現)할꼬 하는 것을 주의(主意)로 할 것이니, 어찌 하면 독자(讀者)를 재미있게 하여 그 갈채(喝采)를 받을꼬 하는 것을 주의(主意)로 하는 것은 이단(異端)이요, 타락(墮落)이라고 할 것이다. 이러한 태도(態度)는 타기(唾棄)할 태도(態度)다. 그렇다고 재미있는 것이 소설(小說)의 흠이 될 것은 아니다. 도리어 재미는 소설(小說)의 한 생명(生命) 이라고 할 것이다. 독자(讀者)로 하여금 읽지 아니치 못하게 하는 것은 재미이기 때문에. 그런데 우리는 핍진성(逼眞性)에서야말로 가장 크고 건전(健全)한 재미를 발견(發見)한다.[98]

즉 춘원은 「무정(無情)」을 발표하던 무렵에는, 시간 공간을 초월하여 '재미있는' 문학이라야 대문학이라고 주장하였으나, 1920년대에는 재미없는 예술품은 예술품이 아니지만 재미만이 예술품의 생명은 아니라고, '재미' 절대(絶代)에서 약간 각도를 기울였고, 1930년대에는 재미로 독자에게 영합하는 것은 문학의 이단이요, 타락이라고 하면서도, 끝내 재미는 소설

■

96 동상. p.517.
97 전집 16권, p.270(「〈재생(再生)〉 작자(作者)의 말」, 《동아일보(東亞日報)》, 1924).
98 동상. p.249(「소설가(小說家)의 준비(準備)」, 《조광(朝光)》, 1936).

의 한 생명이라고 하여 그의 '재미론(論)'을 전적으로 부정하지는 않았다.

춘원이 '정(情)의 문학(文學)'에서 출발하여, 흥미 내지 재미에 이같이 주점(主點)을 두고 또한 작품 창작면에 그의 이같은 주관이 짙게 반영된 결과는 많은 독자를 가질 수 있었다는 일면의 요인이 되는 동시에, 또한 그의 작품을 통속소설이라고 칭하는 일부 논자의 소론에 거점을 제시한 결과로도 되는 것이다.

2 작가의식(作家意識)

춘원의 작가의식 내지 작가적 자세는 본고의 각 항에 긍(亘)하여 나타난 사실의 귀납에 따라 저절로 종합 추출(抽出)되는 것이지만, 여기서는 그가 문학활동의 출발점에서부터 내세운, 권선징악(勸善懲惡) 문제와 인생을 위한 문학, 그리고 조선사람을 위한 문학에 대하여 그의 소론을 추려 보기로 하겠다.

종래(從來) 조선(朝鮮)에서는 문학(文學)이라 하면 반드시 유교식(儒敎式) 도덕(道德)을 고취(鼓吹)하는 자(者), 권선징악(勸善懲惡)을 하는 풍유(諷諭)하는 자(者)로만 사(思)하여 비준승외(比準繩外)에 출(出)하는 자(者)는 타기(唾棄)하였나니, 시(是) 내(乃) 조선(朝鮮)에 문학(文學)이 발달(發達)치 못한 최대(最大)한 원인(原因)이다.[99]

예술품을 짓는 이의 태도에 세 가지가 있다. 어떤 이는 술과 같이,

---

99 전집(全集) 1권, p.509(「문학(文學)이란 하(何)요」).

아편과 같이 음란한 갈보와 같이 사람을 미혹하는 것을 지으려 하고, 어떤 이는 효경(孝經)과 같이, 소학(小學)과 같이, 또는 열녀전(烈女傳) 내칙(內則)과 같이 사람에게 약이 될 것을 쓰라고 하고, 또 어떤 이는 밥과 같이, 물과 같이, 태양의 빛과 같이 평범한 자양품을 지으려 한다. 우리가 구하는 것은 그 세째다.[100]

오랫동안 예술지상주의(藝術至上主義) 또는 그 거의 필연적(必然的) 게(系)라 할 만한 아마주의(惡魔主義)에 혐오(嫌惡)를 느끼는 인생(人生)은 과연(果然) 「예술(藝術)을 위(爲)한 예술(藝術)」이라는 전제적(專制的) 무상명령(無上命令)에 대(對)하여 「인생(人生)을 위(爲)한 예술(藝術)」이라는 관념(觀念)을 갖게 되었다. 아무리 예술(藝術)이기로, 아무리 미(美)이기로 인생(人生)을 해(害)하는 것을 허(許)할 수 없다. 예술(藝術)도 인생생활(人生生活)의 일부문(一部門), 인생활동(人生活動)의 일방면(一方面)이라 하면 인생(人生) 자신(自身)의 생활제약(生活制約)에 모순(矛盾)되기를 허(許)하지 않는다. 인생(人生)의 모든 활동(活動)은 살기 위(爲)한 활동(活動)인즉, 예술(藝術)도 살기 위(爲)한 예술(藝術), 즉(卽) 인생(人生)에게 「살림」을 주는 예술(藝術)이라야 할 것이다.[101]

춘원은 종래의 문학에 있어서 유교식 도덕과 권선징악의 목적의식을 내세우는 것을 거부하였으며, 또한 예술지상주의(藝術至上主義)에도 반기를 들고 밥과 같고 물과 같고 태양의 빛과 같은 인생을 위한 예술을 제창하였다. 그러면서도 그는 또한 민족주의를 내세우고 조선사람을 위한 문

100 이광수, 「권두사(卷頭辭)」, 《조선문단(朝鮮文壇(增))》 제2호, 1924.
101 이광수, 「우리 문학(文學)의 방향(方向)」, 《조선문단(朝鮮文壇)》 13호, 1925.

학을 쓴다고 하였다.

　내가 소설(小說)을 쓰는데 첫째가는 목표(目標)가 "이것이 조선인(朝鮮人)에게 읽혀지어 이익(利益)을 주려"하는 것임은 물론(勿論)이다.[102]

　나는 조선사람을 향하여 내 속을 말하느라고 소설을 씁니다. 나는 세계적으로 칭찬을 받는 소설가라는 말 듣기를 원하는 마음은 터럭끝만큼도 없습니다. 내 소원은 오직 조선사람들이 내 이야기를 읽으시내가 하려는 말을 알아들어 주었으면 하는 것뿐입니다. (……) 나는오직 내가 동포들에게 하고 싶은 말을 쓸 뿐입니다.[103]

춘원은 초기의 출발에서부터 민족주의자를 자처하고, 문필생활과 민족운동을 병행한다고 하였거니와, 1930년대에도 이같이 소설을 쓰는 목적이 조선인에게 읽혀서 이익을 주고 자기가 동포에게 하고 싶은 말을 작품 속에 쓴 것을 조선사람들이 알아들어 주었으면 하고 어린애 달래듯이노파심마저 곁들여 이야기하고 있으니, 이것은 그의 주관에 의한 지성어린 조국애 민족애의 발로일시 분명하다. 그러나 그는 만년에 가서 이러한일에 대한 자성(自省)을 피력하고 있다.

　못생긴 저를 잘나게 보고 더러운 제 마음씨를 바르게 믿고 혼자 좋아하던 젊은 어리석음은 해가 높이 올라와서 골안개가 스러지듯 스러질 나이가 되었다. 안개가 가리워서 으늑하게 보이던 산의 안개가 걷혀서 거무뭉투룩한 바위와 사태에 씻긴 보기 흉한 살이 분명히 드러

102　전집 16권, p.192(「여(余)의 작가적(作家的) 태도(態度)」, 《동광(東光)》, 1931).
103　동상, p.288(「내 소설. 〈그 여자(女子)의 일생(一生)〉」, 1935).

나듯 이 내 옷생김과 더러움이 사정없이 내 눈에 뜨일 때가 되었다. 내 속을 누가 들여다 보랴 하고 마음 놓고 하늘과 땅까지도 속이고 살려던 어린 날도 다 지나가고, 귀신의 눈이 끊임없이 내 꿈 속까지도 보살피는 줄을 알아차린 나이가 되었다. (……) 그래서 이 몸을 둘 곳을, 숨길 곳을 찾지 못하여 헤매는 괴로움을 맛볼 때도 되었다. (……) 한 때 냄새가 한꺼번에 나고는 다시 아니 나는 것과 같이 이 이야기로 내 더러움을, 아니 더러운 나를 살라 버리자는 뜻이다.[104]

춘원이 젊은 시절부터 생각했던 민족의식이나 작가적 자세가 건전하고도 올바른 것이었다면 이러한 회한에 맺힌 고백은 하지 않았을 것이라 보아지며, 그가 생각한 바는 옳았는데, 다만 일제 말기의 행동면만이 시행착오였다면, 그것은 별개의 해석이 내려질 가능성도 있지만, 춘원 자신은 초기의 마음가짐부터 잘못된 것으로 자성하고 있듯이 느껴지는 글이다.

이러한 각도에서 보면 다음에 예시하는 유종호의 비판은 일면의 의의를 지니는 것 같다.

그는 문학의 자율성(自律性)이란 것을 분명히 의식(意識)하고 있었고 권선징악의 설교수단(說敎手段)이 되어서는 안된다고 명백히 확언(確言)하고 있다. 그러면서도 일단 붓을 들면 「민족(民族)」「인도(人道)」「사랑」의 설교가 거침없이 쏟아져 나온다. 뿐만 아니라 후년(後年)에 가서는 자기의 소설이 민족주의(民族主義) 선양을 위한 수단에 지나지 않았다고 토로(吐露)하고 있는 형편이다. 우리는 이것을 주견(主見)없는 자기분열현상(自己分裂現象)이라고 간단히 치부해도 좋을 것일까?

■
104 동상. p.326(「〈나〉를 쓰는 말」, 「나」 소년편(少年篇), 1947).

(······) 문학자의 양심과 사회인(시민(市民))의 양심 사이에 충돌과 갈등과 방황의 드라마를 보여준 최초의 문학자로서도 이광수(李光洙)는 결코 과거의 인물은 아닌 것이다.[105]

확실히 근대화 과정의 한국 현실에 던져진 춘원의 비극은 현존하는 다른 모든 작가에게도 살아 있는 하나의 시금석(試金石)으로 될 성 싶은 것이다.

3 통속소설(通俗小說) 문제(問題)

한국소설에 있어서 통속화 내지 대중성의 문제는 비단 춘원의 작품에 한한 것이 아니다.

그것은 작가 자신의 자세에 원칙적인 기점(基點)이 놓이겠지만, 이 땅의 장편소설이 대부분 신문 연재소설의 형식으로 발표될 수밖에 없다는 현실적 여건이 작품의 가치 평가에까지 파급된 결과의 핸디캡이라고 볼 수도 있는 것이다.

그러나 결코 이러한 논거가 작가의 책임회피나 자위책으로 원용되어서는 안 될 것이다.

또한 순수문학이니 대중문학이니 하는 분기점도 다분히 주관적 견해에 따르기 쉬운 모호한 것이어서, 쾌도난마(快刀亂麻)식으로 단정하기란 매우 어려울 것으로 생각되기도 하는 것이다.

그러면 춘원이 본 통속문예 내지 대중문예란 어떠한 것이었던가.

■

105 유종호(柳宗鎬), 「어느 반문학적(半文學的) 초상(肖像)」, 《문학춘추(文學春秋)》 1권 8호, 1964.

소위(所謂) 예술적(藝術的) 소설(小說)은 취급(取扱)하는 재료(材料)와 그 묘사방식(描寫方式)이 Elegant하니까 좀 고급(高級)이 된다고 할까요. 말하자면 보통(普通)이 아닌 것, 특(特)히 연단(練鍛)한 감상력(鑑賞力)이 아니고는 감상(鑑賞)할 수 없는 것이 예술소설(藝術小說)이고, 대중문예(大衆文藝)란 것은 「풀롯」으로 보든지, 「인정(人情)」으로 보든지, 선(線)이 굵고 비교적(比較的) 만인(萬人)이 알아볼 만한 것인데, 그 외에는 양자간(兩者間)에 별(別)로 차이점(差異點)이 없다고 생각합니다. (……) 그러나 가치(價值)로 말하면, 작품(作品)을 따라 결정(決定)될 것입니다. 대중문예(大衆文藝)라고 결(決)코 모두 다 저가(低價)가 아닐 것이요, 예술소설(藝術小說)이라고 결(決)코 모두가 고가(高價)는 아닐 것입니다.[106]

위에 든 원칙론에서 춘원은 예술적 소설과 대중문예 사이에 큰 차이를 발견할 수 없을뿐더러 대중문예가 모두 저가(低價)이고 예술소설이 모두 고가(高價)라고 단정할 수는 없다고 하였다.

그러면 그는 이 문제를, 자기의 작품에 대해서는 어떻게 생각하고 있었던가.

통속소설(通俗小說)이란 흥미본위(興味本位)의 소설(小說)이라는 뜻이다. 다시 말하면, 윤리적(倫理的) 동기(動機)를 포함(包含)치 아니하였다는 뜻이다. 윤리적(倫理的) 동기(動機)를 포함(包含)치 아니 한 흥미(興味)있는 소설(小說)이라는 뜻으로 내 소설(小說)이 통속소설(通俗小說)이라 하면 거기는 동의(同意)할 수 없다. 왜 그런고 하면, 나는

106   전집 16권, p.429(「문예사상문답(文藝思想問答)」, 《문예공론(文藝公論)》 창간호, 1929).

일찍 독자(讀者)의 흥미(興味)를 목표(目標)로 붓을 들어본 일은 없는 까닭이다. 만일 내가 쓰는 소설(小說)이 대단히 평이(平易)해서 누구나 이해(理解) 감상(鑑賞)하는 것이 죄(罪)라고 하면 그것은 감수(甘受)할 수밖에 없고, 또 만일 나라는 사람이 근저(根柢)로부터 통속적(通俗的)으로 되어 먹어서 내가 쓰는 소설(小說)이 모두 통속소설(通俗小說)이 된다고 하면 그것도 나로는 어찌할 수 없는 일이다. 또 만일 계급투쟁(階級鬪爭)을 제재(題材)로 아니한 것이 통속소설(通俗小說)이라 하면 그것도 무가내하(無可奈何)다. 아무러나 나는 독자(讀者)를 기쁘게 하기 위(爲)해서 윤리적(倫理的) 동기(動機)가 없는 소설(小說)을 써본 일이 없다는 것만 중언(重言)해 둔다.[107]

어떠한 소설(小說)을 쓸 때든지 나는 소위(所謂) 「예술성(藝術性)」이니 또는 「순수문학(純粹文學)」이니 하는 것은 전혀 생각해 본 적이 없다. 세상 평론가(評論家)들은 이광수(李光洙)는 예술성(藝術性)이 없느니, 통속적(通俗的)이니, 무어니 한다 하더라도, 나로서는 그러한 논란(論難)에는 개의(介意)치 않고 나로서는 참된 인류(人類)를 위(爲)하는 마음에서 힘껏 써낸 것이려니 하는 생각뿐이요, 그 이상(以上)의 아무런 생각도 없다. 또한 나는 신문소설(新聞小說)을 쓰거나 어떤 소설(小說)을 쓰거나, 늘 생각으로는 참된 마음에서 우러나오는 가장 훌륭한 작품(作品)을 쓰리라는 것뿐으로, 이것은 신문소설(新聞小說)이니 좀더 「통속성(通俗性)」이 있게 쓰겠다, 이것은 어떤 작품(作品)이니 좀 더 「예술성(藝術性)」을 살리겠다 하는 따위의 생각은 조금치도 없다.

그런데 요사이 세상에서는 소위(所謂) 「예술성(藝術性)」이라 하면

107　동상, pp.194～5(「여(余)의 작가적(作家的) 태도(態度)」,《동광(東光)》).

으레히 가장 알아보기 어려운 말로 몇 사람 안되는 지식층(知識層)의 사람만이 감상(鑑賞)할 수 있는 일종(一種) 병적(病的)인 것으로만 해석하는 모양인데, 원래 「예술(藝術)」이라면 어느 누구나 다 읽고 알 수 있는 즉(即) 대중적(大衆的)인 것이라야 할 것이라고 나는 생각한다. 그러기 때문에 나는 소위(所謂) 「예술성(藝術性)」이라는 것, 통속성(通俗性)이라는 것 등을 엄밀(嚴密)하게 구별(區別)해 말하기가 심(甚)히 어려운 줄로 안다.[108]

남들은 내 소설(小說)을 혹아(或也) 통속소설(通俗小說)이니라 하고 평거(評去)합데다마는— 대체(大體)로 통속소설(通俗小說)이라 함은 쉽게 썼다거나 비속(卑俗)하게 이야기했다는 뜻이 아니라, 내가 알기에는 그 사건(事件)에 「우연(偶然)」을 자꾸 취급(取扱)함에 있어요. 사건(事件)을 만들어 가는데 도무지 뜻하지 않은 우연(偶然)이 일어나는 제사건(諸事件)과 인물(人物)을 자꾸 집어 넣지요. 그러면 그 소설(小說)은 얼마든지 재미있게 꾸며 나갈 수가 있지요. (……) 이 우연(偶然)이란 즉(即) 운명(運命)이지요. 그러나 나는 이러한 우연(偶然)을 믿지 않습니다. 절대(絶對)로 믿지 않습니다.[109]

내 소설을 통속소설이니, 케케 묵었느니, 순문학 가치가 부족하느니, 하는 고급 평론가들의 평을 나는 무관심하게 받았었다. 그러나 그것은 전문가인 문사들의 일이요, 일만 동포 독자들은 그 포장 속에 밀수입된 내 뜻을 잘 찾아서 알아 보았다고 믿는다. 그래서 나는 독립 전야까지 내 밀수입 포장을 계속할 작정이었던 것이다.[110]

■

108　동상, pp.435~6(「장편작가회의(長篇作家會(議))」, 《삼천리(三千里)》, 1936).
109　동상, p.303(「〈무정(無情)〉 등 전작품(全作品)을 어(語)하다」, 《삼천리(三千里)》, 1937).

춘원은 김동인의 「근대소설고(近代小說考)」, 「춘원연구」 등에서 자기 작품(作品)에 대한 혹평을 받고, 다시 임화(林和) 등에서 〈통속화〉[111] 운운의 평을 받았으므로, 그들 화살에 대한 자기변호나 정당방위의 뜻이었던지, 1931년 이후 여러 차례 그리고 해방 후인 1948년에까지도 자기 소설은 통속소설이 아니라는 변명을 하고 있음을 볼 수 있다.

즉 자기 소설이 윤리적 동기가 없다거나, 평이하거나, 계급투쟁을 제재로 하지 않았다거나, 우연을 다루었다거나, 또는 신문소설이거나 대중적이라는 점에서 통속소설이리고 인정된다면 그깃은 절대로 수긍할 수 없다고 했다.

또한 흥미가 있기 때문에 통속소설이라면 자기는 독자의 흥미를 목표로 붓을 들어 본 일은 없다고 하였지만, 이 문제는 '정(情)의 문학(文學)'의 항에서 이미 거론된 바와 같이, 춘원은 정(情)의 만족은 흥미에 있고 흥미는 쾌감을 주므로 소설에서 흥미 또는 재미는 필수품인 것처럼 말 한 바 있으니 이 문제만은 춘원의 반론이 그리 들어맞지 않는 것 같다.

그리고 끝의 예문에서 춘원이 전문가인 문사(文士)의 견해는 전연 도외시 하고, 일반 독자의 반응만 상대로 했다는 것도 이름난 작가로선 생각할 문제라고 보아지는 것이다.

그러면 이제 춘원의 작품을 평한 논자들의 통속문학론을 들어보기로 하겠다.

작품 〈흙〉은 (……) 상당히 대중예술(大衆藝術)의 필수조건(必須條件)을 훌륭하게 만족시키고 있는 것이다. 이광수(李光洙)는 대중문학(大衆文學)의 거장(巨匠)이었다. 그는 대중예술(大衆藝術)의 구성요소(構

110 전집(全集) 13권, p.278(『나의 고백(告白)』, 1948).
111 임화(林和), 『문학(文學)의 윤리(論理)』, 학예사(學藝社), 1940, p.394.

成要素)인 상투형(常套型)을 자유자재로 구사할 수 있었다. 그는 그 작품에서 본격적인 예술을 남겨놓지는 못하였다. 그러나 그는 훌륭한 문장력(文章力)을 과시하였다. 그는 〈이야기〉를 척척 만들어 낼 수 있는 천재였다. 비록 그 이야기가 통속문학(通俗文學)이 되기는 하였지만.[112]

그러나 그만치 또 춘원(春園)의 사상(思想)과 감정(感情)은 항상 그 시대(時代)의 「져어날」한 상식(常識) 수준(水準)에 머물러 있었고 작품(作品) 또한 통속성(通俗性)을 벗어나지 못했다. 그리고 그의 근대의식(近代意識)도 이 범위(範圍)를 맴돌고 있었다.[113]

송욱(宋稶)은 통속문학의 뜻으로 춘원을 대중문학의 거장이라고 하고, 춘원의 작품은 통속성을 벗어나지 못했다고 하였다.

그러나 다음 논자들은 반대의 견해를 나타내고 있음을 볼 수 있다.

그런데 비평하는 사람들이 춘원(春園)의 모든 작품(作品)을 분석 검토하고서는, 한가지로 그 작품(作品)들에 나타나는 인물(人物)들의 성격의 모순과 사건전개의 무리(無理)와 이상(理想)의 비현실성(非現實性) 등 허다한 결점을 제시하지만, 오늘날까지 춘원(春園)의 작품(作品)만큼 저급(低級)한 독서층(讀書層)뿐 아니라 교양이 많다고 할 수 있는 지식층(知識層)에까지 다수(多數)한 독자를 가지고 있는 작품은 없읍니다. 이것이 춘원(春園)의 위대한 점입니다. 한마디로써 간단히 말하면, 춘원(春園)의 문학(文學)은 「상식문학(常識文學)」입니다. 그러나 진리(眞理)는 항상 평범한 사리(事理) 속에 묻혀 있는 것과 같이,

112 송욱(宋稶), 『문학평전(文學評傳)』, 일조각(一潮閣), 1969, p.51.
113 정태용(鄭泰榕), 「한국의 동키호테상」, 《現代文學》 6권 6호, 1960.

그의 평범문학이야말로 그가 항상 말하던 바 「밥과 같은 문학(文學)」, 「물과 같은 문학(文學)」으로서, 인생(人生)에 있어서 요긴한 문학(文學)인 까닭이라 하겠습니다.[114]

　　춘원(春園)의 문학이념(文學理念)은 그다지 고상(高尙)하지는 않다. 그렇다고 하여 통속적(通俗的)인 것은 아니다. 춘원(春園)의 작품(作品)이 통속(通俗)으로 흐르는 듯하면서 이것을 뛰어 넘은 것이 춘원(春園)이다.[115]

　　춘원(春園)의 장편소설은 그것을 일부에서는 대중소설이라고 과소평가하는 사람도 있지만 크게 내세워져야 할 것이다.[116]

　김팔봉(金八峰)은 독자층의 폭이 넓은 것은 춘원의 위대한 점이며, 그의 문학은 〈상식문학(常識文學)〉으로 인생에 있어서 요긴한 문학이라 하였고, 홍효민(洪曉民)은 춘원문학이 통속으로 흐르는 듯하면서 통속은 아니라고 하였고, 신동한은 춘원의 소설을 대중소설 운운하는 것은 과소평가라고 보고 춘원의 작품은 크게 내세워야 한다고 하였다.

　여기서도 찬반(贊反) 양론이 있듯이 춘원문학의 통속성 내지 대중성의 문제는 앞으로도 논자들에 의하여 두고두고 논의될 대상으로 될 것이다.

4 문장관(文章觀)

　춘원은 문필생활의 첫시작에서부터 육당(六堂) 최남선(崔南善)과 더불

114　김팔봉(金八峰), 「작가(作家)로서의 춘원(春園)」, 《사상계(思想界)》 6권 2호, 1958.
115　홍효민(洪曉民), 「이광수론(李光洙論)」, 《현대문학(現代文學)》 5권 7호, 1959.
116　신동한(申東漢), 「이광수론(光光洙論)」, 《월간문학(月刊文學)》 9호, 1969.

어 표현문장에도 관심을 가지고 문장개혁에 주력한 사람이다.

그는 자기 자신이 새로운 문체를 실천에 옮겼을 뿐만 아니라, 후진에게도 그러한 새로운 문체를 쓸 것을 기회 있을 때마다 강조하였다.

문학(文學)이란 내용(內容)을 담는 기(器)는 문(文)이다. 조선(朝鮮)서는 고래(古來)로 한문(漢文)이 아니면 문(文)이 아닌 줄로 사(思)하였으며, 문(文) 즉(卽) 문학(文學)으로 사(思)하였나니 차(此)가 문학(文學)의 발달(發達)을 저해(沮害)한 대장애(大障碍)니라. (……) 조선학자(朝鮮學者)의 시간(時間)과 정력(精力)의 대부분(大部分)은 차(此) 난삽(難澁)한 한문(漢文)을 학(學)하기에 허비(虛費)되었나니, 차(此) 시간(時間)과 정력(精力)을 타(他)에 용(用)하였던들 우수(優秀)한 조선문학(朝鮮文學)이 많이 생(生)하였을 것이로다. (……) 근래(近來) 조선소설(朝鮮小說)이 순국문(純國文), 순현대어(純現代語)를 사용(使用) 함은 여(余)의 흔희불기(欣喜不己)하는 바이나, 여차(如此)히 생명(生命) 있는 문체(文體)가 더욱 왕성(旺盛)하기를 망(望)하며, 국한문(國漢文)을 용(用)하더라도 말하는 모양으로 최(最)히 평이(平易)하게 최(最)히 일용어(日用語)답게 할 것이니라. (……) 고(故)로 신문학(新文學)은 반드시 순현대어(純現代語) 일용어(日用語) 즉(卽) 금(今) 하인(何人) 이나 지(知)하고 용(用)하는 어(語)로 작(作)할 것이니라.[117]

첫째, 그것이 모두 다 시문체(時文體)로 쓰였음이외다. 가령(假令) 전(全)혀 구절(句節)을 떼지 아니하고 죽 잇대어 쓴 것이라든지, 혹(或) 구절(句節)을 떼더라도 규칙(規則)없이 뗀 것, 가령(假令) 『그때에

117 전집 1권, p.515(「문학(文學)이란 하(何)오」).

그는 겨우 젖 떨어진 아이었었다.』할 것을 『그때에그는겨우젖떨어진 아이었었다 』하는 것이라든지, 「?」와「!」를 혼동(混同)하여 감탄(感歎)할 곳에 의문표(疑問票)「?」를 달며, 의문(疑問)할 곳에 감탄표(感歎票)「!」를 다는 것이며, 또 본문(本文)과 회화(會話)의 구별(區別)이 없이 마땅히 인용표(引用票)「⌐」를 달 것을 아니 단 것이며, 「,」「.」같은 구독(句讀)을 전혀 달지 아니한 것과 생략표(省略票)「……」를 혹(或)은 남용(濫用)하며 혹(或)은 두서너 자(字) 짜리 즉「……」이만큼 할 것 을 반(半)줄이나, 혹(或)은 한줄, 심(甚)한 것은 두줄 서줄이나 점선(點線)을 친 것이며, 일절(一節) 일절(一節) 절(節)을 떼지 아니하고 처음부터 끝까지 단절(節)로 내리 쓴 것 등, 퍽 무식(無識)한 것도 많지마는 대개(大槪)는 자리 잡힌 훌륭한 시문(時文)입데다.[118]

위의 인용에서 보는 바와 같이 춘원은 새로운 문장은 순국문(純國文), 순현대어(純現代語), 일용어(日用語)를 쓰는 새로운 시대적인 문체, 즉 시문체(時文體)로 써야 한다고 주장하였다.

뿐만 아니라 그는 띄어쓰기, 절(節)의 구분, 문장부호, 구두점 등에 이르기까지 후진들에게 문장작법에 대한 세심한 주의를 환기시키고 있음을 볼 수 있다.

또한 그는 국어와 조선문학과의 관계에 대해서도 논급하였다.

조선문학(朝鮮文學)이란 무엇이뇨?
조선문(朝鮮文)으로 쓴 문학(文學)이다![119]

118　이광수, 「현상소설(懸賞小說) 고선여언(考選餘言)」, 《청춘(靑春)》 12호, 1919.
119　전집 16권, p.178(「조선문학(朝鮮文學)의 개념(槪念)」, 《신생(新生)》, 1929).

국어(國語)를 떠난 문학(文學)이 있을 수 없고, 또 국어(國語)도 문학(文學)으로 하여 보유(保有)되고 세련(洗鍊)되고 발달(發達) 되는 것이다. 조선문학(朝鮮文學)이 조선어(朝鮮語) 위에 성립(成立)될 것은 무론(無論)이다. 그런데 조선어(朝鮮語)는 나날이 파괴(破壞)되고 난잡(亂雜)하게 되는 과정(過程)을 밟고 있다. 보통교육(普通敎育)에서 조선어교수(朝鮮語敎授)의 시수(時數)가 부족(不足)하고 교재(敎材)가 부적(不適)하고 방법(方法)이 그릇된 것이 한 이유(理由), 천생 배외성(拜外性)의 고질(痼疾)을 가진 우리네가 제 말인 조선어(朝鮮語)에 대(對)한 애착(愛着)과 존경(尊敬)이 부족(不足)함이 한 이유(理由), 신문(新聞) 경영자(經營者)들이 조선어문(朝鮮語文)을 망치어 버리는 것이 가장 큰 한 이유(理由), 조선어(朝鮮語)의 승려(僧侶)라야 할 문필(文筆) 잡은 자(者)들이 조선어(朝鮮語) 공부(工夫)를 아니하고 졸렬(拙劣) 난잡(亂雜)한 어문(語文)을 쓰는 것이 한 이유(理由).[120]

춘원은 조선문학이란 무엇이냐에 대하여 조선문으로 쓴 문학이라는 대전제를 내세우고, 국어를 떠난 문학이 있을 수 없고, 국어는 문학으로 하여 보유되고 세련되고 발달된다고 하여 국어와 문학의 불가분의 숙명론을 펼치는 동시에 국어의 파괴를 우려하는 심정을 토로하기도 했다.
특히 일본의 식민정책으로 조선어교육이 점점 약화되어 갈 즈음에는 그러한 현상에 대한 애통한 심정을 표시하기도 했다.

목하(目下) 조선어(朝鮮語)는 정말 수난시대(受難時代)에 닥쳤읍니다. 인생(人生)으로서 유년시대(幼年時代) 민족(民族)으로서 초등교육

120   동상, p.189(「문학(文學)에 대한 소견(所見)」, 《동아일보(東亞日報)》, 1929).

(初等教育)을 담는 시기(時期)에 있어서 제일(第一) 자기(自己)의 고유어(固有語) 학습(學習)의 완미(完美)를 도(圖)하여야 할 터인데. 요새 보통학교(普通學校)의 조선어과(朝鮮語科)로는 말할 것도 없거니와, 고등보통학교(高等普通學校)로도 조선어(朝鮮語) 학습정도(學習程度)가 거의 영점(零點)이라고 하게 됩니다. 과연 타민족(他民族)들의 자어학교육(自語學敎育)에 비겨 본다면 말할 수 없는 정상(情狀)입니다. 조선어(朝鮮語)는 오직 조선(朝鮮)사람에서 보존(保存)될 것이며, 생장(生長)될 것이며, 발달(發達)될 것입니다. 참으로 애지중지(愛之童之)하여 배우고 또 배우며 연구(研究)에 연구(研究)를 더하여야만 조선(朝鮮)의 문화(文化)가 진면목(眞面目)으로 건설(建設)될 것입니다.[121]

이는 1932년에 발표된 것으로, 이때 벌써 일본은 조선어의 말살정책에 서서히 손을 대기 시작한 시기여서, 소학교나 중학교에는 일주간에 조선어란 한 시간 정도밖에 없었으며, 그것도 실효를 얻자는 것보다 명목상으로 남겨둔 유명무실한 과목이었다.

춘원은 이러한 현상을 통탄하여 민족어의 생장과 발달을 호소한 것이었다.

그러나 춘원으로도 그 이상의 항거는 할 수 없었던 것 같다.

5 여기론(餘技論)

춘원은 계속 작품 창작을 하면서도 자기 문학생활은 여기(餘技)라는 말

---

121 동상, pp.442∼3(「외래어(外來語)와 조선어(朝鮮語)」, 《여명(黎明)》 22호, 1932).

을 자주 썼다.

그러면 끝까지 춘원은 문사(文士)를 거부하고, 작품 쓰는 것을 여기(餘技)로만 보았던 것인가. 이 문제는 춘원의 작가적 자세와도 간접적으로 관계되므로, 여기론(餘技論)에 대한 그의 견해의 변천을 추적할 필요가 있다고 보이는 것이다.

나는 일찍 문사(文士)로 자처(自處)하기를 즐겨한 일이 없었다. 내가 〈무정(無情)〉〈개척자(開拓者)〉를 쓴 것이나 〈재생(再生)〉〈혁명가(革命家)의 아내〉를 쓴 것이나 문학적(文學的) 작품(作品)을 쓴다는 의식(意識)으로 썼다는 것보다는 대개가 논문(論文) 대신(代身)으로 내가 보는 당시(當時) 조선(朝鮮)의 중심(中心) 계급(階級)의 실상(實狀)—그의 이상(理想)과 현실(現實)의 괴려(乖戾), 그의 모든 약점(弱點)을 여실(如實)하게 그려내어서 독자(讀者)의 감계(鑑戒)나 감분(感奮)의 재료(材料)를 삼을 겸(兼) 조선어문(朝鮮語文)의 발달(發達)에 일자격(一刺激)을 주고 될 수 있으면 청년(靑年)의 문학욕(文學慾)에 불건전(不健全)치 아니한 독물(讀物)을 제공(提供)하자—이를테면, 이 정치(政治) 아래서 자유(自由)로 동포(同胞)에게 통정(通情)할 수 없는 심회(心懷)의 일부분(一部分)을 말하는 방편(方便)으로 소설(小說)의 붓을 든 것이다. 그러므로 소설을 쓰는 것은 나의 일여기(一餘技)다. 나는 지금(只今)도 문사(文士)는 아니다.[122]

정직하게 말하면 시(詩)나 소설(小說)은 내가 그리 존경하는 바가 아니었고 글을 쓰면 당당한 논문(論文)을 쓸 것이라고 자인한 것이었

■

122 동상, p.191(「여(余)의 작가적(作家的) 태도(態度)」, 《동광(東光)》, 1931).

다. 이 생각은 지금도 마찬가지이다. 지금은 소설(小說)을 할 수 없어서 쓰는 부기(副技) 여기(餘技)라고 밖에 생각하고 싶지 않은 것이 나의 심정(心情)이다.[123]

問. 그럼 선생(先生)은 어떻게 문학자(文學者)가 되셨읍니까?

答. 허허, 뭐 나는 지금(只今)도 문학가(文學家)로 자처(自處)치 않지만, 나는 한국시대(韓國時代)에 동경(東京)을 갈 때에 대신(大臣)이 되자는 목적(目的)을 가지고 유학(留學)을 갔지요. 그러나 시대(時代)가 변해서 대신(大臣)될 수가 없으니까 그럭저럭 소설(小說)을 쓰게 되였는데, 지금(只今)도 소설(小說)쟁이란 말이 아주 듣기 싫습니다.[124]

춘원(春園)은 일찍 문사(文士)로 자처하지 않고 작품을 쓰는 것을 여기(餘技) 내지 부기(副技)로 생각하였다지만, 초기에는 그가 여기 운운한 구절을 별로 발견할 수 없고, 1930년대에 들어와서, 그의 여기론(餘技論)은 여기저기에서 눈에 띄게 된다.

그러고 그의 '문사(文士)'라는 말의 기피증은 소설가 또는 소설쟁이로 불리는데 대한 거부감이고, 여기 대상이 되는 글도 문필 전체를 총괄하는 것이 아니라, 주로 소설에 국한시켰다는 것을 알 수 있다.

왜냐하면 그는 소설은 비하하는 듯하면서도, 논문은 당당한 것으로 보고 있는 것이다.

그러나 그도 얼마 안 가서, 소설가의 뜻을 담은 문사나 문인이 된 것을 기뻐하고, 그것처럼 되기 어려운 것도 없다고 하였다.

■

123 전집 14권, p.399(「다난(多難)한 반생(半生)의 도정(途程)」, 《조광(朝光)》, 1936).
124 전집 20권, p.254(「이광수씨(李光洙氏)와의 일문일답(一問一答)」, 《신인문학(新人文學)》, 1936).

내가 문사(文士)된 것을 가장 기쁘게 생각한 일은 내가 작품(作品)을 쓸 때마다 많은 독자(讀者)로부터 열렬(熱烈)한 찬사(讚辭)의 편지(片紙)가 오는 것입니다. 누구나 문사(文士)된 이는 그 외(外)에 더 기쁜 일이 없겠지요. 내가 〈흙〉을 쓸 때에는 근(近) 이백여통(二百餘通)의 편지(片紙)를 받았읍니다. 내가 얼마나 감격(感激)하였겠읍니까? (……) 그러나 오늘날 사회상(社會上)으로 보거나 물질적(物質的) 보수(報酬)로 보거나 나의 문인(文人)된 것에 대(對)하여 만족(滿足)을 느낀다고는 못하겠읍니다. 그 외(外)에 문인(文人)으로 욕(辱)먹는 일도 많지요. 아마 문인(文人) 중(中)에는 내가 제일(第一)일 것입니다.[125]

세상(世上)에 문인(文人)이 되기처럼 쉬운 것도 없다고 하지마는 진정(眞正)한 의미(意味)로 보아 문인(文人)처럼 되기 어렵고 소설(小說)처럼 쓰기 어려운 것은 다시 없을 것입니다. 나도 언제나 완전무결(完全無缺)한 조금도 불만(不滿)없는 작품(作品)을 쓰게 될는지요. 지금(只今)으로부터 쓰는 작품(作品)은 일층(一層) 노력(努力)과 성의(誠意)를 다하여 쓰겠읍니다.[126]

이처럼 춘원은 소설을 쓴 덕분에 독자에게서 온 '팬레터'에 감격 하였으며, 또한 점점 소설 쓰기 어려운 것을 느꼈다고 했으나, 이때쯤이, 춘원이 작가로서의 본자세를 찾은 시기가 아닌가 하는 생각도 없지 않다.

그러나 그가 문사(文士)된 것에 자족하고 소설의 어려운 진미를 알았다는 뒤의 두 기록은 1934년에 발표된 것이며, 소설을 할 수 없어서 쓰는 부기(副技), 여기(餘技)라고 기술한 앞의 인용문은 1936년에 발표된 것이

■

125 전집 16권, p.405(「나의 문단생활(文壇生活) 삼십년(三十年)」, 《신인문학(新人文學)》, 1934).
126 동상, p.406.

니, 춘원은 '여기(餘技)'에서 벗어나 문사(文士)로 만족한다고 자세를 바꾼 뒤, 또다시 2년 후에 부인한 것으로 되니, 그의 작가로서의 주체적인 자세도 가히 알 만한 것으로 해석된다.

5. 작가(作家)와 지조(志操)

1 조국(祖國)과 배신(背信)

춘원은 왜 변절을 했는가, 또는 변절을 하지 않을 수 없었는가. 이러한 질문엔 즉각 대답할 수 없을 정도로 춘원의 생애는 복잡 미묘한 것이다.

애국자였기 때문에? 그러나 변절하지 않은 애국지사가 더 많다. 문인이었기 때문에? 문인 중에도 변절하지 않은 사람이 많고, 옥사한 순국문인도 있다. 환경 때문에? 당시의 가혹한 환경은 한국민족 전체가 겪은 질곡이어서 범속한 사람들은 거론할 것도 없겠지만, 민족이 숭앙하는 지명지사(知名知士)도 옥고를 치르며 수절한 사람이 많다. 그러면 성격 때문에? 거기에는 대답할 여유를 가져야 할 것 같다.

물론 당사자인 춘원으로서는 말할 수 없이 절박하여, 내세울 이유나 변명이 없을 것은 아니겠지만, 결과적으로는 수천 가지의 이유나 수만어(數萬語)의 변명이 변절하지 않은 것만 못할 것이요, 또한 그것이 옳은 길이요 정당한 길이었을 것이다.

그러나 애석하게도 춘원은 이미 변절하여 버렸으니, 그에 대한 추적은 복잡할 수밖에 없다.

이해(利害)는 항용 변절(變節)을 요구(要求)하는 것이다. 절(節)만 변(變)하면 해(害)를 면(免)한다. 절(節)만 잠간 변(變)하면 수가 난다

하는 것은 사람의—더구나 지도자급(指導者級)인 인물(人物)의 일생(一生)에 매양 오는 유감(誘感)이다. 그래서 만일 자칫하면 그 유감(誘感)에 넘어가면 그의 공인적(公人的) 생명(生命)은 영영(永永) 멸절(滅絶)하고마는 것이다. 민중(民衆)이란 이런 점(點)으로는 대단히 엄정(嚴正)한 재판관(裁判官)이다. 그리고 이 재판(裁判)은 대역죄(大逆罪)의 재판(裁判)과 같이 일심(一審)이 곧 종심(終審)이다. 그 판결(判決)은 영영(永永) 번복(飜覆)될 기회(機會)가 없는 것이다.

　궁인(窮困)이나 생명(生命)이 위험(危險)은 결코 변절(變節)을 정당화(正當化)하는 이유(理由)는 못되는 것이다.

　왜? 누구는 순경(順境)에서 변절(變節)하는 자 있든가. 진퇴유곡(進退維谷)한 역경(逆境)에 선지라, 절(節)을 말하는 것이다. 그러기에 조수(操守)란 어려운 것이요, 값있는 것이다.[127]

이것은 춘원 자신이 선언한 변절에 대한 준엄한 논고(論告)요, 지조론의 기본 법전의 조문이기도 한 것이다. 그러면서도 머지않아 춘원은 이 자기 선언의 지조론의 계율을 깨고 자승자박 격으로 스스로 법망에 걸려 들어간 것이다.

　그러나 그것으로 끝난 것은 아니다. 춘원은 참회 이전에 변명의 기회를 먼저 가졌던 것이다. 그를 아직도 아끼고 있던 사람들은 그의 무조건 참회를 바라고 있었건만······.

　그러면 무엇 때문에 나는 조그맣게라도 가지고 있던 명예를 버리고 친일파의 누명을 쓰고 나섰는고. 어리석을는지 모르나 내게는 나

127　전집 17권, p.313(「청년(靑年)에게 아뢰노라」, 《신동아(新東亞)》, 1932).

로서의 이유가 있었던 것이다. 그것을 설명하자는 것이 이 책의 목적이다. 그것은 일언이 폐지하면 나를 희생해서 다만 몇사람이라도 동포를 핍박에서 건지자는 것이었다.

나는 더 젊어서는 뜻이 커서, 내가 능히 민족을 온통으로 건지리라고 생각 하였었다. 적어도 인도의 간디를 기약한 것이 내가 서른살에 상해에서 돌아올 때의 꿈이었다. 그러나 나는 점점 제가 몇푼어치 못 되는 것을 깨달으며, 큰 꿈은 글로 남기고 몸으로는 민족의 조그마한 이익을 구하는 데나 쓰리라는 생각을 하기 시작하였다. 비록 한 중생이라도 네 목숨을 던져 구할 수 있거든 다행하게 알라는 불교의 교훈이 내 마음에 맞았던 것이다.

그러므로 나는 내 이익을 위해서 친일 행동을 한 일은 없다. 벼슬이나 이권이나 내 몸의 안전을 위해서 한 일은 없다. 어리석은 나는 그것도 한민족을 위하는 일로 알고 한 것이었다.[128]

그러나 이 협력의 태도를 보이려면 노상 희생이 없는 것은 아니었다. 그것은 몇 사람이 애국자로서의 명예를 희생하는 것이었다. (……)

나는 내 아내와 사랑하는 여러 동지들의 정성된 만류도 뿌리치고, 마침내 명예롭지 못한 희생의 길에 나섰던 것이다.[129]

이러한 변명에 대한 허용 내지 포용도는 겨레 각자의 가슴속에서 가늠될 수밖에 없는 일인 것 같다.

그러나 춘원은 자기의 긴 변명에 대하여 반응이 없을 때의 대치조건으로였는지 개미소리만한 짤막한 참회의 뜻을 끝에 덧붙이고 있는 것이다.

■

128 전집 16권, pp.332~3(『나의 고백(告白)』 서문(序文), 1948).
129 전집 13권, pp.270~71(「민족보존(民族保存)」, 『나의 고백(告白)』, 1948).

내가 조선신궁에 가서 절을 하고 향산광랑(香山光郞)으로 이름을 고친 날, 나는 벌써 훼절한 사람이었다. 전쟁중에 내가 천황(天皇)을 부르고 내선일체(內鮮一體)를 부른 것은 일시 조선민족에 내릴 듯한 화단을 조금이라도 돌리고자 한 것이지마는, 그러한 목적으로 살아있어 움직인 것이지마는, 이제 민족이 일본의 기반을 벗은 이상 나는 더 말할 필요도 또 말할 자격도 없는 것이다. 가장 깨끗하자면 해방의 기별을 듣는 순간에 내가 죽어버리는 것이지마는, 그것을 못한 나의 갈 길은 입을 다물고 가만히 있는 것이라고 나는 생각하였다.[130]

긴 변명이 춘원의 정체이고, 짧은 참회가 위장된 춘원인지, 또는 그 반대인지, 판정하기 어려우나, 춘원의 내연에는 이 두 가지 요소가 다 복재(伏在)되어 있지 않았었는가 하는 추단(推斷)을 내려보기도 하는 것이다.

그러면 논자(論者)들은 춘원(春園)의 변절(變節)과 그의 문학적 업적을 어떻게 결부시켜 보고 있는 것일까.

춘원(春園)이 애국적(愛國的) 실천(實踐)을 했드라면 그것이 저절로 그 소설(小說)에 표현(表現)되어 위선자(僞善者)가 아니라 진정(眞正)한 애국자(愛國者)의 주인공(主人公)이 되었을 것이 아닌가. (……) 춘원(春園) 같은 「붓 한자루」만 가지고 중류(中流) 이상(以上)의 안이(安易)한 생활(生活)을 하면서 자기(自己)의 이해(利害)에 따라서 이렇게도 글을 쓰고 저렇게도 글을 써가지고 민족(民族)을 지도(指導)하는 것처럼 착각(錯覺)한데서 그의 희비극(喜悲劇)이 원인(原因)하는 것이다.[131]

■

130 동상, p.277(「해방(解放)과 나」, 『나의 고백(告白)』 서문(序文), 1948).
131 김동석(金東錫), 『뿌르조아의 인간상(人間像)』, 탐구당서점(探求堂書店), 1949, p.96.

국내(國內)에 들어오는 순간 그는 결국 변절자(變節者)가 되고 말았지만, 어쩔 수 없이 문필(文筆)로 그날 그날 양식(糧食)을 벌어들이는 동안에도 그는 여전히 젊은 날의 계몽적(啓蒙的) 지도자(指導者)로서의 자각(自覺)을 버리지 못한 끝에 소설(小說)을 자기 신념(信念)의 투영체(投影體)로 생각했던 것이다.

그 신념(信念)이 결국 민족(民族)에 대한 배신(背信)을 뜻하는 것임을 스스로 깨우치지 못한 것은 비극(悲劇)이었지만.[132]

김동석은 처음부터 춘원을 위선자로 보고, 그의 문학도 위선자의 문학으로 일도양단식의 판정을 내렸고 정창범(鄭昌範)은 춘원의 배신은 그의 미자각적 신념의 소산이라고 보았다.

그러나 다음 제씨(諸氏)들은 좀 다른 견해를 보이고 있다.

그러므로 그가 후기(後期)에 저지른 정치적(政治的)인 과오(過誤)나 개인적(個人的)인 인격결함(人格缺陷)을 논외(論外)로 하고, 다만 한 작가(作家)로서 남긴 공적(功績)만을 평가(評價)한다면 한국소설사상(韓國小說史上) 그만한 선구적(先驅的)인 공적(功績)을 남긴 작가(作家)도 별로 없다는 결론(結論)에 도달(到達)하게 된다.[133]

일제(日帝)의 말기(末技)에 와서 그가 아무리 민족(民族)의 절개(節介)를 굽혀 일제(日帝)에야 합(野合)하여 조국(祖國)과 민족(民族)을 반역(反逆)한 일대(一大) 치욕(恥辱)의 기록(記錄)을 남겼다 해도 그 때문에 이

132 정창범(鄭昌範), 「계몽주의(啓蒙主義) 문학(文學)」, 《월간문학(月刊文學)》 7권 9호, 1974.

133 김우종(金宇鍾), 「춘원문학연구(春園文學硏究)」, 《충남대논문집(忠南大論文集)》 인문사회과학편(人文社會科學篇), 제5집, 1966, p.16.

사실(事實)은 또한 말소(抹消) 될 수는 없는 성질(性質)의 것이다[134]

비록 춘원(春園)이 8·15의 광복이 된 후 크게 참회(懺悔)하는 빛을 글이나 말로 하지 않았다는 것을 허물하게도 되지만 민족문학의 거성(巨星)으로서의 자리를 지워버릴 수는 없다.[135]

이광수(李光洙)가 심판을 받을 때 그의 깊고도 머언 「선행(先行)」의 역정(歷程)은 묵살되고, 「악행(惡行)」만이 문제되었다. (……)

8·15를 겪은지 거의 20년, 이제 이광수(李光洙)는 우리 앞에 대역죄인(大逆罪人)으로서가 아니라, 선구자(先驅者) 이광수(李光洙), 왕년(往年)의 민족지도자 이광수(李光洙)로서 다시 클로즈업 되어간다. 이광수(李光洙)를 위해서 다행한 일이고 또 어느 모로 보면 냉정(冷靜)의 회복에서 오는 공정한 처사라고도 할 수 있다.[136]

그러나 그가 친일(親日)을 했기 때문에 문학사에서 제거를 해야 된다는 식의 과격한 주장은 절대로 받아들일 수 없다는 게 제 생각이에요.[137]

이광수(李光洙)를 사상가로 보든지 그 어느 한쪽을 드러내야 할 것임에도 불구하고 많은 사람들은 이광수(李光洙)의 논설의 당착을 들어 혹은 사상가, 실천가로서의 오류(誤謬)를 들어 그의 문학을 단죄(斷罪)하기 일쑤인 인상을 주고 있다.

134 조연현(趙演鉉), 「휴일(休日)의 의장(意匠)」, 인간사(人間社), 1957, p.198.

135 신동한(申東漢), 「이광수론(李光洙論)」, 《월간문학(月刊文學)》 9호, 1969.

136 유종호(柳宗鎬), 「어느 반문학적(半文學的) 초상(肖像)」, 《문학춘추(文學春秋)》 1권 8호, 1964.

137 김현, 「이광수(李光洙)와 개화기문학(開化期文學)」, 《문학사상(文學思想)》 창간호, 1972.

어느 한 분야의 모순이나 실수를 들어 다른 분야를 판단하는 행위
는 다분히 도식적 사고가 작용할 우려가 있고 그 결과 이광수(李光洙)
의 문학이 그릇 이해될 가능성이 도처에서 산견(散見)된다.[138]

그의 민족적(民族的)인 훼절(毁節)이 작가(作家) 춘원(春園)을 평(評)
하는 데 있어서 어떤 선입견(先入見)으로 작용될 수도 있으리라. 확실
히 긁으면 긁을수록 아픈 상처이다. 그러한 면(面)으로는 동서고금(東
西古今)에 정치(政治)에 침여(參與)히여 상처를 입지 않은 문인(文人)
작가(作家)도 드물다. (……) 먼 예(例)를 고사하고 이차대전시(二次大
戰時) 불과 몇 해 동안 그것도 온 천하(天下)가 불구대천(不俱戴天)의
원수로 여기던 나찌스 독일군(獨逸軍) 점령하(占領下)에 치명적(致命
的)인 과오를 범한 쎌린느(Céline) 드류 라 로셀 (Drieu La Rochelle)
같은 이들도 사후(死後)에는 그들의 정치적(政治的) 과오(過誤)와 문학
(文學)을 별개로 여기고, 속속(續續) 그들에 대한 연구서(研究書)까지
발표되어 작가(作家)로서 복권(復權)시켜 줌에 인색치 않고, 다소(多
少)의 상처를 입은 현존(現存) 대가(大家) 몽떼르랑(Montherlant), 지오
노(Gionot), 쥬앙도(Jouhandeaw) 들에 대하여도 아무도 새삼스레 그
들의 상처를 들추어내는 이는 없는 듯하다. 이 점 역시 외국인(外國
人)들은 과대평가(過大評價)하고 자기(自己) 나라의 출중(出衆)한 사람
에게는 지나치게 가혹(苛酷)하게 따지는 태도는 버려야 할 것이다. 문
학(文學)과 정치(政治)가 동일(同一)한 차원(次元)에 속할 수는 없는 일
이다.[139]

■

138 김윤식(金允植), 「한국근대작가론고(韓國近代作家論攷)」, 일지사(一志社), 1974, p.16.
139 김붕구(金鵬九), 「한국인(韓國人)과 문학사상(文學思想)」, 일조각(一潮閣), 1964, p.92.

그들의 반민행위에도 불구하고, 조선어와 조선문화에 대해서 화살을 겨눈 죄악에도 불구하고, 백보를 양보해서 호의적으로 해석할 때 조선민중에 대한 일제의 탄압을 다소 경감시켰으리라는 생각도 없지 않았다. 만약 모든 조선인이 항일투사였다고 할 때 일제는 조선을 어떻게 처우했을까? 이것을 친일작가들은 다소 절감시켰다.[140]

김우종, 조연현, 신동한, 유종호, 김현 등은 춘원의 친일행위 내지 변절을 인정하면서도, 그 작품의 문학사적인 평가는 정당하게 해야 할 것이라는 견해를 보이고, 김윤식(金允植)은 친일의 선입견으로 이광수 문학의 그릇된 이해를 가져와서는 안 된다고 하였고, 김붕구는 2차대전 이후의 불란서의 예를 들어 정치와 문학을 동일한 차원에서 볼 것이 아니라 정치적인 과오와는 별개로 문학은 평가되어야 한다고 하였으며, 『친일문학론(親日文學論)』에서 문인들의 일제하의 친일행위를 척결(剔抉)한 임종국은 춘원(春園)의 훼절(毁折)이 당시의 조선민족에 대한 일제의 탄압을 다소 경감시키고, 친일작가를 적게 만드는 구실을 하지 않았을까 하는 폭넓은 견해를 보이고 있다.

사실 임종국의 『친일문학론』에 의하면 일제말기 백여 명의 문인 중에서 다소라도 일제에 협력을 하지 않은 문인은 십수인(十數人)에 불과하다고 하였으니, 춘원만을 유독 문학사에서 중죄로 다루어야 할 필요는 없지 않은가 하는 생각이 들기도 하는 것이다.

---

140   임종국(林鐘國), 「친일문학론(親日文學論)」, 평화출판사(平和出版社), 1966, p.469.

2 그래도 읽히는 춘원

춘원이 집필하고 있던 시절에 춘원작품이 널리 읽힌 것은 중지(衆知)의 사살이지만, 친일파요 훼절한 반민족자로 재판까지 받은 춘원의 작품이 지금도 읽히는 이유는 대체 어떤 점에 있는 것일까, 이것은 한 번 생각해 볼 문제인 것 같다.

그러한 물음에 실마리가 될 만한 견해들을 추려 보기로 하겠다.

조선(朝鮮)사람의 감정(感情)과 정서(情緖)를 조선(朝鮮)글로 치밀(緻密)하게 완전(完全)히 발표(發表)할 수 있는 이 구어체(口語體)의 문장(文章)은 참으로 아름다운 표현(表現)이었다.

새로운 내용(內容)을 담은 이 새로운 문학(文學)은 우리들의 만족(滿足)과 환희(歡喜)의 초점(焦點)이었다. 그러므로 그때 우리는 소설(小說)이건 감상문(感想文)이건 논문(論文)이건 선택(選擇)하지 않고 이 새로운 문장(文章)의 매력(魅力)에 심취(心醉)하였던 것이다.[141]

춘원(春園) 이광수(李光洙)의 문학(文學)은 어느 때든지 읽어서 놓기 싫은 그것으로 되어 있다. 그가 취(取)한 길이 「리얼리즘」 보다도 「로맨티시즘」을 취(取)한 길도 있겠지만 그는 또한 「스타일리스트」인 것이다. 춘원(春園) 이후(以後)에 춘원(春園) 문장(文章)을 배우려한 사람이 많이 있음을 본다. 그러나 아직도 춘원문장(春園文章)을 따라간 사람은 있어도 춘원문장(春園文章)을 뛰어 넘은 사람은 없다. 우리는 어째서 춘원(春園) 이광수(李光洙)를 애끼느냐 하면 문학(文學)의 선구자

■

141 박영희(朴英熙), 「초창기(草創期)의 문단측면사(文壇側面史)」, 《현대문학(現代文學)》 5권 8호, 1959.

(先驅者)로서의 그를 애끼는 것도 있지마는 그보다도 그의 문장(文章)이다. 문학(文學)은 문장(文章)이 없이는 결코 이루어지지 않는다.[142]

춘원의 문장이나 문학은 기기묘묘하지 않고 싱겁기 짝이 없는 태백산맥의 준령이 아니면 멋없이 흘러내리는 한강과 같은 것이다. 그렇지만 태백산맥의 웅대한 기복, 대하를 이루어 수십리의 산간과 수백리의 평야를 도도히 흘러내리는 한강이나 압록강과 같아서 장엄한 무엇이 있다.[143]

박영희(朴英熙)는 해방 후에 발표한 글에서 문장의 매력에 심취하여 춘원 작품을 읽었다고 하였고, 홍효민은 춘원(春園) 문장을 따라간 사람은 있어도 그것을 뛰어넘은 사람은 없을 정도로 문장(文章)에 이끌려 춘원문학은 읽어서 놓기 싫은 것이라 하였고, 박계주(朴啓周)와 곽학송(郭鶴松)은 춘원(春園)의 문장이나 문학의 장엄한 것이 특정이라고 하였다.

이러한 요소 외에 춘원의 작품이 읽히는 것은 민족의식과 '재미'의 문제가 작용하는 것이 아닌가 한다.

삼심에서 우리 사건의 원 판결이 파기되고 고등법원 재심에 회부되었다. 이동안에 총독부에서는 내 저서의 재검열을 하여 십수종을 발매 금지에 부치고 책사에 있는 책까지 압수하였으니, 소설〈흙〉은 말할 것도 없거나와, 발행한지 이십여년이나 된〈무정(無情)〉도 금지를 당하였다.[144]

142 홍효민(洪曉民), 「춘원(春園) 이광수론(李光洙論)」, 《현대문학(現代文學)》 5권 7호, 1959.
143 박계주(朴啓周), 곽학송(郭鶴松), 『춘원(春園) 이광수(李光洙)』, 삼중당(三中堂), 1962, p.525.
144 전집 13권, p.265(「나의 훼절(毁折)」『나의 고백(告白)』).

〈무정(無情)〉이하로 〈마의태자(麻衣太子)〉나 〈단종애사(端宗哀史)〉나 〈이순신(李舜臣)〉이나, 또 〈재생(再生)〉〈그여자(女子)의 일생(一生)〉이나 무릇 내가 쓴 소설은 민족정신 밀수입의 포장으로 쓴 것이었다.[145]

위와 같은 춘원 자신의 술회, 즉 일본 경찰에 의하여 춘원의 작품이 발매금지되고 압수처분될 정도로, 작품 속에 깔려 포장되어 있는 민족의식, 그리고 춘원이 초거부터 주요한 관심의 대상으로 삼았던 작품 속에 담겨 흐르는 흥미, 이것이 춘원 작품이 오늘날도 적지 않은 독자를 가지고 있는 요인이 아닌가 하는 생각도 없지 않다.

그러나 시간이 흘러갈수록 새로운 독자는 새로운 문학에 구미를 붙여, 춘원의 독자는 점점 줄어들어 갈지도 모를 일이다.

6. 결어(結語)

이상 춘원 작품의 정확한 이해와 평가를 위한 기초작업으로, 인간 춘원의 참다운 모습, 그의 작품의 배경을 이루는 사상적인 원류, 그리고 그의 문학관의 변천 양상을 문헌적인 자료에 의하여 더듬어 보았다.

결국 춘원의 문학은 작가 자신이 내세우고 있듯이 민족의식과 인도주의를 바탕으로 하여 조선민족을 깨우치고 구하려는 의도에서 시발된 문학이요, 대부분의 논자들이 평(評)하듯이 계몽적인 문학이라고 하지만, 그 밑바닥엔 그의 생장(生長) 환경에서 겪은 열등의식과, 자기의 재질과 현실판단의 괴리(乖離)에서 오는 영웅주의에 바탕을 둔 허약한 지도자관

---

145 동상. p.278.

이, 그의 논설은 물론이거니와 그의 문학에도 상당한 비중으로 반영된 가능성을 추출하게 된 것이다.

따라서 춘원은 의식적인 위선자거나, 실리적인 계산에 의하여 민족을 배신한 공리주의자가 아니라, 그의 성격과 주어진 환경의 상승작용이 결국 최후의 춘원의 모습으로 응결되었고, 또한 그러한 작자의 의식이 투영된 그의 작품은 그러한 방향으로 흐를 수밖에 없다는 가능성마저 예단(豫斷)하게 하는 결론에 도달하게 되는 것이다.

그러나 그의 작품을 개별적으로 분석 검토한 결과가 반드시 이러한 예단과 합치할 것인가 하는 것은 다시 그 다음으로 제기될 문제인 것 같다.

개별적인 작품분석은 고(稿)를 달리하여 시론(試論)코자 한다.

(1974)

김동인(金東仁)의 창작관(創作觀)

김동인(金東仁)은 그의 첫 작가적 의사표시라고 할 수 있는 「소설(小說)에 대(對)한 조선(朝鮮)사람의 사상(思想)을」을 필두로 이에 후속된 「자기(自己)의 창조(創造)한 세계(世界)」, 「조선근대소설고(朝鮮近代小說考)」, 「문단삼십년(文壇三十年)의 자취」 등을 위시한 여러 논고에서 그 자신의 작품 창작에 대한 의도와 목적 및 지향점 등에 대하여 논급하는 한편, 통속소설, 이데올로기 문제 및 소설 속에 나타난 '자기(自己)의 세계(世界)' 등에 관한 그의 주관을 천명 하였다.

1. 독자(讀者)와 작자(作者)

김동인이 소설을 창작하기 시작한 초기에, 그의 관심의 대상이 된 것은, 독자의 관점, 작품에 대한 가치관, 작가의 의식 등 주로 작품 창조의 기본 면에 연관되는 문제들이었다. 즉 그의 처녀작인 「약한 자(者)의 슬픔」[1]이 나오기 한 달 전에 발표된 「소설(小說)에 대(對)한 조선(朝鮮)사람의 사상(思想)을」[2]에서 그는 다음과 같은 견해를 개진하였다.

현금(現今) 조선(朝鮮)사람 중(中)에 대개(大槪)는 아직 가정소설(家庭小說)을 좋아하오, 통속소설(通俗小說)을 좋아하오, 흥미(興味) 중심(中心) 소설(小說)을 좋아하오. 참 예술적(藝術的) 작품(作品), 참 문학적(文學的) 소설(小說)은 읽으려 하지도 아니 하오. 그뿐만 아니라 이 것을 경멸(輕蔑)하고 조롱(嘲弄)하고, 불용품(不用品)이라 생각하고 심(甚)한 사람은 그런 것을 읽으면 구역증이 난다고까지 말하오.

그들은 소설(小說) 가운데서 소설(小說)의 생명(生命), 소설(小說)의 예술적(藝術的) 가치(價值), 소설(小說)의 내용(內容)이 미(美), 소설(小說)의 조화(調和)된 정도(程度), 작자(作者)의 사상(思想), 작자(作者)의 정신(精神), 작자(作者)의 요구(要求), 작자(作者)의 독창(獨創), 작중(作中)의 인물(人物)의 각개성(各個性)의 발휘(發揮)에 대(對)한 묘사(描寫), 심리(心理)와 동작(動作)과 언어(言語)에 대한 묘사(描寫), 작중(作中)의 인물(人物)의 사회(社會)에 대(對)한 분투(奮鬪)와 활동(活動) 등을 구(求)하지 아니 하고 한 흥미(興味)를 구(求)하오. (……) 선자필흥(善者必興) 악자필망(惡者必亡)을 구(求)하오. 선자필재자가인(善者必才子佳人) 악자필우남간녀(惡者必愚男奸女)임을 구(求)하오. 인생사회(人生社會)에는 있지 못할 로만스를 구(求)하오.3

이같이 김동인은 당시의 한국 독자의 대부분이 흥미 중심의 통속소설을 좋아하고, 예술적 작품, 즉 진정한 문학적 소설은 읽으려 하지 않을 뿐더러 경멸하고 조롱하기까지 한다고 지적하고 있다. 또한 그는 소설이 내포해야 할 예술적 가치의 대상으로 조화·작가의식·독창성 및 작중인

1 《창조(創造)》 창간호(創刊號)에서부터 연재 발표됨(1919.2.1발행).
2 《학지광(學之光)》 제18호에 발표됨(1919.1.3발행).
3 김동인, 「소설(小說)에 대(對)한 조선(朝鮮)사람의 사상(思想)을」, 《학지광(學之光)》 제18호, 1919.

물의 성격·심리·동작·대화 등의 묘사, 그리고 작중인물의 대사회적(對社會的) 행동(行動) 등을 중시하고 있었음을 볼 수 있다.

특히 그는 독자가 소설에서 '흥미'를 구하는 것을 거듭 힐난하고 있다. 이러한 김동인의 견해는 이보다 2년 전에 발표된 이광수(李光洙)의 초기 문학론인 「문학(文學)이란 하(何)오」의 다음 대목과 비교하여 보면 양자가 지녔던 이 시기의 문학관의 상이점을 별견(瞥見)할 수 있게 한다.

문학(文學)은 정(情)의 만족(滿足)을 목적(目的) 삼는다 하였다. 정(情)의 만족(滿足)은 즉(卽) 흥미(興味)니, 오인(吾人)에게 최(最)히 심대(深大)한 흥미(興味)를 여(與)하는 자(者)는 즉(卽) 오인(吾人) 자신(自身)에 관(關)한 사(事)이라. (……) 고(故)로 문학예술(文學藝術)은 모재료(某材料)를 전(全)혀 인생(人生)에 취(取)하라. 인생(人生)의 생활상태(生活狀態)와 사상감정(思想感情)이 즉(卽) 모재료(某材料)니, 차(此)를 묘사(描寫)하면, 즉(卽) 인생(人生)에게 쾌감(快感)을 여(與)하는 문학예술(文學藝術)이 되는 것이라.4

여기에서 보여주는 바와 같이 춘원은 문학작품의 효용성에 있어서, 그 목적을 정(情)의 만족에 두고, 정(情)의 만족이란 흥미, 즉 인생에게 쾌감을 주는 것이라고 하였다.

이러한 춘원의 문학관은, 흥미를 배격하고 문학의 예술적 가치만을 내세우는 김동인의 주장과는 그 출발점에서부터 벌써 현격한 거리를 지니고 있었음을 알 수 있다. 그러나 이 두 작가는 후일 시간의 흐름에 따라 그들의 창작에 대한 주관이 점차 변모해 갔음을 역시 그들 자신의 소론

■

4 이광수(李光洙), 「문학(文學)이란 하(何)오」, 《매일신보(每日申報)》, 1916(『이광수전집(李光洙全集)』 제1권, 삼중당(三中堂), 1962, p.508).

(所論)에서 나타내고 있으므로, 이들의 이러한 견해는 시종일관된 것은 아니었음을 알게 한다.

한편 김동인은 종래의 고전소설이 지녔던 권선징악적인 교훈성 및 춘원의 계몽성에 대하여 비판적인 태도를 취하기도 했었다.

> 우리는 우리의 전인(前人)인 춘원(春園)(이광수(李光洙))의 밝은 문학 발자국을 옳다고 보지 않았다. 춘원은 문학을 일종의 사회개혁의 무기로 썼다. 이상(理想) 건설의 선전 기관으로 썼다. 그 태도 내지 주의를 우리는 옳다 보지 않은 것이다.
> 권선징악(勸善懲惡)을 목적으로 한 소설을 용납할 관대성을 못 가진 것과 같은 의미로 사회개혁을 목표로 한 소설도 용납할 수가 없었다. 문학은 오직 문학을 위한 문학이 존재할 뿐이지, 다른 목적을 가진 것은 문학으로 인정하지 못한다는 것이 우리의 주장이었다.[5]

김동인은 그의 초창기를 회고한 위의 글에서 소설이 교훈의 목적으로 되어서도 안 되고, 또한 사회개혁이나 이상 건설의 선전매개가 되어도 안 된다고 주장하였음을 밝혔다. 그러고는 그 시기의 그러한 대상으로 이광수를 지목하여 비판하는 동시에, 그가 지표로 하는 문학은 주로 문학을 위한 문학, 이를테면 예술을 위한 예술의 방향임을 시사하고 있다. 따라서 이 문제는 김동인의 작가적 특색과도 연결되게 되는 것이다.

---

5 김동인, 「문단(文壇) 삼십년(三十年)의 자취」, 《신천지(新天地)》, 1948, 7월호.

2. 예술(藝術)과 흥미(興味)

예술의 순수성과 흥미에 연관되는 통속성의 문제는 김동인의 문학에 있어서, 초기에서부터 그 작가의식의 분기점을 이루는 중대 관심사였을 뿐만 아니라, 그의 생애에 걸쳐 지속적으로 창작 방향으로서의 문제의 대상이 되었었다. 따라서 이에 대한 그의 관점을 검토하여 그 변모의 양상을 살펴보는 일은 이 작가의 본질을 구명하는 데 필수불가결의 작업으로 된다.

통속소설(通俗小說)에서는 우리는 비(卑)고 열(劣)고 오(汚)고 추한 것 밖에는 아무것도 발견(發見)치를 못하오. 거기는 독창(獨創)의 섬(閃)이 없오. 사상(思想)의 봉(烽)이 없오. 사랑의 엄(芽)이 없오. 아무 것도 없오. 독자(讀者)를 끄으려는 비열(卑劣)한 아첨의 사상(思想)이 있을 뿐이오. (……) 이러한 저급소설(低級小說)을 보아서 유익(有益)이 없오. 우리는 소설(小說)에 대(對)한 오해(誤解)의 사상(思想)을 고치고―즉(卽) 극(極) 유치(幼稚)한 통속소설(通俗小說)에 건전(健全)한 문학적(文學的) 소설(小說)로 대(代)하고, 소설(小說)과 타락(墮落)을 연상(聯想)하는 사상(思想)에 소설(小說)과 문화(文化)를 연상(聯想)하는 사상(思想)으로 대(代)하여 우리 사회(社會)를 순예술화(純藝術化)한 사회(社會)로 만듭시다.[6]

이와 같이 김동인은 통속소설을 독창성이나 사상성이 결여된 저급소설로 볼뿐더러 독자에 영합하려는 비열한 것으로 단정하고, 이러한 불건전

---

6 김동인, 「소설(小說)에 대(對)한 조선(朝鮮) 사람의 사상(思想)을」, 《학지광》 제18호, 1919.

한 소설 대신에 건전한 문학적 소설로 사회를 순예술화(純藝術化)할 것을 주장하였다.

또한 그는 이 흥미 본위의 통속소설을 극복하기 위하여 소설 구성상의 '리얼'에 주력하였음을 밝히기도 하였다.

그리고 또 '리얼'이라는 것이 소설 구성의 최대 요소로 여기었다.

독자에게 아첨하기 위하여 흥미 본위의 소설을 쓰는 것은 문학자로서 부끄럽게 여길 일이라 보았다.

그런지라, 우리가 그때 산출한 소설이라는 것은 대중적 흥미는 아주 무시한 생경(生硬)하고 까다롭고 싱거운 것뿐이었다.

우리는 이 생경한 '이야기'를 소위 '문학'이라 하여 대중에게 '맛있게 먹기'를 강요한 것이었다.[7]

처음에는 앞서는 정열에 앞뒤를 가리지 않고 이 생경한 '리얼'문학을 대중에게 이거야말로 문학이라고 제공하고 있던 것이다. 대중은 짐작컨대 맛은 모르고 이 맛없는 문학을 맛있게 받는 것이 이 현대인(現代人)의 피할 수 없는 의무인가 하여, 맛없는 가운데서라도 맛을 발견하고 이해하려고 노력하고 있었다.

이런 세월이 얼마를 계속하노라면 대중도 종내는 리얼의 '맛'과 '멋'을 이해하는 시절에 이르리라는 장구(長久)한 생각으로, 우리는 그냥 우리의 리얼의 길만 고집하고 있던 것이다.[8]

그래서 대중을 우리의 생경한 문학으로 십년간을 길러 왔는데 춘

■

7 김동인, 「문단(文壇)삼십년(三十年)의 자취」, 《신천지》, 1948, 7월호.
8 전게서(前揭書), 1948년 10월호.

원(春園)이 다시금 이 대중에게 통속문학을 제공하는 것이었다.

대중은 다시 춘원(春園)을 만났다. 그새 십년간을 쓴 떡만 먹어오던 대중은 다시 춘원(春園)의 달콤한 글을 만난 것이다.[9]

여기서 이야기하는 '리얼'이란 사실성(寫實性)을 지칭하는 것으로 해석되며, 김동인은 소설의 구성 면에서 이를 중시하였을 뿐더러, 이 방법이야말로 통속소설에 대치될 진정한 문학을 창작할 수 있는 길이며, 앞으로의 소설은 이러한 빙향으로 나아가야민 한다고 주정하였다. 그러나 이렇게 시도된 문학은 "대중적 흥미를 아주 무시한 생경(生硬)하고 까다롭고 싱거운" 것이어서, 독자 대중에게 쉽사리 먹혀 들어가지 않았기 때문에 그는 '맛있게 먹기'를 강요하였다고 하였다. 이러한 순치(馴致)의 시간을 경과하는 사이, 독자로 하여금 이 새로운 문학을 접하는 것을 현대인의 의무로 생각하게 하여, 그 진정한 가치를 발견하고 이해하려고 노력하게끔 이끌어 나간 것이며, 작자는 그러한 노력의 지속 속에서 사실적인 문학의 맛과 멋을 독자 스스로가 이해할 수 있는 시기를 기대해 보려는 것이었다.

그러나 김동인의 관점에 의하면 여기에 난제가 대두되게 되었다. 그것은 춘원의 출현이었다. 생경하지만 진정한 문학이라고 김동인이 생각한 '리얼'문학이 십년이라는 시간의 경과 속에서 겨우 그 뿌리를 내리려는 마당에 상해(上海)에서 돌아온 춘원이 다시 붓을 들어 대중에게 흥미 위주의 통속문학을 제공함으로써 그간의 적공은 일조에 무위로 돌아가고, 대중은 다시 춘원의 달콤한 소설에 끌려들어갔다는 것이다.

사실에 있어서 개화기에서부터 김동인이 소설을 쓰기 시작한 무렵까지

9 전게서, 1946년 2월호

의 기간에 있어서, 작품활동을 한 근대적인 의미의 소설가라고는 신소설 작가와 그 뒤를 이어 나타난 이광수밖에 없었으므로, 김동인에 의하여 이루어진 이 시기의 작가 내지 작품에 대한 비판 및 비난의 대상인물은 김동인 자신이 굳이 그 이름을 밝히지 않더라도 춘원(春園) 한 사람에 귀착될 수밖에 없는 일이었다.

그러나 김동인 자신도 얼마안가, 자신의 문학적 처신이 대중문학과 타협할 수밖에 없었고, 그로서는 절대로 용납할 수 없다던 흥미나 오락성에 대한 그의 지론을 서서히 무너뜨리지 않을 수 없게 되었음을 지탄하는 전변(轉變)을 가져오고야 말았다.

그때 「동아일보」에 〈허생전(許生傳)〉[10] 〈일설춘향전(一說春香傳)〉[11] 〈재생(再生)〉[12] 등을 쓴 것이 춘원 자신의 뜻이었는지 혹은 동아일보 사장 고하(古下) 송진우(宋鎭禹)의 뜻을 받음이었는지는 따져보지 못하였지만, 이 사실 때문에 바야흐로 싹트려던 조선 신문학이 받은 바의 타격은 막대하다.

이 책임을 오직 춘원(春園)에게 뒤집어씌우는 내가 오히려 비겁하다. 파산(破産) 실처(失妻) 등 쓰라린 사고에 부딪쳐서 붓을 던지고 숨어 있던 내가 다시 붓을 잡은 것은 「동아일보」 지상의 〈젊은그들〉[13] 이었다. 아직껏 청초하고 고결함을 자랑하던 나였었지만 몇 푼의 원고료를 받아서 생활을 유지하기 위하여 입때껏 거절해 오던 「동아일보」 집필을 종내 수락한 것이었다.

■

10 1923.12.1~1924.3.21, 《동아일보(東亞日報)》에 연재 발표.
11 1925.9.30~1926.1.3, 《동아일보》에 연재 발표.
12 1924.11.9~1925.9.28, 《동아일보》에 연재 발표.
13 1930.9.2~1931.11.10, 《동아일보》에 연재 발표.

춘원(春園)은 어차피 그 출발이 신문소설이었던 사람이었지만, 이나의 훼절이야말로 온 조선 사회에 크게 영향되었다.

어떤 사람은 이 훼절을 나무래고 어떤 사람은 욕했지만 그보다도 많은 추수자(追隨者)가 뒤따른 것이었다.

「신문소설을 써도 팬치 않다. 김동인(金東仁)도 쓰지 않느냐? 신문소설을 쓰는 것은 결코 흠절이 안된다.」

이런 생각을 들게 하여 신문학 발전에 큰 지장을 준 허물은 입이 백개라노 변녕할 여지가 없는 바이나.[14]

해방 후에 지난날을 회고한 글이지만, 김동인은 여기에서 춘원이 신문 연재소설을 써서 진정한 의미의 신문학 발전을 저해했다는 것, 김동인 자신도 신문소설을 썼으므로 소설 창작의 정도(正道)에서 벗어나 훼절을 하였을 뿐더러 많은 추수자가 뒤따를 구실을 남겨 주어 역시 신문학 발전에 지장을 가져오게 했다는 것이다. 이 같은 김동인의 견해에는 수긍할 만한 일면의 의의가 있기는 하지만, 모든 신문소설은 의당 통속소설일 수밖에 없고, 신문 연재소설을 쓰는 작가는 다 훼절한 작가라는 획일적인 구분론은 지나친 논단이라고 하지 않을 수 없다. 왜냐하면 우리는 근대문학 이후 신문에 연재 발표된 소설 속에서도 문학사에서 중요한 논의의 대상이 되고 있는 작품들을 적지 않게 보아 오고 있기 때문이다. 물론 신문이 지니고 있는 속성 및 신문소설에 불가피하게 따르기 마련인 제약 등으로 말미암아, 신문소설이 헤쳐 나가기 힘든 타성적인 저해 요소를 수반할 수밖에 없음은 시인하지만, 그래도 결국 하나의 작품에 대한 성과는 발표지에 좌우되기보다 작가 자신의 의식에 달려 있다는 본질적인 사실

---

14 김동인, 「문단(文壇)삼십년(三十年)의 자취」, 《신천지》, 1949년 2월호.

을 부인할 수 없는 것이다.

신문 연재의 이러한 과정을 거치는 사이 김동인은 문학의 순수성, 즉 그가 말하는 '상아탑(象牙搭)'에 대하여 점차 회의에 빠져들어 감을 보여 준다.

그 혈기 사라지고 차차 내성(內省)이 시작될 때에, 문학의 도(道)에는 상아탑(象牙塔)을 위한 문학도(文學道) 외(外)에 건설을 위한 문학도(文學道)라는 다른 부문이 있다는 일점을 통절히 느끼고, 그 건설을 위한 문학도(文學道)에는 문학과 대중의 결합(結合)이 필요하다는 점까지 느끼고, 여기로 전(轉)하여 노력한 지도 어연간 칠팔년(七·八年)이 지났다.

순문학적(純文學的) 창작(創作)을 내어 던지고 흥미 문학(文學)의 창조(創造)로—대중이 알아볼 문학(文學)의 창조(創造)로—이렇게 방향을 고치고 후퇴와 퇴영(退嬰)이라는 초가(楚歌)를 묵살하고 이 방면에 힘쓴 지도 칠팔년(七·八年)에, 대중이 좋아하는 문학(文學)이 어떤 것인지를 지금도 분명히 알 수 없다.

탐정물(探偵物)로, 야담(野談)으로, 역사소설(歷史小說)로, 사역(史譯)으로, 여러 방면으로 시험을 해보았지만 이 대중의 취미를 아직 분명히 알 수가 없다.[15]

대중의 지지(支持)가 없을지라도 문학은 존재할 수와 가치는 있다. 그러나 대중이 없이 존재한 문학은 마치 심산의 보옥과 마찬가지로, 사회적으로 상대적(相對的) 가치(價值)가 없는 바이다. 그러면 조선의 문학도(文學徒)는 어떤 길을 취해야 하나?

---

15 김동인, 「망양탄(亡羊嘆)」, 1935, 『김동인전집(金東仁全集)』(이하 전집(全集)이라고 함) 10권, 홍자출판사(弘字出版社), 1964, p.264.

문학도(文學道) 자체의 가지는 바 망양탄(亡羊嘆)과 아울러 문학건설(文學建設) 방도(方途)의 망양탄(亡羊嘆)까지 가진 조선의 문사(文士)된 자의 입장은 진실로 괴롭다.

망양탄(亡羊歎)! 망양탄(亡羊嘆)! 우리의 많은 양은 장차 어디서 찾아내일까?[16]

김동인은 그가 초기의 문학적 관점을 나타낸 「소설(小說)에 대한 조선(朝鮮)사람의 사상(思想)」을 빌표하고 그와 거의 때를 같이하서, 그 이론이 적용된 창작이라고도 한할 수 있는 「약한 자(者)의 슬픔」을 발표한 지 십칠 년, 또한 그러한 순수문학관의 연장선상에서 당대의 작가와 작품을 분석 비평한 「조선근대소설고(朝鮮近代小說考)」를 발표한 지 칠 년 만에 위와 같은 '상아탑' 붕괴의 적신호를 울리고 있었다.

즉 그는 그 자신이 일컫는 문학의 정도(正道)인 상아탑 외에, "건설을 위한 문학도(文學道)", 즉 문학과 독자 대중과의 타협의 가능성을 내세우고 있는 것이다.

뿐만 아니라 그는 대중의 지지가 없이도 문학은 존재할 수 있지만 대중의 지지가 없는 문학은 사회적으로 상대적 가치가 없다고 하여 문학의 대중성에 깊이 젖어들어 갈 기미마저 보이고 있었다.

그러나 김동인의 창작관에 대한 이러한 선회는 "후퇴와 퇴영(退嬰)이라는 초가(楚歌)"라든지, "망양탄(亡羊歎)"이라는 용어로 표현되듯이 작품 창작의 지향할 바 방향 감각을 상실한 방황적 몸부림이라고 보지 않을 수 없다.

또한 이에 수반되는 작가의 고민, 즉 "조선의 문사(文士)된 자"의 괴로운 처지까지도 토로하는 번민의 상(像)을 엿볼 수 있기도 하는 것이다.

---

16 김동인. 전집 10권. p.265.

3. 이데올로기관(觀)

김동인의 창작활동이 가장 활발했던 1920년대는 새로 형성된 우리 문단 전체가 활기를 띤 시기였지만, 한편 당시 전 세계를 휩쓸다시피 한 맑스레닌주의에 바탕을 둔 프롤레타리아 문학이 우리 문단에도 태풍을 일으켜, 좌익진영과 민족진영 측이 대립 격돌을 벌인 문화사 적으로 일대 변혁의 시대이기도 하였다. 이러한 시대적 격변 현상을 김동인은 어떠한 안목으로 보고, 또한 그 사상성의 본질에 대하여는 이느 정도의 관심을 가지고, 어떠한 관점에서 어떻게 처신했던가를 살피는 일은 그의 작가적 의식세계를 구명하는데 측면적인 의의를 지닌다고 보기에 그 과정을 살펴보기로 하겠다.

무산계급(無産階級)의 생활을 쓴 작품(作品)이라고 그것을 푸로레타리아문학(文學)이라하여 상류계급(上流階級)의 사정을 쓴 것이라고 그것을 부르조아문학이라 하면, 짐승의 사정을 쓴 작품은 금수문학(禽獸文學)이라 하겠읍니까? 목적은 도덕의 무기가 아니며 교훈기관이 아니며, 그 문학이 온전히 다른지라, 어떤 선전적(宣傳的) 주의(主義)의 명칭을 그 위에 올려놓을 수가 없는 일이외다.[17]

이것은 1925년 '조선(朝鮮)프롤레타리아예술동맹(藝術同盟)'이 결성되고, 그 뒤 프로문학에 대한 이론 및 행동성이 치열하게 문단을 휩쓸던 1926년에 발표된 김동인의 글이다. 여기에 나타난 그의 소견을 살펴보면, 프롤레타리아 문학 내지 그 근원이 되는 공산주의에 대하여, 김동인은 그렇

---

17 김동인, 「예술가(藝術家) 자신(自身)의 막지 못할 예술욕(藝術慾)에서」, 1926(전집 10권, p.221).

게 깊은 지식이나 관심의 도를 보이지 않은 것 같고, 계속 문학의 순수성에만 집념을 가지고 있었음이 엿보인다. 이러한 그의 자세는 그 뒤에도 큰 변화 없이 지속되어 갔음을 볼 수 있다.

민족문학(民族文學)과 무산문학(無産文學)은 모두 다 변변치 않은 문제로 이렇다 저렇다 다투는 점에서 합치점을 발견(發見)할 뿐.
그 차이점은 마치 까마귀의 자웅(雌雄)과 같아서 알 수가 없다. 그것은 민족문학과 푸로문학이 전연 그 방향이 다르고 또한 사상(思想)이 다른 까닭이다.
우리가 얼른 말하는 문학(文學)이란 좀 더 널리 말하여 문예(文藝)만을 단순히 말한다면 모르지만, 민족문학 또는 푸로문학, 무슨 문학할 것 같으면 그곳에는 반드시 어떠한 문학운동이라고 하는 것이 전제(前提)가 되지 않으면 안 될 것이다. 그러면 그곳에는 차이라는 소극적(消極的) 용어(用語)로는 너무나 거리가 멀어질 것이다. 따라서 그곳에 합치점이란 도저히 발견되지 않을 것이오, 찾으려고 하는 사람이 어리석다고 말할 수 있는 것이라고 나는 생각한다.[18]

이는 프로문학 운동이 절정에 달하다시피 한 1929년에 발표된 글이다. 여기에서 김동인은 그가 말하는 이른바 무산문학과 민족문학의 합칠 수 없는 사상적 이질성은 인정하면서도, 당시 문단의 양진영에서 비등(沸騰)한 논쟁으로 대립한 현상에 대하여는 '변변치 않은 문제'라고 하여, 거의 방관적이거나 체념적인 위치에 서 있었음을 볼 수 있다. 그리고 해방 후에는 그가 말하는 이 '좌익문학(左翼文學)'에 대하여 다음과 같이 회고

■
18 김동인, 「민족문학(民族文學)과 무산문학(無産文學)의 박약(薄弱)한 차이점(差異點)과 양문학(兩文學)의 합치성(合致性)」, 1929(전집 10권, p.220).

하기도 하였다.

좌익문학이 대두한 것이 문단 부진의 그 시절—소련에서 제조되어
일본을 거치어서 우리나라까지 수입된 그때의 이론은 문학상의 온갖
기교를 무시하자는 것이었다. 무산자는 기교를 희롱할 유한한 신분이
못되니 문학상의 모든 기교는 유한문학자(有閑文學者)에게 맡기고 무
산자는 기교를 무시한 문학을 만들 것이라는 것이었다.

처음에는 이 문제로 같은 좌익운학 진영에도 회월(懷月) 박영희(朴
英熙)와 팔봉(八峯) 김기진(金基鎭)과의 사이에 대립이 생겨서 적잖은
논전까지 있었다.

종내 기교 무시를 주장하는 회월(懷月)이 승리를 하여 좌익문학은
기교 따위를 돌볼 한가한 처지가 아니라는 논지(論旨) 아래서, 소위
'살인 방화소설' 전성시대(全盛時代)를 연출한 일까지 있었지만, 온 문
단이 침체한 시기에 주로 「개벽」을 터전으로 대두했는지라 처음에 활
발하게 움직였다.[19]

일본 제국주의와 조선총독부에 반항심을 품은 우리나라 사람은 누
구나 일본에 반항하기 위하여 붉은 사상이라도 용인하기를 사양치 않
았다.

따라서 일본 제국주의의 출장소인 조선총독부 당국은 처음은 이
붉은 사상 취체에 전력을 다하였다.

「개벽」도 좌경(左傾)하고 「조선일보」 「동아일보」조차도 '진보적 사
상'에 기울 동안, 우익의 진영을 견지한 자는 오직 신생문단의 「창조」

---

19 김동인, 「문단(文壇)삼십년(三十年)의 자취」, 《신천지》 1948, 11월·12월호, 합병호(合倂號).

파 뿐이었다. 지주(地主) 의 자제(子弟) 부잣집 도령들로 조성된 「창조」만이 '좌익'을 떠난 인생예술의 길을 개척하고 있었다.

이리하여 십년―1930년 경에는 이 땅에는 좌익사상이라는 것은 그 무서운 탄압에 견디지 못하여 소멸되거나 지하로 숨어버리게 되었다.

이러자 취체 당국은 당연한 순서로 민족문학에게로 그의 총뿌리를 돌렸다.[20]

여기에서도 김동인은 좌익문화을 "기교를 무시하는 문학" 그리고 그 결과로 나타나는 "살인 방화 소설" 정도의 외형적 현상에만 관점을 돌리고, 정작 계급투쟁에 의한 프롤레타리아트 혁명의 일익을 담당하려는 목적성의 핵심에는 신경을 쏟지 않음을 볼 수 있다. 그러나 뒤의 인용에서 보여주는 바와 같이, 우리 동포의 일본에 대한 적개심이나 대항의식은 거족적인 것이었으므로, 조국광복의 목적을 달성하기 위하여 공산진영과 민족진영이 손을 잡고 공동전선에서 일제(日帝)와 투쟁한 사실의 지적 등은 당시의 실정을 정확하게 파악한 관점이라고 볼 수 있는 것이다. 그러나 이 시기의 비좌익적(非左翼的)인 문단 중추 세력을 이룬 것이 오직 창조파뿐이라는 주장은 너무 편향된 단정이라고 보지 않을 수 없다. 왜냐하면 당시 민족진영의 문인으로 꼽히는 현진건(玄鎭健), 염상섭(廉想涉), 양주동(梁柱東) 그리고 이광수(李光洙)마저도 본질적인 면에서는 《창조(倉曹)》파(派)에 속하는 작가들이 아니었기 때문이다.

김동인은 또한 회월(懷月) 박영희(朴英熙)나 팔봉(八峯) 김기진(金基鎭) 같은 프로문학의 선봉적인 문인에 대하여는 해방 후 다음과 같이 술회하고 있다.

■

20 김동인, 《신천지》, 1949, 3월호.

회월(懷月)이나 팔봉(八峰)이나 모두 무슨 확고한 신념 아래서 좌익문학과 좌익사상을 주장한 바가 아니고, 다만 젊은 객기와 호기심에 겸한 한때의 외입과 반동 기분으로 그리로 달린 것은, 뒷날의 그들의 행동을 볼지라도 알 수 있거니와 당년의 회월(懷月)은 가장 적극적으로 좌익문학을 주장하여 한때 무기교문학(無技巧文學) 전성의 시대를 현출한 일이 있었다.[21]

당년에 회월(懷月)은 열정적이요 부딪치면 반드시 쏘는 살벌(針蜂) 같은 사람으로서, 당시의 문사로 회월(懷月)에게 한두번 쏘이지 않은 사람은 아마 없을 것이다.
이 맹장(猛將)들(회월(懷月), 팔봉(八峰) 등등)도 한두번 경찰과 감옥의 맛을 본 뒤에는, 그만 질겁을 해서 180도를 더한번 꺾어 360도로 극좌(極左)에서 극우(極右)로, 조선인의 일본 황민화(皇民化) 운동의 최선봉으로, 혹은 「문인보국회(文人報國會)」며 혹은 「국민총력연맹(國民總力聯盟)」의 간부로서 활약하다가 국가 해방의 날을 맞았다.
조선이 소련의 일부가 되기를 희망하던 이십년 전 사상과, 조선인이 일본 황민(皇民) 되기를 부르짖던 오년 전의 주장을 다 청산하고, 고요히 광복의 날을 기다리는 그들—그들 역시 단군의 후손이요 배달 종자였다.[22]

여기에서 김동인이 회월(懷月)이나 팔봉(八峰)의 좌익문학운동을 사상적인 무장이나 확고한 신념에 의한 혁명적인 소산으로 보지 않고, 하나의 객기나 호기심으로 간주하는 점에 주목할 필요가 있다. 사실에 있어 회월

■
21 김동인, 《신천지》, 1948. 9월호.
22 김동인, 《신천지》, 1948. 9월호.

(懷月)이나 팔봉(八峰)은 무산계급이 아닌 유산계급의 자제로 일본 유학까지 한 당대로서는 부유층에 속하는 문인들이다. 따라서 이들은 그 출신 성분에서부터 프로문학의 정수분자로서의 기본 자격면에서 이미 결격사유(缺格事由)를 지니고 있을뿐더러, 이론적인 무장이나 실천적인 행동면에서도 그렇게 투철한 혁명투사라고 볼 수는 없는 문인이었다. 그것은 1930년대에 들어와서 이들이 사상적인 전향을 했을 뿐더러, 조용히 은퇴하지도 않고 다시 일제에 회유된 점에서도 그 방증(傍證)을 찾을 수 있는 일이다.

김동인(金東仁)은 이들이 극좌(極左)에서 극우(極右)로, 그리고 일제(日帝)가 조선사람으로 하여금 일본 신민(臣民)이 되게 하려는 최후의 단말마적인 정책인 '황민화운동(皇民化運動)'에도 솔선 가담했음을 힐난하면서도, 동족적인 애정의 유대 속에 감싸일 수밖에 없는 혈연적 숙명론을 체념적으로 받아들이고 있었던 것이다.

4. 자기(自己)의 세계(世界)

이제 김동인이 독자적인 자기의 문학세계를 구축함에 있어서, 외국 작가의 영향 관계는 어떠하였으며, 그의 작가적 의식은 어떻게 변모하여 갔는가를 살펴보기로 하겠다.

그는 일본으로 건너가 중학 과정을 마치고는, 미술학교에서 회화 공부에 주력하였으나, 동인지 《창조(創造)》를 발간한 무렵을 전후하여 문학으로 방향을 돌리고 말았다.

그의 문학수업에 있어서 그가 관심을 가진 서구 작가로는 톨스토이와 도스토예프스키가 가장 뚜렷하게 그 자신의 기록 속에 나타나 있음을 볼 수 있다.

레오 톨스토이야말로 나의 경모하여 마지않는 작가였다. 〈전쟁과 평화〉며 〈안나 카레리나〉 등에 나타난 그 귀신 울릴만한 기묘한 사실묘사 뿐 아니라, '전(全)톨스토이'를 경모하는 것이었다.[23]

노서아의 두 큰 작가(톨스토이와 도스토엡스키)를 비교해 볼 때에 '사랑의 천사'며 성자(聖子)라는 존경을 만인(萬人)에게 받는 도스토엡스키보다 인도주의(人道主義)의 강매자(强賣者)요 폭군(暴君)이란 평을 받던 톨스토이가 훨씬 더 '내세계'를 명료하게 창조해 가지고 그 '자기세계'를 마음대로 조종하였다. 이런 의미로 톨스토이가 도스토엡스키보다 예술가로 더 승하다. (……)

이런 의미로 우선 톨스토이를 예술가로 경모하고 지엽적으로는 그의 섬세하고 핍진(逼眞)한 사실묘사의 소설의 기술적 수완에 경모하였다.

나의 작풍(作風)이 톨스토이를 모방하든가 톨스토이의 영향을 얻은 점은 없지만, 그것은 민족성이나 환경이나 교양의 차이 때문이지 톨스토이라는 인격은 내게 큰 영향을 주었다.[24]

김동인은 인용문 전자(前者)에서 보여주듯이 톨스토이를 문학 작품의 기교면에서뿐만 아니라, 그 인간 전부, 즉 '전(全)톨스토이'를 경모한다고 그 충정을 피력하고 있다. 또한 후자(後者)에서 보여주는 바와 같이 그는 러시아 문학의 양대 거장인 톨스토이와 도스토예프스키의 두 작가를 견주어, '자기세계'의 창조면에서 톨스토이를 도스토예프스키보다 우위에 놓음으로써, 톨스토이를 예술가로서 경모할뿐더러 그 사실묘사의 기술적

---

23 김동인, 《신천지》, 1948, 4 · 5월 합병호.
24 김동인, 《신천지》, 1948, 4 · 5월 합병호.

면에서도 경모한다고 하였다.

인도주의적 작가로 정평이 나 있는 톨스토이를, 인간의 삶의 본질적 문제에 깊은 관심을 쏟고 있는 작가 도스토예프스키와 견주면서, 톨스토이만을 경모한다는 것은 김동인 자신이 주장한 소설에서의 '인생문제(人生問題) 제시(提示)'25라는 문제와 대조하여 보면, 어떤 괴리감을 느끼지 않을 수 없게 한다.

김동인의 톨스토이와 도스토예프스키에 대한 이같은 관점은, 이미 그기 문학창작을 시작한 초기인 1920년대부터의 그들 작가에 대한 그의 지론이기도 하였다.

톨스토이의 주의(主義)가 암만 포악하고 도스토엡스키의 주의(主義)가 암만 존경할만 하더라도 그들을 예술가로서 평(評)할 때는 도스토엡스키보다 톨스토이가 아무래도 진짜이다. 톨스토이는 자기가 창조한 자기의 세계를 자기 손바닥 위에 올려 놓고 자기가 조종하며 그것이 가짜든 진짜든 거기 만족하였다. 이것이 톨스토이의 예술가적 위대한 가치(價値)일 수 밖에 없다.26

이제 이러한 면에 연관을 지어 김동인의 예술내지 소설에 대한 주관이 변이하는 과정을 살펴보기로 하겠다. 따라서 본 항에서 검토되는 내용은 전술한 '예술(藝術)과 흥미(興味)'의 항과도 상관관계가 있게 되는 것이다.

어떠한 요구로 말미암아 예술(藝術)이 생겨났느냐, 한 마디로 대답

25 김동인, 「한국근대소설고(韓國近代小說考)」, 1929(『춘원연구(春園研究)』, 신구문화사(新丘文化社), 1956, p.189).
26 김동인, 「자기의 창조(創造)한 세계(世界)」, 1920(전집 10권, p.181).

하려면 이것이다. 하느님의 지은 세계에 만족지 아니하고, 어떤 불완전한 세계든 자기의 정력(精力)과 힘으로써 지어 놓은 뒤에야 처음으로 만족하는 인생(人生)의 위대한 창조성(創造性)에서 말미암아 생겨났다.

예술(藝術)의 참뜻이 여기 있고 예술의 귀함이 여기 있다. 어떻게 자연이 훌륭하고 아름다우되, 사람은 마침내 자연(自然)에 만족지 아니하고 자기의 머리로써 '자기가 지배할 자기의 세계'를 창조하였다.[27]

극도의 에고이즘이 한번 변화한 것이 참사랑―자기 있고야 나는 참사랑이다―이것―이 사랑이 예술(藝術)의 어머니라면 어머니라 할 수도 있고, 태(胎) 라면 태(胎) 라 할 수도 있다. 자기를 대상으로 한 참사랑이 없으면 자기를 위하여의 자기의 세계만 예술(藝術)을 창조(創造)할 수 없다. 자아주의(自我主義)가 없으면 하느님이 지은 세계에 만족하였을 것이다. 따라서 예술(藝術)이 생겨날 수 없다.[28]

여기에서 보여주는 바와 같이 김동인은 작가로서의 출발 초기부터 예술의 발생동기를 인간이 신(神)이 이룩해 놓은 기존의 세계에 만족치 않고 인간 자신의 정력과 힘으로 '자기가 지배한 자기의 세계'를 지으려는 창조성에 연유한다고 하였다. 그는 또한 예술을 창조할 수 있는 모태를 인간의 에고이즘, 즉 자애(自愛)나 자아주의(自我主義)의 말로에 두고, 자기를 대상으로 한 참사랑이 없으면 자기의 세계인 예술을 창조할 수 없다고까지 하였다. 이는 김동인이 예술창조의 세계에서는 물론이거니와, 그의 일상생활에 있어서까지 요만한 독존주의에 편향되고 있다는 당대의

27 김동인, 상게서(上揭書), p.178.
28 김동인, 전게서(前揭書), p.178.

그에 대한 비판의 소리와도 일맥상통하는 해명적(解明的) 의의를 지니고 있는 것이다.

한편 김동인은 미의식(美意識)에 대하여 춘원과 자신의 견해를 대조하며 자기의 주견을 내세우기도 하였다.

춘원(春園)에게선 내재적(內在的)인 동경(憧憬)과 의식적(意識的)인 선욕구(善欲求)가 있었다. 그런고로 의식적(意識的) 욕구(欲求) 선(善)만 포기(抛棄)하며는 그는 미(美)의 예술가(藝術家)가 될만한 소질(素質)이 있었다. 그러나 그는(반대로) 선(善) 의식(意識)을 보존(保存)하고 미관념(美觀念)을 버리려하였다. 가능(可能)한 자(者)를 버리고 불가능(不可能)한 자(者)를 보존(保存)하려 하였다. 여기 그의 파탄(破綻)이 있다.

그러나 내게 있는 것은 그와 성질(性質)이 달랐다. 양자(兩者)가 같이 내재적(內在的)이었다. 미(美)를 버리랴? 이는 예술(藝術)의 멸망(滅亡)을 뜻함이다. 선(善)을 버리랴? 천성(天性)의 위에 생장(生長)과 교양(教養)으로 더욱 굳세이 박힌 이 뿌리를 뽑을 수 없었다. 이 때에 나는 번민(煩悶)하였다. (……) 이 때에 나를 구(救)한 자는 나의 오만한 성격(性格)의 자존심(自尊心)과 자부심(自負心)이었다. 이 나의 오만한 성격(性格)의 산물(産物)인 자부심(自負心)은 그때의 나의 파탄(破綻)을 구(救)하였고, 그로부터 칠년(七年) 뒤 재작년(再昨年)에 또한 나로서 성격상(性格上) 파탄(破綻)의 구렁텅이에서 솟아나게 하였다.

나는 선(善)과 미(美), 이 상반(相反)된 양자(兩者)의 사이에 합치점(合致點)을 발견(發見)하려 하였다. 나는 온갖 것을 '미(美)'의 아래 잡아 넣으려 하였다. 나의 욕구(慾求)는 모두 다 미(美)다. 미(美)의 반대(反對)의 것도 미(美)다. 사랑도 미(美)이나 미움도 또한 미(美)이다. 선(善)도 미(美)인 동시(同時)에 악(惡)도 또한 미(美)다. 가령 이런 광범(廣凡)한 의미(意味)의 미(美)의 법칙(法則)에서까지 상반(相反)되는 자(者)가 있다면 그것은 무가치(無價値)한 존재(存在)다. 이러한 악마적(惡魔的) 사상(思想)이 움돋기 시작(始作)하였다. 나의 광폭(狂暴)한 사상(思想)과 그 사상(思想)의 영향(影響)인 광폭(狂暴)한 생활(生活) 양식(樣式)이 이에 시작(始作)되었다.[29]

1929년에 발표된 이 글에서는 김동인이 생각한 몇 가지 문제에 접하게 된다. 그 중요한 하나는 김동인에 비친 춘원의 예술관이요, 다른 하나는 김동인 자신의 예술관이다. 김동인은 춘원의 내재적(內在的)인 동경을 미(美)의식으로 보고 의도적인 욕구를 선(善)의식으로 보았으며, 춘원이 이 양자 중에서 선(善)의식을 보존하고 미(美)의식을 버리려고 한 것은 가능한 자(者)를 버리고 불가능한 자(者)를 보유하려는 결과로 되어, 결국 파탄을 초래할 수밖에 없었다고 논단하고 있다.

그러나 이러한 김동인(金東仁)의 단정이, 당대의 춘원의 예술에 대한 의식 세계를 정확하게 파악한 것인지는, 춘원에 대한 좀 더 정치한 검토가 가해진 뒤에야 판별될 수 있는 문제라고 본다. 반면에 김동인은 그 자신에 대하여는 미와 선이 다 내재적이어서, 그 중 어느 하나도 춘원의 경우처럼, '의식적', 즉 의도적인 것은 아니라고 하였다. 그러므로 그는 미와 선의 양자택일에 번민하였다. 그러나 이 파탄의 갈등에서 그를 구한 것은 그의 성격적 자존심과 자부심이라고 하였다. 즉 그는 선과 미를 대립적 양자로 보고 그 합치점을 발견하려고 했을 뿐더러 미에 반대되는 미움이나 악(惡)마저도 미이며 자신의 욕구는 모두 미라고까지 극단론을 폈다.

김동인의 문학이 지닌 특색의 일면을 유미주의, 탐미주의, 예술지상주

29 김동인, 「한국근대소설고」, 1929(『춘원연구』, p.206).

의 등에 연관시켜 보려는 논거도 이러한 그의 주장에서 연유된 것이라고도 볼 수 있겠다. 그러나 그는 곧 이러한 자신의 주장이 편향적 독단임을 스스로 시인하여 "이러한 악마적(惡魔的) 사상(思想)이 움트기 시작하였다"라고 덧붙이고 있을뿐더러, 그의 그 같은 광폭한 사상은 그의 생활양식에까지 영향을 끼쳐 자신을 더욱 광폭하게 만들었다고 토로하고 있음을 볼 수 있다.

따라서 1930년대에 들어서면서부터 그의 작가적 의식은 변모를 가져왔고, 그리한 의식 변화의 단면은 해방 후에 발표된 그의 최고혁인 추억에서도 찾아 볼 수 있다.

다시 말하거니와 문학(文學)은 오락물이다. (……) 문학(文學)은 인생(人生)에게 즐거움을 주기만 하면 그것으로 문학적 사명은 다한 것이지, 그 밖의 그 이상의 다른 것을 바라는 것은 바라는 사람의 망발이다. (……)

다만 문학(文學)이 우리에게 줄 즐거움이란 것은 비속(卑俗)치 않고 건전하여야 할 것 이며 우아(優雅)한 정서(情緒)를 길러줄 고상한 것이어야 한다. 이것이 보통 저속한 다른 오락물과 다른 문학(文學)의 자랑이요, 문학(文學)이 존귀한 소이(所以)다.

여(余)도 한때는 문학(文學)에서 오락 이외의 오락 이상의 다른 의의를 발견하려고 노력하였다. 그러나 결론은 요컨대 역시 다른 아무 의의도 찾아내지 못하고, 결국 문학은 오락이요, 우리 인생생활(人生生活)에 오락 이상의 존귀물을 찾아낼 수가 없었다. 오락이 없는 순수한 실용물만의 세상은 텁텁하고 따분하여 우리가 살아갈 수가 없는 것이다.[30]

문학은 인생에 즐거움을 주기만 하면 그것으로 문학적 사명을 다한 것이지, 그 밖의 것을 바라는 것은 오히려 망발이며, 결국 문학은 오락이요, 우리 인생 생활에 오락 이상의 존귀물을 찾아낼 수는 없다고까지 선회한 김동인의 문학에 대한 이같은 오락물론(娛樂物論)은 그의 작가적 의식세계에 있어서의 일대변모라고 하지 않을 수 없다. 김동인은 작품창작의 시발점에서부터 '흥미'를 구하는 것을 타기할 정도로 거역한 작가다. 그러던 그가 만년에 와서 자신의 문학도(文學道) 30년을 회고하면서 이러한 결론에 도달하였다는 것은 우리로 하여금 여러 가지를 생각하게 한다. 어떤 면에서는 그의 오만한 자존심과 자부심의 아성이 무너져 가는 신음소리를 듣는 것만 같다.

그러나 그는 이같은 문학의 오락물론에 무조건 승복한 것은 아니어서, 그 즐거움에는 비속한 저속성이 배제되어야 하고, 건전·우아·고상함이 필수로 수반되어야 한다는 전제를 내세우고 있다. 이러한 그의 견해는 이보다 3년 후에 발표된 다음 글에서도 그 연관성을 찾아 볼 수 있다.

제손으로 만들은 것이 자연계의 것보다 아무리 너절하고 초라할지라도, 자연계만에 만족지 못하고 제손으로 복제하여 그것을 좋아하는 것이 사람의 심정이다.

이것이 즉 예술이다. 자연계를 모방하여 음향(音響)으로 복제(複製)한 것이 음악이요, 그림이나 조각 등으로 복제한 것이 미술이요, 문장으로 복제한 것이 문학이다. 바꾸어 말하자면 '자기가 창조한 세계'—이것이 예술이다.[31]

김동인은 그가 세상을 떠나기 2년 전인 1948년 그의 작품 창작의 역정(歷程)을 다듬은 글에서, 이같이 인간은 제 손으로 자연계를 복제하기를

---

30 김동인, 「여(余)의 문학도(文學道) 삼십년(三十年)」, 1945(전집 10권, pp.316~7).
31 김동인, 「문단(文壇) 삼십년(三十年)의 자취」, 《신천지》, 1948. 4·5월 합병호.

좋아하는 심성을 가졌으며, 그렇게 자연계를 모방하여 복제한 것이 곧 예술이라고 하였다. 그리고 음악이고 미술이고 문학이고 간에 이렇게 하여 '자기가 창조한 세계' 그것이 바로 예술이라고 하여, 개적(個的)인 창조성에 예술의 본령을 두는 견해를 술회하였다.

이같은 '자기 창조의 세계'에 역점을 둔 김동인의 예술관은, 중도에 일시 흥미나 오락을 중시하는 방향으로 불가피하게 흘러갔지만, 그것조차도 건전하고 우아하고 고상한 오락물이어야 한다는 전제 하에서의 타협이라는 점을 김인한다면, 문학의 순수성에 발편을 둔 그의 초기 작기의식의 잠재적 흐름에 연결되는 문학론의 본질적인 일면이라고 보지 않을 수 없는 것이다.

(1982)

현진건론(玄鎭健論)

1. 빙허(憑虛)의 생애

빙허(憑虛) 현진건(玄鎭健)은 1900년 음력 8월 1일 대구에서 출생하였으며 동경 성성중학교(成城中學校)를 졸업한 후 동경(東京) 독일어전문학교(獨速語專門學校)를 다녔고 19세 때에는 상해(上海)로 탈출하여 상해(上海) 외국어학교(外國語學校)에서 수학한 일도 있다.

그는 기미(己未) 이후 일제의 이른바 문화정치의 한 반영으로 《조선(朝鮮)》, 《동아(東亞)》의 양대 일간지가 발간된 얼마 후 《조선일보(朝鮮日報)》 기자로 저널리스트로서의 첫 출발을 하였고, 육당(六堂)이 주재한 《동명(東明)》지(誌)의 편집기자를 거쳐 《동아일보(東亞日報)》 기자를 지내고, 《동아일보》의 사회부장을 역임하는 동안 17년간의 기자생활을 겪어오다가, 1936년에는 《동아일보》 사회부장 재직 중 손기정(孫基禎)의 베를린 올림픽대회 마라톤 우승 보도기사를 계기로 발생한 소위 일장기말살사건(日章旗抹殺事件)으로 투옥되었으니, 이 사실은 그로 하여금 언론계에서의 최후의 결별을 고하게 하는 결과를 가져오게 하였다.

빙허는 《개벽》 3호에 러시아의 소설가 알치바아세프의 소설 「행복(幸福)」을 번역 발표한 데 이어 동지 4호에 독일 작가 쿨츠의 전쟁소설 「석죽화(石竹花)」를 번역 소개하였다. 그 후 1920년 11월 1일 발간된 《개벽》 제5호에 그는 처녀작 「희생화(犧牲花)」를 발표하였고 동지 제7호에 제2작 「빈처

(貧妻)」를 발표함으로써 문단에 하나의 화제를 던지고 뚜렷한 두각을 나타내게 되었다.

그는 그 뒤를 이어 「술 권(勸)하는 사회(社會)」(《개벽》 제17호) 「타락자(墮落者)」(《개벽》 제19, 20, 21호)를 발표하여 문단에 확고한 지반을 차지하였고, 1922년 순문예동인지 《백조(白潮)》가 창간됨에 따라, 그 동인의 한 사람으로 활약하였으며, 《백조》 2호에 단편 「유린(蹂躪)」, 동지 3호에 「할머니의 죽음」을 각각 발표하였고, 이 무렵에 또한 《개벽》 29호에 만평 「피아노」를 발표한 뒤를 이어, 중편 「지새는 안개」를 동지 세32호(1923년 2월호)에서부터 9회에 걸쳐 연재하였다.

이밖에 그의 단편으로는 「우편국(郵便局)에서」 「발」 「동정(同情)」 「고향(故鄕)」 「까막잡기」 「운수 좋은 날」 「그립은 흘긴 눈」 「B 사감(舍監)과 러부레타」 「불」 「새빨간 웃음」 「첫날밤」 「사립정신병원장(私立精神病院長)」 「해뜨는 지평선(地平線)」 「신문지(新聞紙)와 철창(鐵窓)」 등 상당수의 작품이 있다.

참고로 그의 작품이 엮어진 『타락자(墮落者)』와 『조선(朝鮮)의 얼골』 두 권의 단편집에 수록된 작품명을 적어 보면 다음과 같다.

『타락자(墮落者)』(1922년간(年刊)) : 「빈처(貧妻)」 「술 권(勸)하는 사회(社會)」 「타락자(墮落者)」

『조선(朝鮮)의 얼골』(1926년간(年刊)) : 「사립정신병원장(私立精神病院長)」 「불」 「B사감(舍籃)과 러부레타」 「할머니의 죽음」 「운수 좋은 날」 「까막잡기」 「발(簾)」 「우편국(郵便局)에서」 「피아노」 「동정(同情)」 「고향(故鄕)」 「조선(朝鮮)의 얼골」.

장편(長篇)으로는 현대소설 「적도(赤道)」와 역사소설 「무영탑(無影搭)」이 있고, 미완(未完)의 작품으로 1939년 《동아일보》 연재 중에 당시 일제의 게재 금지로 중단된 「흑치상지(黑齒常之)」가 있다.

문학작품 이외의 저작으로는 「단군성적순례기(檀君聖跡巡禮記)」와 「불국사 기행문」, 「역사소설문제」 등 기행문 및 단편 논문이 있다.

「흑치상지」가 중단된 이후 빙허는 별로 이렇다 할 작품활동을 하지 못하다가 일제 말기 1943년 음력 3월 20일 조국광복을 보기 2년 전에 44세를 일기로 세상을 떠났다.

2. 빙허(憑虛)의 문장(文章)

빙허가 21세 때에 발표한 처녀작 「희생화」는 국한문 혼용체를 사용한 1인칭의 소설로서 남녀 학생의 연정이 남학생 조부(祖父)의 완고한 반대로 결혼까지에 이르지 못하고, 여학생이 죽음을 택하는 것으로써 끝이 맺어지는 작품으로, 한낱 습작에 불과한 것이다. 구성에 있어서 여학생이 자살을 기도하는 과정의 필연성의 결여라든지, 표현에 있어서의 미숙이라든지, 아직 하나의 작품으로 내세우기에는 너무나 미흡한 점이 많다.

이에 대하여 《개벽》 제6호에 실린 황석우(黃錫禹)의 「희생화(犧牲花)」 평을 보면 이 작품 발표 당시의 문단에 대한 반향을 가히 짐작할 수 있을 것이다.

「희생화(犧牲花)」는 물론(勿論) 소설(小說)은 아니다(작자(作者)는 무슨 예정(豫定)으로 썼는지 모르나) 이것은 하등(下等) 예술적(藝術的) 형식(形式)을 갖추지 아니한 그저 사실(事實)이 있는 대로 그대로 기록(記錄)한, 소설(小說)도 아니고 독백(獨白)도 아닌 일개(一個) 무명(無名)의 산문(散文)이다. 그러나 아모리 예술적(藝術的) 형식(形式)을 갖추지 아니한 초보(初步)의 무명(無名)의 산문(散文)이라 하더래도 사실(事實)의 기록(記錄)으로서는 너무 허위(虛僞)와 과장(誇張)이 많다. 그리고 묘사(描寫)도 불충실(不充實)하리만큼 급행적(急行的) 광도적

(廣蹈的) 단편적(斷片的)일다……

  그러나 「희생화」의 불과 2개월 뒤에 발표된 「빈처」는 벌써 문단에 하
나의 파문을 던지기 시작하였고 「빈처」와 같은 계열에 속하는 「술 권하
는 사회」 「타락자」를 지나서 「할머니의 죽음」 「B사감과 러부레타」 「운수
좋은 날」 「불」 등의 단편을 연속 발표함에 이르러서는 그의 단편 작가로
서의 활동은 절정에 달한 감이었다.
  빙허의 단편에 있어서의 특징은 세밀한 관찰과 섬세하고 경치한 묘사
에 의한 기교의 특이성에 있다고 하겠다.
  「할머니의 죽음」에 있어서 흩어졌던 자녀들이 모여들어, 노인의 임종
이 가까운 절박한 분위기를 둘러싸고 제각기 움직이는 인간 심리의 기미
(機微)를 그린 것이라든지, 「술 권하는 사회」에서의 호젓한 집안에서의
외로운 아내의 노동을 그린 대목 같은 것은 그의 필치가 가장 날카롭게
드러난 장면들이다.

  호올로 바느질을 하고 있던 아내는 얼굴을 살짝 찌프리고 가늘고
날카로운 소리로 부르짖었다. 바늘 끝이 왼손 엄지 손가락 손톱 밑을
찔렀음이다. 그 손가락을 가늘게 떨며 하얀 손톱 밑으로 앵도빛 같은
피가 비추었다. 그 것을 볼 사이도 없이 아내는 얼른 바늘을 빼고 다
른 엄지손가락으로 그 상처를 누르고 있다. 그리면서 하던 일가지를
팔굼치로 고히고히 밀어 내려 놓았다. 이윽고 눌렀던 손을 떼어보았
다. 그 언저리는 인제 다시 피가 아니 나랴는것처럼 혈색이 없다. 하
더니 그 희던 꺼풀 밑에 다시금 꽃 물이 차츰 차츰 밀려온다. 보일듯
말듯한 그 상처로부터 좁쌀낟 같은 핏방울이 송송 솟는다. 또 아니
누를 수 없다. 이만하면 그 구멍이 아물렀으려니 하고 손을 떼면 얼
마 아니되어 피가 비추어 나온다.

인제 헝겊 오락지로 처매는 수 밖에 없다. 그 상처를 누른 채 그는 바느질 고리에 눈을 주었다. 거기 쓸만한 오락지는 실패 밑에 있다. 그 실패를 밀어내고 그 오락지를 두세 개 손가락 사이에 접어 올리랴고 한동안 애를 썼다. 그 오락지는 마치 풀로 붙여둔 것 같이 고리 밑에 착 달라붙어 세상 집혀지지 않는다. 두 손가락은 헛되이 그 오락지 우를 극적어리고 있을 뿐 이다.

－「술 권(勸)하는 사회(社會)」

이 세상에는 돌 하나도 같은 것이 없다고 하여 정확한 관찰과 객관적인 묘사를 역설한 플로베르의 말을 군이 빌 것도 없이 빙허는 사실적인 묘사에 중점을 두었으며 작품 제작에 임하는 수법상의 이러한 태도를 시종 일관하였다. 이제 그의 작품 속에서 인물묘사의 한두 구절을 추려 보기로 하겠다.

사십에 가까운 노처녀인 그는 죽은깨 투성이 얼굴에 처녀다운 맛이란 약에 쓰랴도 찾을 수 없을 뿐인가, 시들고 꺼칠고 마르고 누렇게 뜬 품이 곰팡 슬은 굴비를 생각나게 한다. 여러 겹 줄음이 잡힌 훨렁 벗겨진 이마라든지 숫이 적어서 법대로 쪽지거나 틀어 올리지를 못하고 엉성하게 그냥 빗겨 넘긴 머리 꼬리가 뒤통수에 염소 똥만하게 붙은 것이라든지 벌써 늙어가는 자취를 감출 길이 없었다. 뾰족한 입은 앙다물고 돗보기 넘어로 쌀쌀한 눈이 노릴 때엔 기숙생들이 오싹하고 몸서리를 치리만큼 그는 엄격하고 매섭았다.

－「B사감(舍監)과 러부레타」

그럴지음에 마침 길가 선술집에서 그의 친구 치삼이가 나온다. 그의 우글우글 살찐 얼굴에 주홍이 덧는듯, 온 턱과 뺨을 시커멓게 구레나룻이 덮었거든 노르탱탱한 얼굴이 밧짝 말라서 여기저기 고랑이 파이고 수염도 있대야 턱밑에만 마치 솔잎 송이를 거꾸로 붙여놓은 듯한 김첨지의 풍채 하고는 기이한 대상을 짓고 있었다.

- 「운수 좋은 날」

앞의 것은 「B사감과 러부레타」의 주인공인 B사감의 모습을 그린 것이요, 뒤의 것은 「운수 좋은 날」의 주인공인 김첨지와 그의 친구인 치삼이의 대조적인 안상을 그린 것이다.

작중인물의 용모나 풍채나 행동 하나하나에서 그대로 그 인간의 성격이 방불하여짐을 어찌할 수 없게 한다.

과히 남을 칭찬하기를 즐기지 않는 동인(東仁)도 빙허의 재간에는 감탄하여 "빙허는 질(質)보다 재간이 과승(過乘)하여 재간으로 꾸며나가는 사람"이라고 「문단(文壇) 삼십년(三十年)의 자취」(《신천지(新天地)》3권 8호)에서 말하였다.

빙허의 이와 같은 문장에 있어서의 특출한 기교는 그것이 성적(性的) 장면의 묘사에 있어서는 타의 추종을 거의 불허하는 그 특유의 장기였다.

야릇하게 흥분된 애젊은 육체는 부들부들 떨리었다. 심장의 미친듯한 고동이 귀를 울리었다.

정열에 띠인 네눈은 서로 잡아먹을 듯이 마주 보고 있었다. 정숙(晶淑)의 뺨은 확근확근 타는 듯 하였다. 「정숙씨!」란 말이 떨어지자 말자 정숙은 회오리 바람같이 가슴에 안기는 남성을 느끼었다. 녹신녹신한 간열픈 허리는 쇠각지같은 팔안에 들고 말았다. 그럴 겨를도 없이 뜨거운 입술은 부디쳤다. 이 열렬한 키쓰는 양성의 육체를 단쇠꽃같이 자극하였다 그것은 온전히 정신이 착란한 찰나이었다.

- 「유린(蹂躪)」

둘은 웃었다. 전등불은 검정 치마로 가리워졌다. 삶아서 껍질을 벗겨놓은 계란같이 매끈한 살결의 보들보들한 솜의 느낌 말신말신한 고무의 탄력 손 안에 가볍게 흔들리우는 자릿자릿한 젖통의 무게…… 맞서리는 두 숨길, 붉어가는 두 입술, 서로 빨아당기는 두 볼의 사라지는 듯한 접촉……

– 「지새는 안개」

시집 온지 한달 남짓한 금년에 열다섯 살 밖에 안된 순이는 잠이 어릿어릿한 가운데도 숨길이 갑갑해짐을 느끼었다. 큰 바위로 나리눌리는 듯이 가슴이 답답하다. 바위나 같으면 싸늘한 맛이나 있으련마는 순이의 비닭이 같은 연약한 가슴에 얹힌 것은 마치 장마지는 여름날과 같이 눅눅하고 축축하고 무더운데다가 천근의 무게를 더한 것 같다. 그는 복날 개와 같이 헐덕이었다. 그러자 허리와 엉치가 뻐개는 듯 쪼개내는 듯 갈기갈기 찢는 것 같이 산산히 바스는 것 같이 욱신거리고 쓰라리고 쑤시고 아파서 견딜 수 없었다. 쇠 막대같은 것이 오장육부를 한편으로 치우치며 가슴까지 치바쳐 올라 콱콱 뼈질를 때엔 순이는 입을 딱딱 벌이며 목을 우으로 치우친다. (……) 연애 입을 딱딱 벌이며 몸을 치수르다가 나중에는 지긋지긋한 고통을 억지로 참는 사람 모양으로 이까지 빠드득빠드득 갈아 붙이었다. 얼마만에야 무서운 꿈에 가위 눌린 듯한 눈을 어렴풋이 뜰 수 있었다. 제 얼굴을 솟뚜껑 모양으로 덮은 남편의 얼굴을 보았다.

– 「불」

「유린(蹂躪)」에 나타난 애젊은 남녀 육체의 단쇠끝 같은 접촉이 전율을 일으킬 것만 같은 절박감, 「지새는 안개」에서의 난숙한 이성이 서로 껴안고 몸부림치는 장면의 실감미, 그리고 「불」에서는 아직 육체적으로 미숙한 농촌 소녀의 성의 고달픔에서 오는 공포와 고민, 여기에 상대자의 감도(感度)나 감정이란 전연 도외시하는 야폭(野暴)하고 우둔한 남편의 일방적인 성적 행위 등 절박한 압력으로 육박하여 오는 예리하고도 치밀한 묘사에 접하게 된다.

월탄(月灘)도 "이 땅에 있어서 사실주의(寫實主義)를 대성(大成)한 것은 현진건이다. 묘사(描寫)나 플롯이나 어느 한 점(點)을 짚어 나무랄 곳이 없다. 그의 작품(作品)들을 읽을 때에 누구나 이 작자(作者)의 두뇌(頭腦)가 얼마나 명철(名哲)하고 성격(性格)이 얼마나 안상(安詳)한 것을 알 수 있는 것이다「대전후(大戰後)의 문예운동(文藝運動)」"라고 하였거니와 빙허의 특징은 상기한 바와 같이 문장의 사실적인 묘사에 있는 것이다.

3. 빙허(憑虛)의 세계

빙허는 전기한 바와 같이 두세 편의 장편을 남겼지만 본질적으로는 단편작가이다. 그의 단편에는 일인칭 작품이 많으며 이 사소설(私小說) 내지 심경소설(心境小說)의 영역에 속하는 일인칭 소설은 그 초기 작품에 더 현저한 경향으로 나타남을 볼 수 있다.

즉 「희생화」 「빈처」 「타락자」 「우편국에서」 등 1922년경까지 발표된 초기의 작품은 대개 일인칭이며, 그 속에 나오는 주인공도 작자 자신 내지 작자가 투영된 인물이라는 감을 줄뿐더러, 작품 내용으로 전개되는 사건 또한—3인칭으로 된 초기 작품 「술 권하는 사회」까지도—작자 자신을 중심으로 한 주변적인 세계를 멀리 벗어나지 못하였고, 그 속에 움직이는 인간은 아직 주관이 확고히 서지 않은 학생이 아니면, 생활능력이 없는 무명 소설가, 문학청년, 혹은 무기력한 지식인이나 도시 소시민들이다.

따라서 초기의 이 작품들에서는 작중인물을 통하여 부조(浮彫)되는 작자의 확고한 의식보다는 우수와 울분과 타성적인 생활의 고백밖에는 남지 않으며, 그것이 정치한 묘사에 의하여 재치있게 꾸며졌을 따름이다. 아내의 외출복 한 벌 장만 못하는 「빈처」의 소설 지망가인 '나'의 생활이 그러하고, 사회의 모순을 반추하여 감득할 따름이요 무식한 부인과의 불균형한 가정을 홀로 탄식만 하는 「술 권하는 사회」의 남편 '그'가 그러하고, 어린 기생에게 빠져서 자제의 힘을 잃고 결국에는 금력가(金力家)에게 패배하여 돌아가는 「타락자」의 신문사원 '나' 또한 그러한 무력한 존재들이다.

그럼에도 불구하고 빙허의 초기의 이 작품들이 단편으로서 한 가닥의 빛을 지니는 것은 작자가 자기 자신에 대한 응시와 관찰에서 시작하였으면서도 주관적 탐닉성을 양기(揚棄)하고 객관적인 사실성을 견지하였다는 점에 있는 것이다.

그러나 빙허(憑虛)의 후기의 단편에서는 이러한 작자의 시점 내지 각도가 달라져 주로 삼인칭으로 구성하여 본격적인 객관소설의 양상을 띠게 되었다.

특히 그의 작품 중에서 뛰어난 것으로 일컬어지는 「운수 좋은 날」「B 사감과 러부레타」「불」 등은 삼인칭으로 되어 있으며 작자에서 떨어져 제 3자적인 관찰을 통한 객관을 기도하는 등시에 작중인물도 초기의 그것과는 달리 생활력이 강한 하층노동자, 사감 및 농촌 소녀 등이 그 주인공으로 등장함을 보게 된다.

품팔이를 하는 인력거꾼인 「운수 좋은 날」의 김첨지, 노처녀로 독신주의를 고집하는 「B사감과 러부레타」의 여사감(女舍監), 민며느리의 고역과 15세의 미숙한 성생활에 반발하여 방화하는 「불」의 순이 등 이들은 다 생활력이 강한 적극적인 인물들이다. 그러므로 이들 작품은 문장의 사실적인 묘사에 상부(相符)되어 짜임새를 가지고 조탁된 작품으로서, 그 중에서도 특히 「불」은 등장인물의 성격이나 구성이나 묘사에 있어서 빙허

단편의 백미(白眉)라고 하여도 가할 것이다.

「불」이 발표되었을 당시 《개벽》 56호에 실린 팔봉(八峰)의 평을 보면 다음과 같다.

(……) 하여(何如)튼 작자(作者)는 기교(技巧)에 있어서 결점(缺點) 없는 원숙(圓熟)을 보였다. (……) 이러한 주문(注文)이 그에게 있어서 무리(無理)한 것인지 아닌지는 자세히 모르겠으나, 작자(作者)는 어떤 한 개의 사건(事件)을 고대로 여실(如實)하게 독자(讀者)의 눈앞에 보여주는 것뿐만으로 그치지 말고 좀더 그곳에 작자(作者)의 태도(態度)를 보여 주었으면 좋겠다는 주문(注文)을 하고 싶다. 즉(卽) 나는 이 작자(作者)에게서는 볼 수 없는 「팟기(氣)」와 「힘」을 보았으면—하는 것이다. 그가 핀셋트로 꼭 집어가지고 우리의 눈앞에 내어놓는 한 개의 사건(事件)만 보고 있기에는 우리들은 너무도 가슴이 고달프다는 것이다. 사실주의(寫實主義)는 어떤 의미(意味)에서 좋다. 그러나 사실주의(寫實主義)가 사실주의(寫實主義)로서 끝을 막을 때 얼마나 애석한지 나는 작자(作者)의 다시 더 한번의 진전(進展)과 비약(飛躍)을 바라며 마지 않는다.

이러한 평은 동인의 「근대소설고(近代小說考)」 중의 다음과 같은 구절과도 통하는 바가 있다.

우리는 비상(非常)한 기교(技巧)의 천재(天才)로 빙허(憑虛)를 들 수 있다. 몹시도 아름다운(도덕적(道德的) 의미(意味)의) 경치(景致)를 보는 느낌을 우리는 빙허(憑虛) 전체(全體)에서 느낀다. 조화(調和)의 극치(極致), 묘사(描寫)의 절미(絶美)—과연 기교(技巧)의 절정(絶頂)이다. 그러나 그의 작품(作品)을 읽은 뒤에 머리에 남는 일물(一物)도 없는 것은 어떤 이유(理由)인가? 그는 인생(人生)의 사진사(寫眞師)다. 가령 사진사(寫眞師)라 하는 것이 어폐(語弊)가 있다면 그는 정물(靜物) 화가(畫家)다. 그는 「사람」을 보고 「사건(事件)」을 보았지만 「인생(人生)」을 못보고 「생활(生活)」을 못보았다. 그는 유동(流動)하는 인생(人生)을 그리려 하지 못하고 일개(一個) 정물(靜物) 사건(事件)과 정적(靜的) 인물(人物)을 그리려 하였다. 그의 인물(人物)에는 성격(性格)의 발달(發達)이 없다. 사람으로서의 감정(感情)과 흥분(興奮)이 없다. 그의 인물(人物)은 일개(一個) 사람이지 결코 인생(人生)의 일분자(一分子)가 아니다.

빙허의 작품 속에서 문장의 기교 이외에 어떤 사상성 같은 것을 희구하는 위의 두 논평을 그대로 고스란히 수긍하기는 좀 난(難)한 바도 없지 않으나 일고의 여지 있는 공통적인 견해라고 본다. 확실히 빙허의 작품에는 문장의 교치(巧緻)에 비하여 내용이 주는 중량이 약함은 부인할 수 없는 사실이다.

그러나 기미(己未) 이후의 아직 전통이 잡히지 않은 생경한 이 땅 문단을 상기할 때 이것은, 문학 이전의 조잡한 문장에다 천금짜리 중량의 사상을 담은 작품보다는 문학사적인 가치 비중을 더 무겁게 지니고 있는 것이 아닌가 하는 생각이 없지 않다.

빙허는 단 한 편의 역사소설 「무영탑」을 완결하였지만 그 「무영탑」 또한 이 땅 역사소설의 하나의 대표적인 작품으로 되어 있다.

사실주의를 주장하고, 사실적인 묘사에 전력을 기울였고, 이 땅 초기의 사실주의 작가인 빙허의 이름은 그의 주옥과 같은 몇 개의 단편과 함께 빛날 것이며, 그의 작가정신(作家精神)은 「조선(朝鮮)과 현대정신(現代精神)」(《개벽》, 1929년 1월호)이라는 그 자신의 소론(所論)중의 귀절로 대변될 수 있을 것이다.

시간(時間)과 장소(場所)를 떠나서는 아무것도 존재(存在)치 못하는 것이다. 달나라 소요(逍遙)도 그만둔 일이다. 구름바다의 유희(遊戲)도 그칠 일이다. 조선문학(朝鮮文學)인 다음에야 조선(朝鮮)의 땅을 든든히 디디고 서야 할줄 안다. 현대문학(現代文學)인 다음에야 현대정신(現代精神)을 힘 있게 호흡(呼吸)해야 될줄 안다. (……) 차근차근하게 제 주위(周圍)를 관조(觀照)하고 고요하게 심장(心臟)의 고동(鼓動)하는 소리를 들을제 이것이야말로 우리 문학(文學)의 운명(運命)일 줄 안다.

(1958)

김소월(金素月)과 소설

1

시인으로서만 알려져 있는 소월이 한 편의 소설을 남겼다는 사실은 그의 문학적인 역정(歷程) 및 작가의식(作家意識)을 상고(詳考)하는 데 하나의 방증을 더하는 계기가 됨직도 할 것 같이 생각되어 그의 소설을 검토하여 보려는 것이다.

소월(素月)의 유일한 소설이라고 보여지는 「함박눈」은 1922년 10월 《개벽(開闢)》 제3권 10호(통권 제28호)에 발표되었다. 1922년이라고 하면 소월의 나이 20세로 그의 시작(詩作)이 가장 활발하게 전개되던 시기이다. 이 한 해 동안에 소월은 《개벽》지(誌)에만도 2월, 4월, 6월, 7월, 8월, 11월 의 여섯 차례에 걸쳐서 무려 27편의 시작품(詩作品)을 발표하였다. 「진달래 꽃」「장별리(將別里)」「먼 후일(後日)」 등 그의 대표적인 이들 시편(詩篇)들도 이 해에 발표한 작품들이다.

소월(素月)은 이렇게 시작(詩作)이 왕성하던 시기인 그 해 7월에 「진달래꽃」, 8월에 「먼 후일(後日)」「풀따기」 등을 발표한 다음 10월에 그의 처녀작이자 마지막 소설인 「함박눈」을 발표하고 그 다음 해인 1923년에는 「예전엔 미처 몰랐어요」「삭주구성(朔州龜城)」 등 민요조(民謠調)의 시편(詩篇)을 다시 내놓았던 것이다.

2

소설 「함박눈」은 초겨울 쌀쌀한 날 바다를 끼고 있는 시골 자그마한 정거장 부근 마을에서 일어나는 하루의 사건을 그린 작품으로 그 첫머리는 다음과 같이 전개된다.

원순(元淳)이는 서실(書室)의 영창(映窓)을 열어 젓기고 앞 바다의 시원한 경치(景致)를 내디 보며 있다. 10일 절기도 벌써 지물이 긴지 잊을 만한 첫 11월의 아침은 하늘빛도 파르족족하고 집 앞바다의 물빛도 감으족족하게 어떻게도 몸에 추워 보인다. 바닷물은 방금에 살얼음이나 잡힐듯이 고요하고도 어둡게 보였다. 열붉게 물들었던 핏물이 낡은 것과도 같은 시닥나무의 남풍(柟楓)이 뒷 마당으로부터 한잎 두잎 뜰 아래를 향(向)하고 구을러 내려왔다.

이러한 장면(場面) 묘사에서 시작된 이 소설은 원순(元淳)의 누이가 어린 애기를 남겨두고 공(公)을 위하여 사(私)를 버리게 되는 결의와 행동의 과정을 그린 작품이다.

즉 원순이라는 서울에 유학하는 젊은 청년은 출가(出嫁)한 누이와 누이의 소생인 생후 1개월 반밖에 안되는 갓난아기와 셋이서 지내고 있다. 누이의 남편, 즉 원순(元淳)이의 매부는 3·1운동에 참가한 관계로 재학중이던 일본대학(日本大學) 사회과(社會科)를 중단하고 그 정치운동의 본부인 상해(上海)로 건너가 지금은 북경(北京)과 상해(上海) 사이를 왕래하고 있다. 누이는 숙명여고보(淑明女高普)를 3년전에 졸업한 후 간단없는 노력으로 조선(朝鮮)사회의 절박한 현실에 깊은 관심을 지니고 있을 뿐만 아니라, 자기 자신에 대한 철저한 신념을 가지고 있는 여성이다. 그는 남편의 정치운동을 돕기 위하여 갓난 젖먹이를 유모에게 맡겨두고 함박눈 내

리는 밤 압록강을 건너 중국으로 가기 위하여 밤차로 촌역(村驛)을 떠나
는 것이다.

이러한 과정 속에 민족운동을 싸고도는 남매의 결의가 강력하게 나타
난다.

작자는 당시 조선(朝鮮) 현실 사회에 대한 굳센 신념을 가지고 있는 여
주인공을 다음과 같이 그리고 있다.

해쓱한 누이의 얼굴은 혈색(血色)이 도무지 없어 보였다. 오늘은 어
찌된 까닭인지 몰라도 누이의 얼굴은 해산(解産)하고 난 그 당시(當時)
의 일주간(一週間) 보다도 더 무섭도록 파랗게 질려 보였다. 몹시나
수척(瘦瘠)한 그 여자(女子)의 팔다리, 간간(間間)이 신경적(神經的) 으
로 떨리는 예쁘장한 그 여자(女子)의 입술, 갸름한 그 여자(女子)의 콧
머리, 그 표정(表情)은 늦은 봄 깊어가는 야반(夜半)의 가득히 잠겨진
안개 속에서 먼 야원(野原)을 떠돌아 흐르는 인광(燐光)과도 같이 고
요하고도 날카라왔다. 그러나 그 여자(女子)의 모든 표정(表情)과 자
태(姿態)에는 밑으로부터 무엇이 빠진 것 같이 보였다. 그의 전신(全
身)에 나타나 온 모든 표정(表情)이 일시(一時)에 푹 꺼져 없어지지나
않을까 하는 염려(念慮)가 나도록 그의 표정(表情)과 자태(姿態)에는
침착(沈着)도 아닌 공허(空虛)한 점(點)이 있었다.

몹시 수척했으면서도 날카로운 표정을 지닌 이 주인공을 작자는 끝내
핏덩이를 남겨둔 채 조국을 떠나게 하는 것이다.

누이는 막 달반(半) 전(前)에 해산(解産)한 몸으로 있으면서 유아(乳
兒)도 아직 건전(健全)히 자라나는 중인데 그러나 그 여자(女子)는 오
늘 밤으로 압록강(鴨綠江)을 건너서 우리의 조토(祖土)를 뒤로 등지고

사랑하는 남편(男便)을 따라 미쁜 애인(愛人)의 기다림에 맞추어 용감
(勇敢)한 청년(靑年)의 사업(事業)을 도우러 저 다른 나라 땅으로 가는
것이다.

대체로 3·1운동 직후의 사회적 현실은 민족적 독립운동을 위하여는
사(私)를 버리고 공(公)에 우선하는 민족적 기개가 팽배해 있었던 것이다.
작자가 「함박눈」에서 노린 시점(視點)은 이것이었다. 그러기에 주요한
등장인물인 누이와 내부와 원순의 세 사람은 다 굳센 결의로 마음의 무
장을 하고 그것을 실지의 행동으로 옮기는 실천적인 인물로 만들어졌던
것이다. 그러나 그 과정에는 주제(主題)의 진취성과 적극성에 비하여 작
품의 형상화(形象化)에는 적지 않은 무리가 억지로 강행되었음을 간과할
수 없게 하는 점이 적지 않다.
즉 작자가 생각하고 있는 주제의식(主題意識)은 작자의 머리속에 관념
으로 강력하게 도사려 있을 뿐, 그것이 작품 속에서 구상화(具象化) 되는
과정은 극히 소루(疏漏)하여 추상적 테두리를 벗어나지 못하고 있다.
첫애기를 분만한 지 1개월밖에 안 되는 산모가 애기를 떼어 두고 낯선
이국땅으로 떠나가는 데 있어서, 그것이 비록 남편의 거룩한 일을 돕기
위한 경우라 할지라도, 아무런 번민이나 고뇌도 없이 떠난 다는 것은 사
실성이 결여된 피상적인 처리 방법이라고 하지 않을 수 없다. 적어도 이
작품 속에서는 모성애(母性愛), 그리고 남편에 대한 이성애(異性愛)와 조
국을 위한 공적(公的) 희생에 대한 여주인공의 고민이 가장 중요한 고비
여야 할 것임에도 불구하고, 그것이 너무나 안이하게 다루어지고 말았다.
또한 원순이나 누이가 생각하는 민족운동—그것은 작자의 민족운동에
대한 견해이기도 할 것이다—은 좀 더 심각하고 깊이가 있어야 할 것이어
늘 안가(安價)한 감상에 사로잡힌 감이 없지 않다. 원순이는 고국(故國)을
떠나는 누님을 보고 울면서 다음과 같이 말한다.

누님 울지맙시다. 우리는 울어서 될 까닭이 없지 않습니까? 두 사람의 앞에도 다 반드시 걸을 길이 있읍니다. 지금 우리는 그 길을 걸으려고 하지 않습니까? 그러면 조금이라도 서러워할 것은 없읍니다. 사람마다 제가 걸을 제길 지금 두 사람의 앞에는 그것이 분명(分明)히 나타난 것일 뿐입니다.

나는 날이 밝으면 경성(京城)으로 갑니다. 그리하여 하던 공부(工夫)를 계속(繼續)하겠읍니다. 그러면 누님은 저어 그 곳에 가서서 일 많이 하십시오.

이러한 동생의 말에 대하여 누이는 마지막 인사를 다음과 같이 남기고 떠나가 버린다.

그럼 원순(元淳)아, 공부(工夫) 많이 잘하여 두어라. 모든 것은 네 말에서 틀릴 것이 없다. 그리고 우리의 앞에는 광명(光明)이 있을 것이다. 좋은 월계관(月桂冠)! 원순(元淳)! 내 동생아!

이는 신파연극(新派演劇) 같은 '센치'이며 사실의 세계에서 벌어진 관념의 표백에 불과한 것이다.
참고로 소월이 이 작품을 내놓기 2개월 전인 1922년 8월에 발표한 시작품(詩作品) 「풀따기」를 보면 다음과 같다.

풀따기

우리집 뒷산(山)에는 풀이 푸르고
숲 사이의 시냇물, 모래 바닥은

파아란 풀 그림자, 떠서 흘러요.
그리운 우리 님은 어디 계신고
날마다 피어나는 우리 님 생각
날마다 뒷 산(山)에 홀로 앉아서
날마다 풀을 따서 물에 던져요.

흘러가는 시내의 물에 흘러서
내이딘진 풀잎은 옅게 띠 길세
물살이 해적해적 품을 헤쳐요.

그리운 우리 님은 어디 계신고
가엾은 이내 속을 둘 곳 없어서
날마다 풀을 따서 물에 던지고
흘러가는 잎이나 말해 보아요.

　　소설 「함박눈」과 전후하여 거의 같은 시기에 발표된 이 시도 「함박눈」
의 '별리(別離)의 정(情)'과 연관되는 점이 없지 않다고 볼 수 있는 것으로
서, 그러한 심서(心緖)가 민요조(民謠調)의 가락 속에 소박하게 표현되어
있음을 볼 수 있어, 소월의 재질은 역시 소설(小說)보다 시에 있었음을 확
인케 해주기도 한다.
　　그러나 시의 세계에서는 그렇게 심각하게 보여준 일이 없는 민족의식
및 민족운동에 대한 적극적인 주제를, 소설작품 속에 다루었다는 것은 주
목할 만한 사실로, 소월이 이 한 편의 소설을 남겼기 때문에 그 속에서
그의 사고(思考)의 편린이나마 찾아볼 수 있는 것은 지극히 다행한 일이
라 하겠다.

　1922년 10월은 이미 김동인(金東仁)의 「배따라기」, 현진건(玄鎭健)의 「빈처(貧妻)」, 그리고 염상섭(廉想涉)의 「표본실(標本室)의 청(靑)개구리」 등이 나온 이후의 시기이다.

　이 시기에 소월은 이만 정도의 소설밖에는 쓰지 못하였다. 그는 이 한 편의 소설을 발표한 후는 다시 소설에 손을 대지 않은 것 같다. 아마도 자신의 재분(才分)에 대한 시와 소설과의 분기점을 실지의 실험에서 체득 판단한 결과인지도 모를 일이다. 그러기에 그 이후는 시작(詩作)만을 계속하여 1923년 5월의 「예전에는 미처 몰랐어요」, 동(同) 10월의 「가는 길」 등을 비롯한 많은 가편(佳篇)을 내놓았고, 1925년 5월에는 그의 유일한 시론(詩論)인 「시혼(詩魂)」까지 발표하였던 것이다.

　소설 「함박눈」의 작자 소월은 역시 소설가가 아닌 시인이었다.

　그러나 그가 작품 「함박눈」 속에서 시도한 민족운동에 대한 적극적인 의식과 행동은 설사 작품으로서의 성공은 거두지 못하였다 할지라도, 소월의 작가의식(作家意識)의 역정(歷程)을 더듬는 데에는 뜻 있는 검증의 구실을 할 것으로 본다.

(1958)

심훈(沈熏)과 「상록수(常綠樹)」

1

심훈(沈熏)은 요절한 수재요, 단명(短命)한 작가이면서도 시, 소설, 영화 등 여러 방면에 관심을 기울인 다양한 문인이었다.

그는 1901년에 출생하여 1936년에 영서(永逝)하였으니[1] 36세의 짧은 생애를 살았고 그의 작품활동은 후기의 5년간에 불과했다.

그의 처녀작이라고 불리는 「미인(美人)의 한(恨)」[2]은 1924년 《동아일보》에 발표되었으나 외국 작품의 번안소설이므로 창작작품 속에 끼일 수 없고, 다음 작품인 「탈춤」[3]은 작자가 붙인 그대로 '영화소설'이라는 특이한 장르여서 시나리오와 소설의 중간형식을 취한 이 작품은 본격적인 소설이라고 볼 수는 없다.

또한 1930년 신문연재 도중에 각각 중단된 「동방(東方)의 애인(愛人)」[4]

---

1 심훈(沈熏)은 1901년 9월 12일 경기도(京畿道) 시흥군(始興郡) 신북면(新北面) 흑석리(黑石里)에서 출생하였고, 1936년 9월 16일에 경성제대(京城帝大) 부속병원에서 장티푸스로 영면(永眠)하였다. 본명 심대섭(沈大燮)

2 「미인의 한」은 1924년 8월 28일부터 동년(同年) 11월 8일까지 동아일보에 연재된 작품으로 다른 사람이 번역하던 것을 심훈이 완성하였음(1935년 8월 27일자 《동아일보》 「상록수」의 연재 예고 참조).

3 「탈춤」은 1925년 《동아일보》에 연재되었음.

과 「불사조(不死鳥)」⁵는 둘 다 미완의 작품이다.

그러고 보면 1932년 그가 서울에서 충남(忠南) 당진(唐津)⁶으로 낙향(落鄉)한 이후 세상을 떠나기까지의 5년간이 그의 본격적인 창작활동의 시기였다고 볼 수 있는 것이다.

그는 이 기간에 1933년에서 1934년에 걸쳐 「영원(永遠)의 미소(微笑)」⁷를 《조선중앙일보(朝鮮中央日報)》에, 1934년 「직녀성(織女星)」⁸을 역시 《조선중앙일보》에, 그리고 1935년부터 1936년에 걸쳐 당선작인 「상록수」⁹를 《동아일보》에 각각 연재하여, 3년간에 3편의 장편소설과 단편 「황공(黃公)의 최후(最後)」를 발표하여 왕성한 창작의욕을 보였다.

이 속에서도 「상록수」는 《동아일보》 창간 15주년 기념 현상 모집 장편소설에 당선된 작품으로, 발표 당시 독자의 열광적인 환영을 받았고, 문단에 일대 선풍을 일으켰을 뿐더러, 심훈의 대표작으로 손꼽히는 한편 문학사적으로도 농민문학의 중요한 작품의 한 자리를 차지하게끔 되었다.

즉 농민문학하면 심훈을 생각하게 되고 심훈하면 「상록수」를 연상할 정도로, 이 삼각관계는 30년이 경과한 오늘날까지도 현실적인 면에서 우리의 관심사가 되고 있는 것이다.

그러므로 「상록수」를 구명하는 것은 심훈 문학의 핵심을 분석하는 것이 되고, 아울러 1930년대 '흙의 문학'의 본질을 파헤치는 것으로도 해석될 수 있는 일면의 의의를 지니게 되는 것이다.

■

4 「동방의 애인」은 1930년 《조선일보》에 연재중, 일제에 의하여 정지 처분을 당하여 미완으로 끝났음.
5 「불사조」는 1930년 《조선일보》에 연재 도중, 일경(日警)에 의하여 정지 처분을 당하여 미완으로 끝난 것을, 8·15 후 작자의 중형(仲兄) 심명섭(沈明燮)에 의하여 완성되었음.
6 충남(忠南) 당진군(唐津郡) 송악면(松嶽面) 부곡리(富谷里)로 솔가(率家)하였음.
7 심훈이 최초로 완성한 장편소설로 1933년부터 1934년까지 《조선중앙일보》에 연재되었음.
8 완성된 제2의 장편소설로 1934년 《조선중앙일보》에 연재되었음.
9 「상록수」는 1935년 5월 4일 집필을 시작하여 동년 6월 26일 탈고(脫稿)(1936년 2월 15일 자 《동아일보》 참조)하였으며 1935년 9월 10일부터 1936년 2월 15일까지 127회에 걸쳐 《동아일보》에 연재되었음.

2

「상록수」가 발표된 1930년대는 일(日), 독(獨), 이(伊) 등 파쇼 독재 세력이 석권하는 속에서, 제2차대전 전야의 풍운을 머금은 국제 정세가 복잡다단하였을 뿐더러, 일제의 식민지 하에 놓여 있는 한국의 국내 정세 또한 만주사변(滿洲事變)(1931)의 발발 이래 착잡한 격랑 속에 잠겨 가고 있는 시기였다.

기미(己未) 독립운동의 거족적인 봉기가 실패로 돌아간 이후, 이에 겁을 먹은 일제는 종래의 무단정치에서 문화정치로 정책을 전환하였다고는 하지만, 그것은 외형적인 완화책에 불과하였으므로, 당시의 젊은 지식층은 6 · 10만세사건(1926), 광주학생사건(1929) 등의 민족적 의거로 일제에 항거하였고, 그러한 반항의식은 다시 좀 더 근본적인 실력 배양의 각도로 돌려져, 문맹 퇴치, 생활 개혁을 비롯한 '브 나로드' 운동, 즉 '민중 속으로' 라는 표어 그대로 농촌 계몽사업과 결부되게 되었었다.

이러한 배경적인 조건은 비단 「상록수」 뿐만이 아니라, 이광수(李光洙)의 「흙」, 이기영(李箕永)의 「고향(故鄕)」, 이무영(李無影)의 「흙의 노예(奴隷)」 「제일과 제일장(第一課 第一章)」 등 농촌을 무대로 한 일련의 흙의 문학을 창작하는 계기를 마련하여 주기도 했었다.

그러나 이 무렵 또 하나 놓칠 수 없는 현상으론, 한일합방 20년에 수탈만 해오던 일제가, 곤비(困憊)의 극단에 달한 농촌의 참상을 보다 못해, 농촌진흥 · 자력갱생의 허울 좋은 기치를 내걸고 농촌 부흥운동을 시작한 것이니, 이것은 인제 그 이상 야위면 뜯어갈 것조차 없을 것이므로 키워서 잡아먹으려는 극단적인 식민지정책의 말로에 불과한 것이었다.

작품 「상록수」에서는 이 문제에 대한 작가의 예리한 비판의식이 번득이고 있음을 엿볼 수 있다.

윗간에서 저녁을 기다리는 동안 세 사람은 농촌문제를 토론하고, 요새 한참 떠들고 있는 자력갱생 운동을 비판하는데 건배의 아낙이 밥상을 들고 들어온다.[10]

이것은 「상록수」의 중요 등장인물인 박동혁(朴東赫)·채영신(蔡永信)·김건배(金建培)의 세 사람이 다 관권에 의한 자력갱생 운동을 비판적인 안목으로 대하고 있음을 나타내는 대목이거니와, 이러한 태도는 다음과 같은 구체적인 모습으로 나타난다.

남의 강제나 또는 일종의 유행으로 하는 소위 농촌운동과, 우리 스스로 깨닫고 자발적으로 해야만 할 농촌운동을 구별해 가면서 그 성질을 밝히고 또는 한 걸음 더 나아가서 남녀를 물론하고 뜻이 같은 사람끼리 단결할 필요와 언제나 서로 연락을 취하자는 부탁을 하였다.[11]

이것은 여주인공 채영신이 주장한 것으로, 여기에서 영신은 관권의 강제에 의한 피동적인 농촌운동 및 시류에 편승한 유행적인 농촌운동과 자각에서 우러나오는 자발적인 농촌운동을 구분지어 그 허실을 비판하고 있는 것이다.

여기 이야기된 강압적이요 관제적인 농촌진흥 운동은, 남주인공 박동혁이 일하고 있는 한곡리(漢谷里)에서도 관권에 의하여 하강식으로 전개되고 있음을 볼 수 있다.

기천이는 면협의원이요. 금융조합 감사요, 또 얼마전에는 학교비

---

10 민중서관(民衆書館)판 한국문학전집 제17권. p.55.
11 상게서. p.56.

평의원이 된 관계로, 면장이 나와서 한곡리도 진흥회라는 것을 만들어서, 그 회장이 되도록 운동을 해 보라고 권고를 하고 갔었다. 기천은 명예스러운 직함 하나를 더 얻게 된 것은 기쁘나, 군청이나 면소에서 시키는 대로 무슨 일이든지 하는 체 해야만 저의 면목이 서겠는데, 제가 수족같이 부릴만한 청년들은 말끔 동혁의 감화를 받고, 그의 지도 밑에서 한몸뚱이와 같이 움직이고 있으니 저는 개밥에 도토리 모양으로 따로 빼져 났다.[12]

이러한 분위기 속에서 토착 지주인 기천(基千)은 관권과 결탁하여 진흥회 감투를 얻어 쓰려고 동분서주하면서도 외양으론 무관심한 척하고 허세를 취하고 있음을 볼 수 있다.

「면장께서 바쁘신데도 일부러 나오신 건 다름아니라 우리 동네도 진흥회를 실시해야 되겠는데, 내야 어디 그런 일을 아는 사람인가? 허니 자네들이 힘을 빌려줘야겠네.」[13]

그러나 이러한 피동적이고 실효 없는 관제(官制) 농촌운동에 동조할 수 없는 주인공 동혁은 그 무실(無實)함을 비판하고, 자발적인 자력갱생의 필요성을 관권 책임자들이 입회한 가운데 대중 앞에서 역설하는 것이다.

「여러분, 여러분은 우리 동네에도 진흥회가 생긴 까닭과, 진흥회란 무엇을 하는 기관이라는 것은, 면장께서 자세히 설명하신 것을 들으셨으니까 잘 아실 줄 압니다. 그러나 남이 시키는 대로 덮어놓고 복

■

12 상게서, p.102.
13 상게서, p.103.

종을 하는 것보다 우리들의 일은 다른 사람의 손을 빌지 말고, 자발적으로 해야만 합니다. 이것이 진정한 의미의 자력갱생입니다.」[14]

박동혁의 농촌운동에 대한 신념은 관권(官權) 배제에 대한 자주성에 있을 뿐만 아니라, 책상 위에서 지도자연하는 사이비 농촌운동자도 신랄하게 비판하고 있음을 볼 수 있다.

주인공의 이 화살은, 덴마크를 비롯한 세계 각국을 주유(周遊)하고 돌아와 강연만으로 농촌사업의 큰 몫을 하려는 형식적인 농촌지도자 백현경(白賢卿)에게로 쏘아진다.

「시골 경치에 취미를 붙인다는 것과 농민들과 똑같은 생활을 해가면서 우리의 감각까지 그네들과 같아진다는 것과는 딴판이 아닐는지요? 값 비싼 향수나 장미꽃의 향기를 맡아 오던 후각이, 거름 구덩이 속에서 두엄 썩는 냄새가 밥 잦히는 냄새처럼 구수하게 맡아지게까지 돼야만, 비로소 지도자로서의 자격이 생길 줄 알아요. 농촌운동자라는 간판을 내걸은 사람의 말과 생활이 이다지 동떨어져서야 되겠읍니까? (……) 반드시 백선생더러만 들으시라는 말씀이 아닙니다. 하지만 농촌운동일 수록 무엇보다 실천이 제일일 줄 알아요. 피리를 부는 사람 따로 있고, 춤을 추는 사람이 따로 있던 시대는 벌써 지났으니까요. 우리는 피리를 불면서 동시에 춤을 추어야 합니다. 요령을 말씀하면 우리는 남의 등 뒤에 숨어서 명령하는 상관이 되지 말고, 앞장을 서서 제가 내린 명령에 누구보다 먼저 복종을 하는 병정이 돼야만 우리의 운동이 성공하겠단 말씀입니다.」[15]

■

14 상계서, p.174
15 전계서, p.22~3.

이같이 책상 위에서만 생각하는 이상론과 스스로 지도자연하는 사이비 농촌운동자에 대한 동혁의 신랄한 비판의식은, 청석골에서 농촌 운동을 실천에 옮기고 있는 영신의 주관과도 일맥상통하는 것이 된다.

서울 연합회에는 청첩을 보내지 않을 수가 없어 회장이 못오면 간사라도 한 사람 보내달라고는 했으나 속으로는 오지 말았으면 하였다. 농촌을 이해한다고 하더라도 서울서 눈은 한껏 높은 「하이칼라」가 내려오면 보여 줄만 한 것도 없거니와 대접하기가 거북할 것 같았다.[16]

이같이 영신은 자기 자신 YWCA 서울 연합회에서 파견된 농촌 지도원이면서, 농촌에 뛰어들지 않고 농촌운동을 하려고 드는 그들 '하이칼라'들에게 일종의 혐오와 경원감을 느끼고 있는 것이다.

사실 시골 현지 농촌에 내려온 당대의 유명한 여류 농촌 지도자 백현경의 모습은, 다음과 같이 지분(脂粉)의 향훈(香薰)과 비단 양말의 사치 속에 싸여 있었으니, 그것이 똥오줌 속에 파묻힌 농촌 부녀자들과 어떠한 대조를 이루었을까 하는 것은 상상하고도 남음이 있는 일이다.

동혁은 잠자코 청년들의 뒤를 따라 내려왔다. 장로의 집에 잠시 들러 곤해서 쓰러진 백현경을 일으키고, 몇마디 앞 일을 의논해 보았다. 백씨는 여전히 값비싼 화장품 냄새를 풍기며 종아리가 하얗게 내비치는 비단양말을 신은 것이 불쾌해서, 동혁은 될 수 있는대로 외면을 하고 그의 의견을 들었다.[17]

---

16 전게서, p.127.
17 전게서, p.207.

3

「상록수」에 담겨진 '흙의 문학'으로서의 주제의 강력한 지향은, 자주적인 정신 무장, 민중 속으로 뛰어 들어가는 행동으로서의 선구적 실천, 그리고 그 현실적인 방법으로서 문화면의 계몽과 경제면의 부흥을 평행적으로 주장 실천하자는 데에 그 핵심이 있다고 하겠다.

우선 ××일보사 주최의 학생계몽운동에 참가했던 대원들의 귀환보고회에서 자기 소신을 밝힌 주인공 박동혁의 주장을 살펴보기로 하자.

「이땅의 지식분자인 우리들이 이러한 기회에 선 조선의 농촌, 어촌, 산촌으로 방방곡곡에 파고 들어가서 그네들과 똑 같은 생활을 하면서 어떻게 하면 그네들이 그 더할 수 없이 비참한 생활에서 벗어날 수가 있을까 하는 문제를 머리를 싸매고서 생각해 봐야 합니다. 지금부터 육칠십년전 노서아의 청년들이 부르짖던 브나로드(민중 속으로라는 말)를 지금 와서야 우리가 입내내듯 하는 것은 더할 수 없이 슬프고 부끄러운 일입니다. 그렇지만 우리는 남에게 뒤떨어진 것을 탄식만 할 것이 아니라 높직히 앉아서 민중을 관찰하거나 연구의 대상으로 삼으려 하는 태도를 단연히 버리고, 그네들이 즉 우리 조선사람이 제 힘으로서 다시 살아나기 위한 그 기초공사를 해야겠읍니다. 오늘 저녁 이 자리에 모인 바로 여러분의 손으로 시작해야겠읍니다. 물질로 즉 경제적으로는 일조일석에 부활하기가 어렵겠지만, 무엇보다도 먼저 모든것을 지배하고 온갖 행동의 원동력이 되는 정신, 요샛말로 이데올로기를 통일하기 위해서 전력을 기울여야 하겠읍니다.」[18]

■

18 전게서, p.9.

높직이 앉아서 민중을 관찰하거나 연구의 대상으로 하는 태도를 버리고, 민중속으로 뛰어 들어가 그들과 고락(苦樂)을 같이 하며 그들의 살아나갈 길을 모색하기 위하여 정신적인 지표의 통일을 해야 한다는 주인공의 주장은, 여주인공 영신의 다음과 같은 주장과 상통되는 동시에, 이것은 그대로 작자가 지니는 농촌 지도이념의 표백(表白)이라고도 볼 수 있는 것이다.

「여러분은 학교를 졸업하면 양복을 갈아붙이고 의자를 타고 앉아서 월급이나 타 먹으려는 공상부터 깨뜨려야 합니다. 우리 남녀가 총동원을 해서 머리를 동쳐매고 민중 속으로 뛰어들어서 우리의 농촌산촌을 붙들지 않으면 우리 민족은 영원히 거듭 나지 못합니다.」[19]

또한 이들 주인공들은 정신적인 지표의 제일단계로 각각 농촌운동을 하는 현지에서 협력과 단결을 부르짖고 있음을 볼 수 있다.

「우선 조그만 일이래두 여러 사람이 한몸 한뜻이 돼서 직접 벗어부치구 나서서 일을 허는데, 정신적으루 통일을 얻고, 또는 육체적으루 단련을 받으려는 데 있에요. 무엇버덤두 우리헌텐 단결력이 부족허니까요. 제가끔 뿔뿔이 헤어져서 눈 앞에 뵈는 조그만 이익을 위해서 다투는 것 버덤은, 그렇게 팔다리를 따루따루 놀리질 말구서, 너나 할 것없이 한 몸뚱이루 딴딴히 뭉쳐서, 그 뭉친 덩어리가 큼직허게 움직이는 것이 얼마나 위력이 있다는 것, 모든 일에 능률이 올라가는 것과, 또는 땀을 흘리면서두 유쾌허게 일을 할 수 있다는 것을 실

19 전게서, p.12.

지로 체험을 해서, 그 이치를 자연히 터득허두룩 훈련을 시키려는 데에 있죠.」[20]

이것은 한곡리로 찾아온 영신에게, 동혁이 자기가 실천에 옮기고 있는 실정을 토로한 것인바, 영신도 청석골의 농민회관 낙성식에 즈음하여 자기의 소신을 다음과 같이 강조하고 있음을 볼 수 있다.

「여러분! 여러분은 이말 한마디만 머릿속에 깊이깊이 새겨두십시요. 『여러사람이 한 맘 한 뜻으로 그 힘을 한 곳에 모으기만 하면 어떠한 일이든지 이루어질 수가 있다』는 것을―우리는 여름내 땀을 흘린 그 값으로 이 신념 하나를 얻었습니다. 처음으로 귀중한 체험을 했습니다. 그와 동시에『우리 보다 더 많은 사람이 똑같은 목적으로 모여서, 꾸준히 힘을 써 나간다면, 이 보다 더 어려운 일도 성공할 수가 있다!』는 것을 이번 기회에 여러분과 함께 믿고자 하는 바입니다.」[21]

4

지도자라는 자존심이나 우월감을 버리고, 적나라한 인간으로서 민중 속으로 뛰어들어가, 그들과 같이 생각하고 그들과 함께 일하고 그들과 더불어 생활한다는 것은, 작품 「상록수」를 일관하는 생생한 작가의식으로 나타나 있다.

특히 작중의 주인공들은 이론보다 행동적인 실천면에 더 중점을 두고

---

20 전게서, p.42.
21 전게서, p.101.

있음을 볼 수 있다.

「그러길래 힘드는 일을 허는 데두, 저사람네와 똑 같이 헐 수 있도록 단련을 받어야만 허겠에요. 책상물림들이 상일에 잔뼈가 굵은 사람들처럼 그 세찬 일을 진종일 허구두 배겨낼만치 되려면 첨엔 코피를 푹푹 쏟아야지요.」

「그럼요, 그게 좀 어려운 노릇이야요? 서양선 소나 말이 허는 일을 우린 사람이 허니까요. 그럴수록 소위 우리같은 지도분자버텀 나서서 직접 일을 해야만 그게 모범이 돼서 남들이 따라 오지요. 그러니까 우리는 정신적으로나 육체적우로나 잠시두 쉴 새가 없을 수 밖에요.」

(……)

「……지도자라구 무슨 감독이나 십장처럼 힘든 일을 남에게 시키구서 뻔뻔스레 놀구 먹으라는 건 아니니까요. 남녀의 구별꺼정두 없이 다 함께 덤벼들어서 일을 해야지요.」[22]

동혁과 영신의 이같은 대화 장면은 실천도상에 있는 그들의 행동적인 적극성을 더 한층 다짐하는 결의에 찬 표징이라고 할 수 있겠다.

그러나 동혁은 건장한 남자로서 농촌 일에 무엇이든지 감내할 수 있는 체구를 가졌지만, 농촌의 중노동에 익숙지 못한 가냘픈 영신은, 체면의 베일을 벗고 모든 악조건을 극복해가면서 초지(初志)를 관철하느라고 힘에 겨운 노력을 기울이고 있음을 볼 수 있다.

(체면이고 뭐고 다 볼 때가 아니다!)하고 그는 다리를 걷고 버선까

---

22 전게서, pp.43~4.

지 벗어 던지고 덤벼들었다. 주춧돌을 메고 목도질을 해 오려면 어깨의 뼈가 으스러지는 듯이 아팠다. 기둥 감이나 되는 거성(큰톱)을 당겨주고 껍데기도 아니 벗긴 물 먹은 기둥 나무를 이리저리 옮기고 하느라고, 해뜰 때부터 어둑어둑한 때까지 봉족을 들어 주고 나면, 허리가 참나무 장작이나 댄 것처럼 꼿꼿하고 뼈끝마다 쏙쏙 쑤셔서 그 고통은 이루 형용할 수가 없었다. (……)

달밤을 이용해서 영신은 모래를 날랐다. 들것을 만들어 가지고 청년들과 마주잡이를 해서 시냇가의 모래와 자갈을 밤 늦도록 나르기를 여러 날이나 하였다. (……)

토역을 할 때에도, 손이 째이면 맨발로 들어서서 흙을 이기고, 죽가래를 들고 진흙을 섬겨주느라면, 땀이 철철 흘러서 눈을 바로 뜰 수가 없었다.[23]

이들 인텔리의 이같은 선구적인 실천력은, 지도자로 군림하기 일쑤이던 재래의 농촌 지도자관에 하나의 경계선을 획하여, 그 지도이념에 새로운 전환의 계기와 문제성을 제시한 결과로 되었다.

5

다음 이 작품에서 농촌 지도 방향의 주요한 지표가 되는 문화 내지 정신적인 계몽과 경제적인 부흥, 이 두 가지가 시간의 경과에 따라 그 비중의 중점이 점차 변동되어 감은 주목할 만한 점이라고 하지 않을 수 없겠다.

---

23 전게서, p.114.

즉 처음에는 정신적인 신념의 결속과 문맹퇴치를 비롯한 문화적 계몽이 주요 목표로 되었던 것이, 현지 농민의 실정에 부딪치자 경제 조건의 해결이 더 긴급한 문제로 클로즈업된 사실이다.

> 「나는 어떠한 수단과 방법을 써서라도 우리 민중에게 우선 희망의
> 정신과 용기를 길러 주기 위해서 노력하는 것이 우리 계몽운동 대원
> 의 가장 큰 사명으로 믿습니다. 동시에 여러분도 이 신조를 다 같이
> 지키기를 진심으로 바랍니다.」[24]

이것은 박동혁이 학생 계몽운동 보고회에서 피력한 소신이다. 그는 민중에게 희망과 용기를 북돋아 주는 것을 최대의 사명으로 확신하였고 그자신이 그러한 방면으로 실천하는 동시에 다른 동지들에게도 그러한 신조로 나아갈 것을 호소했다.

뿐만 아니라 채영신도 같은 보고회 석상에서 농민들에게 글자를 가르치는데 겹쳐 자기 갈 길을 열 수 있는 희망의 정신을 넣어줄 것을 강조하고 경제 문제에는 일체 언급한 바 없었다.

> 「저 역시 여러분께 우리 계몽대의 운동이 글자를 가르치는 데만 그
> 치지 말고, 한걸음 더 나아가서 우리 민족의 거의 전부라고 할만한
> 절대 다수인 농민들의 갈 길을 열어주기 위해서, 우선 그네들에게 희
> 망의 정신을 넣어 주자는 (……)」[25]

이러한 의식은 청석학원(靑石學院)에 붙인 다음과 같은 표어 속에도 반

---

24 전게서, p.10.
25 전게서, p.12.

영되어 문화적인 계몽의식이 주가 되었음을 볼 수 있다.

「갱생의 광명은 농촌으로부터」
「아는 것이 힘, 배워야 산다」
「우리의 가장 큰 적은 무지다」
「일하기 싫은 사람은 먹지 말라」
「우리를 살릴 사람은 결국 우리 뿐이다」[26]

그러나 정신면에 치중된 이들의 농촌운동이 어느 정도 실효를 거두고 진행됨에 따라, 이들은 경제적인 기본문제를 등한시하고 문화운동만을 전개하는 것이 얼마나 불구된 지도방법인가 하는 점에 착안하게 되어, 자기들의 노선에 반성을 가하면서 방향전환의 필연성을 느끼게 된다.

이 문제에 관련하여 동혁과 영신이 그 경험에 비추어 솔직한 의견을 교환한 것을 적기(摘記)하면 다음과 같다.

「입대까지 우리가 한 일은 강습소를 짓고 글을 가르친다든지, 무슨 회를 조직해서 단체의 훈련을 시킨다든지 하는, 일테면 문화적인 사업에만 열중했지만, 앞으로는 실제 생활방면에 치중해서 생산을 하기 위한 일을 해 볼 작정이예요. 언제는 그런 생각을 못한 건 아니지만, 외면 치례가 아니고 내부적인 문제를 생각하고 또 실행해야 될 줄로 생각해요.」
「참 그래요 무엇보다도 먼저 생활이 있고서 그 다음에 문화사업이고 계몽운동이고 있을 것 같아요.」

---

26 전게서, p.122.

영신이도 매우 동감인 뜻을 보인다.

「그러니까 이런 점에도 우리의 고민이 크지요. 우린 가장 불리한 정세에 지배를 받고 있는게 사실이니만큼 우리 힘으로 할 수 있는 한 도까지는 경제적인 사업까지 끈기있게 할 결심을 새로 하십시다.」[27]

가혹하고 참담한 현실에 부닥쳐 온갖 시련을 몸소 겪어 온 이들의 머리에 떠오른 것은, 실지의 생활이요, 생산이요, 그리고 문화사업과 동등 내지 우위에 놓여야 할 경제문제의 해결이었다.

그러기에 동혁은 영신과의 대화에서뿐만 아니라, 그 뒤 자기 혼자서도 이 문제를 앞에 놓고 곰곰이 스스로의 독백을 계속하며 새로운 단계로의 비약을 꿈꾸는 것이었다.

(결국은 한 그릇의 밥이 인간의 정신을 지배한다. 더군다나 농민은 먹는 것으로 하늘을 삼는다고 옛날부터 일러 내려오지 않았는가.)

이것이 흔들어 풀 수 없는 철칙인 이상 이제까지는 그 철칙을 무시하지 않았을망정 첫 손가락을 꼽을 만큼 중대히 생각을 하지 않았던 것만은 스스로 부인할 수 없었다.

(그것은 나 자신이 농촌의 태생이면서도 아직까지 밥을 굶어 보지 못한 「인텔리」출신인 까닭이다)

하고 동혁은 저 자신을 비판도 하여 보았다.

이제까지 단체를 조직하고 글을 가르치고 회관을 번듯하게 지으려고 한 것은 요컨대 메마른 땅에다가 암모니아나 과린산석회 같은 화학비료를 주어 농작물이 그저 엄부렁하게 자라는 것을 보려는 성급한 수

27 전게서, p.146.

단이 아니었던가.)

동혁은 냉정히 제가 해온 일을 반성하는 나머지에,

(먼저 밑거름을 해야 한다. 흠씬 썩은 퇴비를 깊숙히 주어서, 논바
닥이 시꺼멓도록 걸게 한 뒤에 곡식을 심는 것이 일의 순서다. 그런데
나는 그 순서를 바꾸지 않았던가?) (……)

(이번 기회에 영신에게도 선언한 것처럼, 제일보부터 다시 내디디지
않으면 안된다. 표면적인 문화운동에서 실질적인 경제운동으로—)²⁸

결국 동혁은 밥, 즉 빵을 경시했던 자신의 관점을 냉정히 비판하고, 화
학비료와 같이 바닥이 얕은 문화운동에 선행하여 퇴비와 같이 바닥 이
깊은 경제운동을 전개하여, 실질보다 표면에 치중했던 것만 같은 과거의
방향을 전향시켜 경제 위주로 나갈 것을 스스로 다짐하는 것이다.

뿐만 아니라 동혁은 다른 농촌운동자에게도 이같은 자기의 주견(主見)
을 역설하고 있음을 볼 수 있다.

「지금 우리의 형편으로는 계몽적인 문화운동도 해야 하지만 무슨
일에든지 토대가 되는 경제운동이 더욱 시급하다.」²⁹

이같은 동혁의 관점은 농촌운동에 대한 중요한 키포인트를 제시하여
주는 것으로, 1930년대의 이 땅의 농촌 실정과 비교하여 그렇게 큰 변화
를 발견할 수 없는 현재의 농촌 현실을 대조하는 관점에서 비판할 때, 방
학마다 구호나 플래카드로 그치기 일쑤인 작금의 농촌계몽대에도 반성의
정침(頂針)을 찌르는 생생한 장면이라고 하지 않을 수 없겠다.

■

28 전게서, pp.149~50.
29 전게서, p.208.

사실에 있어 우리의 현실은 1930년대의 농촌보다 몇 갑절 절실한 경제 위주의 시책이 갈망되는 절박한 실정 속에 놓여 있는 것이다.

6

「상록수」에 나타난 작가의식으로서 그대로 간과할 수 없는 또 하나에, 계급의식과 일제에 대한 반항의식이 있다. 즉 그 하나는 지주 대 소작인의 관계인 동시에 유산자 대 무산자의 계급적 대립으로 볼 수 있는 것이요, 다른 하나는 일제(日帝)에의 예속에 대한 항거적인 자세다.

이 점에 관하여 작품 속에 나타난 구체적인 실례를 들어 보면 다음과 같은 것이 있다.

「몇해를 두고서 저희가 우리를 빨어 먹은 게 얼만데……. 그걸 다 토해 노려면 안직 신날두 안 꼬았다.」[30]

이것은 동혁의 동생인 동화가 한곡리 제일의 토착지주인 기천(基千)의 소작료와 고리대금업에 대한 착취를 비난하는 대목이다.

이와 유사한 경우는 채영신이 있는 청석동에도 나타난다.

「여러분, 이런 공평치 못한 일이 세상에 있읍니까? 어느 누구는 자기 환갑이라고 이렇게 질탕히 노는데, 배우는데까지 굶주리는 이 어린이들은, 비 바람을 가릴 집 한간이 없어서, 그나마 길바닥으로 쫓겨

---

30 전게서, p.49.

났습니다. 원숭이 새끼처럼, 담이나 나무 가지에 가 매달려서 글 배우는 입내를 내고요, 조 가느다란 손가락의 손톱이 닳도록 땅바닥에다 글씨를 씁니다.」[31]

이것은 청석골의 토착지주인 한낭청의 회갑연에 나타난 영신이, 이 잔치의 주빈인 한낭청 면전에서, 빈부의 차를 내걸고 그를 힐난하는 장면으로, 계급에 대한 적대의식이 깔려 있음을 엿볼 수 있게 한다.

그뿐만 아니라 영신은 자기의 어릴 때 약혼자였던 김정근(金定根)과의 대화 속에서도 다음과 같이 이러한 의식을 반영시키고 있음을 볼 수 있다.

「더군다나 계몽운동이나 농촌운동은 다른 사업과 달라서, 오직 정성으로 혈성으로 하는 게지, 돈을 가지고 하는 건 아니니까요. 실상 우리같은 새빨간 무산자가 꿈에 광맥이나 발견하기 전엔 돈을 모아 가지고 사업을 한다는 건, 참 정말 공상이지요. 사실 남의 고혈을 착취하지 않고서 돈을 몬다는 건 얄미운 자기 변호에 지나지 못하는 줄 알아요.」(……)

「정근씨가 지금같은 개인주의를 버리고, 어느 기회에든지 농촌이 아니면 어촌이나 산촌으로 돌아다니면서, 동족이나 같은 계급을 위한 일을 해주셔요.」[32]

이같이 영신은 무산자나 같은 계급이라는 것에 상당히 역점을 두고 있음을 볼 수 있다.

또한 동혁은 자기 의사와 반대되는 관제 농우회(農友會)의 결성식에서

31 전게서, pp.90〜91.
32 전게서, pp.122〜123.

빈곤의 원인을 따져서 말하기를,

> 「우리 한곡리가 무엇 때문에 이렇게 가난한가! 손톱 발톱을 달려가
> 며 죽도록 일을 해도 우리의 살림살이가 왜 이다지 구차한가? 그 까
> 닭이 어디 있는 줄 아십니까?」[33]

하고 반문한다. 그는 계속하여 없는 사람들의 피를 빨아먹는 고리대금업
자, 장릿벼를 놓아먹는 악습자, 반타작을 해 가고 임의로 소작권을 이동
하는 악덕지주, 그리고 양반·상놈의 신분제도 등을 비판하고, 그것이 서
민대중이 빈곤 속에 허덕이는 원인이라고 규탄한다.

그뿐만 아니라 그는 10년간만 일정한 소작료로 정해진 도지를 내고 경
작할 수 있도록 소작권이 안정된다면, 농민은 안심하고 자기 수입을 올리
기 위해 근농(勤農)에 다수확을 낼 것이라는 해결책까지 제시한다.

아마도 동혁 아닌 작자의 의도로는 경작자 위주의 토지개혁을 주장 하
고 싶을 정도였으나, 일제의 격심한 탄압 하에선 그것까지밖에 나타낼 수
는 없었는지도 모를 일이다.

아무튼 작가의 혜안(慧眼)이 번득이는 토지문제에 대한 국면적인 타개
책의 제시라고 하겠다. 그러나 30년 후인 오늘날 모처럼 정부에서 일대
용단을 내려 지가증권을 발행하고 경작자 위주의 토지개혁을 단행하였지
만, 그 결과가 여전히 영세농을 벗어날 수 없는 궁핍 속에서 허덕이는 참
상의 연속이라는 현실적 여건임을 작자 심훈이 목격한다면, 그는 대체 토
지재분배에 대한 어떠한 구상을 제시할 것인지 자못 궁금한 일이다.

실지에 있어 「상록수」에서 적대시되던 지주계급은 완전 몰락되고, 농

---

33 전게서, pp.123.

촌과 도시에는 다시 새로운 형태의 빈부의 차가 굳어져 가고 있는 현실을 볼 때, 새로운 농민운동은 이 경제구조의 밑바닥을 투시하는 데서부터 출발하여야 하지, 그렇지 않고 현실참여 운운하는 구호만으로서의 농촌 계몽대니 자매결연이니 하는 미온적인 방법으론 급소를 떠나 언저리를 도는 것밖에 되지 않는다는 것을 새삼 느끼게 하는 바 없지 않다.

「상록수」는 그만큼 1930년대의 농촌의 단면을 치밀하게 그린 사실적인 작품이라고 할 수 있겠다.

7

「상록수」가 발표된 지 이미 30년, 그동안 「상록수」의 작중인물이 항거한 일제는 패망했고, 조국은 광복되어 토지개혁까지 실시되었으나, 농촌의 생활 실정은 「상록수」 속에 나오는 '한곡리'나 '청석동'의 그것에서 크게 달라진 바가 없다.

다만 북간도(北間島)나 해삼위(海蔘威)로 이민가는 대신에, 농토를 떠나 도시로 집중하고, 독일 탄광이나 브라질 이민으로 떠나가는 것이 달라졌을 뿐이다.

농촌에 앰프 시설이 확장되어 유행가 한 곡조 전보다 빨리 듣게 되었다는 것으로 농촌 문화의 상승을 내세운다면, 그것은 너무도 피상적인 속단이나 본말전도의 착각이라고 하지 않을 수 없겠다.

역시 「상록수(常綠樹)」에서 지도 방향이 전환되어 주창된 바 있는 문화사업 위주의 농촌운동보다 경제부흥 우선의 지표가 더 끽긴한 당면과제인 동시에, 「상록수(常綠樹)」에서 절규된 지도자연하는 계몽대나 관료적인 하강식 농촌진흥이 아닌, 민중 속으로 뛰어들어 민중과 더불어 호흡하는 동지적인 선구자와, 민중 속에서 우러난 자기들의 자력을 위주로 한 농촌재건의 자발적인 기치가, 영세농을 공장노동자로 전환시키는 종합계획적인 농가 재편성의 구조변혁의 시책과 더불어, 오늘날 현재 절실히 요망되는 현실적 관건임을 직시할 때, 「상록수(常綠樹)」의 의의는 한 세대를 지난 오늘날도 역력히 살아 있음을 다시 한 번 절감하는 것이다.

부록(附錄)

연재예고(連載豫告)

본보(本報) 창간(創刊) 15주년(十五週年) 기념(記念)

오백원(五百圓) 장편소설(長篇小說)

심훈(沈熏) 작(作) 《상록수(常綠樹)》

청전(靑田) 화(畵)

9월10부(九月十日附) 석간(夕刊)부터 연재(連載)

소개(紹介)의 말씀

본사가 창간 15주년(創刊 15週年)을 기념하는 사업의 하나로 사례금 오(五)
백원으로서 장편소설을 천하에 공모(公募)하여 다수한 응모작품(應募作品) 중
에서 엄선 엄선한 결과 문단의 지명작가(知名作家)인 심훈(沈熏)씨의 역작 상
록수(常綠樹)가 채택되었음은 지난 8월 13일부로 발표한 바입니다. 작자 심훈
씨에 대하여는 그때에 소개한 일도 있지만 그러한 소개를 기다리지 않고도
이미 일반이 다 아는 바이니 이에는 약하거니와, 씨의 소설의 채택이 한번 발
표되자 사회 각층의 독자로부터 매일같이 어서 게재하라는 주문이 답지함을
보아 이 소설이 미리부터 얼마나 일반에게 커다란 기대를 받고 있는가를 알
겠읍니다.

이 소설은 본사가 이를 공모할 때에 제출한 모든 요구와 신문소설로서의
여러가지 조건에 충분히 부합할 뿐만 아니라 문단적으로 보아도 근대의 큰
수확이니 독자 여러분의 기대에 어글어짐이 없을 것을 굳게 믿는 바입니다.

게재되는 동안에 남녀 주인공(男女主人公)의 씩씩함을 배워 「나도 일하리라」 고 팔을 걷고 나설 이땅의 젊은이가 수만히 있을 줄 압니다. 그 뿐입니까, 여기에 눈물이 있고 웃음이 있고 사랑이 있으니 독자 여러분은 각각 구하는대로 이 소설에서 얻을 것입니다.

그리고 삽화는 조선 산수화(山水畵)에 있어서는 사계의 독보인 청전 이상범 화백(靑田 李象範 畵伯)이 그 원숙(圓熟)한 붓을 휘둘러 새로운 경지(境地)를 개척해 보이기로 되었읍니다. 실상 이 소설이 주로 조선 산수를 배경으로 하여 조선의 농촌 생활을 그려가느니만치 삽화가로서의 청전 화백의 가장 자랑스러운 솜씨가 여기서 충분히 보여질 것이며, 따라서 이 소설에 이 삽화는 그야말로 금상첨화(錦上添花)를 문자 그대로 보여줄 것입니다.

이 소설은 9월 10일 석간부터 게재하겠읍니다.

작자(作者)로부터

내가 겨우 약관(弱冠)을 지내서 처음으로 봉직(奉職)하였던 것이 동아일보 (東亞日報)요, 또한 처음으로 신문소설(新聞小說)에 붓을 대어 다른 분이 번역 (飜譯)하다가 버리고 간 「미인(美人)의 한(恨)」과 조선(朝鮮)서 처음으로 「탈춤」 이란 영화소설(映畵小說)을 실리기도 역시(亦是) 동아일보(東亞日報)였읍니다. 이러한 얕지 않은 인연(因緣)이 있는 동아일보(東亞日報)에 그 창간(創刊) 15주 년(週年) 기념(記念)으로 나의 작품(作品)이 실리게 된 것은 기쁜 일입니다.

또 한편으로는 「영원(永遠)의 미소(微笑)」를 끝낼 때에 그 후편(後篇)을 쓰 겠노라고 독자(讀者)와 약속(約束)을 하였는데 이번 소설(小說)에 (인물적(人物 的) 사건(事件)은 같지 아니하나 귀농(歸農)한 인물(人物)들의 그 후(後)의 움 직임을 보인 점(點)에 있어서……) 사(社)에서 주문(注文)한 모든 조건(條件)이 작자(作者)가 생각하여 오던 바와 우연(偶然)히 부합(符合)됨에 용기(勇氣)를 얻어 그 공약(公約)을 이행(履行)할 기회(機會)를 얻게 되었읍니다.

빈약(貧弱)하나마 머리를 짜내기에는 가장 괴약한 늦은 봄철에 한 50일(日)

동안을 주야겸행(晝夜兼行)으로 펜을 날려 기한(期限)과 회수(回數)와 또는 그 밖의 모든 구속(拘俗)을 받으면서 써낸 것입니다.

소설(小說)의 내용(內容)에 들어서는 발표(發表)되는 대로, 작품(作品)이 대변(代辯)할 터이니까 미리 말씀드릴 필요(必要)를 느끼지 않습니다마는 겉으로 지나치게 뒤떠드는 일은 매양 명실(名實)이 상부(相符)치 못하는 법(法)이라 졸작(拙作)이 애독자(愛讀者) 여러분의 기대(期待)에 과(過)히 어그러지지나 말기를 스스로 빌 뿐입니다. 그리고 창작(創作)에만 몰두(沒頭)하는 작가(作家)는 오즉 다소곳이 머리를 숙이고 여러분의 엄정(嚴正)한 비평(批評)에 귀를 기울여야 할 줄 압니다.

끝으로 한말씀 하는 것은 지난 날에 직업(職業) 관계(關係)로 외람(畏濫)히도 신문(新聞)에 공모(公募)되는 작품(作品)을 고선(考選)하는데 간여(干與)해 오던 사람으로서 비록 신인(新人)만을 구(求)하는 것이 아니라고는 하였으나, 이번에 응모(應募)한 것을 비웃는 친구도 있을듯하나, 나는 이 기회(機會)에 감(敢)히 선언(宣言)합니다.

「소생(小生)은 영원(永遠)한 문학청년(文學靑年)으로 늙겠소이다!」라고—.

(당진(唐津) 필경사(筆耕社)에서)

(1935. 8.27. 동아일보(東亞日報))

(1966)

장혁주(張赫宙)의 조국(祖國)과 문학

1

일본의 저명한 순문예지의 하나인《신조(新潮)》1958년 5월호에 野口赫
宙(장혁주(張赫宙))의 단편「이속의 부(異俗の夫)」가 발표되었다.

나는 이민족(異民族)의 남편은 아니라는 생각으로 있었다. 아내의
나라에 동화(同化)하려는 노력(努力)은 오랜 동안 계속되었기 때문에
귀화(歸化)가 허락(許諾)되어 국적(國籍)을 취득(取得)한 날로 그 노력
(努力)은 일단 종지부(終止符)가 찍혀져도 좋다고 생각되었다. (……)
이민족(異民族)끼리의 결혼(結婚)의 경우, 어느 쪽이든 한 쪽에 동화
(同化)하는 것이지, 쌍방(雙方) 등분(等分)으로 양보(讓步)하여 반반(半
半)으로 동화(同化)한다는 일은 실제(實際)로 좀처럼 성립(成立)하지
못하는 일이다. 그리하여 많은 경우 아내가 남편 쪽에 동화(同化)하기
쉽다. 그것은 남편이 아내의 조국(祖國)에 거주(居住)하는 경우라도
그러한 것이라고 말할 수 있으리라 생각한다. 그러나 나의 경우는 남
편 쪽에서 동화(同化)하려는 의식적(意識的)인 노력(努力)을 거듭하여
온 예(例)다.

이와 같은 허두로 시작된 일인칭의 이 소설은, '나'라는 주인공이 처의 조국에 동화(同化)하는 과정에서 심신의 고뇌를 무릅쓰고 감행한 끈기있는 노력에 대한 그야말로 혈투의 전모를 그린 것이요, 그 귀화(歸化)의 동기는 사랑에도 있었지만 그보다도 그 목적은, 문학 즉 '순수한 일본어'로 쓴 위대한 작품을 창작하겠다는 의욕, 그것이 필자의 염원이라는 점이 그 가장 주요하고 심각한 골자로 되어 있는 작품이다.

나는 자가(作家)로서 데뷰한 당시(當時), 퍼 떠들서했고, 그후(後) 10년간(年間)은 아무튼 오르막길이었다고 자부(自負)하고 있다. 나라고 하는 작가(作家)의 출신(出身)의 특수성(特殊性)과 작품(作品)으로서의 민족성(民族性)이 진귀(珍貴)하기 때문에 조금 덤이 붙어서 실력(實力) 이상(以上)으로 인정(認定) 받았던 것은 알고 있다. (……) 내가 왜 자기(自己)가 초기(初期)에 내걸은 민족(民族)이라는 간판(看板)을 점두(店頭)에서 떼어버리고, 자기(自己) 스스로 묘혈(墓穴)을 파는 것 같은 시늉을 하였을까? 그 대답은 아내(妻)다 라고 생각하고 있었다.

나는 「반도(半島)놈」으로 불리웠고 「불령선인(不逞鮮人)」으로 다루어진 일에 대한 분비(忿憊)에 정체(正體)가 진동(震動)하는 것 같아서, 만약 권력(權力)이 나에게 있으면 사복(私服)(형사(刑事))의 입을 짖찢어 주고만 싶은 격노(激怒)에 눈이 아찔했다. (……) 홀연(忽然)히 규자(圭子)의 나라 국적(國籍)을 취적(取籍)하라는 섬광(閃光)이 번쩍였다. 귀화(歸化)에 대(對)한 생각은 그 일순(一瞬)에 싹터, 17년의 세월(歲月)을 지나 실현(實現)되게 되었다.

이와 같은 구절은 갑오경장 직후의 신소설 작가 이인직이, 역시 그도 일본 여인과 동거하면서 자기 신변의 표백 같은 단편소설 「빈선랑(貧鮮

郞)의 일미인(日美人)」(1912년《매일신보(每日申報)》에 발표된 순 한글소
설)이라는 작품 속에서 아내의 입을 통하여 내뱉게 한 경우를 연상시키는
바 없지 않다.

「여보 영감이상, 내가 영감을 원망하는 것이 아니라 내 팔자 한탄
이오. 날같이 어림없고(馬鹿) 날같이 팔자 사나운 년이 어디 또 있겠
소. 영감이 내지(內地)에 있을 때에 얼마나 풍을 쳤소. 조선 있는 사
람은 아무 것도 모르난 병신같고 영감 혼자만 길닌 듯, 조신에 돌아
가는 날에는 벼슬은 마음대로 할듯, 돈은 마음대로 쓰고 지낼 듯, 그
런 호기있는 소리만 하던 그 사람이 조선을 오더니 이 모양이란 말이
요. 일본 여편네가 조선 사람의 마누라 되야 온 사람이 나 하나뿐 아
니언마는 경성에 와서 고생하는 사람은 나 하나뿐이로구려…… 내가
문밖에 나가면 혹 내지(內地) 아해들이 등뒤에서 손까락질을 하며 요
보의 오가미상(朝鮮人女房)이라 하니 옷이나 잘 입고 다니며 그런 소
리를 들으면 어떠할는지, 거지 꼴같은 위인에 그 소리를 들을 때면
얼굴이 뜻뜻……」

이인직은 이 작품 뒤에 1913년 그의 최후 작품인 「모란봉」을《매일신
보》에 연재하다가 중단하고 1916년에 기세(棄世)하였으나, 그의 문학사적
인 공적은 별개로 하고, 한일합방의 최첨단에 서서 이완용의 수족으로 조
국 매도의 최종 단계에서 가장 반역적인 행위를 감행하여 "조선 있는 사
람은 아무 것도 모르는 병신 같고" 자기 "혼자만 잘난 듯" 하던 그는 국치
(國恥)의 합방에 수훈갑(殊勳甲)의 일석(一席)을 차지하였던 것이다.

장혁주는 1905년 경북 대구 출생으로 대구고보를 졸업한 후, 교원 자
격 검정에 합격하여 교편을 잡다가 27세에《개조(改造)》지에 처녀작 「아
귀도(餓鬼道)」를 일문(日文)으로 발표하였으니 당시의 필명은 야구실(野口

實)이요, 그후 전적으로 창작 생활에 몰입하여 대부분의 작품을 일문으로
발표하였다.

그의 주요 작품으로는 단편에 「權といふ男」「춘향전(春香傳)」「우열한(愚
劣漢)」「人の善さと惡さと」 등이 있으며, 장편으로는 「人間の絆」「美しき抑
制」「我何)れも辭せず」「浮き沈み」「秘苑の花」 등이 있고, 오늘날의 필명 아
닌 본명은 야구혁주(野口赫宙)로 되어 있다.

그는 일본 여인과 결혼하였으며 종전(終戰) 직후, 재빨리 일본 정부에
귀화 신청을 하여 상항(桑港) 대일(對日) 강화조약(講和條約)이 체결된 후
명실공히 그의 말마따나, 영예로운 일본 국적을 취득하여, 몽매에도 불망
하던 진짜 황국신민(皇國臣民) 된 숙원을 달성하였고, "이민족(異民族)의
남편이 아니라는" 초지(初志)를 일관하여 동민족(同民族)의 남편이라는 영
관을, 조국의 삼천만을 물에 빠뜨리며, 전취(戰取)하였던 것이다.

2

한 나라의 국민이나, 한 민족 중의 어느 일개인이 조국의 이름을 바꾸어
귀화하는 일은, 그 유례가 없는 일이 아니나 또 그리 흔한 일도 아니다.

사랑에는 국경이 없다고 하지만, 전인류가 단일국가를 형성하지 못한
오늘날까지에는 아직 조국은 목숨보다도 더 값진 것이다.

문학이나 예술은, 국가나 민족을 초월한 범인류적인 공유물이 될 수
있지만 그러나, 예술가에게는 조국이 생명보다 귀중한 것이다.

그러나 나는 여기에서 한 개인에 대한 국적의 개변(改變)이나 동화(同
化)를 논하자는 것은 아니다.

다만 작품 「이속의 부(異俗の夫)」에 나타난 작품 자체의 평가와 아울러
작자의 자기 작품 속에 책임지는 '모럴'을 말하자는 것이다.

'나'는, 아니 작자 자신은, 이렇게 열변을 토하고 있다.

　순수(純粹)한 일본(日本)말을 쓰겠다는 의욕(意慾)이 동경(憧憬)의 무지개를 아롱지고 있었다. 그러나 순수(純粹)한 일본(日本)말은 그 말을 상용(常用)하는 인물(人物)을 그림으로써 살고, 표준어(標準語) 뒤에 가로놓여 끈기 있게 뻗어 간 방언(方言)을 몸에 배게 하지 않으면 안된다. 이것은 대단한 일이어서 식민지(植民地)의 일본(日本)말밖에 모르는 나의 좀처럼 이룩할 수 없는 어려운 일이다. 그리고 그 일은 언어(言語)에 기울이는 지극한 애착이 있어야만 이 꽃을 피게 할 수 있으리라. 그 언어(言語)를 사랑하는 일은 결국 그 언어(言語)를 말하는 사람들을 사랑하는 일에 귀착(歸着)되고 그 언어(言語)를 낳은 땅을 사랑하지 않고는 배기지 못하리라. 문단(文壇)에 데뷔하여 아직 3년밖에 지나지 않은 그 무렵의 나에게는 민족의식(民族意識)이 상당(相當)히 강(强)하여 조국(祖國)의 독립(獨立)을 보지 않고는 죽지 못하겠다는 비장(悲壯)한 결의(決意)가 있었다. 내가 아나키스트 연맹(聯盟)에 가입(加入)한 것도 그러한 동기(動機)에서이다. 총독부(總督府)의 제기관(諸機關) 제건물(機建物)을 폭파(爆破)할 예비(豫備)공론에 꽃을 피우고, 천지개벽(天地開闢)의 장렬(壯烈)한 꿈을 그렸던 것이다. 그러한 민족심(民族心)과 일본(日本) 사람들 및 그 대지(大地)를 사랑하는 일은 그 당시(當時)로서는 서로 모순(矛盾)되었다. 그러므로 엑소틱한 문장(文章)에 만족(滿足)하고 그것 때문에 침몰(沈沒)할테면 해라, 그 뒤는 모국어(母國語)로 쓰련다 하는 속셈이 있었고 그것에 의지(依支)하고 있었다. 그러나 그것은 식민지인(植民地人)의 감정(感情)이었었고 나 개인(個人)으로서는, 일본(日本)이 좋아질 것 같아서 죽겠고 나의 앞에 나타난 어려운 사업(事業)을 성취(成就)하지 않고는 배기지 못할 예언(豫言)에 휘몰리고 있었다.

작가에게 있어서, 취재(取材)의 제약은 있을 수 없다. 언제 어디서 무엇을 다루어도 좋다. 그러나 자기 손을 거쳐서 떠나간 작품에 대하여는 사후까지도 영원히 책임져야 하는 것이다.

작품 「이속의 부(異俗の夫)」 속의 '나'는 작자 자신이라도 좋고, 작자 아닌 다른 사람의 경우라도 좋고 또는 가공적인 허구(虛構)라도 상관없다.

다만 이 경우에는 이 작품 속에 나타난 '나'라는 인간에 대한 작자의 모럴이나 작가의식이 문제인 것이다.

더욱이 작품 속의 '나'는 그대로 작자 자신의 투영이요, 자화상(自畵像)임에는 어찌하랴.

단순한 일상용어의 방편으로서가 아니라, 소설작품 속에서 "순수한 일본말을 쓰겠다는 의욕이 동경의 무지개를 아롱지게"하고 있는 '나'와, "민족의식이 강하여 조국의 독립을 보지 않고는 죽지 못하겠다는 비장한 결의"의 '나'가, 정말 동일인일 수 있는 가능성이 있는 것인가에 대한 진실성의 문제가 논란되지 않을 수 없다. 하나의 작품 속에 순수한 일본말을 쓰고, 그 말을 상용(常用)하는 인물을 그림으로써 만고(萬古)에 남을 불후의 명작을 창작하겠다는 '나'는, 그 일본말을 몸에 배게 하기 위하여 "그 언어를 사랑하고" 그 언어를 사랑하는 결과로 필경 "그 언어를 말하는 사람들을 사랑하는 일에 귀착"될 뿐만 아니라, "그 언어를 낳은 땅을 사랑하지 않고는 배기지 못한다"고 외치면서 다른 한편, 당시 한일간(韓日間) 피차 이해상반에 있는, 아니 구적(仇敵)으로 되어 있는 일본을 상대로 조국의 독립을 위하여 "총독부의 제 기관 제 건물을 폭파할 예비공론에 꽃을 피우고" 있는 '나' 자신을 병치(並置)하고 있으니, 작중인물(作中人物)인 '나'의 사고나 결의는 정상적인 판별의식을 결하였거나 미봉적인 자기합리화에 불과한 것이라고 보지 않을 수 없다.

특히 '나'는 "나 개인으로서는 일본이 좋아질 것 같아서 죽겠다"고 하면서, 일본말로 작품이 써지는 것이 잘 안될 때에는 "그 뒤는 모국어로 쓰련다"는 망언(妄言)까지 하고 있다. 이는 일본이 좋아서 죽을 지경인 '나'에게 있어서 일본말은 애착이 있어야 훌륭한 문학작품이 되고, 소위 '나'의 모국어인 한국말은 조국애가 거세되고 '말' 자체에 대한 애착이 없어도 작품이 될 수 있다는 것으로 해석되어, 판단이나 논리의 모순을 노출하는 결과로 된다. 그래 한국말은 그렇게 갈 데 올 데 없는 '나' 같은 작가의 후보언어로서 마련된 말인지 작가의 양심조차 이해하기 곤란하게 한다.

아마 이러한 논리는 '나'의 경우, 즉 작자 자신과 같은 특이한 이단자(異端者)에게나 적용될 경우이지, 여디의 삼천만 누구에게도 적용될 수 없는 사례일 것이다.

이것은 다만 문학작품으로서의 내용을 분석하여서의 이야기이지만, 문학을 떠나서의 '나'나 작자의 민족적인 양심의 문제에 대하여는 별개의 훨씬 가혹한 논평이 내려져야 할 것이다.

'나'는 또 말한다.

연락선(連絡船)에서 붉게 어려가는 산(山)들이 아득한 저 멀리 수평선(水平線)에 기울어지는 것을 바라보면서, 조국(祖國)아 잘 있거라 하고 불러 외쳤다. 파도의 까치놀이 그 소리를 앗아갔으나 한 방울의 눈물이 나의 뺨을 스쳐서 주르륵 미끄러내렸다.

나는 내 마음 속에서 조선(朝鮮)을 몰아내고 일본(日本)을 받아들였다. 일본(日本)은 아직 전부(全部)를 나에게 주지 않으나, 얼마 안 가서 나의 것이 되리라. 나는 일본(日本)을 그리고 묘(描), 말을 완성(完成)하기 위하여서는 어떠한 일이든 참아 가련다.

조국의 저녁노을 속에 저물어 가는 산(山)을, 현해탄에서 눈물을 흘리며 감격에 젖어 바라보던 '나'는 일순 조금의 고민도 없이 마음속에서 조국을 축출하고 원수의 나라 일본을 받아들이기에 새 자리를 마련하고 있다.

얼마나 경박하고 피상적인 '나'의 처세인가.

김동인의 작품 「붉은 산」에 나오는 '삵'이라는 주인공은 만주 벌판에서 「이속의 부(異俗の夫)」의 '나' 같은 지식인이 아니면서도 조국의 붉은 산을 머릿속에 그리면서 피끓는 조국애 속에, 습격하여 오는 중국인 떼를 물리치고 홀로 희생된다. 똑같은 조국의 붉은 산을 보는 감정에 '나'와 '삵'의 사이에는 180도의 표리(表裏)와 허실(虛實)의 차이가 있다.

'나'의 조국에 대한 결별장은 이미 이때에 마련되었던 것이다.

그러나 정말 '나'에게 때는 왔다.

샘부란시스코조약(條約) 후(後) 일본(日本)은 간신히 독립(獨立)되었다. 나는 귀화(歸化) 수속(手續)을 하여 허락(許諾)되었다. 부과장(部課長)에 나의 독자(讀者)가 있었고, 대신(大臣)은 문사(文士) 물림이었기에 허가(許可)는 짧은 기간 중에 되었다. 종전(終戰)에 전후(前後)하여 선처(先妻)도 어머니도 사망(死亡)하였기에 이 귀화(歸化)에 이의(異議)를 말하는 사람은 없다. 효력(效力)은 발생(發生)하였다. 호적(戶籍)을 창설(創設)하고 즉일(即日), 규자(圭子)의 입적(入籍) 수속(手續)도 치루었다. 15년간(年間)의 내연관계(內緣關係)가 해소(解消)되고 법률상(法律上) 가뜬하게 부부가 된 것이었다.

여기에서 '나'의 가면은 완전히 벗겨졌다.

조국의 독립을 보지 않고서는 죽지도 못하겠다던 나는 현해탄에서 감상어린 눈물로 마음속에서 조국을 추방하였지만 이제 새삼스럽게 '나'가 그렇게 원했다는 조국의 광복이 이루어지게 되었음에도 불구하고, 조국이나 민족에 대한 양심적 고민은 하나도 없이 어머니나 선처의 사망을 기화로 거침없이 귀화하여 삼천만 겨레에게 괴롭거나 미안한 심정은 고사하고 삼천만을 모욕하는 치욕을 발판으로 하여 구수(仇讐)의 국적을 찾아가는 것이다.

3

위대한 작가나 예술가가 국제결혼을 한 예는 드물지 않으며 또한 귀화한 예도 적지는 않다.

T. S. 엘리엇은 후자의 예로서 미국에서 나서 필명이 드높아진 후일에는 영국으로 귀화하였으며, 일본명으로 소천팔운(小泉八雲)이라고 불리는 L. Hearn은 전자와 후자의 경우를 겸하여 일본여자 소천절자(小泉節子)와 결혼하여 성명까지 바꾸고 일본에 귀화하여 오고(五高), 동대(東大) 등에서 교편을 잡았고 조대(早大) 재직 중에 일본에서 그 생애를 마치었다.

그러나 이들은 귀화하여 간 나라에 엄청난 문학적인 업적을 남기었지만 자기의 전(前)의 조국을 모욕 멸시하지도 않았고, 자기의 겨레를 타기하는 농언(弄言)도 작품에서든 작품 외에서든 저지르지 않았다.

백보(百步)를 양보하여 「이속의 부(異俗の夫)」가 영구불멸의 명작으로 이 한 편을 낳기 위하여 눈물을 먹으면서 겨레붙이를 능욕하고 조국을 모독하였다 할지라도 일고(一考)의 여지를 아직 주저할 바임에도 불구하고, 작품 자체 속에 모순을 노정하는 태작(駄作)을 가지고 조국을 배신하는 변명의 방패로 삼았다는 것은 우졸하고 가증하기 짝이 없는 수법이다.

대일협력자(對日協力者)는 민족반역자(民族反逆者)이다. 나에게는 말과 문자(文字)가 있다. 지금 새삼스레 조선인(朝鮮人)으로 돌아갈 의지(意志)는 눈꼽만큼도 없다. 나는 눈을 감고 박해(迫害)와 협박(脅迫)에 견디었다. 그리하여 나는 초지(初志)를 관철(貫徹)하련다. 그렇게 결의(決意)를 새롭게 하였다.

'나'는 또 이렇게 자기를 변호하고 일본인으로서의 결의를 새롭게 하고 있다.

'나'를 한국사람으로 조국의 품안에 다시 돌아오라는 이는 아무도 없을 것이다. 조국이 위기의 첨단에서 허덕일 때, '나'는 조국을 배반하고 새로운 조국 원수의 품으로 애걸하며 뛰어들었다.

조국이 선열의 혈흔 속에 겨우 광복의 서광을 찾아온 오늘, 누가 '나' 같은 파렴치한을 맞아 줄 것이며, 어느 폭넓은 조국의 품이, 이 반역의 탕아(蕩兒)를 이제 새삼스럽게 받아들일 수 있을 것인가.

그리고 보면 「이속의 부(異俗の夫)」의 '나'는 위대한 걸작을 이룩하기 위하여 일본말을 배우고 일본사람을 사랑하고 일본땅을 소중히도 아꼈던 것이 아니라, 원수의 나라에 귀화하기 위하여 조국과 겨레에 배신하면서도 일본말로 일본 작품을 썼다는 자기의 지나간 노정(路程)을 폭로한 결과밖에 되지 않는 것이다.

결국 「이속의 부(異俗の夫)」는 문학을 위하여 조국을 버린 '나'의 말대로의 "일본의 마음밖에 가지지 못한" '나'를 그린 것이 아니라 조국과 민족의 이름을 팔아 자기 개인의 오매불망하던 귀화를 합리화시킨 위선적인 자기 변호자로서의 '나'를 그린 역설적인 결과를 가져온 작품이다. 더욱이 '나'는 작자 자신 그대로의 자화상임을 어찌하랴.

「이속의 부(異俗の夫)」는 '나' 아닌 장혁주, 아니 장혁주 아닌 야구혁주(野口赫宙)의 일본 신민이 되겠다는 염원에 대한 고투의 기록이요, 그 속에서 그의 문학은, 가치를 상실한 귀화의 매개물로서의 구실을 충실히 하였을 뿐이요, 이 결과로 조국은 소위 '불령선인(不逞鮮人)'이었던 삼천만의 겨레와 함께 무참히도 짓밟힌 것이다.

20 몇 년의 노력(努力)이 헛되다고는 생각지 않는다. 순수(純粹)한 일본어(日本語)를 나는 꼭 써보이겠다. 나는 반발(反撥)하여 외쳤다.

'나'가 이 작품의 끝에서 이렇게 외친 마지막 소리는 그대로 야구혁주(野口赫宙)가 귀화한 새 조국, 일본에 대한 충성의 맹서 그것이요, 위선자의 자기 은폐에 대한 마지막 발악의 절규 이외에는 아무것도 아닌 것이다.

<h2>4</h2>

거듭 말하거니와 문학작품은 굳이 국적을 가질 필요기 없을지 몰라도 문학자에게는 조국이 있고 민족이 있다. 「이속의 부(異俗の夫)」의 '나'는 "민족이라는 간판을 점두(店頭)에서 떼어 버리고" 조국과 민족에 배신한 댓가로 일본 천황의 소위 '적자(赤子)'로서 비굴한 '신민(臣民)'이 되었고, 그의 작품은 일본말에 대한 애착과 일본인과 일본땅을 사랑하는 정신으로 일본문학사의 한 페이지를 장식할지 몰라도 '나'의 조국이었던 한국은 입지적(立地的)인 불리한 수난의 와중에서 또 겨레의 소중한 국토로 그리고 위대한 문학작품의 잉태를 위한 터전으로서, 미래를 향한 몸부림의 변신(變身)을 지속하고 있는 것이다.

조국과 문학은 어떠한 경우든 양자택일될 수는 절대로 없으며, 대척적(對蹠的)인 위치에 놓일 수 있는 성질의 것도 아니다.

수난의 역사의 지속인 이 땅에 있어서는, 더욱 그 문학사에 이러한 작품이 수록될 자리를 단 한 줄도 마련할 수는 없는 것이다.

조국과 민족을 아끼지 못하는 작가의식 속에, 이 땅의 문학은 있을 수 없다. 하물며 마음속에서 추방한 조국에, 굳이 작품으로 최후의 배신을 낙인함은 일층 작가적 양식에 위배되는 타기할 작태라 하지 않을 수 없다.

국제결혼을 하여도 좋고, 귀화해도 좋고, 외국어로 세계적인 불세출의 명작을 써도 좋다. 다만 단 하루라도 조국이었던 만신창이의 이 땅을 걸작 창조의 미명 아래 이 이상 더 짓밟지는 말아야 할 것이다.

이제 한 마디의 결론이 필요하게 되었다.

아무리 천만겹 불멸하는 기상천외의 걸작이라 할지라도 결국은, 작가 자신의 인간성의 총화를 초월한 기적적인 창조는 있을 수 없다는 요행 아닌 철칙을 「이속의 부(異俗の夫)」의 작자나, 우리 모두 다시 한 번 가슴에 명기(銘記)하고 싶을 따름이다.

(1958)

《독립신문》에 나타난 근대적 의식

1. 서언(序言)

《독립신문》은 건양원년(建陽元年)(1896) 4월 7일 서재필(徐載弼)박사에 의하여 창간되었으며[1] 우리 근대사에 있어서 최초의 민간신문이요 또한 일간신문인 동시에 순 한글을 사용했고 언론이 지니는 사회적 공기(公器)로서의 뚜렷한 방향을 제시한 신문이다.

이 신문이 발간되기 이전 일찍이 1883년에《한성순보(漢城旬報)》가 창간되었지만, 이는 한문(漢文)표기로 된 순간지(旬刊紙)이며, 또한 통리아문박문국(統理衙門博文局)에서 발행한 정부기관지여서 관보(官報)의 테두리를 멀리 벗어나지 못했다. 이 뒤를 이어 3년 후인 1886년에 창간된 《한성주보(漢城周報)》는 주간지(週刊誌)로 국한문혼용체(國漢文混用體)의 새로운 문체를 사용한 획기적 기도는 인정되지만 역시 박문국(博文局) 발간의 정부기관지여서 일반 민간 독자와는 거리가 먼 감이 없지 않았다.

《독립신문》은 처음 격일간(隔日刊)으로 발간되었으나 2년 3개월 후부

---

1 이 신문은 처음 〈독닙신문〉의 제호(題號)로 창간되었으며, 1896년(건양원년(建陽元年)) 5월 2일자 제12호부터 제호를 〈독립신문〉으로 표기하였음.

터² 일간으로 되어 비로소 서구식의 〈데일리 뉴스 페이퍼〉의 면모를 갖추게 되었다.

이 신문이 그 지면에 분류 게재한 항목을 보면 제1면과 2면에 걸쳐 〈광고〉〈논설〉〈물가〉〈관보〉〈외국통신〉〈잡보〉 등이 있고 제3면은 전면(全面)이 상사(商社), 물품 등의 광고로 짜여졌으며 제4면은 영문판으로 되어있다.

이 첫머리의 〈광고〉는 사고(社告)를 뜻하는 것으로 창간 2개월 후에는 없어졌고, 〈논설〉은 사설 및 독자 투고의 논설까지를 포괄하고 있다. 〈물가〉는 경제 동향이고, 〈관보〉는 인사(人事) 사령(辭令)을 비롯한 정부 발표이며, 〈외국통신〉은 외신기사, 〈잡보〉는 국내 사회면에 해당되는 기사들을 신고 있음을 볼 수 있다.

우선 《독립신문》이 그 창간호에서 밝힌바 발간 취지를 살펴보면 다음과 같다.

우리가 독닙신문을 오늘 처음으로 출판ᄒᆞ는딕 죠션 속에 잇는 뇌외국 인민의게 우리 쥬의를 미리 말ᄉᆞᆷᄒᆞ여 아시게 ᄒᆞ노라.
우리는 첫직 편벽되지 아니ᄒᆞᆫ고로 무슴 당에도 상관이 업고 상하 귀쳔을 달니 딕접아니ᄒᆞ고 모도 죠션 사름으로만 알고 죠션만 위ᄒᆞ며 공평이 인민의게 말ᄒᆞᆯ 터인딕 우리가 셔울 빅셩만 위ᄒᆞᆯ게 아니라 죠션 전국 인민을 위ᄒᆞ여 무슴 일이든지 딕언ᄒᆞ여 주랴홈. 정부에서 ᄒᆞ시는 일을 빅셩의게 전ᄒᆞᆯ터이요 빅셩의 졍셰를 정부에 전ᄒᆞᆯ 터이니 만일 빅셩이 정부 일을 자세이 알고 정부에서 빅셩에 일을 자세이 아시면 피ᄎᆞ에 유익ᄒᆞᆫ 일만이 잇슬터이요 불평ᄒᆞᆫ ᄆᆞ음과 의심ᄒᆞᆫ 싱각

■

2 광무(光武) 2년(1893) 7월 1일자, 제3권 제76호부터 일간으로 되었음.

이 업서질 터이옴.3

  우리는 바른뒤로만 신문을 홀 터인 고로 정부 관원이라도 잘못ᄒ
는 이 잇스면 우리가 말홀 터이요 탐관오리들을 알면 셰상에 그 사름
의 힝적을 폐일터이요 ᄉᆞᄉᆞ빅셩이라도 무법ᄒᆞ 일 ᄒᆞᄂᆞ사름은 우리가
차저 신문에 셜명 홀 터이옴.4

이와 같이 이 신문은 창간 벽두에서부터 파당이나 계급이나 지방색을
초탈한 공정하고도 비편파적인 성격을 지니며 정부 시책을 알리고 인민
의 정황을 정부에 전달하는 동시에 관원의 비위 및 일반 백성의 불법을
규탄할 것을 천명하고 있다.
  또한 이 신문은 국내의 사정을 내국인은 물론 외국인에게도 알릴뿐더
러 외국의 정세를 국내에 전하는 신문 본래의 보도 사명도 아울러 다음
과 같이 밝히고 있다.

  이 신문을 인연ᄒᆞ여 닉외 남녀 샹하귀쳔이 모도 죠션 일을 서로 알
터이옴.5

  우리가 또 외국 사졍도 죠션 인민을 위ᄒᆞ여 간간이 긔록홀 터이니
그걸 인연ᄒᆞ여 외국은 가지 못ᄒᆞ드릭도 죠션 인민이 외국 사졍도 알
터이옴.6

<hr>

3 《독립신문》, 1896.4.7. 제1호.
4 동상.
5 동상.
6 동상.

한편 신문 지면에 쓰일 문체에 대하여는 다음과 같은 주견(主見)을 내세우고 있음을 볼 수 있다.

우리 신문이 한문은 아니 쓰고 다만 국문으로만 쓰는 거슨 샹하귀쳔이 다 보게 홈이라. 또 국문을 이러케 귀졀을 쎼여 쓴 즉 아모라도 이 신문 보기가 쉽고 신문 속에 잇는 말을 자셰이 알어 보게 홈이라. 각국에셔는 사름들이 남녀 무론ᄒ고 본국 국문을 몬저 비화 능통ᄒ 후에야 외국 글을 비오는 법인듸 죠션셔는 죠션 국문은 아니 비오드릭도 한문만 공부ᄒᄂ 까둙에 국문을 잘 아는 사름이 드물미라. 죠션 국문ᄒ고 한문ᄒ고 비교ᄒ여 보면 죠션 국문이 한문보다 얼마가 나흔 거시 무어신고 ᄒ니 첫지는 비호기가 쉬흔이 됴흔 글이요 둘지는 이 글이 죠션글이니 죠션 인민들이 알어셔 빅스을 한문 듸신 국문으로 써야 샹하귀쳔이 모도 보고 알어 보기가 쉬흘 터이라. 한문만 늘 써 버릇ᄒ고 국문은 폐흔 까둙에 국문만 존 글을 조선 인민이 도로혀 잘 아러 보지 못ᄒ고 한문을 잘 알아 보니 그게 엇지 한심치 아니 ᄒ리요. 또 국문을 알아보기가 어려운 건 다름이 아니라 첫지는 말마듸을 떼이지 아니ᄒ고 그져 줄줄 니려 쓰는 까둙에 글즈가 우희 부터는지 아릭 부터는지 몰나셔 멷번 일거 본 후에야 글즈가 어듸 부터는지 비로소 알고 일그니 국문으로 쓴 편지 흔 쟝을 보자 ᄒ면 한문으로 쓴 것보다 더듸 보고 또 그나마 국문을 자조 아니 쓴는 고로 셔툴어셔 잘못 봄이라. 그런 고로 졍부에셔 너리는 명녕과 국가 문젹을 한문으로만 쓴 즉 한문 못ᄒ는 인민은 나모 말만 듯고 무슴 명녕인 줄 알고 이 편이 친이 그 글을 못 보니 그 사름은 무단이 병신이 됨이라. 한문 못ᄒ다고 그 사름이 무식흔 사름이 아니라 국문만 잘ᄒ고 다른 물졍과 학문이 잇스면 그 사름은 한문만 ᄒ고 다른 물졍과 학문이 업는 사름보다 유식ᄒ고 놉흔 사름이 되는 법이라. 죠션 부인네도 국문을 잘ᄒᆞ고 각식 물졍과 학문을 빅화 소견이 놉고 ᄒᆡᆼ실이 졍직ᄒᆞ면 무론 빈부귀쳔간에 그 부인이 한문은 잘 ᄒᆞ고도 다른 것 몰으ᄂᆞ 귀족 남ᄌᆞ보다 놉ᄒᆞᆫ 사ᄅᆞᆷ이 되는 법이라.7

이 신문은 한문은 전폐하고 전 지면에 걸쳐 한글만을 썼으며 띄어쓰기를 처음부터 시도하였다. 이러한 사실은 한문만이 정통으로 쓰였던 당시의 전래적 관례에 비추어 볼 때 과감한 개혁이라고 보지 않을 수 없다. 뿐만 아니라 이 신문은 그 이유를 들어 한글이 헤독ᄒᆞ기 쉬워 ᄭᆞᆼ하귀쳔할 것 없이 모두가 사용할 수 있으며, 띄어 씀으로 말미암아 내용에 대한 오해가 없이 전달될 수 있게 함을 밝히고, 한 걸음 나아가서 한문과 국문의 존비(尊卑) 기성관념을 불식하고 조선글인 국문을 써야 한다는, 국문 사용에 따른 주체적인 계몽의 의도까지를 밝히고 있다.

이 신문의 이러한 지향은 언문일치 문장에 접근하려는 중요한 계기를 마련하기도 하는 것이다.

한편 영문판은 'THE INDEPENDENT'의 제하(題下)에 창간호부터 제4면 전면(全面)에 걸쳐 게재되었으나, 1896년 12월 31일8까지 지속된 후 영자신문(英字新聞)이 독립됨에 따라 폐지되었으므로 1897년에 들어서서는 제4면이 〈잡보〉란의 연장 및 〈광고〉란으로 채워졌다.

이 영문판 설정의 취지를 발췌하면 다음과 같다.

ᄒᆞᆫ쪽에 영문으로 기록ᄒᆞ기는 외국 인민이 죠션 ᄉᆞ졍을 자셰이 몰은 즉 혹 편벽된 말만 듯고 죠션을 잘못 ᄉᆡᆼ각ᄒᆞᆯ까 보아 실샹 ᄉᆞ졍을 알게 ᄒᆞ고져 ᄒᆞ여 영문으로 조곰 긔록홈.9

7 동상.
8 《독립신문》, 1896.12.31. 제116호까지 영문판이 붙음.

이상과 같이 《독립신문》은 개화기의 선구적인 일간신문으로서 뚜렷한 사시(社是)의 기치 아래 민중을 계몽하고 여론을 환기하고 위정 당국을 규탄 계도(啓導)하는 등 근대화의 흐름 속에서 그 밑거름의 구실을 하였음을 볼 수 있다.

따라서 《독립신문》에 나타난 근대의식을 구명함은 국내외적으로 다사다난했던 개화 초기에 있어서 서구의 근대의식을 변용한 과정의 단면을 엿볼 수 있는 동시에 그것이 국내의 정치제도를 비롯한 경제, 사회, 문화면에 어떻게 반영되고 어떠한 영향을 끼쳤는가 하는 의식의 변화 과정도 아울러 추출할 수 있는 계기가 될 것으로 본다.

한편 본고에서는 근대 내지 근대화의 개념을 규정함에 있어서 유럽의 그것에 준거(準據)하면서도, 이러한 이념이나 제도의 수용이 개괄적인 면을 멀리 벗어나지 못하고 근대화가 개화로 상통될 수 있는 정도의 상식선상에 머물었던 사실(史實)에 비추어, 기존질서 내지 가치관에 대한 비판적인 혁신의 개념으로 받아들인 정도에 그쳤던 당대인의 인식의 한계에 따르고자 한다.

따라서 표제에 근대의식이라 하지 않고 굳이 '근대적 의식'이라 한 것도 이러한 사실적(事實的) 실증(實證)에 연유한 소치이다.

본고에서 검토의 주요 대상으로 한 것은 《독립신문》 지면에 나타난 자주독립, 신교육, 인권문제, 정치의식, 경제의식 등 개화기의 의식구조 형성에 중핵을 이룬 이념적 문제와 그의 실천적 방향 등이다.

9 《독립신문》, 1896.4.7, 제1호.

2. 개화(開化)의 개념(槪念)

19세기 후반에 접어들어 개항 이후, 선진 제국의 문물이 본격적으로 도입됨에 따라 개화라는 말은 정치·경제·사회·문화 등 각 분야에 걸쳐 광범위하게 써졌던 만큼 그 개념도 다양한 진폭을 지녔음을 볼 수 있다.
《독립신문》에서도 창간 후 얼마 아니 된 시기에 벌써 이 문제를 거론하고 있다.

기화라고 ᄒᆞᄂᆞᆫ 말이 근일에 ᄆᆡ우 번성ᄒᆞ야 사름마다 이 말을 옮기되 우리 보기에는 기화란 거슬 ᄯᅳᆺ들을 자셔히 모로는 모양인 고로 오늘날 우리가 그 의미를 조금 긔록ᄒᆞ노라. 기화란 말을 당초에 쳥국셔 지여 낸 말인듸 기화란 말은 아모 것도 모로는 쇼견이 열녀 리치를 가지고 일을 싱각ᄒᆞ야 실상듸로 만ᄉᆞ를 ᄒᆡᆼᄒᆞ자는 ᄯᅳᆺ시라. 실상을 가지고 일을 ᄒᆞ거드면 헛되고 실상 업는 외식은 아니 ᄒᆡᆼᄒᆞ고 춤된 것만 가지고 공평ᄒᆞ고 졍직ᄒᆞ게 싱각도 ᄒᆞ고 ᄒᆡᆼ신도 그러케 ᄒᆞᄂᆞᆫ 거시라. 만ᄉᆞ가 공평졍직ᄒᆞ게 ᄒᆡᆼᄒᆞᆫ 담에야 그늘진 일이 업슬터이요 그늘진 일이 업슨즉 나 ᄒᆞᄂᆞᆫ 일을 남이 알아도 붓그럽잘 거시 업슬터인즉 문을 열어 놋코 일을 ᄒᆞ야도 방ᄒᆡᄅᆞᆫ 일이 업는 법이요 그늘진 듸서 ᄒᆞᄂᆞᆫ 일은 ᄆᆡ양 남이 알ᄭᅡ 두려워 ᄒᆞᄂᆞᆫ 일이니 남이 아는 거슬 두려워ᄒᆞᄂᆞᆫ 거슨 다름이 아니라 그 일이 공평졍직지 안ᄒᆞᆫ 싱ᄃᆞᆰ이라. 그런 고로 나라 일을 의론ᄒᆞᆫ다든지 샹회 일을 의론ᄒᆞ드릭도 문을 열어 놋코 만민이 보ᄂᆞᆫ듸 일을 ᄒᆡᆼᄒᆞ야 그 일이 졍당케 되는 일이요 남이 보아도 붓그럽게 업는 일이라. 나라일 ᄒᆞᆫ 재에 다만 비밀ᄒᆞᆫ 일은 싸홈홀 재에 용병ᄒᆞᄂᆞᆫ 계칙이 비밀이 ᄒᆞ여야 ᄒᆞᄂᆞᆫ 법이요 외국과 교제홀 재에 혹 비밀ᄒᆞᆫ 약죠를 ᄒᆞ거드면 그런 거슨 비밀이 ᄒᆞ여야 ᄒᆞ거니와 그외 일은 드러 내여 놋코 ᄒᆞ여야 빅셩이 의심이 업는 법이요 ᄯᅩ 빅셩들이 뎡부에서 무슴 일을 ㅎ는 줄 알여야 가부 간에 말도 ㅎ고 나라 일에 전국 빅셩이 힘도 쓸 터이라. (……)

우리는 브라건디 죠션에 유지각흔 이는 이 기화 뜻슬 알아 싱각ㅎ고 일도 ㅎ야 다른 사름들이 다 기화란 거시 춤 나라에 죠흔 거신 줄 노 알게 ㅎ면 올흔 사름은 모도 기화를 말나고 ㅎ여도 주연히 기화들이 될 터이니라.[10]

개화란 무지(無知)를 계몽하여 소견(所見)이 열림으로써 이치에 맞는 합리적인 생각으로 일에 대처하며, 실상(實相) 즉 있는 그대로의 진실에 바탕을 두어 공평 정직 정당하게 행신(行身)하고 만민(萬民)에 공개적인 공정성으로 대하는, 사고와 실천의 양면을 뜻하는 것이라고 했다.

그러면서도 현실면에 있어서 일반에게 알게 하는 공개성에 대하여는 용병(用兵)에 따르는 군사적 기밀이나 외교적 기밀조약에서는 그 공개에 한계가 있음을 밝히기도 했다.

이러한 관점은 같은 시기의 유길준(兪吉濬)의 다음과 같은 견해와 비교하여 보면 그 상사점(相似點)을 엿볼 수 있게 한다.

대개(大槩) 개화(開化)라 ㅎ는 자(者)는 인간(人間)의 천사만물(千事萬物)이 지선(至善) 극미(極美)흔 경역(境域)에 저(抵)홈을 위(謂)홈이니 연(然)흔 고(故)로 개화(開化)ㅎ는 경역(境域)은 한정(限定)ㅎ기 불능(不能)흔 자(者)라. 인민(人民) 재력(才力)의 분수(分數)로 기등급(其等級)의 고저(高低)가 유(有)ㅎ나 연(然)ㅎ나 인민(人民)의 습상(習尙)과 방국(邦國)의 규모(規模)를 수(隨)ㅎ야 기차이(其差異)홈도 역생(亦

10 《독립신문》, 1896.6.30, 제37호.

生)ᄒᆞᄂᆞ니 차(此)ᄂᆞ 개화(開化)ᄒᆞᄂᆞ 궤정(軌程)의 불일(不一)ᄒᆞᆫ 연유(緣由)어니와 대두뇌(大頭腦)ᄂᆞ 인(人)의 위불위(爲不爲)에 재(在)ᄒᆞᆯᄯᆞ름이라. 오륜(五倫)의 행실(行實)을 순독(純篤)히 ᄒᆞ야 인(人)이 도리(道理)를 지(知)ᄒᆞᆫ 즉(則) 차(此)ᄂᆞ 행실(行實)의 개화(開化)며 인(人)이 학술(學術)을 궁구(窮究)ᄒᆞ야 만물(萬物)의 이치(理致)를 격(格)ᄒᆞᆫ 즉(則) 차(此)ᄂᆞ 학술(學術)의 개화(開化)며 국가(國家)의 정치(政治)를 정대(正大)히 ᄒᆞ야 백성(百姓)이 태평(泰平)ᄒᆞᆫ 낙(樂)이 유(有)ᄒᆞᆫ자(者)ᄂᆞ 정치(政治)의 개화(開化)며 법률(法律)을 공평(公平)히 ᄒᆞ야 백성(百姓)이 원억(冤抑)ᄒᆞᆫ 사(事)가 무(無)ᄒᆞᆫ 자(者)ᄂᆞ 법률(法律)의 개화(開化)며 기계(器械)의 제도(制度)를 편리(便利)히 ᄒᆞ야 인(人)의 용(用)을 이(利)ᄒᆞ게 ᄒᆞᆫ 자(者)ᄂᆞ 기계(器械)의 개화(開化)며 물품(物品)의 제조(製造)를 정긴(精緊)히ᄒᆞ야 인(人)의 생(生)을 후(厚)히 ᄒᆞ고 황추(荒麤)ᄒᆞᆫ 사(事)가 무(無)ᄒᆞᆫ 자(者)ᄂᆞ 물품(物品)의 개화(開化)니 차(此) 누조(屢條)의 개화(開化)를 합(合)ᄒᆞᆫ 연후(然後)에 개화(開化)의 구비(具備)ᄒᆞᆫ 자(者)라 시위(始謂)ᄒᆞᆯ디라.[11]

유길준은 개화의 개념에 대하여 그 원칙론에서는 인간의 천사만물(千事萬物)이 지선지미(至善至美)한 경역(境域), 즉 이상적인 점에 이름을 말하고, 그 한계는 어떤 국가나 인민의 실정에 따라 차이가 있음을 아울러 내세우고 있다.

그러나 그는 실천론에서는 오륜(五倫)의 행실(行實), 학술(學術)의 궁구(窮究), 정치의 정대성(正大性), 법률의 공평성(公平性), 기계(器械)의 이용, 물품(物品)의 제조 등 인간생활에 적용되는 보편성과 정당성 그리고 그

---

11 유길준(兪吉濬), 『서유견문(西遊見聞)』, 1895년, 일본(日本) 횡빈(橫濱), pp.375~6.

활용에 두고 있음을 볼 수 있다.

이러한 접근된 양자의 견해는 개화를 자칫하면 서구 위주의 근대화나 또는 단순한 서양화로 직선적인 연결을 지어 해석하려는 경향과는 거리가 있는 것으로서 이같은 논지는 다음과 같은 대목에서도 찾아볼 수 있다.

대한 사롬이 기화를 별 다른 물건으로 싱각들 ᄒ나 십상인즉 그럿치 아니ᄒᆫ지라, 요 슌 시졀에 기화ᄂᆞ 요 슌 시졀에 못당ᄒᆞ고 구 미 각국의 기화ᄂᆞ 구 미 각국 세계에 못당ᄒᆞ야 해해로 늘늘마다 극히 편리케 ᄒᆞ며 극히 연구ᄒᆞ야 사롬의 일과 물건의 치리를 시셰를 ᄯᅡ라 극진ᄒᆞᆫ 디 나아감이 곳 기화라. 나의 ᄶᅡ른 것을 버리고 뎌의 긴 것을 취홈은 ᄒᆞᆫ 몸에 기화요 나의 업ᄂᆞᆫ 것을 인ᄒᆞ야 뎌의 있ᄂᆞᆫ 것을 취홈은 온 나라에 기화라. 이 밧ᄭᅴ ᄯᅩ 별 다른 기화가 잇ᄂᆞᆫ지 알지 못ᄒᆞ노라.[12]

억(抑) 차(此) 신기(新奇)ᄒᆞ고 심묘(深妙)ᄒᆞᆫ 이치(理致)ᄂᆞ 구세계(舊世界)에 부존(不存)ᄒᆞ고 금일(今日)에 시유(始有)ᄒᆞᆫ 자(者) 아니오 천지간(天地間)의 기(其) 자연(自然)ᄒᆞᆫ 근본(根本)은 고금(古今)의 차이(差異)가 무(無)ᄒᆞ되 고인(古人)은 궁격(窮格)ᄒᆞ기 부진(不盡)ᄒᆞ고 금인(今人)은 궁구(窮究)ᄒᆞ야 터도(攄到)ᄒᆞᆫ 자(者)니 차(此)를 유(由)ᄒᆞ야 관(觀)ᄒᆞ면 금인(今人)의 재식(才識)이 고인(古人)에 차(此)ᄒᆞ야 월가(越加)ᄒᆞᆫ 듯ᄒᆞ나 연(然)ᄒᆞ나 실상(實狀)은 고인(古人)의 초창(草創)ᄒᆞᆫ 자(者)를 윤색(潤色)ᄒᆞᆯ ᄲᅮ름이라. 화륜선(火輪船)이 수왈(雖曰) 신묘(神妙)ᄒᆞ나 고인(古人)의 작주(作舟)ᄒᆞᆫ 제도(制度)를 위(違)ᄒᆞ기ᄂᆞ 불능(不能)ᄒᆞ고 화륜차(火輪車)가 수왈(雖曰) 기이(奇異)ᄒᆞ나 고인(古人)의 조차

■

12 《독립신문》, 1898.1.20, 제3권 제8호.

(造車)흔 규모(規模)를 불유(不由)ㅎ면 불성(不成)홀디오. 차외(此外)에
도 여하(如何)흔 사물(事物)이든지 개연(皆然)ㅎ야 고인(古人)의 성법
(成法)을 이탈(離脫)ㅎ고 금인(今人)의 신규(新規)를 창출(刱出)ㅎ기는
불능(不能)ㅎ니 아방(我邦)에도 고려자기(高麗磁器)는 천하(天下)의 유
명(有名)흔 자(者)며 이충무(李忠武) 귀선(龜船)은 철갑(鐵甲) 병선(兵
船)이라 천하(天下)의 최선(最先) 창출(刱出)흔 자(者)며 교서관(校書舘)
의 철주자(鐵鑄字)도 천하(天下)의 최선(最先) 창행(創行)흔 자(者)라.
아방인(我邦人)이 만약(萬若) 궁구(窮究)ㅎ고 우(又) 궁구(窮究)ㅎ야 편
리(便利)흔 도리(道理)를 경영(經營)ㅎ얏드면 천만사물(千萬事物)이 금
일(今日)에 지(至)ㅎ야 천하(天下) 만국(萬國)의 명예(名譽)가 아방(我
邦)에 귀(歸)ㅎ얏슬디어늘 후배(後輩)가 전인(前人)의 구규(舊規)를 윤
색(潤色)디 아니홈이로다.13

《독립신문》에서는 '개화'를 서구의 근대화에만 직결시킬 것이 아니라
통시적(通時的)으로 어느 시대이든 간에 그 시대와 그 국가의 실정에 합
당한 방법으로 인간이나 물질에 대한 연구 계발(啓發)을 극진히 하여 단
점을 버리고 남의 장점을 받아들이는 것을 뜻하고 있다.

한편 유길준은 개화란 새로운 것이 아니라, 역사의 흐름 속에서 고인
이 혁창(革創)한 것을 금인(今人)은 더 발전시키는 데 있고, 그러한 면에
서 보면 고려자기, 거북선, 금속활자 등은 우리 선인(先人)이 창행(創行)한
훌륭한 것이나 후배가 전인(前人)의 구규(舊規)를 윤색(潤色)하지 못한 탓
으로 오늘의 낙후를 보이고 있다고 설파하였다.

또한 《독립신문》에서는 개화에 임하는 당대인의 처신에 대하여 다음과

13 유길준, 전게서, p.384.

같이 논하고 있다.

> 외면으로는 나라이 주쥬 독립이 되고 문명 기화ㅎ야 셰계 각국과 굿치 되야 국태민안ㅎ고 진보ㅎ야 가는 부강ㅎ 나라이 되겠다고 원ㅎ 면셔 속으로는 이 일에 모도 반듸ㅎㄴ 경영만 ㅎ고 셩각인즉 구습만 가지고 ㅎ다던지, 속으로는 나라이 문명 진보ㅎㄴ 거시 죠흔 줄노 알 면셔 외면으로는 구습을 가지고 말도 ㅎ고 일도 ㅎㄴ 사람은 둘이 다 안과 밧ㄸ 다른 사람이라. 죠션말에도 사람이 안과 밧ㄸ 다르면 그 사람을 쇼인이라 ㅎ고 쳔히들 싱각ㅎㄴ지라. 우리 싱각에는 차라리 완고당이 되던지 기화ㅎ 사람이 되던지 두가지 즁에 ㅎ가지 사람이 되야 안밧ㄸ 굿흔 사람이 될지언졍 쇼인 노릇 ㅎ기는 쳔히 넉일듯 ㅎ 듸 지금 죠션 셰샹 사람들은 엇지들 싱각ㅎㄴ지 만일 속히 작졍ㅎ야 온통 기화를 ㅎ던지 온통 슈구를 ㅎ여야 좌우간에 일도 솟나고 불샹 ㅎ 빅셩들도 살지라.[14]

> 지금 죠션 사람들이 말ㅎ기를 기화가 엇지 아니 되여 살 수가 업다 고들만 ㅎ고 기화ㅎ야 살 일은 ㅎ ㄱ지도 빙호려는 사람은 젹으니 기 화가 진실노 각각 주긔에게 잇는 거시어늘 남의게만 의탁ㅎ려 ㅎ며 남의 기화ㅎ 덕만 닙으랴고들만 ㅎ니 이거슨 비유컨듸 심으지 아니ㅎ 밧헤 곡식을 엇으려 ㅎㄴ 뜻시라. 나는 갸안히 안져셔 남이 나를 잘 되게 흠만 기다림이니 이러케만 싱각하면 죽는 늘 신지라도 될 수가 업는 일이라 엇지 답답지 아니리요.[15]

■

14 《독립신문》, 1897.2.27. 제2권 제24호.
15 《독립신문》, 1897.5.18. 제2권 제2호.

전자에서는 개화와 수구의 대립에 있어서 외면으로는 자주독립과 문명 개화만이 국태민안(國泰民安)하고 진보 발전하여 세계열강에 끼일 수 있는 부강한 국가가 되는 길이라고 하면서도 내심으로는 이에 반대되는 생각을 가진다든가, 반면 내심으로는 그렇게 생각하면서도 외면으로는 수구에 얽매이는 언동을 하는 우유부단하고 표리부동한 인간을 소인배라고 지탄하면서 개화든 수구든 간에 양자택일하는 투철한 태도와 자세가 절실히 요망됨을 강조하고 있다.

한편 후자에서는 국민 각자가 개화가 이루어지지 않는 깃을 개단만 하고 자기 자신부터 개화해야 한다는 생각은 하지 않을뿐더러 남의 개화에 힘입어 그 덕만 보려고 하는 것은 부당한 일이라고 지적하여, 현실에 대처하는 국민의 무자각한 자세를 개탄하고 있음을 볼 수 있다.

이제 개화라는 거세고도 새로운 풍조를 받아들이는 데 있어서 당대인들의 능동성과 피동성의 관계를 살펴보면 다음과 같다.

죠션이 ᄌᆞ쥬 독립 된 거슨 경츅ᄒᆞᆫ 일이나 자쥬 독립될 ᄶᅢ에 죠션 사름의 힘으로 되지 못한 거슨 언졔ᄭᅥ지라도 분한 일이라. 나라가 기화되ᄂᆞᆫ 것도 죠션 독립된 것과 ᄀᆞᆺ치 남의 힘으로 되거드면 그리 신신치 아니 ᄒᆞ니 이 일에 나 죠쳔 사름들이 죠션 사름의 힘으로 되게 ᄒᆞ기를 우리ᄂᆞᆫ 바라고, 암만 죠션 사름들이 ᄌᆞ쥬 독립ᄒᆞᆫ 거슬 분히 녁여도 엇졀 슈 업시 오날ᄂᆞᆫ ᄌᆞ쥬 독립이 되엿스니 ᄯᅩ 기화ᄒᆞ기가 암만 슬트리도 필경은 남이 억지로라도 식힐 터이라. 만일 죠션 사름이 쥬인이 되야 일심으로 문명 진보ᄒᆞᆫ 스업을 ᄒᆞ거드면 참 나라에 영광이요 세계에 싱식이 되ᄂᆞᆫ 일이거니와 죠션 독립 되듯 기 실흔 걸 남의게 억지로 몰니여 기화가 되거드면 기화가 되야도 남의게 내로라고 ᄒᆞᆯ 거시 업ᄂᆞᆫ지라 죠야에 잇ᄂᆞᆫ 죠쳔 졔 군ᄌᆞᄂᆞᆫ 싱각을 좀 하시오.16

이같이 소위 자주독립이란 청일전쟁으로 말미암은 일본과 청국간의 조약에 의하여 불가피하게 형식적으로 이루어진 것이므로 그 피동성을 인정하면서도, 개화에 있어서까지 방관만 하고 있으면 싫건 좋건 피동적으로 이루어져 갈 수밖에 없으므로 능동적으로 조야(朝野)에 있는 전국민이 합심하여 이룩하여 나가면 국가에 영광이요 온 세계에 빛날 것이라고 국민 각자의 적극성을 촉구하고 있음을 볼 수 있다.

이상에서 살펴본 바와 같이 19세기 말엽에 있어서의 당시인에게 수용된 개화의 개념이란 계몽을 수반하는 문명개화 정도의 지극히 광범위하고도 포괄적인 의미로 인식되었던 것임을 규지(窺知)할 수 있으며, 서구의 근대화와 동궤에서 논할 수 있는 본질적 기반은 그렇게 굳건히 다져지지 않았음을 아울러 알 수 있게 한다.

3. 애국(愛國)과 자주독립(自主獨立)

《독립신문》이 창간된 1896년부터의 4년간은 청일전쟁이 끝난 직후여서 전쟁에 패퇴한 청국의 세력은 약화되고 일본과 러시아 세력이 한반도에서 각축을 벌였던 시기이다.

전후 처리인 청일간의 강화조약에서 문면상으로는 대한제국의 독립이 인정되었으나 외적에 대한 자체의 방위능력을 지니지 못하였을 뿐더러 외세의 개입과 내정의 부실로 혼미한 정국이 지속되어 오던 당시의 정세로서는 위정자나 일반 국민에게 있어서 가장 시급하고도 절실한 것은 자주독립과 그를 위한 애국이었다.

■

16 《독립신문》, 1897.3.6, 제2권 제27호.

따라서 신문 지상에서도 이에 연관되는 문제가 끊임없이 논란되었다. 이 자주독립에 대한 논조는 크게 두 가지로 나눌 수 있는 바 그 하나는 외세 내지 외국인에 대한 우리 국민의 자세요, 다른 하나는 우리 국민 자체에 있어서의 난국에 대처하는 각오와 결의에 대한 방향 제시의 문제였다.

그러면 여기서 우선 대외적 처신에 대한 논조부터 살펴보기로 하겠다.

죠션 사롬의 ᄆᆞᆷ은 약ᄒ고 다만 ᄌᆞ긔 몸만 싱각홈이 만히 잇고 또 교휵이 업서 규측과 법률을 직힐 줄 모로는 고로 죠션 사람끼리는 서로 싸호고 시기ᄒ며 강한 쟈는 약흔 쟈를 압제ᄒ고 셰잇는 쟈는 셰업는 쟈를 업수히 넉이나 외국사람을 되ᄒ면 병신들 갓치 힝신ᄒ는 고로 외국사람들이 죠션을 업수히 넉임이라.[17]

죠션 사롬은 외국 사름을 놉혀 주어도 ᄌᆞ긔 나라 사름은 쳔디를 ᄒ고 그 외국 사름의게 ᄌᆞ긔 나라 사름의 험담을 ᄒᆞ야 그 외국 사름의 힘을 비러 ᄌᆞ긔 나라 사름을 히롭게 ᄒᆞ엿스니 이거슨 쳔쟝부의 일이요 외국 사름의게 견모ᄒᆞ는 일이니 그거슬 모로고 당쟝 리만 취ᄒᆞ야 이런 일을 힝ᄒᆞ는 사름은 ᄌᆞ긔가 ᄌᆞ긔의 몸을 히롭게 ᄒᆞ는 거시요, 놈을 히롭게 ᄒᆞ랴는 사름은 놈이 ᄌᆞ긔를 히롭게 ᄒᆞ는 사름이라. 우리 싱각에는 죠션은 죠션 사름의 나라니 외국사름과 교제를 ᄒᆞ드릭도 죠션사름 싱각을 몬져 ᄒᆞ고 외국사름은 둘지로 홀더이니 이싱각을 다만 ᄒᆞ나나 둘이 ᄒᆞ야도 나라가 잘 될 슈가 업슨즉 전국 인민이 모도 이 ᄆᆞᆷ 먹기를 브라노라.[18]

■

17 《독립신문》, 1896.4.23, 제8호.
18 《독립신문》, 1896.5.16, 제18호.

위의 것은 약 20일 간격을 두고 게재된 두 개의 사설에 나타난 대목인바, 한국 사람이 제 겨레끼리는 서로 싸우고 시기하고 약한 자를 압제하고 세력이 없는 자를 멸시하면서도 외국 사람에게는 병신같이 비굴한 태도로 대하는 것을 힐책한 것이다.

또한 외국 사람은 덮어놓고 높이고 자기 겨레는 천대할뿐더러 외국인에게 자국인의 험담을 하여 해를 주는 일이 있음을 지탄하고, 외국인과의 교제에 있어서도 자기 나라 사람을 우선적으로 생각하는 태도로 나가야 한다는 자주성 자존성을 강조하고 있음을 볼 수 있다.

이러한 일은 비단 일반 백성에 한한 것이 아니라, 국가의 의전(儀典) 면에 있어서도 동궤(同軌)로 자주성을 띤 대등한 자세를 취해야 한다고 주장하고 있다.

죠션 인민이 독립이라 ᄒ는 거슬 모르는 신둙에 외국 사름들이 죠션을 업수히 넉여도 분홀 줄을 모르고 죠션 대군쥬 폐하ᄭᅴ서 청국 님군의게 ᄒᆡ마다 ᄉ신을 보내셔 칙력을 타 오시며 공문에 청국 년호를 쓰고 죠션 인민은 청국에 속흔 사름들노 알면서도 몇 빅년을 원슈 갑흘 싱각은 아니ᄒ고 쇽국인 쳬ᄒ고 잇서스니 그 약흔 ᄆ음을 싱각ᄒ면 엇지 불샹흔 인싱들이 아니리요.[19]

이같이 국가의 원수(元首)인 국왕마저도 해마다 청국에 사신을 보내어 속국의 예절을 차리고, 관청의 공문서에 청국 연호를 써서 예속국으로서의 자비(自卑)를 되풀이하면서도 이에 대응하는 자각적이요 항거적인 대응책을 취하지 못함을 개탄하고 있다.

■

19 《독립신문》, 1896.6.20, 제33호.

한편 외세의 변동에 따르는 국민들의 자세에 대하여는 다음과 같이 비판의 화살을 던지고 있다.

국민의 의지ᄒᆞ고 힘 입으랴는 ᄆᆞ음을 볼진ᄃᆡ 삼빅년 이리에는 청국 ᄇᆞ름이 놉하짐이 청국에 기우러져 향하엿고, 갑오년 이후에는 일본 ᄇᆞ름이 놉하짐이 일본에 기우러져 향ᄒᆞ엿고, 건양 이후에는 로국 ᄇᆞ름이 놉ᄒᆞ짐이 로국에 기우러져 향ᄒᆞ야셔, 청국 ᄇᆞ름에 기우러져 향홀 시절에는 셔양 학문을 취ᄒᆞᄌ ᄒᆞ는 이가 잇시면 셔학당이라 지척ᄒᆞ고 일본 ᄇᆞ름에 기우러져 향홀시절에는 청국 제도를 쓰려 ᄒᆞ는 이가 잇시면 청국당이라 지척ᄒᆞ고 로국 ᄇᆞ름에 기우러져 향홀 시절에는 일본 법도를 쓰랴는 이가 잇시면 일본당이라 지척ᄒᆞ야 심흔 ᄌᆞ는 몸이 죽고 집이 망ᄒᆞ엿도다.[20]

여기서는 주변 외세의 변동, 즉 청국세가 강할 때에는 그에 기울어지고, 청일전쟁 후는 일본세에, 그리고 1896년 후부터는 러시아에 의지하는 등 의타적인 국민의 자세 및 외세의 변동에 따라 그때마다 대내적으로 처신에 변개(變改)를 가져오는데 대한 국민 상호간의 비방을 풍자적으로 비탄함을 볼 수 있다.

그러나 자기 국력의 허약함을 수긍하면서도 의타심을 버리고, 외교적인 방법으로 접근해야 한다는 주장을 내세운 또 다른 일면의 방향모색에 부심함을 엿볼 수 있다.

대한 사름들은 남의게 의지ᄒᆞ고 힘입으랴는 ᄆᆞ음을 ᄭᅳᆫ을진져, 청국

■
20 《독립신문》, 1898.1.18, 제3권 제7호.

에 의지 말나 죵이나 슈환에 지ᄂᆡ지 못ᄒᆞ리로다. 일본에 의지 말나 ᄆᆞ죵에ᄂᆞᆫ ᄂᆡ쟝을 일으리라. 로국에 의지 말나 필경에ᄂᆞᆫ 몸둥이ᄭᅴ지 싱킴을 밧으리라. 영국과 미국에 의지 말나, 쳥국과 일국과 로국에 원슈를 미지리라. 이 모든 나라에 의지ᄒᆞ고 힘 입으랴고ᄂᆞᆫ 아니 ᄒᆞᆯ지언뎡 친밀치 아니치ᄂᆞᆫ 못ᄒᆞ리라.[21]

다만 죠션이 지팅ᄒᆞᆯ 획칙은 무어신고 ᄒᆞ니 아모쪼록 외국들과 교졔를 잘ᄒᆞ야 그 나라 사람들이 죠션을 두려워서 못 ᄲᅢ슬 거시 이니리 ᄉᆞ랑ᄒᆞ여셔 ᄂᆡ ᄲᅢ앗게 방칙을 ᄒᆞᄂᆞᆫ 거시 죠션 뎡치상에ᄂᆞᆫ 뎨일 긴요ᄒᆞᆫ 죠목이라.[22]

이같이 청국 일본 러시아 그리고 영국 미국 등 열강의 외세에 의지하려는 의타심을 버릴 것을 경고하고 이에 대치하여 외교적 우의로 대할 것을 두 논설의 경우 다 강조하고 있음을 볼 수 있다.
그런가 하면 한편, 외국인의 내정간섭이나 외군 주둔에 대하여는 강경한 항의를 나타내기도 했다.

대뎨로 말ᄒᆞᆯ 디경이면 외국 공ᄉᆞ가 ᄌᆞ쥬 독립국 졍부를 ᄃᆡ하야 이리 ᄒᆞ라 져리 ᄒᆞ라 말ᄒᆞᆯ 권리가 업ᄂᆞᆫ 거시, 의례히 올흔 사람을 졍부에셔 쓸 터이요 의례히 인쟈ᄒᆞᆫ 법률노 ᄇᆡᆨ셩을 다ᄉᆞ릴 거시라. 이런 일을 ᄒᆞ라고 말ᄒᆞᆯ 디경이면 그 즁간에 ᄯᅳᆺ시 드러가기를 올흔 사름도 졍부에셔 아니 쓰고 인쟈ᄒᆞᆫ 법률노 ᄇᆡᆨ셩을 다ᄉᆞ리지 안ᄂᆞᆫ 것도 ᄀᆞᆺ흔지라.[23]

■
21 《독립신문》, 1898.1.20, 제3권 제8호.
22 《독립신문》, 1896.8.22, 제60호.

우리가 다시 긔젹ᄒ거니와 대톄 죠션이 ᄌ쥬독립을 ᄒ랴면 외국 군ᄉ가 국즁에 업셔야 홀 터인ᄃᆡ 죠션 사름들이 ᄌ긔의게 ᄒᆡ로운 줄 은 모로고 외국 사름을 경계 업시 ᄒᆡᄒ며, 국즁에 ᄂᆡ란을 지어 나라 에 손란ᄒ게 ᄒᄂᆞᆫᄉᆡ둙에 외국 병뎡들이 와셔 잇게 되니, 이거슨 외국 을 나무랄 거시 아니라 죠션 사름들이 ᄌ긔 발등을 ᄶᅢ리ᄂᆞᆫ ᄉᆡ둙이라. 그러ᄒ기에 아라샤와 일본이 암만 약죠를 ᄒ고 암만 죠션 일을 관계 ᄒ랴고 ᄒᄃᄅᆡ도 죠션셔 죠션 사름들이 ᄌ긔에 일만 잘ᄒ여갈 것ᄀᆞᆺᄒ 면 외국이 다 져졀노 죠션을 ᄌ쥬독립국으로 ᄃᆡ졉홀 ᄐᆡ이요, 외국에 치쇼 밧을 일이 도모지 업슬지라.[24]

앞의 것은 1897년 일로(日露) 양국이 한국에서 그 세력의 각축을 벌이 고 있을 때 그들의 한국 주차공사가 한국 정부의 인사 및 시책에 간섭하 는 부당성을 지적한 것이고, 뒤의 것은 같은 시기에 그들이 그들의 한국 내 거류민의 생명 재산을 보호한다는 명분을 내세워 일방적으로 군대를 주둔시키고 있는 데 대한 항의인 동시에 한국인 자체의 자각을 촉구하는 경종도 함께 울리고 있는 대목이다.

뿐만 아니라 국가의 존망 위기에 처하여 국제정세와의 연관성 속에서 국민 자체의 자각과 단결과 결의를 촉구한 논설은 여러 곳에 산견된다.

죠션사름들을 동양 각국 사름들과 비교ᄒ여 보거드면 청국사름들 보다는 더 춍명ᄒ고 부지런ᄒ고 졍ᄒ고, 일본사름보다는 크고 쳬골이 더 튼튼히 싱겨스니, 만일 우리를 교휵을 잘ᄒ야 의복 음식 거쳐를 학문이 잇게 ᄒ거드면 동양즁에 뎨일 가는 인죵이 될터이니 만일 우

23 《독립신문》, 1897.3.4. 제2권 제26호.
24 《독립신문》, 1897.3.11. 제2권 제29호.

리가 데일 가는 인종이 되거드면 나라도 쓰라셔 데일 가는 나라가 될 터이니. (……)25

만일 죠선사름들이 쑴을 씌여 가지고 물을 주어 먹어 가면셔도 진보하야 공평하고 뎡직하고 편리하고 부국강병하는 학문과 풍속을 힘쓰거드면 죠션사름도 영길리나 미국사름만 못하지 안홀 터이요, 죠션도 청국을 쳐 요동과 만쥬를 차지하고 비상 팔억 만원을 밧을 터이니, 원컨듸 죠션사름들은 ᄆᆞ음을 크게 머어 십년 후에 요동 만쥬를 차지하고 일본 듸마도를 차져올 싱각들을 하기를 ᄇᆞ라노라. 하면 될 터이니 결심하야 홀 싱각들만 하고 못되려니와는 싱각지 말지어다.26

앞의 경우는 한국인을 청국인과 일본인 등 동양의 주요한 국민과 비교하여 재질 능력 체질 등의 우월한 점을 내세워 교육에 의하여 학문을 닦게 하면 동양에서 가장 뛰어난 인종이 될 것이고 그로 말미암아 제일 가는 국가가 될 것이라고 자긍적인 자세를 보인 것이요, 뒤의 경우는 세계적인 안목에서 한국인이 오랜 꿈에서 깨어 대오각성하고 공평과 정직으로 부국강병에 힘쓴다면 영국이나 미국 사람 등 선진국 국민보다 못하지 않게 되고, 그 결과는 청국마저도 침공하여 요동 만주를 차지할 수 있고 아울러 일본의 대마도를 탈환할 수도 있다는 미래지향적 큰 야망에 찬 결의를 촉구하기도 했다.

한편 다음과 같이 각자의 자립과 국민의 단결을 호소한 대목도 있다.

나라히 ᄌᆞ쥬독립이 되랴면 그 나라 빅셩들이 살기를 ᄌᆞ쥬독립 하

25 《독립신문》, 1896.5.2, 제12호.
26 《독립신문》, 1896.8.4, 제52호.

눈 쯧스로 살아 의식을 즈긔 손으로 버러 먹게 ᄒ고 의식을 사ᄅᆷ마다 제 힘과 제 지죠와 제 밋쳔을 가지고 버러 먹고 살게 될 디경이면 그 사ᄅᆷ이 즈연히 즈쥬독립ᄒᆯ ᄆᆞ음이 날지라.27

외국이 설영 죠션을 쎗고 습드리도 쎗기가 쉬흔 거시 사ᄅᆷ마다 각 심인즉 그 힘이 얼마가 되리오. 그러나 만일 일쳔 이ᄇᆞᆨ만명이 합심ᄒ 야 싱각ᄒ기를 나라이 잘 되여야 사ᄅᆷ마다 잘 되는 줄노 싱각ᄒ면 그 째는 외국이 감히 죠션을 건드리지 못ᄒᆯ 거시 일쳔 이ᄇᆞᆨ만명을 다 죽 여야 그 째야 비로쇼 나라를 쎗슬 터인즉 셰계에 뎨일 강흔 나라라도 일쳔 이ᄇᆞᆨ만명을 다 죽일 힘 잇는 나라는 업ᄂᆞᆫ지라.28

전자는 국가의 자주독립에 앞서 각자 스스로의 생업에 있어서 자기 능력과 노력으로써 각자의 터전을 닦는 것이 자주독립의 자세를 가다듬는 길이라는 주장이요, 후자에서는 외국의 침공에 대비하려면 1천 2백만 조선 인민 전부가 죽을 각오를 하고 대항해야 하며, 그렇게 되면 외적도 어쩔 수 없을 것이라고 국민의 단결과 결의를 호소하고 있다.

또한 이러한 애국심을 어릴 때부터 길러야 한다고 다음과 같이 주장하기도 하였다.

사ᄅᆷ이 어려슬 째브터 나라를 휘ᄒ고 님군을 ᄉᆞ랑ᄒᄂᆞᆫ 거시 사ᄅᆷ 의 직무로 밤낫 빙화 놋커드면 그 ᄆᆞ음이 아죠 박혀 자란 후라도 나라 ᄉᆞ랑ᄒᄂᆞᆫ ᄆᆞ음이 다른 것 ᄉᆞ랑ᄒᄂᆞᆫ 것보다 더 놉고 더 즁히질지라. 전국 인민이 남의 나라 ᄉᆞ긔도 알녀니와 즈긔 나라 ᄉᆞ긔들을 몬져 알

27 《독립신문》, 1896.12.8, 제106호.
28 《독립신문》, 1897.2.23, 제2권 제22호.

아 언제는 나라히 흥흥엿고 언제는 나라히 못 된 거슬 붉히 알아 죠
샹이 잘못흔 거슨 증계가 되야 그 붓그러움을 기여히 씨스랴 흐며 올
흔 일은 본밧아 그보다 더 낫게 홀 도리를 싱각들을 흐며 나라라 흐
는 거슨 즈긔 몸과 목숨보다 더 즁한 거스로 싱각흐는 ᄆ음이 싱기도
록 어린 쇼견을 주믈너 노화야 그 사람들이 자라거드면 즈긔 나라를
금직흐게 알고 누가 즈긔의 국긔와 나라 명례를 되하야 실례흐는 말
을 흐던지 무리흔 일을 힝흐거드면 젼국 인민이 일시에 니러나 화약
에 불 짐으는 것ᄀ치 그 국긔와 그 님군과 그 동포 형뎨를 위흐야 니
러나 젼국에 잇는 빅셩이 다 죽을 째싯지라도 싸호고 그 국긔를 기여
히 놉히셰랴고 흐는 ᄆ음이 싱겨야 외국이 감히 업수히 넉이지를 못
흐고 빅셩들도 즈연히 국즁에 권이 싱겨 졍부 관원들이 빅셩을 무리
흐게 침범치 못흐고 빅셩끼리라도 서로 되졉흐며 서로 겸잔케 넉일
터이라.[29]

이같이 국민은 어린 시절부터 애국심을 북돋게 이끌어갈뿐더러 외국
역사에 앞서 자기 나라 국사(國史)를 배워 조국의 역사를 알고 그로 말미
암아 목숨을 바쳐 나라를 구하려는 조국애를 가지도록 길러 나가야, 그들
이 성장하여 나라의 간성으로서 외침에 의한 국난을 극복할 수 있는 힘
을 지닐 수 있을 것임을 주장하고 있다.

또한 이 시기는 러시아 군대가 한국에 주둔하고 있던 때이므로, 그들
장병에 의한 우리 군대의 훈련 성과에 대하여 다음과 같은 기대를 걸고
있는 현상도 찾아볼 수 있다.

---

29 《독립신문》, 1896.9.22, 제73호.

아라샤 정부에셔 졍령 ᄒ나와 위관 둘과 하ᄉ 열을 죠션 졍부에 빌 녀 죠션 륙군과 무관 학도들을 ᄀᄅ치니 우리가 ᄇ라건ᄃ 외국 군졔 들을 빅화 외국과 ᄀᆺ치 쟝관과 병졸들이 규모잇고 용밍잇게 되야 우 희로ᄂᆫ 님군을 보호ᄒ고 아래로ᄂᆫ 젼국 인민을 안돈ᄒ야 국민이 태평 ᄒ게 되기를 ᄇ라노라.[30]

이같이 영관급 장교 1명 위관급 장교 2명에 하사관 10명의 노국 교관 으로 하여금 한국의 현역 육군 및 사관학교 학도를 훈련시켜 외국의 군 제(軍制)를 배움으로써, 앞으로의 국토 방어에 일말의 희망을 거는 당시 의 너무나 허약한 나라의 실정에 상도(想到)할 때 처량한 감마저 느끼지 않을 수 없게 한다.

왜냐하면 이때는 이미 군함과 현대 무기로 장비된 일본 군대가 청국을 패퇴시킨 지 1년이 경과된 때요, 몇해 후면 일로(日露)의 양군이 최신의 무기와 장비 그리고 고도의 훈련을 쌓은 정예부대로 이 땅에서 전투를 벌이게 될 그런 시점에서, 이제 겨우, 10여 명의 외국 교관에 의지하여 현대식 조련을 개시할 정도이니 그 현격한 국방력의 차이를 느끼지 않을 수 없기 때문이다.

이상 자주독립에 연관되는 논설을 여러 면에서 살펴보았거니와, 열강 의 각축을 비롯한 복잡다단한 국제정세 속에서 당시의 언론이 요망하고 비판하고 주장했던 단면을 엿볼 수 있으며, 외세의 간섭 없는 근대적 의 미의 자주독립이 한말 국민의 지상과제였던만큼 이는 개화기 소설의 소 재 내지 주제로 가장 많은 작품 속에서 다루어지기도 했던 것이다.

■

30 《독립신문》, 1896.12.31, 제116호.

4. 학문(學問)과 교육(敎育)

구한국 말엽 당시인들에게 있어서는 개화한다는 것은 바로 교육을 받아 학문을 닦는 일에서 시발되어야 하는 것으로 인식되었다. 이 경우 교육이란 종래의 서당식(書堂式) 교육으로 경서류(經書類)나 한문학(漢文學)을 습득하는 것이 아니라 서양식의 학교 교육을 뜻하는 것이며, 학문 또한 도학(道學)이나 성리학(性理學)을 고구하는 것이 아니라 서양식의 신학문 이를테면 외국어(서구어, 일본어 등), 산술, 역사, 지리, 과학 등의 서학(西學)을 공부하는 것을 일컫는 것이었다.

1885년에 창설된 한국 최초의 근대식 교육기관인 배재학당(培材學堂)의 경우, 창립 당초인 1885년 8월에는 그 교과목이 영어와 만국역사의 2과목으로 되어 있었으나 다음해인 1886년 11월에는 성경, 영어독본, 영어문법, 수학, 기하, 지지(地誌), 만국역사, 물리, 화학, 사민필지(士民必知), 한문, 창가도화(唱歌圖畵), 체조(體操), 위생, 생리(生理)[31] 등 그 대부분이 종전의 서당식 교육서에는 볼 수 없던 새로운 학과목으로 편성되어 있음을 볼 수 있다.

이러한 신교육과 신학문에 대한 계몽 및 주장에 걸쳐 이 신문이 여론 환기에 힘쓴 과정을 살펴보기로 하겠다.

지금 이 정부에 잇는 관인이나 정부 밧긔 잇는 사람이나 발셔 구습에 져져 학교에서 학문 빈흔 일 업는 사람은 모음이 암만 올코 익국 익민흐는 정성이 대단히 잇드릭도 일을 모론즉 홀 슈가 업고, 사람이 학문이 업슨즉 대개 당장 리만 싱각흐야 굽은 길노 가기를 바른 길보

---

31 『배재사(培材史)』, 배재중고등학교(培材中高等學校), 1955년, p.60.

다 죠화ᄒᄂ 법인즉 언제든지 죠션이 ᄒᆫ번 외국과 ᄀᆺ치 되랴면은 젼국에 잇ᄂ 인민이 학교에셔 젹어도 십년은 공부를 ᄒᆞ야 무슴 학문이던지 ᄒᆫ가지식 셩취를 ᄒᆫ 후에라야 나라히 쓸치고 니러셜 터이니 이러케 되고 안 되기ᄂ 학부에 미혓고 학부 대신인즉 학부에 쥬쟝이라 그러ᄒᆫ즉 학부 대신의 손에 죠션 후싱이 잘 되고 못 되기가 엇지 달녀시지 안 ᄒᆞ리오.[32]

죠션이 셰계에 젹은 나라이 아니오 인구 슈효가 일쳔 이빅만명 이상이오 토디가 셰계에 샹등이오 긔후가 동양에 데일이라. 인죵은 동양에 샹등 인죵이오 기외 각식 쳔죠물이 남의 나라에셔 못지 아니 ᄒᆞ거늘 엇지ᄒᆞ야 죠션이 오날늘 셰계에 데일 약ᄒᆞ고 데일 간란ᄒᆞ고 데일 더럽고 남의게 데일 쳔디를 밧ᄂ 거슨 무슴 ᄭᆞ둙이뇨 죠션 안에 조곰치라도 싱각 잇ᄂ 사름마다 물어볼 듯 ᄒᆞ지라. 누구던지 이런 말을 물어보앗스면 디답이 무어시뇨.

우리ᄂ 이 말 디답을 우리 쇼견것 ᄒᆞ노니 우리 신문 보ᄂ 니들은 쥬의ᄒᆞ야 닑어 보시오. 이런 ᄭᆞ둙이 만히 잇스나 우리가 이루 다 말ᄒᆞᆯ 슈가 업스되 대데인즉 학문이 업ᄂ ᄭᆞ둙이라[33]

앞에서는 학문이 인간 능력의 바탕이 될뿐더러 학문이 있어야 사고의 방향이 올바르고 기능이 갖추어지는 것이므로 국민 누구나 학문을 닦기 위하여 10년 정도 학교 교육을 받아야 하며, 그러한 교육시책의 입안은 정부의 해당 책임자인 학부대신에게 달려 있으므로 이들 당국자에 이를 강력히 촉구하고 있는 것이다.

---

32 《독립신문》, 1896.10.10. 제81호.
33 《독립신문》, 1897.2.23. 제2권 제22호.

한편 뒤에서는 한국이 인구, 영토, 기후, 자원 등 주어진 조건이 남의 나라보다 못한 것이 없을뿐더러 특히 인종은 동양에서 상등인종의 자리를 차지하고 있는 데도 불구하고 빈곤, 불결 등으로 열등한 위치에서 남의 천대를 받는 것은 오로지 학문이 없는 데 기인한다고 하여, 학문의 필요성을 절규하고 있다.

또한 교육은 긴 안목에서 이루어져야 한다는 원대한 지표를 다음과 같이 제시하기도 했다.

조선에 학교에 단니는 사름들이 전국 인구 슈효와 비교ᄒ여 보면 오천 명에 ᄒ나히 학교에 가지를 못ᄒ니 후싱을 ᄀ르치지를 아니 ᄒ면 필경 조선은 잘되야 보는 날이 업슬 터이니 엇지 한심ᄒ 일이 아니리요. 문명 기화ᄒᆫ 나라에셔들은 전국 인구 슈효 즁에서 학교에 가는 사름들이 빅 명에 구십 오명 이샹이 가고 부모들이 ᄌ질 사랑ᄒᄂ 근본이 그 ᄋ히들을 아모쏘록 학교에 보내여 아모쏘록 학문을 비화 ᄌ긔들보다 지식이 놉고 지죠가 더 ᄒ야 세계에 나가 버러 먹고 살 도리를 ᄒ여 주거늘(……)34

지금 조선셔 무슴 문명 기화ᄒᆫ 일을 ᄒ여 보랴 ᄒᄂ 사람은 쪽 농ᄉᄒᄂ 사름이 바우 우ᄒ셔 곡식을 이루랴고 ᄒᄂ 사름과 ᄀᆺᄒ 사름이니 도로혀 어리셕은 사름이라. 그러ᄒ면 지금 조선셔는 무엇슬 ᄒ여야 이 폐단이 업셔질는지 우리 싱각에는 다문 ᄒ나 밧기는 약이 업스니 그 약은 무엇신고 ᄒ니 짜에 거름ᄒᄂ 일이라. 쏜에 거름은 무엇신고 ᄒ니 인민을 교휵을 식혀 그 인민이 올코 그르고 리ᄒ고 ᄒᆡ롭

34 《독립신문》, 1896.9.5, 제66호.

고 길고 짜른 거슬 말흥여 들니거드면 알아드를 만흔 학문이 잇도록
만드러 주는 거시 약이니 그러흔즉 데일 몬져 흘 일은 무엇신고 흐니
경향 각쳐에 학교를 비셜흥야 절믄 남녀를 교휵식혀 주는 거시 곳 쌍
에 거름을 부엇다가 몃둘 후에 곡식을 심으는 것과 굿흔지라.[35]

여기서는 개화 초기의 우리의 취학률이 6천 대 1도 미치지 못하는 실
정에 비하여, 문명개화한 나라는 100분의 95로 거의 전원이 취학함을 대
조하여 교육의 절실함을 강조할뿐더러, 문명개화의 묘방은 유일약(唯一
藥)인 인민교육밖에 없고, 그것은 학교를 통한 학문 수련에 있으며, 이 교
육은 단기로 이루어지는 것이 아니라 농사에 비유하여 땅에다 거름을 주
는 것과 같은 이치이므로, 장기간에 걸친 이른바 교육의 백년대계에 지표
를 두어야 한다는 것을 제시하고 있다.
또한 이러한 교육에 의한 실제의 소득을 다음과 같이 예기(豫期)하기도
했다.

죠션이 강흐고 부요흐고 관민이 외국에 대접을 밧으랴면 이 사름
들이 새 학문을 비화 구습을 버리고 기화흔 즈쥬독립국 빅셩과 굿치
되여야 그 사름들이 자라 정부에서 정치도 맛당히 의론흐고 졔죠쟝을
셰워 각식 물화를 졔죠흐며 쟝스흐는 집이 동리마다 너러나 외국 물
건을 슈입흐며 닉국 물건을 슈츌 흘줄을 알고 화륜션을 지어 세계 각
국에 죠선 국긔 단 샹션과 군함이 바다마다 보이며 국즁에 쳘도를 검
으줄굿치 느러노화 인민과 물화 운젼흐기가 편리흐게 되며 도로와 집
들이 변흐야 넓고 졍흔 길에 공원디가 골목마다 잇고 마거와 젼긔 쳘

35 《독립신문》, 1897.4.20, 제2권 제46호.

도들이 가암이ㅈ치 왕릭ㅎ고 빅셩이 무명옷슬 아니 닙고 모직과 비단
을 닙게 되며 짐치와 밥을 버리고 우륙과 브레드를 먹게 되며 물총으
로 얽은 그물을 머리에 동이지 아니 ㅎ고 남의게 잡혀 ᄯᅳ들이기 쉬흔
샹투를 업시고 세계 각국 인민과 ㅈ치 머리브터 우션 ᄌ유를 ㅎ게 될
터이오.[36]

대부분의 경우 문명개화나 교육이나 학문에 대한 주장이 대외적 및 대
내적 정황에 대한 원칙론에 중점을 두고 있는 데 비하여, 여기서는 새 학
문의 성과에 대한 구체적인 적용의 방향을 제시하고 있음을 볼 수 있다.
우선 정부의 정치도 학문이 있는 사람이 하여야 하고, 물화(物貨) 생산,
조선(造船) 등의 공업부문, 교역과 수출입의 상업부문, 철도 도로 전기 등
의 시설, 공원(公園) 등의 복지시설, 의식주에 연관되는 일상생활의 개량
등 모든 것이 신교육에 의한 학문의 터전 위에서야 이루어질 수 있고 또
한 그것이 문명개화한 나라의 현실적 성과임을 평가하기도 하였다.
  이 교육 문제는 일반적인 문제에 그치는 것이 아니라, 여성 교육에 대
한 새로운 경각심을 불러 일으키기도 했다.

  죠션 부인네들도 ᄎᄎ 학문이 놉하지고 지식이 널너지면 부인의
  권리가 사나희 권리와 ᄀᆺ흔 줄을 알고 무리ᄒᆞᆫ 사나희들을 제어ᄒᆞᄂᆞᆫ
  방법을 알니라. 그러키에 우리는 부인네들씌 권ᄒᆞ노니 아모ᄶᅩ록 학문
  을 놉히 빅화 사나희들보다 힝실도 더 놉고 지식도 더 널펴 부인의
  권리를 찻고 어리석고 무리ᄒᆞᆫ 사나희들을 교휵ᄒᆞ기를 ᄇᆞ라노라.[37]

---

36 《독립신문》, 1896.10.10. 제81호.
37 《독립신문》, 1896.4.21. 제7호.

죠션뎡부에셔 뎨일 급ᄒ게 홀 일이 사내아희들도 ᄀᆞᄅ치련니와 계집ᄋᆞ희들을 교육홀 싱각을 ᄒᆞ여야 홀 터인뒤 죠션셔는 계집ᄋᆞ희들은 당쵸에 사ᄅᆞᆷ으로 치지를 아니 ᄒᆞ야 교흌들을 아니 식히니 젼국 인구 즁에 반은 그만 내ᄇᆞ렷는지라 엇지 앗갑지 안 ᄒᆞ리오. 학부에셔 사내ᄋᆞ희들도 ᄀᆞᄅ치련니와 불샹흔 죠션 계집ᄋᆞ희들을 위ᄒᆞ야 녀학교를 몃츨 셰워 계집ᄋᆞ희들을 교흌을 식히거드면 몃 ᄒᆞ가 아니 되야 젼국 인구 반이나 내ᄇᆞ렷던 거시 쓸 사ᄅᆞᆷ들이 될 터인이니 국가 경졔학에 이런 리는 업고 또 쳔히 ᄒᆞ고 박뒤ᄒᆞ던 녀인들을 사나희들이 ᄌᆞ쳥ᄒᆞ야 동등권을 주는 거시니 엇지 의리에 맛당치 안ᄒᆞ며 쟝부에 ᄒᆞᄂᆞᆫ 일이 아니리요.[38]

남존여비관의 봉건적 전통사회에서는 여성에 대한 교육이란 전적으로 무시되어 왔으므로, 개화기의 새로운 시대에 접어들자 여성교육에 대한 일반국민의 관심도가 높아졌고 특히 언론에서는 이 필요성을 역설하여 교육에 의한 학문 지식의 습득에 겹쳐 이에 따르는 여권존중까지 내세우고 있다.

특히 정부에 대하여는 전인구의 반을 차지하는 여성의 교육을 위하여 여학교를 남학교와 병행하여 설립할 것을 촉구하고, 여성의 지위 향상에 따른 남녀동등권까지 주장하는 동시에 이에 대한 여성 자체의 자각을 경성하기도 했다.

이러한 여성교육에 대한 여론 환기의 강력한 호소는 같은 지면에서 그 후 계속적으로 다루어지고 있음을 볼 수 있다.

이 밖에도 이 신문은 신교육, 신학문에 대하여 양반 자제의 교육, 외국

---

38 《독립신문》, 1896.9.5, 제66호.

유학 및 교재문제 등에 걸쳐 광범위하게 거듭 언급하고 있음을 볼 수 있다.

> 오늘날 죠션 디체 죠흔 냥반의 ᄌ질들을 불상이 넉여 그 부형의게
> 들 말ᄒ노니 집안을 ᄉ랑ᄒ고 ᄌ질들을 귀히 ᄒ거던 오날브터 절문
> 사름들을 각 학교에 집어 너셔 무어슬 빅호던지 빅호게 ᄒ고 외국 말
> 과 다른 학문이 어지간이 된 후에ᄂ 외국에 보내여 졸업을 ᄒ고 돌아
> 오게 ᄒ면 그 사름은 그만 샹등 사름이니 셰샹업ᄂ 일이 잇드리도 공
> 명도 홀 터이요 부ᄌ두 될 터이니 ᄌ질들을 학교에 보내어 학문 빅호
> 게 ᄒᄂ 거시 곳 논 사 쥬는 것보다 나흘지라. 죠션 디체 죠흔 냥빈들
> 은 ᄭᆞᆷ들을 ᄭᆡ시요.[39]

신교육에는 기독교에 연관을 가진 사람들이나 중인(中人) 이하의 서민
층이 먼저 눈을 뜨고 깊은 관심을 가진 데 비하여, 양반 계층은 아직도
구학문에 연연한 미련을 품고 신학문에 대한 보수적 거부반응을 나타내
고 있는 실정을 밝혀 개탄하며, 그 자체의 교육 및 외국 유학을 권장하는
논조는 신구의 대립관념, 즉 수구·개화의 시대적 이념의 대립이 심했던
이 시대 사회현상의 단면을 보여주는 대목이라고도 볼 수 있다.

한편 이 신문은 이 시기의 학도 자신들에게 신교육의 사명감을 심어
주고 면학의 의욕을 북돋기도 하였다.

> 우리가 죠션이 잘 되고 안 되기는 죠션 학도들 손에 달닌 줄노 밋
> 고 잇스니 원컨디 학도들은 ᄌ긔들의 쇼즁흔 직무를 싱각ᄒᆞ야 쥬야로
> 안밧긔 새 사름이 되게 공부ᄒ기를 ᄇᆞ라노라.[40]

■

39 《독립신문》, 1896.12.22. 제112호.
40 《독립신문,》 1896.10.8. 제80호.

우리가 브라건디 일본 유학ᄒᆞ는 죠션학도들은 말노만 이러케 말고 실상 ᄆᆞ음을 고쳐 님군과 ᄇᆡ셩 ᄉᆞ랑ᄒᆞ는 ᄆᆞ음이 ᄲᅧ에 ᄇᆞ쳐 공부를 일시를 공히 허비치 말고 잘 ᄒᆞ야 무슴 학문이던지 시쟉ᄒᆞᆫ 거슬 즁간에셔 폐ᄒᆞ지를 말고 ᄶᆞᆺᄶᆞᄂᆞ니 기여히 셩취ᄒᆞ야 이 담에 본국에 도라 오거드면 다만 ᄌᆞ긔 몸들만 잘 될 싱각을 말고 죠션 인민의 본보기가 되야 이 무식ᄒᆞ고 불샹ᄒᆞᆫ 인민들을 건지고 그 인민의 션싱이 모도 될 쥬의를 가지고 학문을 셩취ᄒᆞ거드면 우리가 그 사ᄅᆞᆷ들을 참 ᄉᆞ랑ᄒᆞᆯ 터이요 그 사ᄅᆞᆷ들도 우리를 친구로 싱각ᄒᆞ기를 브라노라.[41]

이같이 젊은 학도들이 새로운 학문을 닦는 것은 조국의 흥망이 그들에게 달려 있음에 말미암음을 밝히고 각자의 열의에 찬 노력을 갈구하고 있으며, 일본에 파견된 유학생은 충군 애국 애족의 일념으로 중도에서 좌절됨이 없이 각자의 학업에 정려(精勵)하여 초지일관 성취하고 귀국 후에는 개인의 이익보다 인민의 선생, 즉 국가의 지도자적 위치에서 진력해 줄 것을 당부하고 있다.

한편 번역 출판 등에 대하여도 깊은 관심을 표명하였다.

ᄂᆞᆷ의 나라에셔는 칙ᄆᆞᆫ드는 사ᄅᆞᆷ이 국즁에 몃쳔명식이요 칙 회샤들이 여러 ᄇᆡᆨ 기라. 칙이 그리 만히 잇서도 돌마다 새 칙을 몃 ᄇᆡᆨ권식 ᄆᆞᆫ드러 이회샤 사ᄅᆞᆷ들이 부ᄌᆞ들이 되고 ᄯᅩ 나라에 큰 ᄉᆞ업도 되ᄂᆞᆫ지라. 죠션도 이런 회샤 ᄒᆞ나히 싱게 각식 셔양 칙을 국문으로 번역ᄒᆞ야 출판ᄒᆞ거드면 첫ᄌᆡᄂᆞᆫ 이 칙들을 보고 농ᄉᆞᄒᆞᆫ 사ᄅᆞᆷ들이 농법을 ᄇᆡ홀 터이요 쟝ᄉᆞᄒᆞᆫᄂᆞᆫ 사ᄅᆞᆷ들이 샹법을 ᄇᆡ홀 터이요 각식 쟝식들이

41 동상.

물건 몬드는 법을 빈흘 터이요 관인들이 정치호는 법을 빈흘 터이요 의원들이 고명흔 의슐들을 빈흘 터이요 학교에 가는 사름들이 각국 스긔와 산학과 디려와 텬문학을 다 능히 빈흘지라. 문명 긔화호는듸 이런 큰 스업은 다시 업슬터이요.[42]

여기서는 출판사를 만들어 새로운 교육과 학문을 위한 기본 교재로 각 분야의 외국서적을 번역 출판할 것을 권장하고, 이같은 선진제국의 서책 (書冊)에서 새로운 지식을 습득하여 상업, 공업, 정치, 의학, 역사, 지리, 천문 등 각 방면에 걸쳐 그 지식이 활용될 것을 기대하고 있다.

한편 이 신문은 온갖 여건이 미비하고 모든 부문이 미개한 상황 속에 서도 한국인의 역사나 전통이나 인종 및 재질에 대한 자긍심을 꺾지 말 고 난국(難局) 극복의 의지를 군건히할 것을 다짐하기도 했다.

인죵인즉 죠선사름들이 동양에 데일 가는 인죵인 거시 쳥인은 느 리고 더럽고 완고호야 죠흔 거슬 보아도 빈호지 안 호고 눔이 흉을 보아도 붓그러운 쥴을 모로고 일본 사름들은 문명흔 거슬 본밧기를 잘 호나 셩품이 넘으 죠급흔 고로 큰 일을 당호면 그릇덜이는 일이 잇거니와 죠션 사름은 가온대 잇셔 일본 사름의 긱화호라는 ᄆᆞ음도 잇고 쳥인의 누구러진 셩품도 좀 잇는 인죵인즉 다만 잘 ᄀᆞ르쳐만 노 면 동양에셔는 데일이 될 듯호더라. 오날 우리가 이 말 호는 의소는 다름 아니라 죠션 사름들이 죠션이 눔의 나라만흔 나란 쥴노도 알고 죠션 인민도 빈호고 ᄀᆞ르치기만 호면 눔의 나라 인민만흔 거슬 알게 호는 쯧시니 다만 홀 거시 외국 학문을 빈호려니와 죠션 얼을 공부호

42 《독립신문》, 1896.6.2, 제25호.

기도 브라노라.[43]

죠선도 오늘날브터 시쟉흐야 인민의 교혹을 힘쓰고 인민의 지산과 목숨이 남의 나라 인민과 ᄀᆞ치 튼튼히 되야 무리히 지물을 쎗ᄂᆞᆫ다던지 공평흔 지판이 업시 사름을 다ᄉᆞ린다던지 사혐과 사정을 가지고 정부 관원들이 일을 ᄒᆞᄂᆞᆫ 디경이면 그 쌔ᄂᆞᆫ 죠선이 빅 나라히 보와 준다 ᄒᆞ여도 망흘 밧씨 슈가 업거니와, 이거슬 쎅닷고 유신흔 정치를 사름마다 본밧아 힝ᄒᆞ거드면 삼십년 후에 죠선이 오늘날 일본보다 낫게 되지 말난 닥가 업ᄂᆞᆫ지라, 죠선 학도들이 학교에서 죠곰치라도 학문을 빅호거드면 온통 그 ᄋᆞ히들이 변ᄒᆞ야 새 사름이 되ᄂᆞᆫ지라.[44]

이같이 청국, 일본, 한국 등 동양 3국의 실정, 국민성, 재질 등을 대비하여 삼국인 중 한국인의 그것이 가장 중용적이고 뛰어남을 내세워 자칫하면 자비(自卑)와 포기와 좌절 내지 체념에 떨어지기 쉬운 자국민들에게 자신과 자존과 자긍의 신념을 불어 넣을뿐더러 외국의 학문에 힘입되 '조선의 얼'을 잊지 말고 자주적 수용의 자세를 가다듬을 것을 역설하고 있다.

또한 한편으로 자신의 결함과 미비점을 자성하여 유신(有信)한 정치를 하고 사람마다 신의가 있게 하면 30년 후에는 이미 근대화하여 동양의 맹주로 패권을 잡고 있는 당시의 일본을 따를 수 있을 자신감을 심어 주고 있으며, 이에는 학도들이 학교에서 학문에 전념하는 길만이 그 뒷받침이 될 것을 아울러 강조하고 있다.

이상과 같이 교육은 학문을 닦는 길이요, 학문을 닦아야 개화할 수 있다는 기본 이념에서 학교의 설립을 주장하고, 남자와 더불어 여자의 교육

■

43 《독립신문》, 1896.5.30, 제24호.
44 《독립신문》, 1896.12.3, 제104호.

도 중요시해야 되며, 반상(班常)의 차별 없이 교육을 시행하고, 특히 외국 유학으로 학문을 성취해야 하며, 한편 교육에 필요한 교재의 번역 출판 등에 의한 각종 부문 서책(書冊)의 공급 그리고, 동양제일이라는 한국인의 자긍을 가지고 교육입국에 위정자나 백성이 모두 전력을 다할 것을 역설하고 있다.

5. 인권(人權)과 준법(遵法)

인간의 존엄성, 인간의 평등한 권리, 인간의 자유 등의 인권문제는 서구 근대화의 주축을 이루는 중요 대상과제였으며 이는 문예부흥 이후 수세기에 걸쳐 줄기차게 논의, 투쟁, 실천의 여러 단계를 거쳐온 문제이다.

우리의 경우에도 근대화의 물결이 흘러들어오게 되자 준법정신, 관민 간의 문제, 반상(班常) 문제, 여권 문제, 혼인 문제, 신교(信敎)의 자유 등 인간 권리의 자유 평등에 관련된 인식이 잠재적인 자각의 표면화와 서구 자조의 자극에 의한 각성의 촉진으로 점차 그 도가 높아져 갔고 이러한 사고와 실천의 방향 모색은 언론에도 반영되게 되었다.

나라에 법률과 규칙과 장정을 만든 본의는 첫지는 사람의 권리를 잇게 정히 놋코 사람마다 가진 권리를 남의게 쎅기지 안케 홈이요 쏘 남의 권리를 아모나 쎅지 못하게 홈이라. 만일 이 경혼 거시 업셔 놋케드면 사람마다 남의 권리를 제 권리 외에 더 쎅스랴고 하며 쏘 제 권리를 남의게 쎅기지 아니 하랴고 서로 샹지가 되야 불평하고 각심이 되야 손란혼 일이 만히 싱기는지라. (……)

지금 죠션이 이러케 약하고 남의게 견모를 하는 거슨 나라이 적어 그런것도 아니요 인민이 적어 그런 것도 아니라. 싯둙인즉 법률과 규칙과 쟝졍이 시횡이 못되는 신둙에 사름마다 불평훈 무옴이 잇고 서로 시긔ᄒ며 서로 미워ᄒ야 그 즁에 셰 잇고 놉흔 벼슬ᄒ던 사름도 어느 ᄯᅢ 어듸셔 엇더케 마져 죽을는지 모로고 ᄒ물며 약ᄒ고 셰 업는 사름이야 그 사름의 목숨과 지산이 그 사름의게 믹인 거시 아니라 아모라도 죠곰문 셰가 잇고 권리가 잇스면 그 사름을 임의로 죽이고 살니고 지물을 ᄲᅢᆺ게 되엿스니 젼국 안에 잇는 인민간에 무숨 졍분과 무숨 ᄉ랑이 잇서 란시에 서로 보아 줄 싱각이 잇스리요. 법률과 쟝졍과 규칙이 시횡이 아니 되고 보거드면 업는 것과 ᄀᆺ흔지라.[45]

인권 옹호를 위해서는 첫째로 법률, 규칙, 장정(章程)의 제정 및 그 합법적인 실천을 전제로 한 권리 보장의 법적 제도화를 확립하고 일반 백성들의 준법의식을 고양하는 동시에 특히 세도 있거나 권리 있는 지배층의 법의 준수와, 윤리적 자각에 의한 타성적 횡포의 자제로 강자 밑에서 허덕이는 서민의 생명, 재산을 보호할 것을 주장하고 있다.

이는 이씨조선 5백년의 왕권 비호하의 세도정치에 있어서의 집권자의 백성에 대한 일반적인 생사여탈권의 행사 및 가렴주구의 수탈정치에 대한 혁신적인 개혁의지의 발로요, 항거의 자세를 대변하기도 한 것이다.

뿐만 아니라 법운용의 공정성 및 고문 재판의 악습 폐지에 대하여도 다음과 같이 논급하고 있음을 볼 수 있다.

사름이 잘못ᄒ얏다고 말ᄒ되 그 말이 참말이 되랴면 지판쇼에서 법률을 가지고 지판을 ᄒ야 분명훈 증거를 셰계에 보이거드면 그ᄯᅢ는 암만 어여쑨 사름이라도 법률ᄃᆡ로 다스려야 올코 만일 증거가 업스면

45 《독립신문》, 1897.3.18, 제2권 제32호.

암만 빅 사름이 죄가 잇다고 말호고 암만 그 사름이 밉드릭도 벌을
주지 아니 호여야 법률과 긔강이 셔지 어엿샤다고 죄잇는 증거가 잇
는 사름을 법률디로 형벌을 안혼다든지 죄잇는 증거가 업는 사름을
밉다고 벌을 주는 거슨 나라를 망호는 근본이니 닉각 대신과 법관들
은 다른 거슨 아직 못호드릭도 지판을 공평히 호는 것과 죄 잇는 증
거 유무를 가지고 샹벌을 주는 일을 확실히 정호야 사샤 의중은 샹관
말고 법률디로만 시험호는 규칙을 단단히 셰우는 거시 나라 흥호는
근본이요 즈긔 몸들을 부호호는 방칙이니 이 일을 깁히들 싱각호시기
를 브라노라.46

  한셩 지판쇼는 빅셩의 시비를 법률을 가지고 지판을 아니 호고 빅
셩의 가죽을 벗기는 디니 정부에셔 죄 잇는 빅셩을 엇더케 드스라지
못호야 산사름을 째려 죵아리를 안밧업시 가죽을 벳겨 가죽과 살이
다 업셔지고 쎼가 드러나도록 째려 감옥쇼에 가두어 놋코 가죽도 살
도 업는 사름을 쏘 잡아 올녀 더 째려 주랴고 호다가 외국 사름들이
맛춤 감옥셔에셔 이 죽어 가는 스름을 약으로 구완호다가 쏘 잡아 오
른 말을 듯고 잡혀 보내지는 아니 호엿스나 정부에셔 지판쇼를 비셜
호여 놋코 산 사름의 가죽을 미로 벳길 디경이면 츠라리 쇼 잡는 빅
뎡을 갓다가 지판관을 식엿스면 가죽 벳기는 일을 더 잘홀지라.47

재판에 있어서는 어디까지든 법률에 의한 의법성(依法性)에 근간을 두
고 증거 위주의 법 적용을 하여야 하며, 사감(私感)이 개입치 않는 공평한
판결을 내려 법의 기강을 세워야 한다고 했다.

■

46 《독립신문》, 1896.6.23, 제34호.
47 《독립신문》, 1897.4.27, 제2권 제49호.

또한 재판 과정에서 곤장을 친다든가 그 밖의 악독한 고문을 하여, 죄의 유무를 가리기 전에 사람을 사경에 이르게 함을 힐난하고, 옥중에서 외국인의 치료로 겨우 구명(救命)하는 실례까지 빚게 한 경우를 예증하여 고문 재판의 철폐를 규탄하고 있다.

또한 관존민비의 악습과 반상(班常) 차별에 대한 신랄한 비판은 처처에서 산견(散見)된다.

정부에서 벼슬ᄒᆞᄂᆞᆫ 사람은 님군의 신하요 빅셩의 죵이라. 죵이 샹뎐의 경계와 샤졍을 자셔히 알아야 그 샹뎐을 잘 셤길 터인디 죠션은 써구로 되야 빅셩이 정부 관인의 죵이 되얏스니 빅셩은 죽도록 일을 ᄒᆞ야 돈을 버러 관인들을 주면서 샹뎐노롯 ᄒᆞ여 달라 ᄒᆞ니 우숩지 안ᄒᆞ리요.[48]

죠션은 아직ᄭᅵ지도 빅셩들이 디쳬 죠흔 냥반들을 더 놉히 보고 더 밋ᄂᆞᆫ 거슨 우수운 일이나 풍속이 그러ᄒᆞ야 셔울 ᄌᆡ샹의 ᄌᆞ손이 놉흔 벼슬을 ᄒᆞ엿다 ᄒᆞ면 그 사람은 암만 병신이요 학문이 업드리도 빅셩들이 놀내지 안ᄒᆞ고 디쳬 업ᄂᆞᆫ 사름은 지각이 잇고 학문이 좀 잇드리도 벼슬을 ᄒᆞ엿다면 사름마다 놀내고 이샹히 넉이니 엇지 우수운 풍속이 아니리요.[49]

여기서는 정부 관료들을 절대적인 권위의 상징으로 섬기던 종래의 타성을 힐난하고, 정부의 공직자는 국민을 상전으로 삼고 섬기는 이른바 공복(公僕)으로서의 복무 자세를 가져야 함을 내세워, 시민의식을 고취하고

48 《독립신문》, 1896.11.21, 제99호.
49 《독립신문》, 1896.12.22, 제112호.

백성의 자각된 권리 행사를 촉구하고 있음을 볼 수 있다.

그뿐만 아니라 일부의 백성들이 아직도 고관의 자제가 공직에 앉으면 이를 당연지사로 보고, 지체 없는 평민이 그러한 자리에 오르면 비정상적인 것처럼 이상히 생각하는 타성화된 양반 추종의 습성을 비난하고 학문의 유무가 공직자 등용의 기준이 되어야 함을 시사하기도 하였다.

또한 여권 문제에 대한 논조를 살펴보면 아래와 같다.

셰샹에 불샹흔 인싱은 죠션 녀편네니 우리가 오늘날 이 불샹흔 녀편네들을 위호야 죠션 인민의게 말호노라. 녀편네가 사나희보다 조금도 나진 인싱이 아닌딕 사나희들이 쳔딕호는 거슨 다름이 아니라 사나희들이 문명 기화가 못 되야 리치와 인졍은 싱각치 안코 다만 주긔의 팔심만 밋고 압졔호랴는 거시니 엇지 야만에셔 다름이 잇스리요.[50]

나라히 잘 되랴면 빅셩의 집들이 화목호여야 홀 터인딕 죠션 셔울은 안만 보드릭도 녀편네들이 은근이 눈물을 흘니는 이가 만히 잇스니 열번에 여듧번은 남편이 박딕를 혼다든지 남편이 다른 계집을 샹관호는 싯둙이라. 집안에 우는 녀편네가 잇고는 집안 일도 잘 안 되는 법이요 그 사나희는 필경 하늘 직앙을 닙을 터이라. 그른 일 호고 싯곳리 잘 되는 일은 세계에 업스니 집안을 다스리는딕 그른 일을 힝호는 사룸은 다른 일을 맛게도 쏘 그른 일을 홀 터이요, 주긔의 안히를 박딕호고 인졍업시호는 사룸은 놈의 안히와 놈의 부인들을 박딕혼 계졔를 당호거드면 의레이 박딕를 홀 터이니 이런 사룸들을 엇지 공과 사간에 쓰리요.[51]

■

50 《독립신문》, 1896.4.21, 제7호.
51 《독립신문》, 1896.6.16, 제31호.

여성이 남성에 비하여 그 능력에 별 차이가 없음에도 불구하고 조선 남자들은 여편네를 박대하고 압제하여 천대만 하니, 이는 옳지 않은 일일 뿐더러 남자 자신이 문명개화가 되지 못한 야만성에 기인하는 것이라도 하였고, 거기에다 축첩까지 하여 집안이 평화롭지 못함을 지적하였으며, 이같이 한 집안을 다스리지 못하는 위인(爲人)들은 결국 공적인 일을 맡겨도 감당치 못한다는 이론까지를 도출하여, 여권을 존중함으로써 가화(家和)를 이루고 그로 말미암아 여성이 개화되어 나라 발전에도 도움이 될 것을 시사하고 있다.

한편 조혼 폐지를 비롯한 혼인문제에 대하여는 다음과 같은 주장을 내세우고 있음을 볼 수 있다.

> 죠션 모양으로 서로 모로는 사람들끼리 사람의 평싱에 뎨일 쇼즁 흔 약죠을 흐고 안히 굿흔 쇼즁흔 직무와 남편 굿흔 큰 직칙을 서로 맛기니 첫지는 모로는 사람들끼리 엇지 춤 스랑흔 ᄆᆞ음이 서로 잇스며 ᄯᅩ 혼인ᄒᆞ기를 ᄋᆞ히들끼리 ᄒᆞ니 이 ᄋᆞ히들이 무슴 지각이 잇서 사나희가 안히를 디졉홀 줄을 엇지 알며 계집ᄋᆞ희가 남편이 무엇신지 알 묘리가 잇스리요. 사람이 스물 이삼셰가 되여야 겨오 지각이 나고 셰상이 엇던 줄을 알고 올코 그르고 ᄌᆞ긔가 무슴 일을 ᄒᆞᄂᆞᆫ지 아는 거슬 조곰만흔 어린 ᄋᆞ히들을 압졔로 혼인을 식혀 서로 살나 ᄒᆞ니 이 ᄋᆞ희들이 어려슬 때에 혼인이 무엇슨 줄 모르고 부모가 ᄒᆞ란 디로 ᄒᆞ엿거니와 지각들이 난 후에는 후회ᄒᆞᄂᆞᆫ 사람들이 만히 잇ᄂᆞᆫ지라. (……)
>
> ᄯᅩ 사나희가 혼인홀 째에 무슴 버리를 ᄒᆞ든지 ᄌᆞ긔 안히의 의복 음식을 당히 줄만 ᄒᆞ지 못 ᄒᆞ면 눕의 녀ᄌᆞ를 ᄌᆞ긔 안히로 다려 오는 거시 무렴치ᄒᆞ고 무경계흔 줄노 만국이 다 싱각ᄒᆞ더라.[52]

인간 생애에 있어서 중대사의 하나인 혼인이 전연 알지도 못하는 당사자 간에, 그리고 그것이 본인들의 의사와는 관계없이 타의에 의하여 이루어지는 비합리성을 지적하고, 상호간의 자유로운 의사에 의하여 이루어져야 함을 주장하고 있다.

그뿐만 아니라 아직 철도 들기 전의 어린 나이에 이루어지는 조혼의 폐습을 비난하고 적어도 이십이삼세 쯤 된 이른바 자신에 대한 지각이 서고 세상사에 대한 판단의식이 설 만한 연령이 된 수에 성혼(成婚)해야 하며, 아울러 혼인한 남편은 이내를 부양할 만한 생활능력을 갖춘 후에 성혼해야 한다는 것을 강조하고 있다.

한편 종교 문제에 대한 신교(信敎)의 자유에 대한 주장은 하면서도 대체로 기독교 쪽에 기울어지고 있음을 볼 수 있다.

무론 무슴 교를 ᄒ던지 교에 ᄀᄅ친 딕로만 졍셩을 다ᄒ야 올코 졍직ᄒ고 자션ᄒ ᄆᄋᆷ을 가지고 ᄆᄋᆷ을 쓰며 일을 힝ᄒ거드면 복을 밧을 터이요, 크리씨도의 교를 착실히 ᄒᄂ 나라들은 지금 셰계에 데일 강ᄒ고 데일 부요ᄒ고 데일 문명ᄒ고 데일 기화가 되야 하ᄂ님의 큰 복음을 닙고 살더라.[53]

다만 ᄇ라ᄂ 거슨 불샹ᄒ 죠션 빅셩들이 ᄌ긔 나라 사름과 ᄀᆺ치 되야 국즁에 올흔 법률이 싱기고 죠션에 잇ᄂ 대쇼 인민이 합심ᄒ야 나라를 보존ᄒ고 인민이 졍돈이 되야 규모가 잇게 만ᄉ를 힝ᄒ며 샹인 히물지심이 업셔지고 젼국 인민이 서로 싱각ᄒ기를 형데와 ᄀᆺ치 ᄒ며 구셰쥬 예수 크리시도를 밋고 그 셩쥬의 ᄀᄅ치심을 본밧으라 흠이니

52 《독립신문》, 1896.6.6, 제27호.
53 《독립신문》, 1897.1.26, 제2권 제10호.

이 본의를 싱각ᄒ면 엇지 감격지 안 ᄒ리오. 세샹에 교가 만히 잇시
되 예슈교 ᄀᆺ치 참 착하고 참 ᄉ랑ᄒ고 참 남을 불샹히 넉이는 교는
세계에 다시 업ᄂᆫ지라, 어느 교에서 이 예수교와 ᄀᆺ치 사ᄅᆷ을 만히
텬하 만국에 보내여 ᄌᆞᄀᆡ의 돈을 드려 가며 온갖 고싱을 다ᄒ며 남의
나라 사ᄅᆷ을 이러케 간절이 ᄀᆞᄅ치며 도와 주리오. 54

사람은 어떤 종교든지 자기 의사대로 택하여 그 교리에 성실하여 올바
르고 정직한 마음을 가져야 한다고 하여 신교(信敎)의 자유를 내세우는
동시에, 기독교 국가가 전세계에서 가장 강하고 가장 부요하고 가장 문명
하고 가장 개화가 되었다는 것을 내세워 기독교에 귀의할 것을 직설적으
로 권유하고 있다.

특히 기독교의 선(善)과 애(愛)에 의한 박애정신과 그 교리의 현실적인
실천을 예로 들어 가장 바람직한 종교임을 포교의 방향에서 논하기도 했다.

말하자면 기독교는 한국에 있어서 개화 초기에 가장 구독자가 많은 일
간신문에 의하여 의도적으로 포교 선전된 최초의 종교라고도 할 수 있는
것이다.

이에 반하여 종래의 토속적인 민간신앙에 대하여는 귀신이라는 전단
(專斷) 아래 신랄한 비판을 가하고 있음을 또한 볼 수 있다.

귀신이라 ᄒᆞᄂᆫ 거슨 당쵸에 업ᄂᆫ 물건이어늘 귀신이 잇ᄂᆫ 줄노 알
고 ᄆᆞ음을 먹은즉 귀신이 싱기ᄂᆫᄃᆡ 그 귀신은 무엇신고 ᄒᆞ니 그 사ᄅᆷ
ᄆᆞ음속에 잇ᄂᆫ 귀신이라. 그 귀신의 일홈은 악귀니 형용도 업ᄂᆫ 거시
요, 그 귀신의 직무ᄂᆫ 사ᄅᆷ의 ᄆᆞ음을 어둡게 ᄒᆞ고 업ᄂᆫ 물건이 잇ᄂᆫ

체 하는 거시니 이런 무음이 싱기는 거슨 그 사름이 귀신이 잇거니 싱각호고 두려워호는 무음이 잇는 고로 실샹 귀신은 업지마는 그 사름 무음 가온대 그런 무음이 곳 그 사름의게는 악귀가 되는 거시라.[55]

사름이 병이 들면 죠션셔는 무당과 판슈로 굿슬 혼다 넉두리를 혼다 호야 병인이 편안히 잠잘 슈도 업게 호며, 쏘 그 굿호던 음식을 병인을 주어먹게 호야 병이 덧치게 호며 그 신둙에 죽은 사름들도 만히 잇스니, 우리 싱각에는 한셩 판윤과 경무스가 빅셩을 위호야 스업을 호랴면 침장이와 무당과 판슈와 지 올닌다는 즁들을 엄금호면 그 신둙에 사는 사름이 몇 만 명일 터이오.[56]

종래의 민간신앙에서 토속적인 잡다한 신을 숭배해 온 것을 과학적 내지 심리적인 해석으로 악귀로 규정하여 계몽할뿐더러, 병이나 재화(災禍)의 퇴치방법으로 흔히 베풀어지는 불교의식 및 한방의(漢方醫)의 침술까지를 한데 몰아 비난의 대상으로 행정당국에 고발하고 있어 미신의 명확한 한계를 보여주지 못하고 있는 점도 느끼게 한다.

이상 인권 문제에 있어서는 준법으로 상호의 인권을 존중해야 한다는 법치제도의 확립을 비롯하여, 종래의 고문 재판의 금지, 관존민비의 타성 타파, 반상 차별 철폐, 여권 존중, 조혼 폐지 · 자유결혼, 신교(信敎)의 자유 및 미신타파 등 다각도적인 견해를 표명하고 이의 개혁을 촉구하고 있음을 볼 수 있다.

■

55 《독립신문》, 1896.5.7, 제14호.
56 《독립신문》, 1896.12.1, 제103호.

6. 정치의식(政治意識)과 사회시책(社會施策)

1894년의 갑오경장으로 정부의 기구는 새로운 내각제로 개편되고 다음 해에는 지방관제도 바뀌어 외형으로는 현대국가의 체제를 갖추어 갔고 실제면에서도 어느 정도의 제도적인 개혁이 이루어져 가기 시작했다.

《독립신문》은 갑오경장의 2년 후에 발간되었으므로 이 무렵의 정치제도 및 사회문제에 대하여 어떠한 관심을 보였는가를 살펴보기로 하겠다.

첫째로 정치제도에 있어서는 정당정치 및 투표에 의한 관원 선출을 주장하였고, 사회적인 행정면에서는 도로의 부설, 위생, 의료시설 등에 대하여 관심을 표명했음을 볼 수 있다.

나라마다 당이 잇서 서로 붉히고 서로 시비ᄒ야 피차에 흔 일을 서로 평논ᄒᄂ 식듥에 나라 일이 늘 그릇되지 앗ᄂ 거시, 셔령 흔 당이 권이 잇서 뎡부를 차지ᄒ고 잇서 그른 일을 ᄒ고 스퍼 다른 당이 그 그릇 ᄒᄂ 일을 시비ᄒ고 텬하가 모도 알게 신문에 긔록ᄒᄂ 식듥에 감히 그른 일을 ᄒ고 스퍼도 못 ᄒᄂ지라. 뎡치 당이 싱기면 그 당에 셔 그 당 본의와 방칙을 그 당에 쇽흔 사름들이 모혀 쟉졍ᄒ야 젼국 인민의게 알게 ᄒ되 만일 우리 당이 권이 잇서 뎡부 일을 ᄒ게 되면 우리는 나라와 빅셩을 위ᄒ야 무숨 일들을 ᄒ겟노라고 미리 광고를 ᄒ 여야 본국 인민과 외국 사름들이 그 당이 권이 잇스면 무숨 일을 홀 줄을 미리 알고 안젓ᄂ지라. 그런고로 그 당이 뎡부를 맛하 가지고 일을 ᄒ면 그 졍히 노흔 약죠와 ᄀ치 일을 ᄒ지 안 ᄒ여셔는 못홀지라.[57] 죠션 뎡치당들은 그 당에 본의와 빅셩들이 모로ᄂ 고로 이 당이나

■

57 《독립신문》, 1896.8.27, 제62호.

뎌 당이나 다만 빅셩들이 의심만 ᄒ고 모도 뎡부에 벼슬ᄒᄂᆫ 사름은
빅셩들이 원슈ᄀᆺ치 아ᄂᆫ 고로 외면으로 보기에ᄂᆫ 뎡부 안에 당쵸에
당이 업ᄂᆫ 것 ᄀᆺᄒ되 실상인즉 당이 아죠 잇서 서로 싀긔ᄒ며 뮈워ᄒ
고 서로 힌롭게 ᄒ랴고만ᄒ니 그 즁에 혹 나라 일을 위ᄒ야 남과 시
비ᄒᄂᆫ 사름도 잇거니와 외면으로 보면 그 사름들이 모도 권리를 다
투ᄂᆫ 것 ᄀᆺᄒᆫ지라. 셔령 그 당이 들어셔드리도 그 반뎌당의 ᄒ던 일
에서 더 낫게 ᄒᄂᆫ 것도 업고 더 다르게 ᄒᄂᆫ 것도 업ᄂᆫ지라 그러ᄒᆫ
즉 빅셩들 싱각에ᄂᆫ 이 당이나 뎌 당이나 일ᄒᄂᆫ 뒤ᄂᆫ 다름이 업고
다만 벼슬을 취ᄒ야 싸홈ᄒᄂᆫ 것 ᄀᆺᄒᆫ지라.[58]

이는 정당정치의 원칙론을 밝힌 것으로, 복수 정당을 전제로 하고 당
은 정강 정책을 정하여 국민에게 사전에 공지시키는 동시에 서로 공개
토론을 하고 만일 어느 한 정당이 국정을 맡을 때에는 미리 공약한 시책
대로 정치에 반영하여야 국민의 신임을 얻을 수 있을뿐더러 외국사람도
그 당의 정치방향을 알 수 있게 된다는 것이다.

그러나 우리나라의 당이라는 것은 그 당의 본의를 밝히지 않아 백성들
이 그 정체를 파악할 길이 없으므로 백성들은 그 당을 의심하고 벼슬하
는 사람까지도 원수같이 생각하게 된다. 또한 어느 당이나 정치권력을 잡
는 데만 급급하고 정책의 방향이 뚜렷하지 못하므로, 이 당이나 저 당이
나 아무 특색이 없고, 다만 권력과 벼슬자리를 다투는 파당에 불과한 것
이라고 하여 정치적 현실을 개탄하고 있다.

한편 관원은 투표로 선출할 것을 주장하기도 하였다.

---

58 동상.

외국셔는 관찰ᄉ와 원ᄀᆺ흔 것과 정부 속에 잇ᄂᆫ 관원들을 빅셩을 식여 쑵게 ᄒᆞ니 셔령 그 관원들이 잘못ᄒᆞ드라도 빅셩들이 님군을 원망 아니ᄒᆞ고 ᄌᆞ긔가 ᄌᆞ긔를 ᄭᅮ짓고 그런 사ᄅᆞᆷ은 다시 투표ᄒᆞ야 미관말직도 ᄉᆞᆨ이지 아니ᄒᆞ니 벌을 정부에셔 주기 젼에 빅셩이 그 사ᄅᆞᆷ을 망신을 ᄉᆞᆨ이니, 그 관원이 정부에셔 벌주ᄂᆫ 것보다 더 두럽게 넉일터이요, ᄯᅩ 쳥ᄒᆞ여 ᄶᅢ질 도리도 업실 터이라.59

이런 자리 쑵기가 대단히 어려온즉 정부에셔 사ᄅᆞᆷ을 골나 보내지 말고 빅셩들다려 뎌의 관찰ᄉ와 원을 투표법으로 골나 정부에 보ᄒᆞ면 정부에셔 그 사ᄅᆞᆷ을 ᄉᆞᆨ여 보내거드면 그 사ᄅᆞᆷ이 일을 잘ᄒᆞ든지 못ᄒᆞ든지 정부에 칙망이 업슬터이요 ᄯᅩ 이러케 쑵은 사ᄅᆞᆷ이 대신이나 협판이 쳔거ᄒᆞᄂᆫ 사ᄅᆞᆷ보다 열번에 아홉번은 나흐리라.60

외국에서는 정부의 관원은 물론 관찰사나 원 같은 지방 관속까지도 백성의 의사에 의하여 투표로 선출하므로 정부의 벌보다 백성들의 힘이 두려워 더 성실하게 자기 직책을 수행하고 있다. 따라서 한국도 관원을 정부가 직접 임명할 것이 아니라 백성들로 하여금 관찰사 원 등의 관료를 투표로 선출하게 한 다음 정부에서 임명하면 더 실효를 거둘 수 있다는 견해를 내세우고 있다.

이같은 정당 정치나 관료의 민선론(民選論) 같은 주장은 민주정치의 핵심에 접근하는 정치의식의 발로라고 보지 않을 수 없다.

다음, 행정이나 사회면의 시책 문제에 언급한 구체적 주장을 살펴 보기로 하겠다.

■

59 《독립신문》, 1896.4.14, 제4호.
60 《독립신문》, 1896.4.16, 제5호.

지금 시무에 뭇당히 몬져 힘쓸 거시 첫지는 인민을 교휵ᄒ고 둘지는 인지들 가려 쓰고 셋지는 던답을 기량ᄒ고 넷지는 인호를 고르고 다셧지는 셰밧를 거슬 바로 잡고 여셧지는 군ᄉ를 만히 둘지니 대개 교휵이 흡죡ᄒ면 빅셩의 ᄆ음이 화합ᄒ고 인지를 분명히 가려 쓰면 간활ᄒᆫ 무리들이 탐식되고 던답의 결복을 평균히 ᄒ면 곡식 농ᄉ와 뉘에 농ᄉ가 셩ᄒ고 호구를 죵실히 ᄒ면 부셰와 역ᄉ가 고로고 셰 밧는 거슬 바르게 ᄒ면 나라 형셰가 부ᄒ고 군병을 만히 두면 불우의 변을 방비ᄒᆯ지니 이거시 다 죠쳐의 엇더케 홈으로 말믜야믈지라.[61]

이같이 시무(時務)에 우선적으로 반영되어야 할 시책으로 인민교육, 인재등용, 전답(田畓) 개량, 호구조사, 세제 공정, 군병 강화 등 서정(庶政)의 쇄신을 들어 새로운 개혁에 대한 구체적 방법론을 제시하고 있음을 볼 수 있다.

한편 도로, 위생 등 시책에 대한 주장을 살펴보면 다음과 같다.

나라히 춤 기혁을 ᄒ야 기화ᄒᆫ 나라히 되랴면 치도브틈 ᄒᄂᆫ 거시 올흐니 죠선도 경향간에 길을 몬져 닷가야 훌터인디 늠의 나라 모양으로 아즉 돈을 만히 드려 샹등 길을 믄들 슈는 업스나 길이 넓게나 ᄒ고 정ᄒ게나 ᄒ며, 기쳔이나 졍히 쳐 더러온 물건이 씻겨가게 ᄒ고, 길가온대 집이나 짓지 말며, 대소변이나 길에셔 누지 못ᄒ게 ᄒ고, 더러온 물건을 길에 내버리지 못ᄒ게 ᄒ면 아즉은 인민이 그런디로 견디런마ᄂᆫ.[62]

■

61 《독립신문》, 1897.5.11, 제2권 제55호.
62 《독립신문》, 1896.5.9, 제15호.

우물을 먹드리도 그 물을 몬져 쓰려 식힌 후에 졍흔 독에 너셔 그 늘진 되 두고 먹기드면 그져 먹는 이보다 얼마나 나흘 터이니 좀 불편흐드리도 아모쏘록 물을 쓰려셔 식혀 먹기를 브라노라.[63]

예전부터 이르기를 성군(聖君)의 치정(治政)은 우선 치산치수(治山治水)부터 힘썼다고 하거니와, 여기서는 현대적 안목에서 도로의 개설로 교통을 순탄케 하고 아울러 도로, 하천 등을 정결하게 할 것을 권장하고 있다.

뿐만 아니라 아직 수도(水道) 시설이 되지 않은 때라, 우물물을 식수로 할 수밖에 없는만큼 끓여서 먹을 것을 권면하여, 위생에 대한 계몽까지에 신경을 쓰고 있음을 볼 수 있다.

한편 현대 의술에 대하여는 다음과 같은 관심을 표명하고 있다.

외국셔는 사름이 의원이 되랴면 적어도 닐곱 히를 날마다 학교와 병원에셔 각식 병을 눈으로 보고 다스리는 법을 공부흔 후에 대학교 교관들 압희셔 시험을 지낸 후, 다시 의원 노릇슬 흐랴면, 그 동리 판윤 압희 가셔 샹등 의원들을 쳥흐야 다시 시험흐야 그 사름이 니치 외치와 부인병들과 ㅇ희병들과 히산흐는되 관계되는 학문과 화학과 약물학과 약 몬드는 법을 다 시험을 지낸 후라야 판윤이 인가쟝을 흐야 주어 비로쇼 민간에 나아가 의원 노릇슬 흐는 법이라.[64]

죠션 의원은 첫지 사름이 엇더케 싱긴 것도 모로는 거시 의원 공부흘 째에 죽은 사름을 히부흐여 본 일이 업슨즉 엇지 각식 혈관과 신경과 오장륙부가 엇더케 노여지며 그것들이 다 무슴 직무를 흐는 거

63 《독립신문》, 1896.5.2, 제12호.
64 《독립신문》, 1896.12.1, 제103호.

신지 그 중에 ㅎ나가 병이 들면 엇던 병 증세가 싱기눈지 화학을 모론즉 약이 엇지 효험이 잇눈지 약을 쓰면 그 약이 엇더케 사름의 몸에 관계가 되눈지 도모지 모로고 덥허 노코 약을 주며 덥허 노코 침을 주니 이거슨 곳 사름을 위틴흔 딘다가 집어 넛는 거시라.[65]

여기서는 첫째로 외국 의사의 예를 들어, 유자격의 의원이 되려면 7년간의 수학으로 대학과 병원에서 이론 및 실습의 과정을 밟아, 제 일차로 학교의 졸업시험에 합격한 후, 다시 전문적인 의사시험에 합격하여야 비로소 하나의 독립된 의사로서의 자격을 획득할 수 있는 제도적 시책을 설명하고 있다.

다음으론 한국의 실정을 거론하여, 의원이라고 버젓이 행세하고 있는 사람들 자체가 해부나 약리(藥理)에 대한 이론적 수학(修學)은 물론, 실제의 임상(臨床) 경험 하나 없이 약을 처방하고 침을 시술하는 것 등은 생명의 안위에 중대한 문제로 되고 있음에 대하여 경종을 울리고 있음을 볼 수 있다.

이상 정치제도를 비롯한 사회시설에 연관되는 면을 살펴보았거니와 정당정치의 필요성 및 고질적인 파당 요소의 지양, 관원의 투표에 의한 선출, 인재등용, 전답 개량, 호구조사, 세제 공정 그리고 도로 개설, 식수 위생, 의료 관리 등 정치 및 행정 전반에 걸쳐 여론을 환기하고 위정자에 대한 경각심을 촉구하고 있음을 볼 수 있다.

---

65 동상(同上).

7. 경제의식(經濟意識)

　서구의 근대화에 있어서는 그 근간을 이루는 인간의 의식구조, 즉 신
본주의(神本主義)에서 인본주의(人本主義)로 옮겨지고, 그것이 다시 인간
의 존엄성, 자유 평등으로 구체화되는 한편, 이러한 의식이 반영된 정치
제도, 그리고 생활의 기반이 되는 경제체제, 즉 산업경제, 금융경제 등의
제도적 시책이 사회개혁의 중요한 일면을 담당하였으므로, 영국에 있어
서의 산업혁명을 비롯한 서구 각국의 경제적인 제도 변혁이 근대화의 배
경적 여건으로 작용하였을뿐더러 끝내는 자본주의 자체가 근대화를 대면
하는 경제체제로 해석되는 결과로까지 이르게 되었다.
　이러한 면에서 볼 때 개화 초기, 즉 19세기 말엽의 우리 국민의 근대적
인 경제의식은 어떠하였는지, 그것이 당시의 언론에 반영된 상황을 추출
하여 당대인의 경제에 대한 의식 내지 관심도를 살펴보고자 한다.

　　외국에셔는 정부에셔 그 금은젼을 탁지부에 두고 그 금은젼 슈효딘
　로 지폐를 믄드러 세샹예 힝케 ᄒᆞᆫ 거슨 인민의 편리홈을 위홈이요
　또 인민이 아모 ᄣᅢ라도 금은젼 가지고 습푸면 탁지부에 가셔 그 지폐
　로 금은젼을 밧골 터인즉 그 죠희 죠각이 곳 금이나 은과 ᄀᆞᆺ흔지라.
　죠션 돈은 흔푼이라 ᄒᆞᄂᆞᆫ거시 쇠갑과 공젼이 병ᄒᆞ야 흔푼이 못 되ᄂᆞᆫ
　거슬 정부에셔 흔품으로 쓰라고 흔다고 빅셩이 흔푼인 줄 알고 써쓰니
　나라히 열니고 빅셩이 부요케 될 지경이면 흔푼 자리 돈 가지고ᄂᆞᆫ 빅
　셩이 견딜 슈 업ᄂᆞᆫ거시 쳣지ᄂᆞᆫ 무거오니 운젼ᄒᆞ기 어렵고 둘지ᄂᆞᆫ 돈
　셰기가 어려온즉 밧분 쟝ᄉᆞᄒᆞᄂᆞᆫ 사름이 흐로를 가져야 쳔량 가량을 겨
　우 헬터이니 쳔량이리야 겨오 스십원이니 만일 쟝ᄉᆞ가 흥왕ᄒᆞ고 빅셩
　이 부요케 되면 흔 사름이 흐로 빅원어치 거리가 잇슬 지경이면 잇흘
　반은 가져야 그 돈을 헬터인즉 그런 우슬 일이 어듸 잇ᄉᆞ리요.[66]

경제적 교환가치에 있어서의 화폐제도에 대한 외국의 경우를 예로 들어, 금은전(金銀錢)의 보유에 따른 태환권제(兌換券制)의 지폐 발행에 언급하고, 한국의 현실에 눈을 돌려, 한국의 화폐가 자체의 실물가(實物價)에 미달하는 불합리성을 지적하는 동시에 한국 화폐인 엽전 천량(千兩)이 신화(新貨)인 일본 화폐 40원에 해당되므로, 그 계산과 운반의 불편함을 우려하기도 했다.

또한 일본 화폐의 유입에 따르는 금융면의 혼란을 다음과 같이 지적하기도 했다.

만일 일본셔 금젼(金貨)을 쓰게 시작ᄒᆞ면 죠션에 큰 관계가 잇는 거시 지금 죠션 안에서 일본 은젼과 지폐가 유ᄒᆡᆼᄒᆞ야 빅셩들이 죠션 엽전이나 당오젼 보다 낫게 알고 쓰며 ᄯᅩ 큰 돈 거릭 되는 딕는 죠션 돈 가지고는 무슴 일을 ᄒᆞᆯ슈가 업ᄂᆞᆫ지라 만일 일본이 금젼을 쓰기를 시작ᄒᆞ면 지금 쓰는 은젼과 지폐를 새돈ᄒᆞ고 밧구어 줄터인즉 은젼 일원 즈리가 그ᄶᅵᆨᄂᆞᆫ 금젼으로 오십젼 즈리가 됨이라. 대톄 지금 잇는 지폐와 은젼 반이 업서질터이니 죠션 샹무에 대단히 관계가 잇실지라. 지금 죠션서 금젼을 줄슈는 업시 된 스졍인즉 불가불 아즉은 은젼을 그져 써야 할 터인딕 은젼도 업서 지금은 일본 은젼을 쓰는지라 만일 일본 은젼을 다 것어드리고 금젼만 딕신 주거드면 유ᄒᆡᆼᄒᆞᄂᆞᆫ 화폐가 반이 줄고 ᄯᅩ 죠션 돈과 일본 새돈이 대단히 츙동이 나 셜령 당오젼으로 셰음ᄒᆞᆯ 디경이면 오십량에 계오 일원이 될 터이오 엽젼으로 셰음ᄒᆞ면 열량이라야 일원이 될지라. 만일 두 나라 화폐가 이러케 츙동이 잇슬 디경이면 샹무에 대단히 힉가 잇슬 터이요 불편ᄒᆞᆫ 일이 젹

66 《독립신문》, 1896.4.28, 제10호.

지가 아니홀지라.[67]

　이미 이때는 일본 지폐인 은전과 화폐가 유입되어 시중에 유통되고 있었으므로, 그것이 한국 화폐와의 교환가치에서 큰 격차를 이루어 경제적인 손실을 보고 있는 판국에, 다시 일본 금화가 유입되어 가치 면의 영향은 물론 통화의 부족으로 화폐 유통 면에 일대 혼란이 야기될 것을 우려하고 있음을 볼 수 있다.

　이로써 미루어 볼 때, 을사보호조약 8년 전이요, 한일합방 13년 전인 이때에 벌써 금융면에서는 일본 화폐의 유입을 비롯한 혼란으로 파국을 가져오기 시작하였을뿐더러 일본인 손에서 화폐의 유통이 좌지우지되었음을 알 수 있게 한다.

　　근일에 들으니 서울과 인천서 죠션 빅셩들이 돈이 업스면 외국 사람의게 가셔 집을 전당잡히고 돈을 엇어 쓰고 변리를 흔 둘에 흔돈 변식 주고 쓴다니 셰상에 이런 즁변 주는 나라는 죠션 와 잇는 외국 전당국 밧긔는 업는지라.[68]

　　사름이 차라리 집을 아죠 파라 갑슬 갑다이 밧으면 그거시 나흐니 얼마콤 우리는 죠션 빅셩의게 권호기를 차라리 집을 팔지언정 전당은 잡히지 말고 정부에셔도 새로 규칙을 내야 닉외 국민간에 돈 취듸호 는 변리를 아죠 정부에셔 정히 주고 외국 사름의게 집 전당잡히는 일은 엄금호기를 브라노라.[69]

■

67 《독립신문》, 1897.3.30, 제2권 제37호.
68 《독립신문》, 1896.5.14, 제17호.
69 동상.

여기서는 외국인이 전당국(典當局)을 내어, 부동산을 저당하고 대금업(貸金業)을 하여 고리(高利)를 받을뿐더러, 대부금이 상환되지 않을 때에는 저당물이 넘겨지게 하는 등 경제적 수탈이 자행됨을 알 수 있게 하고, 아울러 당시의 언론은 이에 대한 계몽과 더불어 외국의 경제적 침해에 대하여 경종을 울리고 있음을 볼 수 있다.

이밖에 세제 확립에 관심을 기울이고, 또한 식수(植樹), 공업생산 등 산업면에 대한 민중의 각성을 촉구하고 있는 것을 엿볼 수 있다.

죠션 사름은 외국에 가셔 집을 사든지 농수를 ㅎ던지 쟝수를 ㅎ던지 ㅎ면 그 나라 정부에 셰를 밧치거니와 외국 사름들은 죠션에 오거드면 무숨 일을 ㅎ던지 셰 흔푼을 아니 내게 ㅎ니 엇지 우습지 안 ㅎ리요. 셰계에 뎨일 불샹흔 빅셩은 죠션 빅셩들인디 그 중에도 죠션 시골 빅셩들이 뎨일 더 불샹ㅎ더라. 이런 일은 뇌부와 탁지부 쇼관이니 우리가 브라건디 첫지 시골 쟝셰와 다른 잡셰 밧은 것들을 사실ㅎ야 그 돈을 가지고 각 군에 슌검들을 셜시케 ㅎ야 빅셩들을 보호케 ㅎ고 셔울 빅셩들도 내외 국민간에 시골 빅셩과 갓치 셰를 내어 그 돈을 가지고 치도도 ㅎ며 밤이면 길에 불도 켜며 병원도 지어 주며 학교들도 더 느리고 먹는 물들도 다 졍케 ㅎ여 주거드면 우리 싱각에 셔울 빅셩들이 넘으 죠하셔 이 셰젼들을 밧칠 듯ㅎ더라.[70]

세제에 있어서 대외적으로는 외국인 거류민에 대하여 과세를 하지 못하고 치외법권적인 부당한 예우를 함을 통탄하고, 대내적으로는 지방민에게는 가혹할 정도의 부세(賦稅)를 하면서도 서울 사람들에게는 그같이

70 《독립신문》, 1896.6.9, 제28호.

하지 않음을 비난하고, 서울 거주자에게도 골고루 과세하여 그 세수(稅收)를 치도(治道), 병원 설립, 학교 건립, 수도(水道) 시설, 야간 조명등의 시설면에 투입할 것을 권장하고 있다.

올 브름이라도 각 뷘 따에 나무들을 심으고 과목들을 심으면 몃 해가 아니되야 큰 효험들을 볼 터이오. 죠션 과목을 심은 후에 외국 과목들을 엇어서 졉을 붓쳐거드면 오륙 년 안에 그 실과로 인연ᄒᆞ여 죠션에 큰 부즈가 만히 싱길 터이오. 죠션 토디와 긔후가 동양 각국 중에 데일 죠흔 고로 실과가 미우 잘 될 터이니 유지각흔 죠션 사람들은 과목 회샤들을 모화 각쳐에 실과 나무 심으는 거슬 힘쓰거드면 몃 해가 아니 되야 다만 그 사ᄅᆞᆫ들이 부즈만 될 뿐 아니라 외국 돈이 일 년에 몃 만원식 죠션에 드러 올 터이니 죠션에 큰 스업이라. 이런 일에 경영ᄒᆞᄂᆞᆫ 스름들이 만히 잇기를 브라노라.[71]

이같이 유휴지에 식수(植樹)할 것을 권장하고, 특히 과수를 심되 개량수입종을 접목하여 우량품을 생산함으로써 소득을 올릴 것을 계도하고 있다. 이는 1970년대의 '새마을 운동'에서 유실수(有實樹)의 식수(植樹) 권장을 그 사업의 중요한 하나로 택하여 적극 독려한 사실에 비추어 보면, 금석간(今昔間)의 좋은 대조를 보이는 현상이라 하겠다.

뎡부에셔 데일 급히 홀 일이 권공쟝이라. 권공쟝이라 ᄒᆞᄂᆞᆫ거슨 뎡부에서 크게 학교를 세우고 인민을 모집ᄒᆞ야 각식 공업을 ᄀᆞ르치는 쳐쇼라. (……)

---

71 《독립신문》, 1896.6.4. 제26호.

우리 싱각은 아직 죠션 뎡부에서 아모 것도 못 ᄒᆞ드리도 일 년에 돈 십만 원식만 례산ᄒᆞ야 권공쟝 ᄒᆞ나를 셰우고 외국 사름 즁에 교ᄉᆞ들을 불너 위션 목슈 일과 교의 ᄎᆡ샹 ᄆᆞᆫ드ᄂᆞᆫ 법과 대정쟝이 일과 죠희 ᄆᆞᆫ드ᄂᆞᆫ 법과 류리 ᄆᆞᆫ드ᄂᆞᆫ 법과 비단 ᄶᆞᄂᆞᆫ 것과 가족 달우ᄂᆞᆫ 법과 실과 나무 기르ᄂᆞᆫ 법과 곡식 슴으ᄂᆞᆫ 법과 우마 기르ᄂᆞᆫ 법과 의복 신 갓 짓ᄂᆞᆫ 법을 ᄀᆞᄅᆞ치게 ᄒᆞ거드면 삼년 안에 국즁에 뎨 일등 가ᄂᆞᆫ 쟝식이 몃 빅명이 싱길 터이요. 이 사름들이 나아가 다른 사름들을 쏘 비양 ᄒᆞ거드면 몃 ᄒᆡ가 아니 되야 죠션 빅셩들이 엇더케 ᄒᆞ여야 버러 먹고 살 줄을 알게 될 터이니 죠션 관인이 되야 이만큼 큰 ᄉᆞ업 홀 일이 다시 업고, 부국 강병ᄒᆞᄂᆞᆫ 방칙 즁에 이보다 더 큰 ᄉᆞ업이 업스니 춤 나라를 ᄉᆞ랑ᄒᆞ고 빅셩을 싱각ᄒᆞᄂᆞᆫ 관원들은 닉각에서 이일을 샹의ᄒᆞ야 례산 즁에 권공쟝 죠목으로 삼 년만 십 만원식 삼십 만원만 지출ᄒᆞ면 삼년 후에ᄂᆞᆫ 이 권공쟝에셔 싱기ᄂᆞᆫ 돈이 넉넉히 잇서 이 쟝식들의게 월급을 주고라도 돈이 남아 ᄒᆡ마다 학도를 몃 빅명씩 기를 터이니 이런 리가 다시 엇지 잇스리요.[72]

여기서는 정부에 대한 건의로, 생산공장을 건립하여 목수일, 대장간, 제지법, 유리 만드는 법, 비단 짜는 법, 가죽 이기는 법, 과수 재배, 농사 개량, 우마(牛馬) 사육, 의복, 신발, 모자 등 갖가지 분야의 장인 즉 기술자를 정부의 자금 투입으로 양성하여 국가의 산업 발전에 종사하게 하면, 그들의 생계 방도가 설뿐더러 부국강병의 기틀이 됨을 밝혀, 기술교육과 그 시책을 적극적으로 주장하고 있으니, 이 시기로서는 앞을 내다보는 선견지명이라 하지 않을 수 없다.

---

72 《독립신문》, 1896.9.15, 제70호.

또한 한편으로는 국민 각자가 직업을 가지고 근로할 것을 권장하기도
했다.

　죠선이 이러케 된 거슨 놀고 먹는 사름이 만히 잇는 식둙이니, 정
부에 모든 대신들이 춤 나라를 위한랴면 놀고 먹으랴고 한는 사름들
을 아무쏘록 벼슬들 식이지 말고 그 사름들 버러 먹을 도리들을 한여
주는듸, 첫지는 나라에 미힌 묵은 싸에 이 사름들이 가셔 긔쳑한야
농ㅅ 지여 먹게 한면 나라에 디셰가 더 드러 올 터이요, 둘지는 이 사
름들이 일한고 버러 먹을 터이니 그 사름들의게도 유죠홀 터이요, 쏘
정부에서 권공쟝을 한나 믄드러 사름들이 거긔 가셔 물건 졔죠한는
거슬 비호거드면 첫지는 외국 물건이 죠선에 덜 드러 올 터이니 돈이
외국으로 가지 안코 이 사름들이 직죠 한나식 비흘 터이니 평싱에 버
러 먹을 도리가 잇스니 벼슬 한는 것보다 빅비가 나흐리라.[73]

　죠션 사름들이 밤낫 한는 쇼릭가 살 슈 업다고 한되 살 슈 업는 식
둙은 일을 안 한 식둙이라. 속에 양반의 무음이 잇슨즉 지계를 지고
짐을 진다든지 광이를 가지고 싸흘 판다든지 낫슬 가지고 풀을 변다
든지 신문을 가지고 길에셔 판다든지 담빅 목판을 메고 가로에셔 판
다든지 이런 일은 다 한기가 슬코 다른 큰 일 홀 직죠는 업스니 불가
불 그 사름은 굴머 죽을 슈 밧긔는 업는지라. 이런 사름은 속에 양반
의 무음 한나 식둙에 샹일을 아니 한고 밤낫 경영한는 거시 협잡한고
쳥쵹한야 벼슬을 도모한야 남이 이써 버러 노흔 돈을 공히 취랄홀 심
지만 가져스니 이 사름은 셰계에 뎨일 쳔흔 인싱이요 후싱에 큰 형벌

73 《독립신문》, 1896.4.30, 제11호.

을 닙을 사람들이라.[74]

놀고 먹는 무직자가 많음을 개탄하여 정부에서 이들을 농토 개척에 끌어들이기를 권하고, 한편으로는 기술을 습득케 하여 생계를 이룩하고 국력을 부강케 하는 데 도움이 되게 하여야 한다고 하였다.

특히 양반층에 속하는 사람들은 일을 하기 싫어할뿐더러 상일을 해서는 안 되는 것처럼 생각하는 그 습성부터 고쳐, 온 백성이 모두 근로할 때라야 개인의 생활도 윤택해지고 국가도 부요해질 것임을 강조하고 있다.

이상 《독립신문》에 나타난 경제의식의 측면을 살펴보았거니와, 화폐제도, 외국인 자금의 침식, 세제, 과수 재배를 비롯한 농사개량, 공산품 생산, 그리고 국민의 근로 등 여러 부문에 걸쳐 광범위하게 새로운 관심을 보여주는 동시에 정부에 대한 건의 및 민중에 대한 계몽에 중점을 두고 있음을 볼 수 있게 된다.

8. 결어(結語)

이상 《독립신문》에서 발표된 '논설'을 중심으로 하여 그에 나타난 근대적 의식을 몇 가지 측면에서 종합 추출하여 보았다.

개화의 개념에 대하여는 계몽을 수반하는 문명개화, 즉 기존의 질서체제 및 가치관에 대한 개혁의지 그리고 실천의 방향 모색에 연관되는 포괄적인 의미로 받아들이고, 또한 주장하고 있음을 볼 수 있다.

한편 그 구체적인 실천 방향으로 자주독립, 신교육, 인권문제, 정치의

---

[74] 《독립신문》, 1896.8.13, 제56호.

식, 사회시책 및 경제의식 등이 거듭 주장 촉구되었음을 알 수 있다.

첫째 자주독립은 애국사상과의 연계 속에서 주장되었으며, 가까이는 청국, 일본, 러시아, 멀리는 미국, 영국, 불란서, 독일 등 열강의 각축 속에서 국권을 수호하고 자주독립을 보지(保持)하는 것만이 최대의 급선무임을 강조하여, 부국강병책을 내세움을 볼 수 있다.

둘째, 신교육에 있어서는 교육을 하여 신학문을 닦는 것이 개화의 첩경이요, 특히 여자 교육의 필요성을 역설하고, 반상(班常)의 차별 없이 교육을 하는 동시에 외국유학으로 선진국의 학문을 받아들일 것을 강조하여 교육입국을 지표로 삼을 것을 위정자 및 일반 백성에게 호소하고 있음을 볼 수 있다. 또한 이에 겸하여 자민족의 우수성을 내세워 자긍을 가지도록 주체성의 확립에 관심을 기울이기도 했다.

셋째로 인권문제에 있어서는 근대화의 근간의 되는 문제인 만큼 준법정신의 군건한 바탕 위에서 인간의 존엄성 및 권리가 상호 존중되고 보장되어야 하며, 이에 따라 고문 재판의 폐지, 관존민비의 혁파, 반상(班常)의 계급적 차등 철폐, 여권 존중, 조혼 폐지와 자유결혼의 주장 및 신교(信敎)의 자유 등 다각도적인 주장을 내세우고 있음을 볼 수 있다.

넷째로 정치적 의식에 있어서는 군주제도에 대한 부정적 견해는 별로 찾아볼 수 없으나, 정당정치의 필요성 및 민중의 자유로운 투표에 의한 관원의 선출 등의 정치제도 그리고, 세제개혁, 서정쇄신 등을 비롯한 행정 및 사회적 시책에 대한 혁신책을 촉구하고 있음을 볼 수 있다.

다섯째로 경제시책에 있어서는 근대적인 태환권제에 의한 화폐제도의 개혁, 외국인 자본 투입에 대한 침해 요소의 배제, 농사개량, 공산품 생산 등 산업 부문에 대한 부흥책 및 국민의 근로정신의 앙양 등 여러 면에 걸쳐 개혁책을 제창하고 있음을 볼 수 있다.

이밖에 교통, 체신, 의료, 위생을 비롯하여 국민 생활의 향상에 대한 제반 문제에 대하여 논급하고 있다.

《독립신문》은 1896년에 창간되었으므로 이 신문에 반영된 시대상은 그대로 19세기 말엽의 우리 현실이요, 이 지면에 반영된 논설 또한 그대로 당대 구안자(具眼者)의 공통적인 견해와 주장의 집약이라고 보지 않을 수 없는 것이다.

한편 이러한 주장의 불가피성은 오늘날의 우리 현실에도 일부 잔존하고 있는 것을 부인할 수 없으므로, 우리나라의 근대화는 아직도 그 불가피한 진행선상에 있을 수밖에 없다는 필연론이 도출되게도 되는 것이다.

또한 위에 추출된 근대적인 개혁의지, 이를테면 애국심, 자주독립, 신학문, 신교육, 인권존중, 계급타파, 자유결혼, 미신타파 등의 계몽성은 개화기의 대표적인 소설양식인 신소설의 소재 내지 주제로 광범위하게 반영되었다. 이는 소설이 인간의 삶을 바탕으로 하고, 특히 근대소설은 인간의 존엄성을 비롯한 근대사회의 현실을 재현하고 구상화하려는 당위성을 띤 예술양식인만큼, 이같은 현상은 시대와 문학의 상관관계에서 필연적인 시도의 단계라고 하지 않을 수 없는 것이다.

(1980)

3 · 1운동이 문학창작면(文學創作面)에 끼친 영향

1

3 · 1운동은, 독립선언서를 기조로 하여 국가의 독립 및 자주권을 선명하고 일제에 대한 행동적인 항쟁에 들어가, 이천만 겨레가 거족적인 호응을 하였다는 역사적 의의는 말할 것도 없거니와, 이것이 정치 · 경제 · 사회 · 문화 등 각 사회 방면에 미친 영향 또한 지대한 것이었다고 하겠다.

특히 문학분야에서는 개항기에서 비롯되는 우리 신문학사에 있어서 8 · 15에 이르기까지 3 · 1운동만큼 작품의 창작면에 큰 영향을 준 획기적인 사실은 일찍이 없었다고 본다. 현대사회에 있어서 문학작품의 창작 및 발표에 가장 직접적인 연관을 지니는 대상은 신문 · 잡지 등 저널리즘과 출판임은 주지의 사실이다.

그런데 일제는 1910년 8월 29일 불법적인 한일합방을 공포한 직후, 《황성신문(皇城新聞)》을 비롯한 모든 우리말 신문을 강제 폐간시키고, 오직 《대한매일신보(大韓每日申報)》만을 《매일신보(每日新報)》로 개제하여 총독부(總督府) 기관지로 존속시키는 한편, 잡지의 출판을 제약하는 등 언론 · 출판 · 결사 · 집회 등의 기본 자유권을 박탈하는 폭거(暴擧)로 나왔다. 이로 말미암아 발표의 자유는 극도로 억압당하고 발표 지면은 극도로 축소되고 말았다.

그러던 것이 3·1의거에 당황한 그들이 일종의 회유책으로, 10년간에 걸친 헌병제하의 무단정치를 이른바 문화정치로 정책을 전환하여 외형적으로나마 언론·출판 등에 대한 약간의 완화책을 보이게 되었다.

이러한 결과로 1920년 3월에는 《조선일보(朝鮮日報)》, 동(同) 4월에는 《동아일보(東亞日報)》가 각각 창간되고 그 뒤를 이어 《시대일보(時代日報)》(후의 《조선중앙일보(朝鮮中央日報)》)가 창간되어 이들 민족진영의 일간신문은 그 뒤 문학작품의 발표지로, 또는 신인의 발굴 등용문으로 신문학 발전에 기여해 온 바 크다 하겠다.

한편 잡지는 기미(己未) 이후 죽순처럼 쏟아져 나왔으니, 문예 동인지로는 1910년 2월에 《창조(創造)》(김동인(金東仁), 주요한(朱耀翰), 전영택(田榮澤), 김환(金煥) 등) 1920년 7월에 《폐허(廢墟)》(염상섭(廉想涉), 오상순(吳相淳), 남궁벽(南宮璧), 김원주(金元周), 나혜석(羅蕙錫) 등), 1922년 1월에 《백조(白潮)》(박종화(朴鍾和), 현진건(玄鎭健), 이상화(李相和), 홍사용(洪思容), 박영희(朴英熙), 노자영(盧子泳) 등), 시 동인지로는 1921년에 《장미촌(薔薇村)》, 1923년에 《금성(金星)》(양주동(梁柱東), 이장희(李章熙), 백기만(白基萬) 등), 그리고 범 문단적인 문예지로는 1924년에 방인근(方仁根)에 의한 《조선문단(朝鮮文壇)》 등의 창간을 보아 자못 문예부흥의 기풍마저 떠도는 느낌을 주기도 했었다. 이 밖에도 이루 헤아릴 수 없는 많은 종합잡지, 여성잡지, 전문지, 기관지 등이 발간되었으나 그 속에서 문학과 가장 밀접한 관계를 가진 것은 종합지 《개벽(開闢)》이었다.

이같은 신문 잡지의 풍성한 발간 및 동인의 활발한 활동은 작품 창작을 자극하고 아울러 문단을 형성하게 하는 계기를 마련하게 하였다.

1896년 새로운 시가의 초기 양식인 '창가(唱歌)'가 《독립신문》에 처음 발표되었고 이것이 다시 자유시의 선구적인 구실을 한 〈신체시(新體詩)〉로 발전하여 그 첫 작품인 육당(六堂) 최남선(崔南善)의 「해(海)에게서 소년(少年)에게」가 1908년 《소년(少年)》 창간호에 발표되었으며, 한편 서구소설의 영향 하에 처음으로 창작 시도된 '신소설(新小說)'의 첫 장편인 이인직의 「혈의 누」가 1906년 《만세보(萬歲報)》에 연재 발표되고, 여기에서 한 걸음 더 나아가 근대소설적인 면모를 어느 정도 갖춘 춘원(春園) 이광수(李光洙)의 처녀장편 「무정(無情)」이 1971년 《매일신보》에 발표된 후 기미운동(己未運動)에 이르기까지 4반세기 동안 문단이란 형성되지 않았고, 신소설 작가 몇 사람을 거쳐 육당·춘원의 소위 2인 시대를 현출(現出)한 데 지나지 않은 결과로 되고 말았었다.

그러던 것이 기미운동 이후로는 신문·잡지의 다량 출현과 더불어 많은 신인의 배출, 다양한 문예사조의 도입, 창작에 대한 새로운 방법의 시도 등으로 문단은 자못 활기를 띠어 풍요한 작품의 수확을 보게끔 되었다.

한편 3·1운동의 결과면에 있어서의 실패는, 전 민족은 물론 특히 문화에 직접 참여하고 있는 당시의 지식층에게는 극도의 절망과 좌절감을 안겨 주었고, 이와 거의 때를 같이하여 제1차대전의 후유증으로 나타난 퇴폐적인 세기말적 사조마저 함께 겹치고, 여기에 또한 소비에트 러시아의 사회주의 혁명의 선풍이 이 땅의 망국한과 결부될 수 있는 일면의 요소를 지녀, 이같이 착종다단(錯綜多端)한 배경적인 조건은 그 대로 작가의 자세 및 작품창작 면에 반영되어 다양한 문학풍토를 조성하게 하였던 것이다.

2

3·1운동 후에 나타난 문학 면의 뚜렷한 특징은 문학에 임하는 작가의식의 확립, 문예사조에 대한 적극적 관심, 작품의 예술성에 대한 자각 및 비평의식의 대두 등을 들 수 있다.

신소설 작가나 육당 및 춘원은 문학의 본질 면보다는 작품을 사회교화의 계몽적인 의도에서 쓴 경향이 적지 않았으며 또한 문학을 자기의 인생과 직결시키기보다는 여기(餘技)로 생각한 일면이 없지 않았다.

그러나 《창조》파 이후의 작가들은 출발에서부터 그 자세가 전연 달랐으니 그 구체적인 사실을 예증하면 다음과 같다.

우리는 다만 충실(忠實)히 우리의 생각하고 고심(苦心)하고 번민(煩悶)하는 기록(記錄)을 여러분께 보이는 뿐이올시다.
　　　　　　　　　　　　　　　　　－「남은말」《창조》 창간호

「너는 어째 죽음만 쓰느냐」 하실 이가 있을 듯하나 무슨 비관적(悲觀的) 사상(思想)을 가진 것은 아니외다. 다만 인생(人生) 그것을 그대로 표현(表現)해 보노라고 하였읍니다. 그리고 내 머리에 박혔던 인상(印象)을 떠본 것이외다.
　　　　　　　　　　　－전장춘(田長春), 「남은말」《창조》 제2집

우리는 소설(小說)의 취재(取材)를 구구(區區)한 조선사회(朝鮮社會) 풍속개량(風俗改良)에 두지 않고 「인생(人生)」이라하는 문제와 살아가는 고통(苦痛)을 그려보려 하였다. 권선징악(勸善懲惡)에서 조선사회(朝鮮社會) 문제제시(問題提示)로―다시 일전(一轉)하여 조선사회교화(朝鮮社會敎化)로―이러한 도정(途程)을 밟은 조선소설(朝鮮小說)은 마침내 인생문제(人生問題) 제시(提示)라는 소설(小說)의 본무대(本舞臺)에 올라섰다.
　　　　　　　　　　　－김동인, 「조선근대소설고(朝鮮近代小說考)」

춘원(春園)의 이상주의문학(理想主義文學), 소위 설교문학(說敎文學)에 반기(叛旗)를 들고 나선 김동인군(金東仁君) 등의 창조파(創造派)도 창작(創作)의 작풍(作風)은 자파(自派)에 있어 자연주의(自然主義)를 들고 나선 것은 필자(筆者) 자신(自身)이었던 것은 나도 자인(自認)하는 바이다. (······) 여하간 이와 같이 하여 폐허시대(廢墟時代)란 것이 있다 하면, 그리고 이 시대(時代)의 공적(功績)이 있다 하면, 시문학(時文學)이나 창작(創作)에 있어서나 본격적(本格的) 순수문학(純粹文學)을 수립(樹立)하면서 그 보급(普及)에 노력(努力)하는 일방(一方) 인도주의적(人道主義的)·허무주의적(虛無主義的)인 양경향(兩傾向)을 좌우(左右)의 안벽(岸壁)으로 삼으면서 자연주의문학(自然主義文學)을 수립(樹立)한 데에 중점(重點)이 놓여 있었다 할 것이다.

― 염상섭(廉相涉), 「나와 폐허시대(廢墟時代)」, 《신천지(新天地)》 1954. 2월호

위의 인용문에서 보여주는 바와 같이 《창조》는 창간호에서부터 그 「편집여언(編輯餘言)」에 작자가 생각하고 고심하고 번민하는 것을, 즉 인생 그것을 그대로 표현하겠다고 작가의 기본자세를 뚜렷이 밝혔음을 알 수 있다.

그 의도는 그대로 작품 속에 실현되어 풍속개량·사회계몽에 따르는 권선징악 위주의 종래 소설에서 해탈하였음을 김동인은 훗날 「근대소설고」에서 재확인했으며, 염상섭 또한 본격적 순수문학을 내세워 춘원의 이상주의 문학인 설교문학에 동인과 더불어 반기를 들고 나선 것을 알 수 있을뿐더러, 이와 같은 작가의식의 변천은 그 이론보다도 그들의 작품이 더 구체적으로 실증해 줌을 볼 수 있는 것이다.

그러나 3·1운동의 실패와 세기말적인 데카다니즘의 유입은 이들 20 전후의 젊은 지식인으로 하여금 현실에 대한 절망과 실의에 차 고뇌와 번민의 소용돌이 속에서 결국은 허무적이요, 퇴폐적이요, 감상적인 경향으로 흘러가게 하였으니, 그것은 다음의 인용문에서도 엿볼 수 있다.

우리 조선(朝鮮)은 황량(荒凉)한 폐허(廢墟)의 조선(朝鮮)이요, 우리 시대(時代)는 비통(悲痛)한 번민(煩悶)의 시대(時代)이다. 이말은 우리 청년(青年)의 심장(心臟)을 짜개는 듯한 아픈 소리다. 그러나 나는 이 말을 아니할 수 없다. 엄연(儼然)한 사실(事實)이기 때문에. 소름이 끼치는 무서운 소리나 이것을 의심(疑心)할 수 없고 부정(否定)할 수도 없다. 이 폐허(廢墟) 속에는 우리들의 내적(內的) · 외적(外敵) · 심적(心的) · 물적(物的)의 모든 부족(不足) · 결핍(缺乏) · 공허(空虛) · 불평(不平) · 불만(不滿) · 울분(鬱憤) · 한숨 · 걱정 · 근심 · 슬픔 · 아픔 · 눈물 · 멸망(滅亡)과 사(死)의 제악(諸惡)이 쌓여 있다.

이 폐허(廢墟) 위에 설 때에 암흑(闇黑)과 사망(死亡)은 흉악(兇惡)한 입을 크게 벌리고 우리를 삼켜버릴 듯한 감(感)이 있다.

　　　　　　—오상순, 「시대고(時代苦)와 희생(犧牲)」, 《폐허》 창간호

이같이 잠겨진 태양 같은 암흑의 절망적인 애탄(哀嘆)은 시에도 나타나 있음을 볼 수 있다.

태양(太陽)은 잠기다. 저녁 구름의 전자(癩者)의 개거품 같이
얼음비 같이 여울지고 보라빛 같이 여울지는 끝없는 암굴(岩窟)에
태양(太陽)은 잠겨 떨어지다.
태양(太陽)은 잠기다. 넓은 뜰에 길 잃은
소녀(少女)의 애탄(哀嘆)스러운 가슴 안 같은
황혼(黃昏)의 안을 스며 태양(太陽)은 잠기다.
태양(太陽)은 잠기다. 아아 죽는 자(者)의 움폭한 눈 같이
이국(異國)의 제단(祭壇)의 앞에 태양(太陽)은 휘돌아 잠기다.
(이 전편(全篇)의 시(詩) 안에 특히 「저녁」이란 말이 많이 쓰어 있으나 이는 한 세기말적(世紀末的) 기분(氣分)에 붙잡힌 나의 최근(最

近)의 사상(思想)의 경향(傾向)을 가장 솔직(率直)히 나타낸 자(者)이
다. 독자(讀者)여 양지(諒之)하라.

— 황석우(黃錫禹), 「태양(太陽)의 침몰(沈沒)」, 《폐허》창간호

《폐허》파뿐만 아니라 《백조》파의 동인들도 퇴색하고 몽롱해진 회색
하늘 같은 암담한 현실에 애수를 머금으며 감상적인 영탄에 젖었음을 볼
수 있으니, 그것은 다음에 인용하는 《백조》 창간호 후기에서도 엿볼 수
있거니와, 이들의 이 시기의 시작품들이 소위 "병(病)든 낭만(浪漫)"이라
고 불리는 그들 시풍에서도 뚜렷한 예증을 들 수 있는 것이다.

이미 가졌던 빛은 낡어 퇴색(褪色)된지 오래였고 새로운 이의 부르
짖음은 아직도 뜨거웁지 못하여 옛날의 번쩍거리던 영화(榮華)의 꿈
이야기만 몽롱(朦朧)히 회색(灰色) 하늘에 스러져가는 별빛 같은데 애
달픈 추억(追憶)의 동네에 헤매이는 젊은 사람의 마음은 그 얼마나 서
늘한 가슴 미어지는 애수(哀愁)에 적시었으랴. 밤마다 밤마다 고요한
밤마다 어지러운 풀동산 위에 앉어 하염없이 이슬에 젖어 떠는 풀을
낚구며 가만가만히 노래 부르고 돌아가는 북두칠성(北斗七星)을 안어
눈물 섞인 아프고 슬픈 긴 추억(追憶)의 냄새에 맥맥한 가슴만 쥐어뜯
을 뿐이었다.

—월탄(月灘), 「육호잡기(六號雜記)」, 《백조(白潮)》 창간호

그러나 정열에 불타는 이들 젊은이들은 절망과 실의 속에 그대로 함몰
하여 고뇌와 애탄에 젖어 자포자기의 나락(奈落)으로 떨어진 것만은 아니
었다.

그들은 분명히 새로운 빛을 갈구(渴求)하고 새로운 희망을 찾아 동경
속에서 자유와 진리를 절규하고 모색하면서 몸부림쳤음을 또한 볼 수 있

으니, 이것은 절망을 극복하고 폐허에 새싹을 심어서 새꽃을 피우려는 그들 의지의 발로이기도 했다.

새 시대(時代)가 왔다. 새 사람의 부르짖음이 일어난다. 들어라 여기에 한 부르짖음과 저기에 한 부르짖음이 일어나지 않았는가. (……) 우리의 부르짖음은 어떠한 것과 같은 소리임을 모른다. 또 알려고도 하지 않는다. 다만 어떠한 부르짖음이나 그 목숨이 오래고 먼 길의 튼튼한 힘을 빌어 다 같이 손잡고 새 광경(光景)을 새 눈으로 보자 하는 것이다. 그리하여 우리의 거치른「폐허(廢墟)」에 새싹을 심어 써 새 꽃을 피우게 하고 한결같이 방향(芳香)을 마음껏 맡아보자 하는 것이다. 우리들은 결단(決斷)코 황혼(黃昏) 하늘 아래의 넘어가려는 볏만을 바라보며 가이없는 추억(追憶)의 심정(心情)을 가지고 무덤의 위에 서서 돌아오지 못할 옛날을 보랴고 하여 애달파할 것이 아니고 먼 지평(地平) 위에 보이는 새 기록(記錄)을 지을 앞의 일을 생각하여야 한다.

　　　　　　　　　　— 김억(金億), 「상여(想餘)」, 《폐허》 창간호

우리 청년(靑年)은 영원(永遠)한 생명(生命)을 잊어서는 안된다. 우리의 눈은 늘 무한(無限)한 무엇을 바라보아야 하겠다. 우리의 발은 항상(恒常) 무한(無限)한 흐름 가운데 서서 있어야 하겠다. 우리의 심정(心情)은 항상 영원(永遠)한 애(愛)와 동경(憧憬) 속에 타 있어야 하겠다. 이러한 태도(態度)로 우리는 우리의 체력(體力)이 계속(繼續)하기까지, 의력(意力)이 열(熱)하기까지 진행(進行)치 않으면 안되겠다.

어떠한 오해(誤解)나 핍박(逼迫)이 있을지라도 우리는 자유(自由)에 살고 진리(眞理)에 죽고자 한다.

　　　　　　　　— 오상순, 「시대고와 희생」, 《폐허》 창간호

한편 이들 작가의 문예사조(文藝思潮)에 대한 관심은 적극적인 것이었으며, 특히 염상섭의 자연주의에 대한 집념(執念)은 그의 작가생활의 전 생애를 통하여 시종 일관된 것으로, 이것은 3·1운동 이후의 우리 현실을 직시하고 그것을 분석 검토하여 작품으로 재현하려는 그의 작품의 방향과도 궤(軌)를 같이하는 것으로 해석된다.

1919년의 제(第)1차(次) 독립운동(獨立運動)이 있던 익년(翌年)에 필자(筆者)와 여러 동호자(同好者)가 동인지(同人誌)〈폐허(廢墟)〉를 창간(創刊)하게 된 뒤부터 신문학운동(新文學運動)은 본격적(本格的) 궤도(軌道)에 오르는 동시(同時)에 자연주의(自然主義)의 대두(擡頭)와 그 기치(旗幟)는 뚜렷하여진 것이요, 또한 여기에서 현대문학(現代文學)의 토대(土臺)는 잡혀진 것이라 하겠다.

당시(當時) 일본문단(日本文壇)에서는 자연주의(自然主義)가 이미 퇴경(頹傾)의 기운(機運)을 보였으니, 이로써 보면 한국문단(韓國文壇)은 그만치 10년 20년 후진(後進)하였던 것이 사실(事實)이다. 그러나 현대문학(現代文學)에의 발족(發足)인 이상(以上)에는 자연주의(自然主義)의 세례(洗禮)를 받고 사실주의(寫實主義)에 직진(直進)하지 않고는 안 될 것이요 또 당연(當然)한 과정(過程)을 밟은 것이었다. 동시(同時)에 이것은 일본문단(日本文壇)의 모방(模倣)도 아니요 「이즘」을 위한 문학(文學)은 아니었던 것이다.

—염상섭, 「한국(韓國)의 현대문학(現代文學)」, 《문예(文藝)》 3권 2호, 1952년 5·6월호

자연주의의 도입은 필연적이요 불가피한 것이라고 역설한 염상섭은 그 것을 자기 문학관의 최대 무기로 하여 작품 창작을 지속하였으므로, 그의 작가로서의 불굴의 자세도 엿볼 수 있거니와, 한편 자연주의 자체의 본질

론 및 한국에 도입된 자연주의의 변모 내지 이론과 작품 창작 면에 있어서의 상관관계가 문학사가간에 논의의 대상도 되고 있기는 하지만, 적어도 한 작가가 자기 문학관에 엄연한 자세로 일관해 온 최초의 예로, 그의 작가적 풍모(風貌)는 여러 면에서 후학에게 의미 심중한 시사를 던져주는 경우라 하겠다.

3

기미(己未) 이전의 작가들은 계몽 위주의 목적의식이 선행된 작품 창작을 하였으므로 그에 따라 자연히 주제에 대한 일차적인 비중이 커지고, 문학의 예술성은 의식했건 못했건 간에 경시되거나 소홀히 된 감이 없지 않았다.

그러나 기미 이후의 작가들은 "인생을 그리고 문학에 산다"는 투철한 작가의식에 발맞추어, 이에 따르는 작품의 짜임새 있는 예술성이나 형상화에 저절로 깊은 관심을 가지지 않을 수 없었고, 그것은 또한 의식적인 창작방법의 필수적인 일환이기도 했다.

그 최초의 예는 김동인의 경우에서 볼 수 있으니 그는 그러한 관점을 문학이론으로 내세우고 또한 그것을 스스로 자기의 창작과정에 적용 실천한 최초의 작가이기도 했다.

그가 내세운 작품창작 면에 있어서의 두드러진 주장은 삼인칭 단수 '그'의 사용, 문장 어미의 현재사를 지양하고 과거사를 사용하는 등의 시제(時制)에 대한 자각, 및 완전한 구어체의 문장에 의한 서사문체의 확립 등이었다.

이에 대한 그의 주장의 일부를 예시하면 다음과 같다.

조선문학(朝鮮文學)의 나아갈 길은? 작풍(作風)은? 문체(文體)는? 수없는 〈?〉가 우리 앞에 있었다. 지금 생각하면 우스운 일에까지 우리는 두통(頭痛)을 하였다.

첫째 문체(文體)였었다. 구어체(口語體) 사용(使用)은 물론이었지만 그 구어체(口語體)의 정도(程度)는? 우리가 《창조(創造)》를 발행(發行)하기 전 해에 춘원(春園)이 발표(發表)한 글의 한 귀절을 이하(以下)에 예(例)로 들어 보겠다.

〈소주(燒酒)는 압록강(鴨綠江)을 건너오기 때문에 서북지방(西北地方)에 먼저 퍼지고 맥주(麥酒)는 남해(南海)를 건너오기 때문에 영(嶺) · 호남지방(湖南地方)에 먼저 퍼진 것이다. 여기서도 우리는 지리관계(地理關係)의 재미를 깨닫겠더라.〉

물론 그 〈깨닫겠더라〉의 〈더라〉도 구어(口語)에 사용(使用)되는 것이지만 우리의 양심(良心)은 〈깨닫겠다〉라 하여 철저(徹底)히 하여놓지 않으면 용인(容認)치를 못하였다. 당시(當時)의 춘원(春園)의 작품(作品)은 구어체(口語體)라 하여도 아직 많은 문어체(文語體)의 흔적(痕迹)이 있었다. 〈이더라〉, 〈이라〉, 〈하는데〉, 〈말씀〉 등을 그의 작품(作品) 도처(到處)에서 볼 수 있었다. 이러한 불철저(不徹底)한 것을 모두 배척(排斥)하지 않을 수가 없었다. 〈He〉와 〈She〉도 조선(朝鮮)말에 없는 바였다. 춘원(春園)의 작(作)에 〈그〉라고 한 곳이 두세군데 있기는 하지만 보편적(普遍的)으로 사용(使用)치 못하였다. 춘원(春園)은 지금의 〈그〉라고 쓸 곳을 대개 이름(고유명사(固有名詞))으로 하여 버렸다. He와 She를 모두 다 〈그〉라고 보편적(普遍的)으로 사용(使用)하여 버린 때의 용기(勇氣)는 지금 생각하여도 장쾌(壯快)하였다.

— 김동인, 「조선근대소설고」

불완전(不完全)한 구어체(口語體)에서 철저적(徹底的) 구어체(口語體)

로—동시(同時)에 가장 귀(貴)하고 우리가 가장 자랑하고 싶은 것은 서사문체(敍事文體)에 대(對)한 일대개혁(一大改革)이다. (……)

〈한다〉, 〈이라〉, 〈─이다〉 등의 현재법(現在法) 서사체(敍事體)는 근대인(近代人)의 날카로운 심리(心理)와 정서(情緒)를 표현(表現)할 수 없는 바를 깨달았다. 현재법(現在法)을 사용(使用)하면 주체(主體)와 객체(客體)의 구별(區別)이 명료(明瞭)치 못함을 깨달았다. 우리는 감연히 이를 배척하였다.

『속에서 나오는 태우는 듯한 더움과 밖에서 찌르는 무르녹이는 듯한 더위와, 싸늘한 부챗바람이 합하여 에리자벳의 몸에 조르륵 소름이 돋게 하였다(재래(在來)의 표현법(表現法)으로는 〈한다〉 하였겠음. 이하(以下) 괄호내(括弧內)는 재래(在來) 문체(文體)의 예(例)). 소름돋을 때와 부채의 시원한 바람의 쾌미(快味)는 그에게 조름이 오게 하였다.(〈한다〉)』

　　　　　　　　　　　　　　　─김동인,「약(弱)한 자(者)의 슬픔」

독자(讀者)는 여기서 철저(徹底)히 〈그〉라는 대명사(代名詞)로 변(變)한 것을 보는 동시(同時)에 또한 재래(在來)의 현재사(現在詞)를 쓰던 것이 완전(完全)히 과거사(過去事)로 변(變)한 것을 발견(發見)할 수 있다. 그리고 그 괄호 안에 기입(記入)한 재래법(在來法)과 신법(新法)을 비교(比較)할 때 전자(前者)에서는 〈에리자벳〉이라는 주체(主體)와 사위(四圍)라는 객체(客體)의 혼동(混同) 무질서(無秩序)를 볼 수 있으나 후자(後者)에서는 완전(完全)한 합치적(合致的) 구분(區分)을 볼 수 있다.

　　　　　　　　　　　　　　　─김동인,「조선근대소설고」

위에서 보여주는 바와 같이 김동인은 한국의 소설 문장의 개혁에 이론과 실천으로 하나의 선을 그어 주옥같은 작품을 남기고, 또한 뒷사람들의 창작기법에 중대한 영향을 끼쳤으니 그의 작가적 공로는 높이 평가되지 않을 수 없는 것이다.

한편 작품 속에 구현되는 묘사를 비롯한 표현기법 면에 섬세한 필치로 작품 형상화의 예술성을 살리는 데 애쓴 초기 작가로 현진건을 들지 않을 수 없다.

총총히 마루로 나오니 아직 날은 밝지 않았다. 자욱한 안개를 격해서 광채를 잃은 흰달이 죽은 사람의 눈갈 모양으로 허멀겋게 서으로 기울고 있다. 저녁에 안쳐놓은 쇠죽솥에 가자 불을 살우었다. 비록 여름일망정 새벽 공기는 찼다. 더우기 으슬한 기를 느끼는 순이는 번쩍하고 불붙는 모양이 매우 좋았다. 새빨간 입술이 날름날름 집어 주는 솔가비를 삼키는 꼴을 그는 흥미 있게 구경하고 있었다. 고된 하루밤으로 말미암아 더욱 고된 순이의 하루는 또 시작되었다. 쇠죽을 다 끓이자 아침밥 지을 물을 또 아니 여올 수 없었다. 물동이를 이고 두팔을 치켜 그 위를 잡으니 겨드랑이로 안개 실린 공기가 싸늘하게 기어들었다. 시냇가에 나와서 물동이를 놓고 한번 기지개를 켰다. 한계에 묻힌 올망졸망한 산과 등성이는 아직도 몽롱한 꿈길을 헤매는 듯, 엊그제 농부를 기뻐 뛰게한 큰 비의 덕택으로 논이란 논엔 물이 질번질번한데 흰 안개와 어울어지니 마치 수온이 엉킨 것 같고 벌써 옮겨놓은 모들은 파릇파릇하게 졸음 오는 눈을 비비고 있다. 이런 가운데 저 혼자 깨었다는 듯이 시내는 쫄쫄 소리를 치며 흘러간다. 과연 가까이 앉아서 데미다보니 새맑은 그 얼굴은 잠하나 없는 눈동자와 같다.

순이는 퐁하며 바가지를 넣었다. 상채기난 데를 메우려는 듯이 사방에서 모여든 물이 바가지 들어갔던 자리를 둥글게 에워싸며 한동안 야료를 치다가 그리 중상은 아니라고 안심한 것 같이 너르게 너르게 둘레를 그리며 물러나갔다. 순이는 자꾸 물을 퍼내었다.

— 현진건, 「불」

이것은 단편 「불」의 한 장면이거니와 우리는 여기서 여린 안개, 선득한 새벽 공기 속에 잠긴 농촌의 정경을 눈앞에 보듯이 섬세한 묘사로 선명하게 재현한 작자의 솜씨에 경탄하지 않을 수 없게 되는 것이다.

빙허(憑虛)는 특히 성(性)장면을 실감나게 묘사하는 특기를 가져, 야(野)하거나 추(醜)하기 쉬운 육체관계를 저속에 떨어지지 않는 한계 내에서 신비로울 정도로 매력있게 미화하는 솜씨를 보여주었다.

다음은 그의 단편 「유린(蹂躪)」의 한 장면이지만 「불」, 「지새는 안개」 등의 작품 속에서도 이에 유사한 박력 있는 묘사를 적지 않게 발견하게 되는 것이다.

정열(情熱)에 띠인 네 눈은 잡아먹을 듯이 마주보고 있었다. 정숙(晶淑)의 뺨은 화끈화끈 다는 듯하였다. 정숙씨(晶淑氏)라는 말이 떨어지자말자 정숙(晶淑)은 휘리바람같이 가슴에 안기는 남성(男性)을 느끼었다. 녹신 녹신한 가녈픈 허리는 쇠가지같은 팔안에 들고 말았다. 뜨거운 입술은 부딪쳤다. 이 열렬(熱烈)한 키쓰는 양성(兩性)의 육체(肉體)를 단쇠 같이 자극(刺戟)하였다. 그것은 온전히 정신(精神)이 착란(錯亂)한 찰나(刹那)였다. (……) 일분(一分) 뒤에 정숙(晶淑)의 풀린 머리는 베개 위에 흩어져 있었다. 아무것도 보이지 않고 아무것도 들리지 않았다.

— 현진건, 「유린」

4

3·1운동 이후에 창작된 문학작품을 그 주제면에서 분류하면 여러 가지 각도로 나눌 수 있겠으나 여기서는 3·1운동과 직접 관계가 있는 1920년대의 일제에 대한 항거문학만을 주로 살펴보기로 하겠다.

첫째 시(詩)의 경우를 예로 들면 이상화의 「빼앗긴 들에도 봄은 오는가」, 변영로(卞榮魯)의 「조선의 마음」과 「논개(論介)」, 한용운(韓龍雲)의 「논개(論介)의 애인(愛人)이 되어서 그의 묘(廟) 앞에」 및 김동환(金東煥)의 서사시(敍事詩) 「국경(國境)의 밤」 등이 손꼽히는 작품들이다.

지금은 남의 땅—빼앗긴 들에도 봄은 오는가?
나는 온몸에 햇살을 받고
푸른 하늘 푸른 들이 맞붙은 곳으로
가르마 같은 논길을 따라 꿈속을 가듯 걸어만 간다. (초연(初聯))

나는 온몸에 풋내를 띠고
푸른 웃음 푸른 설움이 어우러진 사이로
다리를 절며 하루를 걷는다
아마도 봄신명이 접혔나보다
그러나 지금은 들을 빼앗겨 봄조차 빼앗기겠네 (종연(終聯))
　　　　　　　　　　—이상화, 「빼앗긴 들에도 봄은 오는가」

조선의 마음을 어디 가서 찾을까
조선의 마음을 어디 가서 찾을까
굴 속을 엿볼까, 바다 밑을 뒤져볼까
빽빽한 버들가지 틈을 헤쳐볼까

아득한 하늘 가나 바라다볼까

아, 조선의 마음을 어디가서 찾아볼까
조선의 마음은 지향할 수 없는 마음, 설운 마음!

—변영로, 「조선의 마음」

거룩한 분노는
종교보다도 깊고
불붙는 정열은
사랑보다도 강하다
아 강낭콩꽃보다도 더 푸른 그 물결 위에
양귀비 꽃보다도 더 붉은 그「마음」 흘러라!

아릿답던 그 아미(娥眉)
높게 흔들리우며
그 석류(石榴) 속 같은 입술
「죽음」을 입맞추었네! (후렴 략(略))

흐르는 강(江)물은
길이길이 푸르리니
그대의 꽃다운 혼
어이 아니 붉으랴 (후렴 략(略))

—변영로, 「논개」

낮과 밤으로 흐르고 흐르는 남강(南江)은 가지 않습니다.
바람과 비에 우두커니 섰는 촉석루(矗石樓)는 살같은 광음(光陰)을 따라서 달음질칩니다.

　논개(論介)여, 나에게 울음과 웃음을 동시(同時)에 주는 사랑하는 논개(論介)여

　그대는 조선(朝鮮)의 무덤 가운데 피었던 좋은 꽃의 하나이다. 그래서 그 향기(香氣)는 썩지 않는다.

　나는 시인(詩人)으로 그대의 애인(愛人)이 되었노라.

―한용운, 「논개의 애인이 되어서 그의 묘 앞에」

　전선(電線)이 운다 잉 잉 하고
　국교(國交)하러 가는 전신(電信)줄이 몹시도 운다.
　집도 백양(白楊)도 산곡(山谷)도 오양깐 당나귀도 따라서 운다.
　이렇게 춥길래
　오늘따라 간도(間島) 이사(移徙)꾼도 별로 없지
　어름짱 깔린 강(江)바닥을
　바가지 달아메고 건너는
　밤마다 저녁마다 외로이 건너는
　함경도(咸鏡道) 이사꾼도 별로 안보이지.
　회령(會寧)서는 벌써 마지막 차(車)고동이 텄는데.

―김동환, 「국경의 밤」

　「빼앗긴 들에도 봄은 오는가」는 전편에 망국한의 울분과 비애가 차 있지만, 특히 맨 처음의 "지금은 남의 땅― 빼앗긴 들에도 봄은 오는가?"와 맨 끝줄의 "그러나 지금은 들을 빼앗겨 봄조차 빼앗기겠네"는 가슴속을 후벼가는 원한의 절규에 사무쳐 있음을 느끼게 한다.

　「조선의 마음」에서는 이젠 적에게 빼앗겨 찾을 길 없는 조선의 마음, 지향할 수 없는 서러운 마음의 아득한 비탄이 읊어졌음을 볼 수 있으며,

「논개」와 「논개의 애인이 되어서 그의 묘 앞에」의 2편은 다 임진왜란시 적장을 얼싸안고 나라를 위한 단심으로 남강에 감연히 투신한 논개(論介)의 애국충절을 상징하여 민족정기에 호소한 시상(詩想)을 절실하게 그린 시편들이다.

그리고 「국경의 밤」에서는 일제의 식민지 수탈로 야월 대로 야위고 헐벗어, 하는 수 없이 정처없이 북간도(北間島)로 떠나가는 애처로운 이사꾼을 내세워 꺼져 가는 겨레의 마음속에 한 줄기 기름불을 당기려는 작자의 의도를 절감하게 되는 것이다.

이처럼 위의 시들은 한결같이 일제에 대한 항거와 민족의식의 고취에 촛점을 둔 작품들로서 이밖의 많은 작품들이 또한 직접 간접으로 이같은 주제를 다루었던 것이다.

다음, 소설에서 전적으로 3·1운동을 소재로 다룬 것은 전영택의 「생명(生命)의 봄」이 있고 희곡으로는 유치진(柳致眞)의 「조국(祖國)」이 있다.

「생명의 봄」은 기미운동에 직접 참가한 여주인공이 투옥되었다가 재감(在監) 중 병으로 보석되어 가출옥(假出獄)하기까지의 과정을 그린 작품이요, 「조국」은 대학생이 3·1의거에 직접 가담하여 만세를 부르다가 적에게 피살되는 내용을 그린 작품이다.

한편 3·1운동을 전후한 시기에 일제의 탄압과 약탈에 견디지 못하여 외지로 쫓겨가는 내용이 담긴 소설에 염상섭의 「만세전(萬歲前)」, 김동인의 「붉은 산(山)」, 그리고 조포석(趙抱石)의 「농촌(農村)사람들」 및 「낙동강(洛東江)」 등이 있다. 다음에 이 작품들의 각 한 장면씩을 예시하기로 하겠다.

몇천(千) 몇백년(百年) 동안 그들의 조상(祖上)이 근기(根氣)있는 노력(努力)으로 조금식(式) 조금식(式) 다져 놓은 이 토지(土地)를 다른 사람의 손에 내던지고 시외(市外)로 쫓겨 나가거나 촌(村)으로 기어

들어갈 제, 자기(自己) 혼자만 떠나가는 것 같고 자기(自己) 혼자만 촌(村)으로 들어가는 것 같아얐을 것이다. 땅마지기나 있던 것을 까불려 버리고 집 한채 지녔던 것이나마 문서(文書)가 이사람 저사람의 손으로 넘어다니다가 변리(邊利)에 변리(邊利)가 늘어서 내놓고 나가게될 때라도, 사람이 살랴면 이런 꼴도 보고 저런 꼴도 보는 것이지 하며, 이것도 내 팔자소관(八字所關)이라는 안가(安價)한 낙천(樂天)이나 단념(斷念)으로 대대(代代)로 지켜내려오던 고향(故鄕)을 등지고 문(門) 밖으로 나가고 산(山)으로 기어들 뿐이오, 이것이 어떠한 세력(勢力)에 밀리기 때문이거나, 혹(或)은 자기(自己)가 견실(堅實)치 못하거나, 자제력(自制力)과 인내력(忍耐力)이 없어서 깝살리고만 것이라는 생각은 꿈에도 없다.

—염상섭, 「만세전」

그는 입을 움직였다. 그러나 말이 안나왔다. 기운이 부족한 모양이었다. 잠시 뒤에 그는 또 다시 입을 움직이었다. 무슨 소리가 거의 입에서 나왔다.

「무얼?」

「보구 싶어요. 붉은 산이— 그리고 흰 옷이!」

아아, 죽음에 임하여 그는 고국과 동포가 생각난 것이었다. 여는 힘있게 감았던 눈을 고즈너기 떴다. 그때에 「삵」의 눈도 번쩍 뜨이었다. 그는 손을 들려고 하였다. 그러나 이미 부러진 그의 손은 들리우지 않았다. 그는 머리를 돌이키려 하였다. 그러나 그 힘이 없었다. 그의 마지막 힘을 혀끝에 모아가지고 입을 열었다.

「선생님!」

「왜?」

「저것— 저것—」

「무얼?」

「저기 붉은 산이ー 그리고 흰 옷이ー. 선생님 저게 뭐예요!」

여는 돌아 보았다. 그러나 거기는 황막한 만주의 벌판이 전개되어 있을 뿐이었다.

「선생님 노래를 불러주세요. 마지막 소원ー 노래를 해 주세요. 동해물과 백두산이 마르고 닳도록ー」

여는 머리를 끄덕이고 눈을 감았다. 그리고 입을 열었다. 여의 입에서는 창가가 흘러 나왔다.

여는 고즈너기 불렀다.

「동해물과 백두산이……」

고즈너기 부르는 여의 창가 소리에 뒤에 둘러섰던 다른 사람의 입에서도 숭엄한 코러스는 울리어 나왔다.

「무궁화 삼천리 화려강산ー」

ー 김동인, 「붉은 산」

이해에도 늦은 가을이다. 어느날 이른 아침에 이 마을에서도 가물가물하게 멀리 보이는 들건너 북망산 고개길에는 이 마을에서 떠나가는 한떼의 무리가 있었다. 봇짐 지고 어린아이 업고 바가지 찬 젊은 이 사내 여편네 적지 않은 떼가 몰려간다. 그들은 서간도로 가는 이삿군이다. 이 고개마루턱을 다 넘을 때까지 그들은 서로서로 번갈아 가며 두걸음에 한번씩 아득히 보이는 자기네 살던 마을을 우두커니 서서 바라다보고는 걷고 한다. 울어서 눈갓이 부숙부숙한 여자도 있다.

ー 조포석, 「농촌사람들」

천년을 산 만년을 산
낙동강! 낙동강!

하늘가에 간들
꿈에나 있을소냐—
잊힐소냐 아—하—야.

어느 해 이른 봄에 이땅을 하직하고 멀리 서북간도로 몰려가는 한
떼의 무리가 마지막 이 강을 건늘 제, 그네들 틈에 같이 끼어가는 한
청년이 있어 뱃전을 두드리며 구슬프게 이 노래를 불러서, 가뜩이 어
슬퍼하는 이삿군들로 하여금 눈물을 자아내게 하였다 한다.
　과연 그네는 뭇 강아지 떼같이 이땅 어머니의 젖곡지에 매달려 오
래오래 동안 살아 왔다. 그러나 그 젖곡지는 벌써 자기네 것이 아니
기 시작한지도 오래였다.
　　　　　　　　　　　　　　　　　　　—조포석, 「낙동강」

「만세전」에는 일제의 농촌 약탈로 말미암아 고리대금에 견딜 수 없어
고향 떠나는 이야기가 들어 있고, 「붉은산(山)」에는 만주로 이민간 주인
공이 조국의 붉은 산 백의민족이 그리워 죽어 가는 순간 "동해물과 백두
산이"의 노래를 불러 달라는 민족의 비애와 조국에 대한 애정이 그려져
있고, 「농촌사람들」 및 「낙동강」에는 일제로 말미암아 빈궁의 극에 달한
농민이 고향을 등지고 서간도(西間島)로 이민가는 민족의 비애가 각각 담
겨 있다.
　이 밖에도 많은 작품 속에 일제에 대한 반항과 민족의식의 암시적인
고취가 깔려 있음을 수없이 보게 되는 것이다.
　끝으로 이와는 좀 각도가 다른 것으로 3·1운동 직후 일본 유학생으로
서, 첨단적인 신여성이 지니는 여권주장과 개방된 정조관을 다룬 염상섭
의 「제야(除夜)」 한 장면을 예시하여 이 시기의 한 인텔리 여성의 모습을
더듬어 보기로 하겠다.

〈나는 벌써 처녀(處女)가 아니다〉라는 굳센 의식(意識)은 아직 굳지 않은 이십전후(二十前後)의 어린 마음에 군림(君臨)합니다. 그것은 마치 종교(宗敎) 신자(信者)의 파계(破戒)라는 것이 결(決)코 용이(容易)하지 않으나 단(單) 한번의 실족(失足)이 반동적(反動的)으로 추락(墜落)의 독배(毒杯)를 최후(最後)의 일적(一滴)까지 말리지 않으면 만족(滿足)할 수 없는 것과 다를 게 없습니다. 성적(性的) 감로(甘露)에 한번 입을 대인 젊음의 약동(躍動)과 기갈(饑渴)은 절제(節制)의 의지(意志)를 삼키어 버렸습니다. 그리하여 내가 자기(自己)도 놀랄만치 대담(大膽)하여진 것을 깨달은 때는 벌써 시기(時機)가 늦었습니다. 더구나 농후(濃厚)하고 화미(華美)한 사위(四圍)를 돌려다 볼 제 도취(陶醉)의 오뇌(懊惱)는 있을지 모르나 마음의 평형(平衡)이 유지(維持)될 리(理)가 있겠습니까.

과연(果然) 육년간(六年間)의 동경생활(東京生活)은 가정(家庭)에서 경험(經驗)한 것과는 또 다른 화려(華麗)한 무대(舞臺)이었습니다. 나의 앞에 모여드는 형형색색(形形色色)의 청년(靑年)의 한떼는 보옥상(寶玉商) 진열상(陣烈箱) 앞에 선 부인(婦人)보다도 나에게는 더 찬란(燦爛)하고 만족(滿足)히 보였습니다. 그들 중(中)에는 음악가(音樂家)도 있었습니다. 시인(詩人)도 있었습니다. 화가(畵家)도 있었습니다. 소설가(小說家)도 있었습니다. 법률학생(法律學生), 의학생(醫學生), 사회주의자(社會主義者), 교회(敎會)의 직원(職員), 신학생(神學生) (⋯⋯) 등 각방면(各方面)에 아직 까지 않은 생(生)달걀이지만, 그래도 조선회사(朝鮮會社)에서는 제가끔 조금식(式)은 지명(知名)의 사(士)라는 총중(叢中)이었습니다. 미남자(美男子)도 있거니와 추남자(醜男子)도 있고, 신사(紳士)나 학자연(學者然)하는 자(者)도 있거니와 조폭(粗暴)한 서생(書生) 티를 벗지 못한 자(者)도 있었습니다. 신경과민(神經過敏)한 영리(怜悧)한 자(者)도 있고 둔물(鈍物)도 있습니다. 풍요(豊饒)한

집 자제(子弟)도 있고 빈궁(貧窮)한 서생(書生)도 있읍니다. 그러나 어떠한 남자(男子)든지 각기(各其) 특색(特色)이 없는 것이 없었읍니다. 다소(多少)라도 호기심(好奇心)을 주지 않는 남자(男子)가 없었읍니다.

일언(一言)으로 폐(蔽)하면 보옥상(寶玉箱)에 한줌 두줌 들이털어둔 지환(指環) 같은 것이었읍니다. 루비도 있거니와 사파야도 있고 순금(純金)도 있거니와 프라티나도 있읍니다. 다이야도 있거니와 마노(瑪瑙)도 있읍니다. 민패도 있고 새긴 것도 있읍니다. (……) 끼고 싶으면 아무것이든지 낄 수 있고, 끼기 싫으면 하나도 안낄 수가 있읍니다. 열 손가락에 열반지(半指)를 끼랴도 낄 수 있고, 한손가락에 단(單) 한 개(個)만 낄 수도 있읍니다. 혹시(或時) 광택(光澤)과 사치(奢侈)한 면(面)을 보랴고, 한개식(個式) 차례차례(次例次例)로 번갈아 끼어볼 수도 있읍니다. 그러나 나는 꼭 한가지 수단(手段)을 취(取)하였읍니다. 좌우편(左右便)에 한개식(個式) 유(類)다른 것으로 대립(對立)하여 끼우기로. 그러나 방순(芳醇)한 육(肉)의 사향(麝香)을 쥔 나의 손에 끼워지는 것만 다행(多幸)으로 아는 그들에게는 좌우(左右)에 두개(個)가 있다고 불평(不平)을 품을 리(理)가 없었읍니다. 그들에게 대(對)한 나는 절대(絶對)이었읍니다. 나의 의사(意思)는 최고권위(最高權威)였읍니다.

이와 같이 하여 허다(許多)한 신료(臣僚)에 옹위(擁圍)된 애(愛)의 여신(女神)의 궁전(宮殿)은 보일보(步一步) 들어갈수록 넓고 깊고 찬란(燦爛)하였을 뿐이었읍니다. (……) 추락(墜落)의 전정(前程)은 탄탄대로(坦坦大路)이었읍니다.

―염상섭, 「제야」

일인칭의 고백체 서한문 형식으로 되어 있는 이 작품에서 우리는 수백 년간 유폐되었던 여성이 갑자기 개방되어 신문화의 물결에 휩싸였을 때 어떠한 돌연 반응을 일으켰는가 하는 것을 볼 수 있는 동시에 여주인공이 생각하는 정조관 및 이성관에 대해 오늘날의 현실과 대조해 볼 때 그대로 간과할 수 없는 일면의 진실에 부딪치게 됨을 또한 부인할 수 없게 된다.

5

　이상 3 · 1운동이 문학작품의 창작 면에 끼친 영향을 그 배경적인 조건, 작가의식, 문예사조, 문학의 예술성, 관계작품의 분석 등으로 나누어 검토하였거니와, 3 · 1운동은 우리 문학을 계몽문학에서 예술로서의 문학으로, 목적의식의 문학에서 순수문학으로, 그리고 여기(餘技)의 작가에서 본격적인 작가의 문학으로 전환시키고 문단을 형성케 하여 근대적인 냄새를 풍기기만 하던 우리 신문학을 진정한 의미에서의 근대문학으로 자리 잡게 한 전환점이 되는 계기를 마련하였다고 볼 수 있는 것이다.

(1969)

근대초기소설에 타나난 성윤리(性倫理)의 한계성

1

문학작품에 있어서 이성(異性)의 애정이나 성윤리(性倫理))의 문제는 죽음이라는 인간의 극한상황 못지않게 소설(小說)의 소재 내지 주제면에서 주요한 대상으로 다루어져 왔고, 문제의 핵심 및 그 표현의 농도에 따르는 예술성 및 윤리의 한계성은 빈번히 논쟁의 초점이 되기도 하여, 이 문제에 대한 독자의 관심 또한 다각도적인 반응을 불러일으켰을 뿐더러, 작품에서 주어지는 감응도의 비중도 그만큼 컸던 것이다.

비단 문학이나 예술작품의 대상으로서가 아니라도, 성(性)에 연관되는 윤리성의 한계는 항상 시간과 공간에 따라 상대적인 유동성을 지니고 있어 극단의 대립적인 견해로 나타나는 경우도 없지 않았다.

즉 동일한 지역이나 인간집단에 있어서도 과거에는 비윤리적인 것으로 해석되던 것이, 현재에는 그러한 테두리 밖에 놓일 수 있고, 또한 같은 시대에 있어서도 동양에서는 부도덕적인 것으로 제약을 받는 것이 서양에서는 예사로운 행동으로 용납되는 경우 같은 것으로, 이러한 것은 종족(種族), 국가(國家), 제도(制度), 습속(習俗) 등에 따라 다기(多岐)한 양상을 나타내게 되는 것이다.

예를 들면 남양토인은 거의 나체로 일상생활을 영위하고, 일본인은 사촌간의 혼인도 용납되지만, 우리의 경우는 그것이 모두 미풍양속을 저해하는 패륜적인 행위로 규제되고, 우리 자체의 경우에 있어서도, 8 · 15전까지는 좀 출세하고 행세하는 사람이라면 으레껏 작첩(作妾)하는 것쯤은 필수적인 것처럼 관습화되었던 것이, 그 후는 쌍벌죄의 적용을 받아 윤리의 문제뿐만 아니라 법적인 죄명으로 다스려지게끔 시간적인 면에서의 윤리기준의 변화를 보이고 있는 것이다.

문학작품에는 적으나 크나 간에 인간의 삶이 반영되지 않을 수 없고, 또한 그러한 삶의 모습은 사회적인 여건이나 배경과 직결되지 않을 수 없는 것이므로, 작품에서 다루어지는 윤리문제는 그 작중인물이 놓인 사회 및 그 작가의 의식세계와 함수관계에 놓이게 되는 것이다.

따라서 작품 속에 투영된 모럴은 작가의 의식을 거치기는 하지만, 그 무대가 되는 사회와 밀접한 연관을 가진다고 볼 수밖에 없는 것이다.

또한 그것이 성에 관한 문제일수록 그러한 사회적인 배경 없이 가공적이거나 허황된 몽상 속에서 처리될 수는 없는 것이다.

한편 성문제는 본질적인 면에서나 본능적인 면에서나, 인간생활의 중요한 일면을 차지하는 것인 동시에, 어떤 면에서는 윤리적인 원류의 일맥을 이루고 있는 것인 만큼, 감성적인 자극이나 호기심을 유발하는 동시에, 이성적인 자제나 엄폐를 요하기도 하는 것이므로, 성이란 순수한 면에서는 순결한 사랑과 이성의 결합이라는 숭고한 경지에까지 이를 수 있는 반면에, 극도의 타락이나 노출, 또는 비합법적인 교접 등은 불륜 부도덕으로 해석될뿐더러 사회의 지탄마저 받게 되는 것이다.

그러므로 작자와 독자와의 관계에 있어서도 이 문제는 아주 미묘하게 작용하게 되는 것이다.

위에서도 언급한 바와 같이, 이성의 애정이나 성문제가 작품의 소재나 주제로 다루어지는 비중이 큰 만큼, 작품에 따라서는 성장면이 짙게 노골화되어 표현되는 경우가 없지 않다.

이 경우에 있어서, 작자는 작품 전개의 필연적인 과정으로 그러한 장면을 삽입하지 않을 수 없고, 또한 그러한 결과는 작가가 의도하는 작품의 방향이나 예술적인 형상화에 도움이 되는 면에서만 이루어져야 하는 것이요, 독자측에 있어서도 건강하고 긍정적인 면에서 그러한 장면의 전개나 묘사가 받아들여져야 하는 것이다.

그러나 경우에 따라서는 그 윤리의 한계성이 작자와 독자 간의 개별적 또는 상대적인 견해 차이에서 창작과 향수(享受) 과정의 저어(齟齬)를 가져오는 때가 없지 않다.

또한 독자의 잠재된 관능적인 호기심이나 엽기성에 영합하기 위하여, 작가가 의식적으로 말초신경을 자극하는 표현방법을 쓰는 예가 있는가 하면, 일부 독자층에서는 그러한 과도한 노출을 은근히 바라고 있는 경우도 없지 않아, 이러한 결과로 빚어지는 창작자세는 작품의 비속화 내지 저열화를 초래할 뿐만 아니라 사회적인 풍기(風紀) 면에도 악영향을 미치기 쉽게 되는 것이다.

이러한 성문제의 윤리성에 대하여, 동양사회와 서양사회를 전통성 내지 현실적인 측면에서 상호 대조하여 볼 때, 서구는 개방적이요, 동양은 폐쇄적이라는 것이 일반적인 견해로 되어 있다. 또한 우리가 실지로 목격할 수 있는 한계 내에서도 그러한 견해에 대한 근거는 어느 정도 긍정되어지는 것이다.

대체로 우리의 근대화는 서구문명에 자극된 바 적지 않고, 또한 우리의 근대적인 문학은 그 시발점에서부터 서구문학의 영향을 적지 않게 받았다는 것이 학계에서의 거의 공통되는 견해로 되어 있다.

그러므로 우리의 근대적인 문학이 생성 발전하는 과정에서, 개방적인 서구사회의 성윤리가 우리 문학에 어떻게 접촉되었는가 하는 것을 더듬어 보는 것은 서구문학 수용과정에서의 우리 문학의 변천 양상의 한 측면을 규명하는 작업의 기초자료의 일부가 되리라고 생각되어 본고에서는 그 성문제의 윤리성을 살피되, 특히 '키스'에 중점을 두어 '키스'라는 어휘가 처음으로 등장되어 사용되기 시작한 과정 및 이를 중심으로 한 성장면의 노출도의 변모과정을 작품 속에서 찾아, 이러한 문제에 대한 작품 표현상의 한계성을 살펴보고자 하는 것이다.

그런데 서구어의 하나인 영어의 '키스'라는 단어는 신문학 생성 이후 70여년의 우리 문학사 속에서 아직도 그 적격(適格) 역어를 찾아볼 수 없을뿐더러, 일반대중이 사용하는 어휘 속에서도 그에 해당되는 우리말을 발견할 수 없는 것 같아, '입맞춤', '뽀뽀' 등 용이가 없는 것은 아니지만, 외래적인 '키스'가 지니고 있는 어감에 꼭 알맞는다고 볼 수는 없고, 일본어에서는 그 역어로 '접문(接吻)'이라는 용어를 쓰나, 이 어휘도 우리말의 익어진 단어로 되어 있지는 않은 것 같다.

따라서 여기서는 '키스'라는 서구어가 나타내는 우리 사회의 일반적인 감응도를 전제로 그 용어를 그대로 차용하는 것이다.

물론 근대 이후의 우리 문학작품에 나타나는 이같은 행위표시의 용어도 아무 역어(譯語) 없이 그대로 '키스'로 표현되어 있는 것이다.

2

우리 고전문학의 대표작의 하나인 「춘향전(春香傳)」은 숙종조(肅宗朝) 이후인 18세기 무렵에 정착된 것으로 추정되는 작품으로, 이 작품은 평민의식의 대두니, 양반관료의 학정(虐政) 규탄이니, 또는 천민계급의 항거니 하여 그 주제에 대한 다각도적인 논평이 있지만, 작중인물인 춘향과 이도령의 불변하는 애정, 특히 춘향의 일편단심에 대한 수절이 이 작품에 대한 일관된 의식이어서, 그 제목도 「춘향전(春香傳)」 또는 「열녀춘향수절가(烈女春香守節歌)」[1]로 이미 초기에 명명되어 있는 것이다. 또한 일반 독자에게도 이 작품이 지니는 여타의 어느 의의보다도 이도령과 춘향의 사랑이 더 감명을 주는 요소로 되어온 것이다.

　그러면 고전적인 애정소설의 대표격으로 되어 있고, 또한 작중의 주인공도 이팔청춘(二八靑春)의 젊은 남녀로 되어 있는 이 작품에서 이성(異性)의 사랑 장면은 어떻게 시작되며 어떻게 전개되는가 하는 것을 살펴보는 것은, 갑오경장 후의 서구소설의 영향을 받고 나타난 소설과의 비교면에서 여러 가지 의의를 지니는 것이라고 보아지기에, 이 작품의 두드러진 애정장면을 추려보기로 하겠다.

　화창한 봄철 단오명절날 광한루 경치 좋은 곳에서, 시녀 향단(香丹)을 데리고 추천(鞦韆)을 뛰고 있는 춘향을 역시 춘경(春景)에 시흥(詩興)을 이기지 못해 방자(房子)를 데리고 소요(逍遙)하러 나온 이도령이 발견하고, 그래도 양반의 체신이라 직접 다가가지 못하고, 방자를 시켜 춘향을 초래(招來)하려 했으나, 춘향은 방자에게서 이도령의 전갈을 듣고, 즉각 거절한 후 곧 귀가하였으므로 방자가 다시 전갈을 가지고 광한루로 건너갔을 때는 춘향은 이미 거기를 떠난 후였다.

　방자는 그 길로 춘향의 집으로 찾아가 춘향의 모(母) 월매를 만나 이도령의 뜻을 전하고 월매를 설득시켜 둘이 서로 만날 계기를 마련하므로 춘향은 다시 광한루에 나타나게 된다.

　이때 이도령의 눈에 처음으로 비친 춘향의 모습은 다음과 같이 서술되어 있다.

　춘향이가 그제야 못이기난 체로 계우 일어나 광한누 건너갈 제 딕명전(大明殿) 딕들보의 명민기 거름으로, 양지(陽地)마당의 씨암닥 거

---

1 본고에서는 완판본 「열녀춘향수절가(烈女春香守節歌)」를 대본으로 하되 이가원(李家源) 주역(註譯) 「춘향전(春香傳)」에 의거함.

름으로, 빅모래 밧탕 금자리 거름으로, 월틴화용(月態花容) 고은 틴도 완보(緩步)로 건너갈식 흐늘흐늘 월(越) 셔시(西施) 토성십보(土城習步)하던 거름으로 흐늘거러 건너올 제, 도련임 난간(欄干)의 절반만 비겨 셔셔 완완(宛宛)니 바리보니, 춘향이가 건너오난듸 광한누의 갓찬지라, 도련임 조와라고 자셔이 살펴보니, 요요(夭夭) 정정(貞靜)하야 월틴 화용이 셰상의 무쌍(無雙)이라, 얼골이 조촐흐니 쳥강(淸江)의 노난 학(鶴)이 셜월(雪月)의 빗침 갓고, 단순호치(丹脣皓齒) 반기(半開)하니 별도 갓고 옥도 갓다. 연지(臙脂)을 품은 듯, 자하상(紫霞裳) 고은 틴도 어린 안기 셕양(夕陽)의 빗치온 듯, 취군(翠裙)이 영농(玲瓏)흐야 문치(文采)는 은하슈 물결 갓다. 연보(蓮步)을 정(正)이 옮겨 천연(天然)이 누의 올나 북그러이 셔 잇거날 통인 불너, 「안지라고 일너라」 춘향의 고은 틴도 염용(斂容)흐고, 안난 거동 자셔이 살펴보니 빅셕창파(白石蒼波)식 빗 뒤에 목욕(沐浴)하고 안진 제비 사람을 보고 놀닉난 듯, 별노 단장(丹粧)한 일 업시 천연한 국색(國色)이라, 옥안(玉顏)을 상대하니 여운간지 명월(如雲間之明月)이요, 단순(丹脣)을 반기한이 약수중지연화(若水中之蓮花)로다.[2]

이에 대하여 춘향의 눈에 처음으로 비친 이도령의 인상은 다음과 같다.

잇찍 춘향이 추파(秋波)을 잠간 들어 이도령을 살펴보니, 금셰의 호걸(豪傑)리요, 진(眞) 셰간(世間) 기남자(奇男子)라. 천정(天庭)이 높파스니 소년 공명(少年功名)할 거시오, 오악(五嶽)이 조귀(朝歸)흐니 보국(輔國) 충신(忠臣)될 거시믹, 마음이 흠모(欽慕)하야, 익미(蛾眉)을

2 이가원(李家源), 『춘향전(春香傳)』, 정음사(正音社), 1957, pp.60~61.

수기고 엽실단좌(斂膝端坐) 쑨이로다.[3]

이렇게 체신을 차리고 절차를 밟아 서로 처음으로 만난 젊은 이성(異性), 양반(兩班), 사도(使道) 자제 이도령과 천직(賤職) 퇴기(退妓)의 딸 춘향의 처음 대화는 대체 어떻게 시작된 것일까.

『성현(聖賢)도 불취 동성(不取同姓)이라 일러스니 네 성은 무어시며 나흔 멋살니요』

『성은 성가(成哥)옵고 년셰난 십육셰(十六歲)로소이다』

이도령 거동 보소.

『허허, 그말 반갑도다. 네 연세 드러하니 날과 동갑(同甲) 이팔(二八)이라. 성쯧(姓字)을 드러보니 천정(天定)일시 분명ᄒ다. 이성지합(李成之合, 二姓之合) 조흔 년분(緣分) 평싱 동낙(平生同樂) 하여 보자. 네의 부모 구존(俱存)한야』

『편모(偏母) 하(下)로소이다』

『멋 형제나 되년야』

『육십 당연(六十當年) 늬의 무남독여(無男獨女)나 흔나요』

『너도 나무 집 귀한 쌀이로다. 젼정하신 연분으로 우리 두리 만나스니 만련 낙(萬年樂)을 일워보자.』[4]

여기서 이도령은 춘향에게, 성씨(姓氏), 연령, 가정환경 등 일반적인 기본 인적상황에 대하여 16세의 소년답지 않고, 지나치게 어른스럽게, 그리고 심문이나 하듯이 연속적인 질문으로 대답을 구하고는, 숨 돌릴 사이도

---

3 상게서, p.63.
4 상게서, p.63~4.

없이 즉석에서 그리고 조숙하고 당돌한 어투로 "만년락(萬年樂)을 이루어 보자"고 일방적으로 종국적인 제의를 통고 비슷이 해버린다.

이러한 돌발적인 질문에 대하여, 16세의 소녀 춘향은, 가는 목소리로 겨우 다음과 같이 대답한다.

충신(忠臣)은 불사 이군(不事二君)이요, 열여(烈女)는 불경이부절(不更二夫節)은 옛 글으 일너슨이 도련님은 귀공자(貴公子)요, 소녀(小女)는 천첩(賤妾)이라. 헌 번 탁정(託情)헌 연후의 인(因)하야 바리시면 일편단심(一片丹心)이늬 마음 독숙공방(獨宿空房) 홀로 누워 우는 한(恨)는 이늬 신셰 늬 안이면 뉘가 길고. 글런 분부 마옵소서.5

여기서 춘향이 숨죽여 대답을 한다고 하지만 그것은 말하는 태도이지 말 자체 속에는 역시 10대의 소녀라고는 볼 수 없는 성숙한 어른스러운 알맹이가 담겨 있는 것이다.

이에 대하여 이도령은 즉각적인 판단으로 다음과 같이 덧붙인다.

네 말을 들어본이 어이 안이 기특하랴. 우리 두리 인연 미질 져그, 금석뇌약(金石牢約) 미지리라. 네 집이 어듸민냐.6

내 오날 밤, 퇴령(退令) 후의 녜의 집의 갈 거시니 괄시(恝視)나 부듸 마라.7

---

5 상게서, p.64.
6 상게서, p.64~5.
7 상게서, p.66.

이도령은 춘향의 승락에 선행하여, 춘향 모의 허락을 얻어야겠다는 생각에서 저녁에 춘향의 집으로 찾아갈 것을 예고한다.

방자를 대동하고 그날밤 춘향가(春香家)를 방문한 이도령은 그 첫 대면에서부터 춘향모의 극진한 환대를 받는다. 그러나 춘향은 부끄러워 이도령 묻는 말에도 제대로 대답 못하고 묵묵히 서 있다. 그러자 곁에서 지켜보던 춘향모가 차와 담배를 권하면서 이야기의 실마리를 튼다.

　귀중하신 도련임이 누지(陋地)에 욕임(辱臨)하시니 황공 감격(惶恐感激)하옵늬다.[8]

춘향모의 이같은 인사에 힘입어 이도령은 말문을 열게 된다.

　(……) 우연의 광한누의셔 춘향을 잠간 보고, 연연(戀戀)이 보닉기로, 탐화봉접(探花蜂蝶) 취(醉)한 마음 오날 밤의 오난 쯧션 츅향이 모보러 왔거니와 자닉 딸 춘향과 빅연 언약(百年言約)을 밋고자 하니 자닉의 마음이 엇더한가.[9]

이같이 이도령은 단도직입으로 자기 의사표시를 한다. 이에 춘향모는 춘향에게서 듣고 예기(豫期)했던 바라 다음과 같이 허두를 뗀다.

　말삼은 황송하오나 드려보오. (……) 가세(家勢)가 부족하니 직상가(宰相家) 부당(不當)이요, 사(士), 셔인(庶人) 상하불급(上下不及) 혼인이 느져가믹 쥬야로 걱정이나, 도련임 말삼은 잠시 춘향과 빅연 기약(百年

8　상게서, p.94.
9　상게서, p.96.

期約) 한단 말삼이오나 그런 말삼 마르시고 노르시다 가옵소셔.[10]

춘향모의 이같은 거절에 대하여, 이도령은 즉석에서 서슴지 않고 덧붙인다.

호사(好事)의 다마(多魔)로셰. 춘향도 미혼전(未婚前)이요, 나도 미장전(未丈前)이라. 피차(彼此) 언약(言約)이 이러ᄒ고 육례(六禮)난 못할망정, 양반ᄋ 자식이 일구이언(一口二言)한 이 잇나.[11]

그러나 춘향모는 내심(內心)을 굳혀 가면서도 다시 다져묻는다.

(……) 도련임은 욕심 부려 인연을 믹자짜가 미장전(未丈前) 도련임이 부모 몰이 깁푼 사랑 금셕(金石)갓치 믹자짜가 소문(所聞) 어려 바리시면 옥 결갓탄 늬 쌀 신셰 문최(文采) 조흔 듸모(玳瑁) 진주(眞珠)고은 구실 군역노리 씌이진듯, 쳥강(淸江)으 노든 원앙조(鴛鴦鳥)가 짝 하나를 일어슨들 어이 늬 쌀 갓틀손가. 도련임 늬정(內情)이 말과 갓털진듸 심양(深諒)하여 힝(行)하소셔.[12]

춘향모가 반승낙이나 하면서도 한편 의심쩍어하는 기색이므로 이도령은 다시 다져 대답한다.

그난 두번 염예(念慮)할나 말소. 늬 마음 셰아린니 특별 간졀(特別

■

10 상계서, p.96~7.
11 상계서, p.97.
12 상계서, p.98.

懇切) 구든 마음 흥즁(胸中)의 가독한이 분으(分義)난 달을망정 제와

닉와 평싱 기약(平生期約) 믹질 제 전안(尊雁) 납폐(納幣) 안이한들 창

파(滄波)갓치 집푼 마음 춘향 사정 몰을손가.13

닉 저를 초취(初娶)갓치 예길터니 시하(侍下)라고 염예 말고, 미장

전(未丈前)도 염예 마소, 딕장부 먹난 마음 박딕 힝실(薄待行實) 잇슬

손가, 허락만 허여 쥬소.14

이도령의 간청과 믿음직한 언행 그리고 자기 꿈에 용을 본 몽조(夢兆)

를 결부시켜 춘향모는 드디어 단안을 내리게 된다.

『봉(鳳)이 나믹 황(凰)이 나고, 장군(將軍)나믹 용마(龍馬)나고』 남

원의 춘향 나믹 이화 춘풍(李花春風) 奚다웁다. 샹단(香丹)아 주반 등

딕(酒盤等待)하엿난냐15

결국 춘향모는 고사(故事)를 인용하여 이도령과 춘향의 가약을 흔연히

허락하고 주안상을 올릴 것을 향단에게 명령한다.

이상에서 보여주는 바와 같이, 춘향과 이도령의 결합은 대등한 위치에

서의 열렬한 사랑의 과정에서 이루어진 것이 아니라, 우연히 두 사람이

광한루에서 만나자마자 이도령의 안중에 든 춘향을, 절차를 밟아 가며 이

도령이 혼약 승낙을 받는 것으로 이루어지는, 한국 사회의 재래식 혼인의

일면을 취한 형식이다. 다만 본인들보다 부모의 의사가 혼인 결정의 기본

■

13 상게서, p.100.

14 상게서, p.100.

15 상게서, p.101.

이 되던 종래의 방법에서, 당사자인 신랑이 더 적극적이었다는 점, 그리고 신랑측 부모의 동의 없이 이루어졌다는 것이 일부 파격으로 되는 경우에 속한다.

그러면 이렇게 혼약이 성립된 후 이 젊은 남녀의 그 뒤의 애정 내지 성 관계는 작품 속에서 어떻게 표현되어 있는가 하는 것을 더듬어 보는 것은 윤리성에 직결되는 문제라고 생각되는 것이다.

춘향과 도련임이 마조 안져 노와스니 그 이리 엇지되것난야. 사양(斜陽)을 바드면서 삼각산(三角山) 제일봉(第一峰) 봉학(鳳鶴) 안자 춤추난듯, 두 활기를 에구부지 들고 춘향의 섬섬옥수(纖纖玉手) 바드시 검쳐잡고 으복(衣服)을 공교(工巧)하게 벽기난듸 두 손길 셕 놋턴이 춘향 가은 허리을 담숙 안고,

『나상(羅裳)을 버셔라』

춘향이가 첨음 이럴 쑨 안이라 북그러워 고기을 슈겨 몸을 틀 졔 이리 곰슬 져리 곰실 녹슈(綠水)에 홍연화(紅蓮花) 미풍 맛나 굼이난듯, 도련임 초미 벽겨 졔쳐노코 바지 속옷 벽길 적의 무한이 실난(詰難)된다. 이리 굼실 져리 굼실 동희(東海) 청용(靑龍)이 구부를 치난듯,

『아이고, 노와요. 좀 노와요』

『에라, 안될 마리로다』

실난 중(詰難中) 옷 끈 슬너 발가락으 짝 짜여 안고 진드시 눌으며 지지기 쓰니 발길 아리 쩌러진다. 오시 활짝 버셔지니 형산(荊山)의 빅옥(白玉) 쩡니 이 우에 비할소냐. 오시 활신 버셔지니 도련임 거둥을 보려하고 실금이 노으면서,

『아차차, 손 색졌다』

춘향이가 침금(枕衾) 속으로 달여든다. 도련임 왈칵 조차 들어 누어 져고리을 벽겨닉여 도련임 옷과 모도 한틔다 둘둘 뭉쳐 한 편 구석의

던져두고 두리 안고 마조 누워슨니 그딕로 잘 이가 잇나. 골집(骨汁) 닐 졔, 삼승(三升) 이불 춤을 추고, 싀별 요강은 장단(長短)을 마추워 쳥그릉징징(琤琤) 문고루난 달낭달낭 등잔불은 가물가물 마시 잇게 잘 자고낫구나. 그 가온딕 진진(津津)한 이리야 오직하랴.[16]

이도령과 춘향이 원앙금침 갓벼개에, 요강, 대야까지 곁놓은 옆에 마주 앉아 갖은 수작을 해가며 옷을 벗기고 자리에 드러누운 후의 장면까지를 묘사한 초야의 이 대목은 한자숙어의 엄폐적인 작용의 덕을 입으면서 상당히 노골화되어 있음을 볼 수 있다.

이리하여 이러한 성관계가 되풀이되며 시간이 흘러가는 과정은 다음과 같이 이어져 가고 있다.

하로 잇틀 지닉간이 어린 것더리라 신 마시 간간(間間) 싀로와, 부 그럼은 차차 머러지고, 그졔는 기롱(譏弄)도 허고 우순 말도 잇셔, 자 연 사랑가가 되야구나.[17]

이 뒤에 계속되는 「사랑가」 「문자풀이」 등에도 다음과 같은 음담 대목 이 삽입되어 있다.

너는 죽어 방이 확이 되고
나는 죽어 방이 고가 되야[18]
내 양각(兩脚) 싀 슈룡궁(水龍宮)의

---

16 상게서, p.109~10.
17 상게서, p.110~11.
18 상게서, p.119.

닉의 심줄 방망치로
질을 내자구나[19]

그러나 다음의 〈어붐질〉 대목 이후는 그 외설의 농도가 짙어짐을 볼
수 있다.

『(……) 춘향아, 우리 우리 어붐지리나 하여 보자』
『익고, 참 잡성스러워라. 어붐질을 엇쩌케 하여요』
어붐질 여러번 한셩부르게 말하던 거시엇다.
『어붐질 천하(天下) 쉽이라. 너와 나의 활신 벗고, 업고 놀고, 안고
도 놀면 그계 어붐질이졔야』
『익고, 나는 붓그러워 못벗것소』
『에라, 요 겨집아히야 안될 마리로다. 닉 먼져 버스마』
보션, 단임, 허리듸, 바지, 적고리(赤古里) 활신 버셔 한 편 구석의
밀쳐 놋코 웃둑 셔니 춘향이 그 거동을 보고 빵긋 웃고 도라셔며 하
는 마리,
『영낙 업난 낫 돗처비 갓소』
『오냐 네 말 조타. 쳔지 만물이 짝업난 계 업난이라. 두 돗처비 노
라 보자』
『그러면 불이나 쓰고 노사이다』
『불이 업시면 무슨 직미 잇것는야. 어셔 버셔라. 어셔 버셔』
『익고 나는 실어요』
도련임 춘향 오슬 벽기려할 졔 넘놀면서 어룬다. 만쳡 청산(萬疊靑

19 상게서, p.130.

山) 늘근 범이 살진 암키를 무러다 노코 이는 업셔 먹든 못하고, 흐르릉 흐르릉 아웅 어루난 듯, 북히(北海) 흑룡(黑龍)이 여의주(如意珠)를 입으다 물고 치운간(彩雲間)의 늠노난 듯, 단산(丹山) 봉황(鳳凰)이 죽실(竹實) 물고 오동(梧桐) 속으 늠노난 듯, 구구(九皐) 청학(靑鶴)이 난초(蘭草)을 물고서 오송간(古松間)의 늠노난 듯, 춘향의 가는 허리를 후리쳐다 담숙 안고 지지기 아드득 썰며 귀쌤도 쪽쪽 쌜며 입셔리도 쪽쪽 쌜면셔, 주홍(朱紅) 갓턴 셔을 물고 오식 단청(五色丹靑) 순금장(純金欌) 안의 쌍거 쌍니(雙去雙來) 비들키 갓치 씅씅씅씅 으흥거려 뒤로 돌려 담쑥 안고 져셜 쥐고 발발 썰며, 져고리, 초민, 바지, 속것까지 활신 벽겨 노니, 춘향이 북그러워 한편으로 잡치고 안겨슬 제 도련임 답답하여 가만이 살펴보니 얼골이 복짐ᄒ야 구실쌈이 송실송실 안자구나[20]

이상과 같이 환한 등불 아래 남자가 먼저 벗은 다음 여자를 벗기고는 알몸뚱이로 뒹구는 장면은, 춘향의 눈에도 우습게 여겨졌는지 '낮도깨비' 같다고 하자, 이도령도 '두 도깨비' 놀아나는 것으로 긍정하고 있는 것이다.

한편 이 작품에서 '키스'에 해당되는 장면은 "춘향의 가는 허리를 후리쳐다 담숙 안고, 기지기 아드득 썰며, 귀쌤도 쪽쪽 쌜며 입셔리도 쪽쪽 쌜면서, 주홍 갓턴 셔을 물고" 운운하는 부분으로 양반의 체모를 그렇게 따지던 사회체제에서도 양반 자제의 이같은 행실의 일면을 그대로 그려내고 있는 것이다.

위에 예로 든 많은 외설 장면은, 이 작품이 정평 있는 고전작품이기 때문에 별 논란 없이 그대로 출간되고 있으나, 일부 학자의 주석서에는 그

20 상게서, p.20.

대목들이 모두 삭제되어 있음을 보아도, 춘향전에 표현된 성장면의 윤리성의 상대적인 한계성을 짐작할 수 있는 것이다.

3

1876년 병자수호조약의 체결로 일본과의 국교가 정식으로 트이고, 1880년대에 들어서 영(英), 미(美), 불(佛), 독(獨), 노(露) 등 구미(歐美) 제국과의 수교가 이루어지자, 서구 문물은 정치, 사회, 경제, 교육, 문화 등 우리 생활 전반에 걸쳐 영향을 미치게 되었고, 이러한 변혁되어 가는 토양 위에서 생성된 우리 문학은 서구 문예사조의 적지 않은 영향 하에서 생성 발전하게 되었다.

19세기 후반부터 20세기 초에 걸쳐서 근대적인 체제로 바뀌어 가는 이 시기를 우리는 개화기(開化期)라고 부르며, 이 시기의 문학을 개화기문학이라고 일컫는다.

개화기에 나타난 여러 문학양식 중에서 가장 대표적인 양식의 하나가 신소설(新小說)이요, 신소설은 종래의 고대소설과 비교하여 볼 때, 그 제재나 주제 그리고 표현기법에 있어서까지도 여러 가지 면에서 특색을 달리하는 동시에, 그 속에는 서구소설의 영향이 적지 않게 침투되어 오고 있음을 발견하게 되는 것이다.

그러면 신소설에서는 성에 대한 모럴이 어떠한 각도에서 다루어졌는가 하는 것이 문제이다. 그러나 신소설에서는 정치, 경제, 사회, 교육 문제 등이 광범위하게 다루어져 있으나, 이성의 애정이나 결혼문제는 본인들의 의사를 중요시하는 자유결혼이 주로 그 대상이 되어있을 뿐, 난잡하다거나 과도한 노출의 성장면은 별로 나타나 있지 않음을 볼 수 있다. 그만큼 이 시기의 소설의 목적은 애국이나 자주독립이나 신교육 등, 정치성 내지 계몽성의 문제가 긴급사로 선행되었던 것 같다.

　　(구) 이애 옥년아, 어 실체하였구. 남의 집 처녀더러 또『해라』하였구나. 우리가 입으로 조선말을 하더래도 마음에는 서양 문명안 풍속이 젖었으니, 우리는 혼인을 하여도 서양 사람과 같이 부모의 명령을 쫓을 것이 아니라 우리가 서로 부부될 마음이 있으면 서로 직접하여 말하난 것이 옳을 것이다. 그러나 우선 말부터 영어로 수작하자. 조선말로 하면 입에 익은 말로 외짝『해라』하기 불안하다.[21]

　이것은 이인직의 작품인 「혈의 누」[22]의 한 장면으로, 남주인공 구완서(具完書)와 여주인공 김옥련(金玉蓮)이, 미국 상항(桑港) 호텔방에서 장인이 될 김관일(金寬一)이 옆에 앉아 있는 자리에서 서로 대화를 나누는 대목인 바, 부모의 의향에 거역하면서도 자기들 의사대로 직접 혼약을 맺는 것이 옳다는 주장을 내세우는 구절이다.
　그러나 이 작품에서는 자유결혼은 이렇게 강력하게 주장하면서도, 서로 사랑하는 이성끼리 미국이라는 개방적인 사회환경에서 10년간이나 같이 있으면서도 서로 포옹하거나 '키스'하는 등 애정표시의 장면은 단 한 군데도 나타나지 않는다.
　그러면 같은 성의 윤리관이 1910년대의 춘원(春園) 이광수(李光洙)에 와서는 어떻게 변모하여 갔을까.
　1917년에 발표된 그의 장편 「무정(無情)」[23]에서부터 더듬어 보기로 하

■

21　『한국신소설전집』 제1권, 을유문화사(乙酉文化社), 1968, pp.49~50.
22　「혈의 누」는 1906년에 《만세보(萬歲報)》에 연재 발표되고, 1970년 광학서포(廣學書舖)에서 초판이 발간되었음.
23　「무정(無情)」은 이광수(李光洙)의 최초의 장편으로 1917년 1월 1일부터 동년 6월 14일까지 《매일신보(每日申報)》에 연재 발표되었음.

겠다.

　위선 처음 만나서 어떻게 인사를 할까. 남자남자 간에 하는 모양으로『처음 보입니다. 저는 이형식이올시다. 이렇게 할까. 그러나 잠시라도 나는 가르치는 자요, 저는 배우는 자라. 그러면 미상불 무슨 차별이 있지나 아니할까. 저편에서 먼저 내게 인사를 하거든 그제야 나도 인사를 하는 것이 마땅하지 아니할까. 그것은 그러려니와 교수하는 방법은 어떻게나 한는지. 어제 김장로에게 그 부탁을 들은 뒤로 지금껏 생각하건마는, 무슨 묘방이 아니 생긴다. 가운데 책상을 하나 놓고 거기 마주 앉아서 가르칠까. 그러면 입김과 입김이 서로 마주치렷다. 혹 저편 히사시가미가 내 이마에 스칠 때도 있으렷다. 책상 앞에서 무릎과 무릎이 가만이 마주 닿기도 하렷다. 이렇게 생각을 하고 형식은 얼굴이 붉어지며 혼자 빙긋 웃었다. 아니아니, 그러나 만일 마음이라도 죄를 범하게 되면 어찌하게. 옳다, 될 수 있는대로 책상에서 멀리 떠나 앉았다가 만일 저편 무릎이 내게 닿거든 깜짝 놀라며 내 무릎을 치우리라. 그러나 내 입에서 무슨 냄새가 나면 여자에게 대하여 실례다. 점심 후에는 아직 담배는 아니 먹었지마는, 하고 손으로 입을 가리우고 입김을 후 내어 불어본다. 그 입김이 손바닥에 반사되어 코로 들어가면 냄새의 유무를 시험할 수 있음이라. 형식은 어뿔사, 내가 어찌하여 이러한 생각을 하는가, 내 마음이 이렇게 약하던가, 하면서 두 주먹을 불끈 쥐고 전신에 힘을 주어, 이러한 약한 생각을 떼어버리려 하나 가슴 속에는 이상하게 불길이 활활 날아난다.[24]

■

24　이광수(李光洙), 『무정(無情)』, 흥문당서점(興文堂書店), 1918년(1924년 5판), pp.2～3.

「무정」은 춘원의 대표작의 하나로, 1910년대 식민지 치하의 민족적인 항거나 대중에 대한 계몽의식이 담겨져 있는 한편, 그 주류는 이형식(李亨植)과 영채(英彩)와 선형(善馨)의 삼각관계를 다룬 일종의 애정소설로 보는 비중이 적지 않은 작품이다.

그러나 이 작품에서는 위에 예시한 대목과 같이 심금(心琴)의 기미(機微)를 찌르는 정도의 이성에 대한 호기심이나, 또는 영채(英彩)에 대한 은사(恩師)의 딸이라는 의리나 동정이 깃든 얄팍한 사랑의 감정이 스쳐갈 뿐, 적극적인 애정표시가 없이 공리적인 타산에서 선형이와 결혼하는 결과로밖에 되지 않아, 성관계는 기생이 된 영채를 겁탈하는 장면밖에 나타나지 않는다.

한편 춘원은 「무정」과 거의 같은 시기에 쓴 단편 「윤광호(尹光浩)」[25]에서는 동성간(同性間)의 애정을 다루는 장면에서 다음과 같이 입을 맞춘다는 말을 썼으나 '키스'라는 단어는 쓰고 있지 않음을 볼 수 있다.

P에게 대(對)한 사랑이 자기(自己)의 전생명(全生命)의 내용(內容)이거니 하였다. 그리고 P의 사진(寫眞)에 입을 마추고 또 이것을 밤낮 품에 품으며 이따금 못견디게 P가 그리울 적에는 그 사진(寫眞)을 앞에 놓고 눈물을 흘려가며 진정(陳情)을 한다.[26]

그가 우연(偶然)히 십삼, 사세(十三,四歲) 되는 준원(俊元)을 열애(熱愛)하게 되었다. 그때에 준원(俊元)은 홍안(紅顔) 미소년(美少年)이라는 조롱(嘲弄)을 들을만한 미소년(美少年)이었다. 그 청년(靑年)은 날마다 준원(俊元)을 아니 보고는 견디지 못하고 보면 손을 잡고 쓸어안

25 1918년 《청춘(靑春)》 제13호에 발표되었음.
26 이광수(李光洙), 『춘원단편소설집(春園短篇小說集)』, 광영사(光英社), 1957년, p.164.

고 혹(或) 입을 마추려 하였다. 처음에는 그 청년(靑年)의 친절(親切)함을 기뻐하던 준원(俊元)도 이에 일으려는 그 청년(靑年)에게 대(對)하여 염피(厭避)하는 생각이 났다.[27]

「윤광호」는 남자간의 동성애를 다룬 약간 변태성의 이색적인 작품이다. 윤광호와 P, 그리고 작중 삽화(揷話) 속의 청년과 미소년 준원, 이 두 경우는 다 동성 간에 연모하는 것으로, 윤광호가 P의 사진에 입 맞추고, 청년이 준원에게 입 맞추려 하는 것 등은 각각 이상적(異常的)인 현상이다.

춘원 자신이 작품 말미에 탈고한 날짜를 각각 기록한 것에 따르면, 사촌누이동생을 사랑하는 내용을 담은 「소년(少年)의 비애(悲哀)」는 1917년 1월 10일 조(朝)에 끝내고, 동성애를 다룬 「윤광호」(일명 「실연(失戀)」)는 다음날인 1월 11일에 끝낸 것으로 되어 있으니, 그는 이틀 사이에 변태생리의 두 작품을 탈고한 것으로 된다.

그러나 춘원이 작품 속에서 이성간(異性間)의 접문(接吻)행위를 일컬어 '키스'라는 서구어를 처음 쓴 것은 1917년부터 1918년까지 《매일신보》에 연재 발표된 장편 「개척자(開拓者)」[28]에서다.[29]

내 M! M이 이다지 보고 싶은가. 아까 왔다 갔건마는 간지가 불과(不過) 세 시간(時間)이언마는 마치 한 십년(十年)된 것 같다. 내일(來日) 올 줄은 확실(確實)히 알건마는 영원(永遠)히 보지 못할 것 같다.

■

27 상게서, p.170.
28 「개척자(開拓者)」는 1917년 11월 10일부터 익년(翌年) 3월 15일까지 《매일신보(每日申報)》에 연재 발표된 춘원(春園)의 제2장편임.
29 '키스'라는 단어는 단편(短篇) 「어린희생(犧牲)」(1910) (이광수(李光洙)의 작(作)인바, 창작(創作)과 번역의 양설(兩說)이 있음)에 처음으로 나타나나, 여기에서는 조부(祖父)가 손자의 얼굴에 입을 맞춤을 '키스'라고 표현하였음.

내가 웨 이렇게 괴로운가, 마치 괴로워서 죽을 것 같다. 아니, 나는 오빠의 병(病)을 고쳐들여야지, 그리고 성공(成功)하도록 하여들여야지. 내일(來日)은 M을 보거든 좀더 정(情)답게 말을 하자. 서양식(西洋式)으로 악수(握手)를 하였으면 얼마나 좋을까, 키쓰를…… 에그 내가 웨 이러한 생각을 할까.[30]

「개척자」는 과학자를 주인공으로 삼아 과학사상을 고취하려는 것이 작자의 처음 의도인 것 같이 느껴지나, 결과로 나타난 것을 보면 기혼자인 남주인공과 미혼 처녀 성순의 이루어지지 못할 비련(悲戀)을 그린 작품으로 된다.

위에 인용한 바와 같이 여주인공은 사랑하는 남자 M과 "서양식으로 악수"하고 "키쓰"를 했으면 얼마나 좋을까 하고 갈망하면서도, 금방 "내가 웨 이런 생각을 할까" 하고 자기의 생각을 부정해 버린다.

이것은 이 작품 발표 당시의 보수적인 사회의 윤리관에 비추어, 작자가 이러한 표현을 해놓고는 스스로 후퇴한 것인지, 또는 사회적인 여건이 직선적으로 이러한 장면을 그대로 받아들이기에는 아직도 시기상조라고 생각하여 여주인공 당사자로 하여금 금방 자기의 사고나 행위를 부정하게 한 것인지 여러 각도의 추정을 가능케 하는 대목이다.

그만큼 새로운 습속이나 윤리관은 기존풍습이나 도덕률에 정면으로 대응하기에는 언제나 반발을 받기 쉽다는 일반성을 상기시키기도 하는 구절이다.

그러나 여주인공의 감정은 일보전진하여 더 다급해진다.

30 　이광수(李光洙), 『개척자』, 흥문당서점(興文堂書店), 1922, p.100.

내 육체(肉體)가 죽으면 온전한 사랑만이 뛰어 나서 당신의 품 속에 들어갈 것이 아니겠읍니까. 아무 저항(抵抗)도 아무 방해(妨害)도 받지 아니하고, 만일 그렇게 된다 하면 차라리 이 관계(關係)를 죽이는 것이 기쁜 일이 아니겠읍니까. (……) 아아 그러나 사후(死後)의 일을 누가 아나, 만일 이 몸과 같이 사랑도 슬어진다 하면 그것이 무서운 사실(事實)이 아닙니까 (……) 하느님! 어떤 것이 참입니까, 가르쳐 주십시오.

웨 그렇게 말씀도 아니 하시고 물끄러미 보기만 하십니까, 웨 나를 안아 주지도 아니 하시고, 키쓰도 아니 하십니까, 웨 그렇게 수십보(數十步)의 거리(距離)를 두고 나를 싸고 빙빙 돌기만 하십니까.[31]

이같이 여주인공의 순수하고도 과열한 사랑의 정념은 불 붙듯하여, 이제는 내어놓고 포옹이나 '키스'를 요구하고 있는 것이다. 여기서는 수십보의 거리를 두고 여주인공의 둘레를 빙빙 돌기만 하며, 접근하지 않는 남성 쪽이 오히려 소극적이요, 작품의 흐름 속에서 무력하게 보여지는 것이다. 그러나 상황은 더욱 다급해지고 '키스'를 위한 최후 순간은 다가오고야 마는 것이다.

반(半)쯤 뜬 그의 눈은 지금(只今)도 등(燈)불을 반사(反射)하여 진주(眞珠)와 같이 반짝반짝 빛이 난다. 그 눈에는 사랑하는 사람들의 상(像)이 꼭 박혀서 영원(永遠)히 남아 있을 듯하였다. 민(閔)은 얼만큼 역곤(疫困)과 고민(苦憫)의 빛을 띤 성순(性淳)(이제도 성순(性淳)이라고 할는지)의 얼굴을 물끄러이 보다가 전후(前後)를 불고(不顧)하고

31 전게서, pp.217~8.

자기(自己)의 뺨을 성순(性淳)의 뺨에 비비며, 그 창백(蒼白)한 입술에
자기(自己)의 입을 꼭 대었다. 거기는 아직도 온기(溫氣)가 있었다.[32]

이루어지지 못한 사랑, 여주인공은 처녀의 순정이지만, M은 기혼자요,
거기에다 정 없는 조혼을 후회하고 성순을 진정으로 사랑하면서도 결단
을 내리지 못하는 우유부단한 성격, 결국 성순은 음독자살하게 된다.
　그리하여 숨이 끊어지는 찰나, 민(閔)은 그 자리에 나타나게 된다.
　결국 민은 숨은 끊어졌지만, 아직도 약간의 온기가 남아 있는 창백한
성순의 입술에 입을 맞춘다. 성순은 그렇게 그리던 '키스'를 절명(絶命) 후
에 의식이 사라진 속에서 당하게 된다.
　이같이 근대적인 한국문학 작품에 나타난 이성간의 서구식 최초의 '키
스'는 체온이 식어가는 시신의 입술에 한 것으로 된다.

4

　3·1운동을 전후한 무렵부터 우리의 문학풍토는 급격한 변모를 가져오
기 시작하였다.
　일본 동경(東京)을 비롯한 외국 유학생의 수가 많아지고, 외래문화의
접촉도가 차츰 고조됨에 따라, 기성 유습에 대한 반발 및 전통문화에 대
한 부정적인 자세도 점차 짙어지게 되었다.
　남녀의 평등의식, 여권존중 등 새로운 흐름에 따르는 여성들의 독신주
의 제창, 부모의 일방적인 의사에 맹종했던 조혼(早婚)에 대한 반발로 나

---

32 상게서, p.234.

타난 이혼문제 및 자유연애의 부르짖음 등도 그러한 사회현상의 일환에 속하는 것이었다.

이러한 시대배경 속에서 문학은 물밀듯 들이닥친 외래 사조의 혼류 속에서 사상적 경향과, 유파를 달리하는 동인지운동, 문예지의 발간 등 다양하고도 활발한 문학운동이 전개되었다.

폐쇄적인 기존사회에 반기를 들고 개방을 주장한 현실의 물결은 그대로, 문학작품 속에도 침투되기 시작하여 여러 각도에서의 문제작이 산출되어 우리 문학시의 찬란한 한 시기를 이룩하기도 하였다.

그러나 본고에서는 이같은 문학작품 창작면의 다기한 양상 속에서 본 논제에 연관되는 성문제에 관련되는 대상만을 추려 검토하기로 하고, 우선 김동인의 경우부터 살펴보기로 하겠다.

다음에 예시하는 「마음이 여튼 자(者)여」[33]는 전기한 춘원의 작품 「개척자」가 나온 다음 해인 1919년부터 1920년에 걸쳐 문예지 《창조》에 연재 발표된, 서간문체와 일기체의 혼용으로 된 일인칭 소설이다.

저녁을 먹고 불을 켜 놓은 뒤에, 심심하므로 공상으로 Y의 낯을 그려놓고 그 너무 큰 눈을 좀 작게 하고, 삼각형 세워 놓은 듯한 에집트의 「스핑크쓰」와 같은 상을 달걀 모양으로 고치고, 그 공상의 상에 손으로 키쓰를 보내면서 혼자 자랑스러워서 웃을 때에 Y의 소리가 문 밖에서 난다. 나는 그를 요격(要擊)하려고 문(門)안에 꼭 붙어 섰다. 구두소리가 바작바작 차차 가까와 온다.

그가 들어선 때에 나는 맞받아 나가면서 그를 꼭 껴안았다.

그의 숨찬 호흡, 그의 약하게 떨리는 몸, 이를 나는 내 팔로 감(感)

<hr />

33 「마음이 여튼 자여」는 《창조》 제3호부터(1919년 12월 발간) 제6호(1920년 5월 발간)까지 연재 발표되었음.

하였다. 그는 한참이나 뿌리치려고도 아니하고 숨찬 숨을 내쉬면서 팔안에 꼭 박혀서 밀고 있다가,

『왜 이러세요?』

하면서 내 팔을 벗어나가서 방그레 웃으면서 나를 쳐다본다.[34]

이같이 젊은 주인공 나는 역시 젊은 미혼 처녀인 Y와 사랑하는 사이에 있어 이들의 사랑하는 과정의 행동은, 그 전기의 소설에서는 볼 수 없을 정도의 노골적이요, 적극적인 모습으로 나타나, 첫대목은 애인의 허상에 대한 포옹과 손으로 키스를 보내는 애정표시 정도이지만, 점차 행동의 적극성이 짙어져 감을 볼 수 있다.

나는 두 번째 달려 들어서 그를 껴안았다. 그는 뿌리치는 체 하면서―실로는 뿌리치지 않으면서 나를 맞는다.

내 뺨은 부드러운 주단(紬緞)보다도 더 부드러운 그의 뺨 위에 뛰논다.

내 입술은 그의 붉은 입술 위에서 불붙는다.

얼마 동안이나 이랬는지, 한참 뒤에,

『누가 보면 어째요!』

하는 모기소리만한 Y의 소리에 생각이 나서 그를 놓고 그의 낯을 들여다보니, 낯에는 핏기운 없이 하얗지만 모란봉 기린굴(麒麟窟) 만큼이나 크게 보이는 시꺼먼 그 두 눈에서는 기쁨의 번개가 탁탁 내눈을 쏜다.

『Y씨!』

---

34 김동인, 「마음이 여튼 자여」, 《창조》 제3호(1919년 12월) 소재.

『네?!』

둘이는 마주보고 벌씬 웃었다. 이 한마디의 말과 이 웃음이 우리들이 하고 싶던 모든 말을 대표한 자로, 나는 그의 생각을 알고 그는 나의 생각을 안셈이다.[35]

이 장면에서 보여주는 바와 같이, 「개척자」의 여주인공 성순이 "서양식으로 악수를 하였으면 얼마나 좋을까, 키스를……"하고 그렇게껏 바라면서도, 생시에는 끝내 해보지 못한 '키스'를, 「마음이 여튼 자여」의 여주인공 Y는 자유롭고 자연스럽게 할 수 있었던 것이다.

이리하여 한국 근대소설에 있어서의 서양식 '키스'는, "누가 보면 어째요!"라는 약간의 수줍음과 부끄러움이 곁들이면서도, 아무의 저항이나 거부 없이 남녀 간의 일대일의 의사에서 비로소 이루어지게 되는 것이다.

그러나 이 '키스'는 얼마 안가서 곧 변모하고 변질하게 된다.

전에는 밤에는 벗들의 집에 가서 옛말들을 하며 즐기더니, 지금은 ─Y의 벌거벗은 몸을 쓰러안고 그 붉은 입술에 입을 맞추며 육(肉)의 맛을 즐겁게 누리게 되었으니…….

그렇지만 난 능히 이 생활을 떠나 전 생활로 돌아갈 수 있을까?

Y가 있어서는 이전과 같은 규칙적 생활은 해 갈 수가 없고, Y가 없이는 당초에 생활을 할 수가 없다. B가 내게 주의를 하나, 학생들이 내게서 떠나나, 누리가 나를 미워하나, 나는 Y없이는 생활하여 갈 수가 없다.[36]

35 상게서.
36 《창조(創造)》 제4호(1920년 2월 발간) 소재.

오늘도 열한 시에 일어났다.

Y도 눈두덩이 벌겋게 부어서 있다. Y를 보니 별로 멸시하는 생각
과 사랑과 미움이 함께 일어나서 그를 꺼들고 키쓰를 하였다.

머리가 지끈지끈 아프다. 홀떡 쏘게 아프고 좀 있다 또 홀떡, 또 홀
떡, 홀떡 홀떡 쏜다.

아— 육(肉)의 환락 뒤에 일어나는 이 육체의 아품, 그보다 더 심한
마음의 아픔……37

이 작품의 처음에 나오는 '키스'에서는, 이성간의 순결한 사랑, 열렬한
애정의 표백으로, 비교적 순수함이 느껴지던 것이, 작품의 말미에 가서는
이같이 '키스'가 "육(肉)의 맛"을 즐기는 행위에 불과하고, '육과 환락'의
일부 요소로 전락하고 마는 것 같은 감을 주는 바 없지 않다.

그런데 현진건(玄鎭健)에 오면 이러한 도는 더욱 짙어진다.

정열(情熱)에 띄인 네 눈은 서로 잡아 먹을 듯이 마주보고 있었다.
정숙(晶淑)의 뺨은 화끈화끈 다는 듯하였다. 정숙씨(晶淑氏)라는 말이
떨어지자 말자 정숙(晶淑)은 휘바람같이 가슴에 안기는 남성(男性)을
느끼었다. 녹신녹신한 간열푼 허리는 쇠가지 같은 팔안에 들고 말았
다. 뜨거운 입술은 부디쳤다. 이 열렬(熱烈)한 키쓰는 양성(兩性)의 육
체(肉體)를 단쇠 같이 자극(刺戟)하였다. 그것은 온전히 정신(精神)이
착란(錯亂)한 찰나(刹那)이었다. (……)38

피차에 한시 바삐 눕기를 바라면서도 물끄러미 마주보고 있었다.

■

37 상게서.
38 《백조(白潮)》 제2호(1922년 5월 발간) 소재.

달짝지근한 침묵(沈默)이었다. 웬일인지 양편의 가슴에서는 맞추기나 한 듯이 거의 한때에 휘하고 한숨이 나왔다.

『웨, 한숨은 쉬세요』

『설향(雪香)은?』

둘은 웃었다. 전등불은 검정 치마로 가리워졌다. 삶아서 껍질을 벗겨 놓은 계란같이 매끈한 살결의 보들보들한 솜의 느낌, 말신말신한 고무의 탄력(彈力), 손안에 가비엽게 흔들리우는 자릿자릿한 젖퉁의 무게……

맞서려는 두 숨길, 붉어가는 두 입술, 서로 빨아당기는 두 몸의 사라지는 듯한 접촉(接觸)…… 전존재(全存在)를 뒤흔드는 아찔한 도취(陶醉), 둘이 하나로 녹은 황홀(恍惚)의 홍로(紅爐)……39

앞의 것은 1922년 《백조(白潮)》에 발표된 「유린(蹂躪)」40의 한 대목이요, 뒤의 것은 1923년 《개벽(開闢)》에 연재 발표된 「지새는 안개」41의 한 장면이다.

전자는 서로 사랑하는 젊은 남녀 간의 관계이지만 여자에게 포도주를 강권하고 나서의 행동을 그린 것이요, 후자는 미혼 남자와 명월관 기생과의 성장면을 그린 것으로, 둘 다 이시기로는 노출도가 심한 관능적인 자극을 의식한 표현이라고 볼 수 있는 것이다.

이러한 애정이나 성에 연관되는 장면의 대담하고도 섬세한 묘사는 빙허(憑虛) 현진건의 특기로, 그를 넘는 작가가 없다고 할 만큼 당대의 일인자로 평필(評筆)에 오르내리기도 했다.

■

39 《개벽(開闢)》 제40호(1923년 10월 발간) 소재.
40 《백조》 제2호에 1회(回)만 발표되고 미완(未完)으로 중단되었음.
41 《개벽》 1923년 2월호부터 10월호까지 9회에 걸쳐, 제1부가 발표되었음.

그러나 거의 치밀한 묘사는 비단 성문제에 한한 것이 아니라, 그의 대표작인 「운수 좋은 날」이나 「할머니의 죽음」에서 보여주듯이 어떠한 장면이든지 핍진하게 그릴 수 있었던 것이다.

다음에 그의 작품 「불」의 경우를 예로 들어 보겠다.

시집온 지 한달 남짓한 금년에 열다섯 밖에 안된 순이는 짐이 어릿어릿한 가운데도 숨길이 갑갑해짐을 느끼었다. 큰 바위로 내리 눌리는 듯이 가슴이 답답하다. 바위나 같으면 싸늘한 맛이나 있으련마는, 순이는 비닭이 같은 연약한 가슴에 얹힌 것은 마치 장마지는 여느날과 같이 눅눅하고 출출하게 무더운데다가 천근의 무게를 더한 것 같다. 그는 복날 개와 같이 허덕이었다. 그러자 허리와 엉치가 뻐개는 듯 쪼개내는 듯 갈기갈기 찢는 것 같이 산산히 바스는 것 같이 욱신거리고 쓰라리고 쑤시고 아파서 견딜 수 없었다. 쇠막대 같은 것이 오장육부를 한편으로 치우치며 가슴까지 치바쳐 온다. 콱콱 뼈를 찌를 때엔 순이는 입을 딱다 벌이며 몸을 우흐로 치수린다. 이렇듯 아프니 적이하면 잠이 깨이련만 왼종일 물이기 절구질하기 물방아찧기, 논에 나간 일군들에게 밥나르기에 더할 수 없이 지쳤던 그는 잠을 깨랴 깰 수 없었다. 그렇다고 그가 혼수상태에 떨어진 것은 물론 아니니, 『이리다간 내가 죽겠구먼! 죽겠구먼! 어서 잠을 깨야지 잠을 깨야지』 하면서도 풀칠이나 한 듯이 조아붙은 눈을 뜰 수가 없었다. 흙물 같이 텁텁한 잠을 물리칠 수가 없었다. 연애 입을 딱딱 버리며 몸을 치수르다가 내종에는 지긋지긋한 고통을 억지로 참는 사람 모양으로, 이까지 빠드득 빠드득 갈아 붙이었다. 얼마만에야 무서운 꿈에 가위 눌린 듯한 눈을 어렴풋이 뜰 수 있었다. 제 얼굴을 솥뚜껑 모양으로 덮은 남편의 얼굴을 보았다.[42]

「불」은 1925년에 발표된 작품으로, 빙허(憑虛)는 이 작품에서 성(性)장면을 그리려는 의도보다는 15세의 어린 나이에 민며느리로 들어온 순이가 농촌의 고된 일과 완전히 성숙되지 않은 육체로 우직한 남자의 아내 구실을 한, 가난의 고역을 그리려는 데 본 뜻이 있었겠으나, 이 성(性)행위 장면의 묘사는 좀 과장된 정도로 노출되어 있음을 느낄 수 있는 것이다.

그러나 같은 연대의 작가인 염상섭(廉想涉)의 경우는 훨씬 다른 각도에서 성문제를 다루고 있음을 볼 수 있다.

『나는 벌써 처녀(處女)가 아니다』라는 굳센 의식(意識)은 아직 굳지 않은 이십전후(二十前後)의 어린 마음에 군림(君臨)합니다. 그것은 마치 종교신자(宗敎信者)의 파계(破戒)라는 것이 결(決)코 용이(容易)하지 않으나 단(單) 한번의 실족(失足)이 반동적(反動的)으로 추락(墜落)의 독배(毒杯)를 최후(最後)의 일적(一滴)까지 말리지 않으면 만족(滿足)할 수 없는 것과 다를 게 없습니다. 성적(性的) 감로(甘露)에 한번 입을 대인 젊은 피의 약동(躍動)과 기갈(饑渴)은 절제(節制)의 의지(意志)를 삼키어 버렸습니다. 그리하여 내가 자기(自己)도 놀랠만치 대담(大膽)하여진 것을 깨다른 때는 벌써 시기(時機)가 늦었습니다. 더구나 농후(濃厚)하고 화미(華美)한 사위(四圍)를 돌려다 볼제, 도취(陶醉)의 오뇌(懊惱)는 있을지 모르나, 마음의 평형(平衡)이 유지(維持)될 리(理)가 있겠습니까.

과연(果然) 육년간(六年間)의 동경생활(東京生活)은 가정(家庭)에서 경험(經驗)한 것과도 또 다른 화려(華麗)한 무대(舞臺)였습니다. 나의 앞에 모여드는 형형색색(形形色色)의 청년(靑年)의 한떼는 보옥상(寶玉

■

42 《개벽》 1925년 1월호 소재.

商) 진열상(陣烈箱) 앞에 선 부인(婦人)보다도, 나에게는 더 찬란(燦爛)하고 만족(滿足)히 보였읍니다. 그들 중(中)에는 음악가(音樂家)도 있었읍니다. 시인(詩人)도 있었읍니다. 화가(畵家)도 있었읍니다. 소설가(小說家)도 있었읍니다. 법률학생(法律學生), 의학생(醫學生), 사회주의자(社會主義者), 교회(敎會)의 직원(職員), 신학생(神學生) (……) 등 각 방면(各方面)에 아직 까지 않은 생(生)달걀이지만, 그래도 조선사회(朝鮮社會)에서는 제각끔 조금식(式)은 지명(知名)의 사(士)라는 총중(總中)이었읍니다. 미남자(美男子)도 있거니와 추남자(醜男子)도 있고, 신사(紳士)나 학자연(學者然)하는 자(者)도 있거니와 조폭(粗暴)한 학생(學生)티를 벗지 못한 자(者)도 있었읍니다. 신경과민(神經過敏)한 자(者)도 있고 둔물(鈍物)도 있읍니다. 풍요(豊饒)한 집 자제(子弟)도 있고 빈궁(貧窮)한 서생(書生)도 있읍니다. 그러나 어떠한 남자(男子)든지 각기(各其) 특색(特色)이 없는 것이 없었읍니다. 다소(多少)라도 호기심(好奇心)을 주지 않는 남자(男子)가 없었읍니다. 일언(一言)으로 폐(蔽)하면 보옥상(寶玉箱)에 한줌 두줌 들이털어둔 지환(指環)같은 것이었읍니다. 루비도 있거니와 사파이야도 있고 순금(純金)도 있거니와 푸라티나도 있읍니다. 다이야도 있거니와 마노(瑪瑙)도 있읍니다. 민패도 있고 새긴 것도 있읍니다. (……) 끼고 싶으면 아무것이든지 낄 수 있고, 끼기 싫으면 하나도 안 낄 수가 있읍니다. 열 손가락에 열 반지(半指)를 끼랴도 낄 수 있고, 한 손가락에 단(單) 한 개(個)만 낄 수도 있읍니다. 혹시(或時) 광택(光澤)과 사치(奢侈)한 면(面)을 보랴고, 한 개식(個式) 차례차례(次例次例)로 번갈아 끼어 볼 수도 있읍니다. 그러나 나는 꼭 한가지 수단(手段)을 취(取)하였읍니다. 좌우편(左右便)에 한개식(個式) 유(類) 다른 것으로 대(對)로 하여 끼우기로. 그러나 방순(芳醇)한 육(肉)의 사향(麝香)을 쥔 나의 손에 끼워지는 것만 다행(多幸)으로 아는 그들에게는, 좌우(左右)에 두 개(個)가 있다고 볼

평(不平)을 품을 리(理)가 없습니다. 그들에게 대(對)한 나는 절대(絶對)이었습니다. 나의 의사(意思)는 최고(最高) 권위(權威)였습니다.

이와 같이 하여 허다(許多)한 신료(臣僚)에 옹위(擁圍)된 애(愛)의 여신(女神)의 궁전(宮殿)은 보일보(步一步) 들어갈수록 넓고 깊고 찬란(燦爛)하였을 뿐이었습니다. (……) 추락(墜落)의 전정(前程)은 탄탄대로(坦坦大路)이었습니다.[43]

이것은 1922년 《개벽》에 연재 발표된 「제야(除夜)」[44]의 한 대목이다. 「제야」는 서간체의 일인칭 소설로 여주인공이 제야, 즉 '섣달 그믐날' 밤에 자살하기로 결의하고 유서의 형식으로 써놓은 것이다.

여기에서 우리는 1920년대 초기의 동경유학생, 그 중에서도 시대의 첨단에 선 여학생의 애정관 내지 이성관을 엿볼 수 있는 동시에, 남성에 대한 멸시 어린 반발마저 느낄 수 있는 것이다.

또한 이 여주인공은 기성 도덕률에 얽매인 종래의 정조관을 다음과 같이 비판하고 자기 나름의 해석을 내리고 있음을 볼 수 있다.

소위(所謂) 도덕(道德)이란 질곡(桎梏)은, 한 남자(男子)에게만 일생애(一生涯)를 노예적(奴隷的) 봉사(奉仕)에 바쳐야만 한다는 조문(條文)을 정조(貞操)의 미(美)니 정조(貞操)의 숭고(崇高)니 하는 등 미의(美衣)에 숨겨가지고, 섬약(纖弱)한 여성(女性)에게 군림(君臨)한다. 더구나 파행적(跛行的)으로 여자(女子)에게만 엄혹(嚴酷)하다. 그러나 설혹(設或) 남자(男子)에게도 동일(同一)히 요구(要求)한다 할지라도 그것은 우직(愚直)하나 기실(其實) 허위(虛偽)에 만족(滿足)하는 맹종(盲從)

43 《개벽》 21호(1922년 3월호) 소재.
44 「제야(除夜)」, 《개벽》 1922년 2월부터 6월호까지에 연재 발표되었음.

의 도(徒)에게나 통용(通用)될 것이다. 감정(感情)이 민활(敏活)하고 이지(理智)가 명철(明哲)한 남녀(男女)에게는, 아름다울 전생애(全生涯)를 대가(代價) 없는 희생(犧牲)에 공헌(供獻)하라는 것은 폭군(暴君)의 끼로친이다. 같은 얼굴을 이십사시간(二十四時間)만 치어다 보고 앉았으라 하여도 두통(頭痛)이 아니난다는 것이 도리어 우둔(愚鈍)의 극치(極致)일 것인데, 일생애(一生涯)를 검은 머리가 파뿌리가 되도록 보고 앉았으라는 것은 사형선고(死刑宣告)보다 났다면 얼마나 나을까.[45]

더구나 누가 정조(貞操)를 지키지 않는다 하는가. A와의 정교(情交)가 계속(繼續)할 때에는 A에게 대(對)하여 정조(貞操)있는 정부(情婦)가 될 것이요, B와 부부관계(夫婦關係)가 지속(持續)할 동안은 또한 B에게 대(對)하여 정숙(貞淑)한 처(妻)만 되면 고만이 아니냐. A에게 대(對)하여 벌써 하등(何等)의 애착(愛着)을 감(感)치 않으면서, A와 부부관계(夫婦關係)를 지속(持續)하는 것이야말로 도리어 간음(姦淫)이다. 그 경우(境遇)에, A에게는 아직 나에게 대(對)한 애정(愛情)이 있다드레도 그것은 별문제(別問題)다. 혹(或) 사의(謝意)를 표(表)할지 모르나, 결합상태(結合狀態)를 지속(持續)할 필요(必要)와 의무(義務)는 나에게 없다.[46]

여기서 여주인공은 일부일처(一夫一妻)로의 백년해로에 반기를 들어 여자에게만 요구하는 정조관의 파행성을 지적하고, 아울러 정조란 이성간의 정교에 있어서, 같은 기간 동안에 복수적인 평행관계를 이루지 않고 단수로서만 동일인과 관계하는 한에서는, 아무리 부부관계를 교체한다

---

45 《개벽》 1922년 3월호 소재.

46 전게서.

근대초기소설에 타나난 성윤리(性倫理)의 한계성 307

하더라도 간음이 아니라, 정숙한 처요, 정조 있는 정부가 될 수 있다는 그야말로 색다른 정조관을 내세우고 있는 것이다.

그러나 이것은 작자의 작가의식의 발로라기보다는, 한 시대의 첨단을 걷는 급진적인 여성—그것도 폐쇄되었던 사회에서 갑자기 개방된 사회에 진출하여 스스로의 자세를 완전히 가누지 못한 상태에서의 전초적인 여인상의 단면을 그려, 급격히 변혁하는 시대의 한 양상을 보여주는 데 있었던 것 같다.

5

1930년대에 주로 작품활동을 한 이효석(李孝石)에서 보면 문학에 있어서의 성문제는 종전과 다른 각도에서 다루어지고 있음을 볼 수 있다.

효석문학(孝石文學)의 특색의 하나로 이국정조(exoticism), 그리고 다른 하나로 성문제(eroticism)를 논자들은 흔히 든다.

효석(孝石)만큼 성에 대해서 민감한 작가도 없고, 기호에 있어서 그만큼 독특한 사람도 드물 것이다. 그것은 그의 생활이 그러했고 그의 작품에 반영된 결과가 또한 그러하다.

그는 당시 '미스 코리아'에 해당되는 가장 아름다운 여인과 결혼했고, 사랑하는 그 부인을 위하여 부인의 고향인 함경북도 경성(鏡城)에까지 가서 교편을 잡았고, 그 부인이 어린아이 3남매를 남겨 놓고 폐환(肺患)으로 숨을 거두자, 함께 죽겠다고 무덤 속까지 뛰어들기도 했지만, 얼마 안 가서 당대 유행가계(界)에서 제일 인기가 높았고 멋쟁이였던 가수 왕수복(王壽福)과 동서했고, 사과보다는 레몬을 좋아했고, 진달래보다는 라일락 향기를 그렸고, 숭늉보다는 커피를 더 즐겼었다.

아마도 그의 문학의 특질의 하나인 이국정조도 이러한 그의 이국적인 기호와도 얼마간의 연관이 있을지도 모를 일이다.

그는 인간의 성문제에 대하여 유달리 깊이 생각하고 민감했기 때문에, 그의 작품 속에서는 처처에 이에 연관되는 장면을 발견할 수 있는 것이다.

그러면 효석은 이 미묘한 성문제를 그의 창작면에 어떻게 반영시켰던 것일까. 그의 몇몇 작품에서 이 문제에 연관되는 부분을 추려보기로 하겠다.

덤불 옆에 서서 파 줄기같이 밋밋하게 살찐 찔레순 껍질을 벗기는 미란의 자태를 나뭇가지 사이로 바라 보면서 세란은 느린 걸음으로 지름길을 거닌다. 철없는 아이로만 보고 있던 미란의 육체의 변화에 요새 차차 놀라게 되었던 것이다. 여학교를 마친 것이 아이의 세상을 졸업해버린 셈인 듯, 이 봄을 잡아들면서부터 애잔하던 팔다리가 볼 동안에 늘어나고 어깨죽지와 허리가 활짝 퍼지면서 어른의 체격을 갖추어 왔다.[47]

치마 아래로 뻗친 찔레순 같이 멋멋한 동생의 다리를 탐스러운 것으로 바라보면서 꽃덤불 쪽으로 가까이 갈 때, 미란은 흘낏 세란을 바라보고 괴덕스럽게 꽃방치를 잡아 흔드는— 그 희멀건 얼굴이 꽃다발같이 향기롭다.

『무슨 냄새 같을까. 언니』

『백합 냄새 같지』

『무엇 말인데』

격에 맞지 않는 대답을 우습게 여기면서 형의 얼굴을 쏘아 붙인다.

『네 얼굴말야』

---

47 『이효석전집(李孝石全集)』 제3권, 「화분(花粉)」 춘조사(春潮社), 1959, pp.9~10.

『괴덕만 부리네. 누가 얼굴 말인가. 라이락 말이지』

가까이 온 형의 얼굴을 꽃송이를 휘어 가볍게 갈기며

『장미 냄새 같잖우』

『글쎄』

『꿀냄새두 같구』

『냄새두 잘은 맡어』

『사향 냄새두 나구』

『수다스럽다』

형은 꽃봉오리 하나를 뜯어서 코끝에 대이면서

『바로 말하면 라이락 냄새는 몸냄새라나. 잘 익은 살냄새라나. 갖은 비밀을 다 가진 몸냄새…… 알겠니』

『언니가 수다스럽지, 누가 수다스러우』

찔레순을 꺾으면 푸른 진이 빠지지 돋아난다. 그 진을 손가락 끝에 묻혀서 풀 장난을 하는 미란의 팔을 세란은 문득 휘어 잡았다.

『아깝다. 이 고운 몸을 날도둑한테 빼앗길 생각을 하면』

『망령이 났나봐』

『무르녹은 봉오리가 하룻밤 비에 활짝 피어버린다는 게 슬픈 일이란다』

『아저씨가 며칠 안오더니 실성해진 모양이지』

『결국 단주가 날도둑이 될테지……. 선머슴 호박이 떨어졌어』

『단주와 누가 어쩌나』

『다 안단다. 멀쑥하게 빠진 위인이 여간내기가 아니거든. 회사에서 아저씨 눈에 바짝 들어서 집에까지 붙게 된 모양인데, 위인이 아저씨보다 한 길 위야. 되레 코 때우지 않나 보지』

『쾌활은 해두 점잖어요』

『점잖은 개 부뚜막에 오른단다. 벌써 올랐는지두 모르지』

『몰라요』

팔을 짱긋이 꼬집히워 미란은 펄쩍 뛰면서 꼬집히운 자리를 매만지면서 찔레 덤불로 옮겨 간다.[48]

이것은 그의 장편 「화분(花粉)」[49]에 나타난 장면이다.

찔레순같이 밋밋한 다리, 꽃다발같이 향기로운 희멀건 얼굴, 언니 세란마저도 동성끼리인 동생 미란의 갑작스러운 육체의 변화에 놀라고, 라일락 냄새같이 향긋한 체취에 황홀해질 만큼, 순결한 처녀의 성숙해 가는 모습을 육감적으로 그리고 있다.

그뿐만 아니라, 심부름하는 소녀, 옥녀의 눈에 비친 이들 자매의 육체의 매력은 다음과 같이 그려져 있다.

지금도 옥녀는 한가한 틈을 타서 잠간 부엌일을 멈추고, 철벅거리는 미란의 자태를 창밖에 서서 물끄러미 들여다보면서 그 고운 살결을 탐내고 있는 것이다. 보얗게 서리운 안개 속에 움직이는 처녀의 자태는 배추단같이 멀숙하면서도 물고기같이 퍼들퍼들하다. 봉곳한 팔이며 앵도알 같은 젖꼭지가 그대로 보기는 아까운, 뛰어 들어가서 만져라도 보고 싶은 것이다. 자기가 만약 사내라면 그 흰 다리를 독수리같이 물어뜯고야 말 것 망간 북새들을 친 찔레나무 아래 뱀이 마음있던 짐승이라면 그 고운 팔다리를 그대로 두지 않았을 것을 생각하면서 아무리 들여다 보아도 귀중한 보물같이 싫어지지 않는다.

미란이 나간 후에 뒤를 이어 세란의 몸이 나타나는 것이 보였다. 같은 모습이기는 하나 팽팽한 처녀의 몸과는 달라 함박꽃같이 활짝

■

48 상계서, pp.10~12.
49 「화분(花粉)」은 1939년에 발표된 장편임.

피어난 허벅진 한 송이다. 목욕실 안이 꽉 차며 금시에 서리웠던 김이 젖어드는 듯도 하다. 무슨 복을 가지면 사람이 저렇게도 곱게 태어날 수 있을까— 황홀한 정신으로 확실히 꿈 속에 잠겨 있을 때에, 세란의 목소리가 창밖으로 새어 나왔다.

『아니 이게 무슨 물이야. 물감을 풀었니』

옥녀는 냉큼 일어서서 창께로 가까이 갔다. 손을 대기 전에 창은 안에서 열렸다.

『목욕물이 아니라 오미자 화채니 어떻게 된 노릇이야. 좀 들어와 봐요』

영문을 몰라 옥녀는 사잇문을 열고 목욕실에 뛰어 올랐다. 흰 대리석 목욕통 안의 물이 짜장 오미자 화채인 양 붉으스름하게 물들어 있다. 자욱하게 서리웠던 물김이 말끔하게 걷힌 후이라 흰 도가니 안에 고인 물이 유리잔 안의 술과도 같이 깨끗하고 선명한 빛갈을 띄우고 있지 않은가.[50]

사춘기가 갓 지난 소박한 옥녀의 눈을 통하여, 한창 성숙해 가는 스물 안팎의 처녀 미란의 육체를, 그것도 목욕탕 속 보얗게 안개 서린 속을 훔쳐보면서 육체의 아름다움에 도취되어 정복의 유혹을 간접적으로 자극하고, 함박꽃같이 활짝 피어나 무르익을 대로 무르익어 손만 대어도 터질 것만 같은 언니 세란의 육체의 황홀하여, 꿈속에 잠겨드는 듯하게 하는 매혹적인 분위기를 이끌어 가고 있음을 볼 수 있다.

그리고는 거기에 덧붙여 미란의 월경(月經)을 암시하는 백색 타일에 출렁이는 연분홍 오미자 화채로, 성감적(性感的) 촉발의 절정을 이루어 놓고

---

50 『이효석전집』 제3권, 「화분」, pp.15~16.

있다.

여인의 눈을 통하여 여성 육체의 미세한 노출을 직감하게 하는 표현방법은 가장 점잖은 수법인 것 같으면서도, 실은 그 역으로 가장 관능적이요, 가장 잔인하고도 강렬한 성적 자극의 요소가 되게 하는 것이다.

특히 위에 나오는 오미자 화채에 연관되는 '멘스' 삽입의 가벼우면서도 예리한 성적 자극의 수법은 그의 단편 「자류(柘榴)」에서도 나타난다.[51]

오랫동안 까닭도 없이 몸이 고달프던 것이 이틀 전 학교도 파하기 전에 벼란간 허리가 아프기 시작하였다. 숙성한 채봉이란 년이 너 몸 이상스럽지 않으냐 하며 꾀바르게 비밀한 곳을 띠어 주었다.

웅크리고 앉아 있는 동안에 견딜 수 없이 배가 훑었다. 두려운 생각이 버쩍 들어 책보도 교실에 버린 채 집으로 돌아왔다. 밤에 자릿 속에서 옷을 말아내고 어머니 앞에 얼굴을 쳐들 수 없었다. 버들 같은 체질을 걱정하여 어머니는 간호의 시중이 극진하였다. 인생은 웬일인지 서글픈 것이었다.[52]

이같이 효석(孝石)은 비속하거나 저열한 단어 한마디 안 쓰고, 초경(初經)에 연관되는 여린 자극을 슬며시 풍겨 주고 있는 것이다.

그의 이같은 성문제에 대한 민감한 감응과 예리한 판단에 따르는 섬세한 표현기교는 동물의 성기나 성교 장면을 매개물로 하는 간접적인 방법의 채용으로, 인간의 경우보다 오히려 추하지 않은 면에서의 자극적인 효과를 노리기도 한 것 같다.

■

51 「자류(柘榴)」는 1936년 《여성》 8월호에 발표되었음.
52 『이효석전집』 제1권, 춘조사, 1959, pp.220~21.

어린아이를 달래듯이 목덜미를 어루만져 주니 나귀는 코를 벌룸거리고 입을 투루려거렸다. 콧물이 튀었다. 허생원은 짐승 때문에 속도 무던히는 썩였다. 아이들의 장난이 심한 눈치여서 땀배인 몸뚱어리가 부들부들 떨리고 좀체 흥분이 식지 않는 모양이었다. 굴레가 벗어지고 안장도 떨어졌다. 요 몹쓸 자식들 하고 허생원은 호령을 하였으나 패들은 번져 줄행랑을 논 뒤요 몇 남지 않은 아이들이 호령에 놀래 비슬비슬 떨어졌다.

『우리들 장난이 아니우. 암놈을 보고 저 혼자 발광이지』

코흘리게 한 녀석이 멀리서 소리를 쳤다.

『고 녀석 말투가』

『김첨지 당나귀가 가버리니까 온통 흙을 차고 거품을 흘리면서 미친 소같이 날뛰는 걸. 꼴이 우스워 우리는 보고만 있었다우. 배를 좀 보지』

아이는 앙돌아진 투로 소리를 치며 깔깔 웃었다. 허생원은 모르는 결에 낯이 뜨거워졌다. 뭇시선을 막으려고 그는 짐승의 배 앞을 가리워 서지 않으면 안 되었다.

『늙은 주제에 암샘을 내는 셈야. 저놈의 짐승이』

아이의 웃음소리에 허생원은 주춤하면서 기어이 견딜 수 없어 채찍을 들더니 아이를 쫓았다.[53]

우리 밖 네 귀의 말뚝 안에 얽어매인 암퇘지는 바람을 맞으면서 유난히 소리를 친다. 말뚝을 싸고 도는 종묘장 씨돝(種豚)은 시뻘건 입에 거품을 품으면서 말뚝의 위를 돌아 그 뒤에 덥석 앞다리를 걸었다. 시꺼먼 바위 밑에 눌린 자라 모양의 암퇘지는 날카로운 비명을 울리

---

53 전게서, pp.239~40.

며 전신을 요동한다. 미끄러진 씨돝은 게걸덕거리며 다시 말뚝을 싸고 돈다. 앞 뒤 우리에서 웅하는 돼지들 고함에 오후의 종묘장 안은 들석했다.[54]

앞의 것은 그의 대표작 「메밀꽃 필 무렵」의 한 장면이요, 뒤의 것은 「돼지」의 한 장면이다. 전자에서는 당나귀의 암내를 내는 장면을 그린 것으로, 단 한 번의 로맨스가 있었던 자기 몰골을 암시하고, 후자에서는 돼지의 씨를 받기 위한 접종 장면을 그려 가난한 생활의 일면을 부각시키고 있지만, 이 두 경우 다 성적인 자극을 의도한 장면임은 부인할 수 없는 것이다.

효석(孝石)은 작품 창작에 성장면을 대담하게 노출시킨 작가의 한 사람이지만, 그는 성문제에 대하여 독자의 욕구의 한계선, 즉 어느 정도까지의 노출은 허용하고 그 이상은 추하다고 외면할 것인가하는 독자층의 성심리의 최대공약수를 계산하고 아울러, 윤리적인 면에서의 수용 최대 한계선을 측정하여, 작자와 독자 그리고 작자와 사회라는 교차된 좌표 위에서 상징, 비유 등 자신이 지닌 문장 표현기교의 정수를 응결시켜, 허용 표현 한계를 포화상태에서 활용하였기 때문에, 그의 작품은 외설이나 저열(低劣)이나 통속(通俗)이라는 비난을 모면하면서 오히려 성(性)이 지니는 신비성을 소설의 예술성 속에 융화시킬 수 있는 가능성에까지 접근할 수 있었던 것이다.

■

54 상게서, p.11.

이상 「춘향전」에서부터 개화기의 신소설, 춘원문학, 그리고 1920년대의 김동인의 작품을 비롯한 몇 작가의 작품 및 1930년대의 이효석의 작품 등을 대상으로 하여, 그에 표현된 성윤리에 연관되는 문제들을 구체적으로 분석 검토하여 본 결과, 다음과 같은 몇 가지 문제점을 찾아볼 수 있는 것 같다.

「춘향전」에서는 외설적인 성장면의 과도한 노출이 장황하게 나와, 그것이 꼭 작품 전개상의 필연적인 요소이거나 작품의 예술성과 직결된다고는 볼 수 없으면서도 삽입되어 있는 것은, '창(唱)'과의 상관관계에서 청중을 의식한 의도적인 변형이라는 해석도 가능할 것 같으며, 한자숙어의 마력은 서구어의 차용 경우와 함께 외설적인 감각을 엄폐하거나 둔화시키는 결과를 가져온다는 일면을 엿볼 수도 있었다.

다음 개화기의 신소설에서는, 작자나 작중인물이 그렇게 자유로운 애정, 자유결혼을 부르짖으면서도 정작 이성(異性)끼리 만나는 자리에서는, 적극적인 애정표시의 행위를 작품 속에서 발견할 수 없고, 서구로부터의 외래어인 '키스'의 용례도 찾아볼 수 없다는 결과를 가져왔으며, 춘원의 작품에서는 성행위의 적극적인 장면은 없으나 '키스'라는 낱말을 조심스럽게 도입하여, 상상의 세계에서 쓰다가, 정작 이성과의 행위로 나타날 때는 금방 숨이 끊어진 시신(屍身)에 첫 키스를 하게 했다는 사실을 찾아볼 수 있었다.

그것이 김동인의 작품에 오면, 이제 포옹이나 '키스'는 자유롭고도 자연스럽게 이루어지게 되고, 그뿐만 아니라 성교도 이에 수반(隨伴)하게 되고, 특히 현진건의 작품에 보면, 성장면(性場面)이 노골적으로 드러나 작든 크든간에 관능적인 자극을 유도할 의도가 비쳤음을 감지할 수 있었다.

그리고 1930년대의 이효석의 작품에 와서는 세련된 문장 기교와 성문제에 대한 작가의 의식적인 명료한 한계성의 설정으로, 가장 노출도가 세면서도 그것이 자체 내에서 무르익어, 성의 신비성이 작가의 예술성의 경지에 융화되는 가능성을 엿볼 수 있게 되었다.

결국 성이란 본능이므로 이에 깊은 관심을 가지지 않는 사람이 없으면서도, 선행하는 감정을 지성이 제어해야 하는 또 다른 일면의 호기심과 신비성에 따르는 타부가 곁들여 있는 것이다.

따라서 인간이 생존하고 예술이 존재하는 한 인간의 죽음과 함께 성문제는 늘 문학작품의 소중한 소재와 주제의 구실을 할 것이요, 또한 이 경우 성행위를 비롯한 성문제의 노출도에 따르는 윤리의 한계성 문제는 언제나 논란의 대상이 되지 않을 수 없을 것이다.

그러나 예술성의 미명 아래 말초신경을 자극하는 관능적인 표현의 합리화가 작품 창작에 남용되어서는 본말이 전도되는 결과를 가져오고 말 것이다.

(1975)

소설(小說) 60년의 문제

1

여기서 소설 60년이라고 함은 갑오경장 이후 서구문학의 영향을 받아 생성된 근대적인 소설의 시발에서부터 현대소설에 이르기까지의 계보를 총칭하는 것으로 된다.

금년(1968)은 대체로 신문학 내지 신연극 60년이라고 하여, 여러 가지 기념행사가 분야별로 다채롭게 진행 중에 있음을 볼 수 있다. 그것이 시가(詩歌)에 있어서는 1896년부터 지상에 발표되기 시작한 창가(唱歌)는 제해 놓고, 1908년에 발표된 육당(六堂) 최남선(崔南善)의 신체시 「해(海)에게서 소년(少年)에게」를 기점으로 하여 신시 60년이라고 부르고 연극에서는 1908년에 원각사에서 상영된 이인직의 작품 「은세계(銀世界)」 공연을 기준으로 하여 역시 신연극 60년으로 기산하고 있음을 볼 수 있다.

그런데 소설에 있어서는 이인직의 최초의 장편인 「혈의 누」가 《만세보(萬歲報)》에 발표된 것이 1906년이니 62년이 되고, 이광수(李光洙)의 처녀 장편 「무정(無情)」이 《매일신보(每日申報)》에 연재된 것이 1917년이니 51년이 되므로, 전기한 60년 행사에는 아무 쪽도 꼭 들어맞지는 않는 것으로 된다.

그러나 본고에서는 신소설의 출발점을 기점으로 하여 편의상 대충 처서 소설 60년이라고 했다. 또한 거기에는 재래의 전통적인 소설인 고대소설이 동양적인 바탕 위에서 이루어진 것이라면 신소설은 적으나마 서구 근대소설의 영향 하에서 이루어졌다는 사적인 실증도 참작된 근거에서다.

서구의 근대소설은 문예부흥 및 종교개혁이 뒷받침한 근대의 여명기를 거쳐 18세기에 들어와서 산업혁명, 프랑스혁명 등 정치·경제 및 사회구조의 일대변혁에 따르는 근대시민사회의 형성을 배경적인 여건으로 하여, 부르조아지, 즉 중산계급 내지는 시민계급을 모태로 하고 산문을 표현수단으로 하여 발전된 소설양식임은 주지의 문학사적인 사실이다.

그러나 한국의 근대소설은, 서구와 같은 그러한 사회구조의 변혁이나 시민계층을 형성할 수 있는 난숙한 자본주의의 형성도 보지 못한 채, 다만 병자수호조약(1876) 이후 계속 선진 열강과의 근대적인 국교가 트여, 서구 문물제도 및 그 문예사조가 조수처럼 밀려들어옴에 따라, 전통의 계승이나 신사조의 섭취에 대한 아무런 자각적인 준비태세 내지 주체적인 방향감각 없이 피동적으로 받아들여진, 이른바 개화의 선풍 속에서 파생된 서구소설 영향하의 소설이었던 것이다.

여기에 또한 서구문학은 인간 중심의 헬레니즘과 신 중심의 헤브라이즘의 상극, 갈등, 절충, 조화의 과정 속에서 이루어진 것이라면, 전래의 한국문학은 유·불·선의 동양적인 윤리관 내지 사고의 바탕 위에서 생성된 것인만큼, 이 땅에 있어서 서구사조가 가미된 갑오경장 이후의 근대적인 문학, 즉 신문학의 발생은 그만큼 비정통성 내지 기형적인 특수성을 수반하지 않을 수 없었던 것이다.

여기에서 한국의 근대문학 내지 근대소설은 그 시발점에서부터 숙명적인 난제를 내포한 채 오늘에 이르렀다는 자명한 사실 또한 부인할 수 없는 것이다.

이러한 결과는 결국에 가서, 오늘날 현재까지도 새로운 문학을 창작하는 데 있어서는 자기 고전을 몰각 내지 등한시하여도 서구문학이나 사조에만 정통하면 소기의 목적을 달성할 수 있는 것만 같은 착각 내지 오산마저 손쉽게 하는 병폐를 고질화하게 만들어 놓았던 것이다.

2

갑오경장 직후는 개화기 시대의 상징이었고 아울러 개화는 곧 서양화를 뜻하는 것처럼 받아들여지기도 했었다.

이러한 시대조류는 그대로 문학양식 면에 반영되어 고대소설, 즉 구소설과의 대립 관념에서 나타난 것이 신소설이며, 시조, 가사 등 구시가에 대하여 신체시, 신시, 그리고 연극에서는 구파, 구극에 대하여 신연극, 신파연극, 신극 등의 명칭으로 대칭되었다.

신소설은 전기한 바와 같이 이인직에 의하여 처음 시도되었고 신소설(新小說)이란 명칭 또한 그가 작품을 발표한 시기를 전후하여 명명(命名)되었었다. 그 뒤를 이어 이해조(李海朝), 최찬식(崔瓚植), 안국선(安國善), 김교제(金敎濟) 등의 작가가 나와 각기 그나름의 특색 있는 작품을 창작하였으며, 이밖에도 유명·무명의 작가에 의하여 발표된 작품이 상당수에 달한다.

그 속에서도 이인직의 「혈의 누」「귀(鬼)의 성(聲)」「은세계(銀世界)」, 이해조(李海朝)의 「자유종(自由鍾)」, 최찬식(崔瓚植)의 「추월색(秋月色)」, 안국선(安國善)의 「금수회의록(禽獸會議錄)」 등은 문학사적으로 주요한 논의의 대상이 되고 있는 작품들이다.

신소설이란 명칭은 그 당시에는 단순히 낡은 소설에 대한 새로운 소설이라는 뜻으로 쓰여졌지만, 고대소설, 신소설, 현대소설 등 문학사의 정리과정에서는 우리 소설의 발전계보를 따지고 있는만큼, 오늘날에는 벌써 개화기 소설을 대변하는 문학사적 소설양식의 한 술어로 정착되는 역사적 의의를 지니게끔 되어졌다.

그런데 춘원의 장편 「무정」이 《매일신보》에 연재될 때, 그 예고문에 "신년(新年)의 신소설(新小說) 무정(無情) 춘원(春園) 이광수씨(李光洙氏) 작(作)(방점—필자)"으로 되어 있으니 그 당시의 '신소설(新小說)'이라는 어휘가 지니는 개념이나 그 용어사용의 폭 등은 짐작하고도 남음이 있는 일이다.

신소설은 대체로 이 땅 근대화 여명기에 개화사상을 고취하기 위한 계몽성의 목적의식 아래 씌어진 것으로, 이것은 오늘날 논의의 초점이 되고 있는 참여문학의 여부 문제로도 화제에 오를 만한 일면의 요소를 지니고 있는 것이다.

그러한 까닭으로 신소설은 형식면의 창작기법에 있어서도, 고대소설이 언제 어디에 어떤 사람이 있었는데 어떠한 관계에 놓였다는 식의 천편일률적인 소설 첫머리의 투식(套式)에서 탈피하여 어떠한 장면에서든지 자유롭게 시작하였다는 새로운 점을 비롯하여 여러 가지 특색을 들 수 있지만, 그보다는 내용 면에 있어서 과거가 아닌 현실 면의 취재를 비롯하여, 기존 윤리나 제도를 부정하고 새로운 체제로 개혁하려는 주제의식 등이 더 뚜렷한 특징으로 나타나 있음을 볼 수 있다.

3

춘원 이광수는 1917년 1월 1일부터 《매일신보》에 장편 「무정」을 연재 발표하고 이듬해에는 「개척자(開拓者)」를 발표하여 신소설 이후 다시 한번 우리 소설이 서구 근대소설에 접근할 수 있는 획기적인 작업을 이루었다. 그러나 그가 이 무렵에 발표한 「소년(少年)의 비애(悲哀)」「윤광호(尹光浩)」「어린 벗에게」「방황(彷徨)」 등의 초기 단편들은 아직 단편소설의 본궤에는 오르지 못했고 1930년대 그의 작품활동의 후기에 발표한 「무명(無明)」에 와서야 비로소 단편다운 단편의 모습을 보여주었다.

그러나 춘원은 그 작품제작의 초기부터 신소설 작가와는 다른 그 나름의 문학관을 지니고 있었던 것이다.

즉 이해조가 "약한 자를 징계하고 착한 자를 찬양하며(……)"(「탄금대(彈琴臺)」후기(後記)) "풍속을 교정하고 사회를 경성하는 것이 제일 목적이라(……)"(「화(花)의 혈(血)」 발문(跋文))고 하여 소설의 주요 목적의 하나가 권선징악의 사회 교화에 있음을 주장한 데 비하여 이광수는,

> 종래(從來) 조선(朝鮮)에서는 문학(文學)이라 하면 반드시 유교식(儒教式) 도덕(道德)을 고취(鼓吹)하는 자(者), 권선징악(勸善懲惡)을 풍유(諷諭)하는 자(者)로만 사(思)하여 차준승외(此準繩外)에 출(出)하는 자(者)는 수기(睡棄)하였나니, 시내(是乃) 조선(朝鮮)에 문장(文章)이 발달(發達)치 못한 최대(最大)의 원인(原因)이라. (……) 즉(即) 모종(某種) 특정(特定)한 도덕(道德)을 고취(鼓吹)하기 위(爲)하여 우(又)는 권선징악(勸善懲惡)의 효과(效果)를 대(待)하기 위(爲)하여 문학(文學)을 작(作)하지 말고, 일체(一切)의 도덕(道德) 규구준승(規矩準繩)을 불용(不用)하고 실재(實在)한 사상(思想)과 감정(感情)과 생활(生活)을 여실(如實)하게 만인(萬人)의 안전(眼前)에 재현(再現)케 하라 함이라.
>
> ―「문학(文學)이란 하(何)오」, 1916

하여 고대소설의 주요 특징의 하나인 권선징악을 배격하고 나섰다.

그러나 춘원의 초기 문학관은 김동인과는 또한 상당한 거리가 있었음을 보여주는 다른 일면이 있음을 발견하게 된다. 즉, 춘원은 전기한 「문학이란 하오」에서,

문학(文學)은 정(情)의 만족(滿足)을 목적(目的) 삼는다. 정(情)의 만족(滿足)은 즉(即) 흥미(興味)니, 오인(吾人)에게 최(最)히 심대(深大)한 흥미(興味)를 여(與)하는 자(者)는 즉(即) 오인(吾人) 자신(自身)에 관(關)한 사(事)이라. (……) 문학적(文學的) 걸작(傑作)은 마치 인생(人生)의 모방면(某方面), 가령(假令) 연애(戀愛)라 하고 연애(戀愛) 중(中)에도 상류사회(上流社會), 상류사회(上流社會) 중(中)에도 유교육자(有教育者), 유교육자(有教育者) 중(中)에도 재모(才貌) 유(有)한 자(者), 재모(才貌) 유(有)한 자(者) 중(中)에도 부모(父母)의 허락(許諾)을 득(得)키 불능(不能)한 자(者)의 연애(戀愛)를 과연(果然) 여실(如實)하게 진(眞)인듯하게 묘사(描寫)하여. 하인(何人)이 독(讀)하여도 수긍(首肯)하리만한 자(者)를 위(謂)함이니, 여차(如此)한 자(者)라야 비로소 심각(深刻)한 흥미(興味)를 여(與)하는 것이라.

는 주견(主見)을 토로한 데 비하여 김동인은,

현금 조선 사람 중에 대개는 아직 가정소설(家庭小說)을 좋아하오. 통속소설(通俗小說)도 좋아하오. 흥미(興味) 중심 소설도 좋아하오. 참 예술적 작품, 참 문학적 소설을 읽으려 하지도 아니하고. 그뿐만 아니라, 이것을 경멸하고 조롱(嘲弄)하고 불용품(不用品)이라 생각하고 심한 사람은 그것을 읽으면 구역증이 난다고까지 말하오.

그들은 소설 가운데서 소설의 생명, 소설의 예술적(藝術的) 가치(價值), 소설의 내용의 미(美), 소설의 조화된 정도, 작자의 사상(思想), 작자의 정신, 작자의 요구, 작자의 독창(獨創), 작중인물(作中人物)의 각 개성(個性)의 발휘에 대한 묘사(描寫), 심리(心理)와 동작(動作)과 언어(言語)에 대한 묘사(描寫), 작중인물(作中人物)의 사회(社會)에 대한 분투(奮鬪)와 활동 등을 요구하지 아니하고 한 흥미(興味)를 구하오. (······) 통속소설(通俗小說)에서는 우리는 비(卑)하고 렬(劣)하고 오(汚)하고 추(醜)한 것밖에는 아무것도 발견치는 못하오. 거기는 독창(獨創)의 섬(閃)이 없오. 사상(思想)의 봉(烽)이 없오. 사랑의 움(芽)이 없오. 아무것도 없오. 독자(讀者)들을 끌려는 비열(卑劣)한 아첨의 사상이 있을 뿐이오. (······) 이러한 저급(低級) 소설을 보아서 유익이 없오. 우리는 소설에 대한 오해의 사상을 고치고—즉 극유치한 통속소설에 건전한 문학적 소설로 대(代)하고 소설과 문화를 연상하는 사상으로 화(化)하여 우리 사회(社會)를 순예술화(純藝術和)한 사회로 만듭시다.

—「소설(小說)에 대(對)한 조선(朝鮮) 사람의 사상(思想)을」, 1919

라고 주장하였다.

춘원(春園)은 전기(前記)한 주견(主見)을 내세운 다음, 얼마 안 되어 그러한 자기 의도가 반영된 「무정」「개척자」 등의 작품을 계속 발표하였고, 김동인 또한 이러한 자기 주장을 내세운 다음 곧 이어 「약(弱)한 자(者)의 슬픔」을 발표하였고, 계속하여 「마음이 여튼 자(者)여」「배따라기」「감자」 등을 발표하였으니, 이 양자의 비교·대조는 문학사적인 면에서도 의의 있는 일이라 하겠다.

4

기미운동(己未運動) 이후는 당시의 식민지정책이 무단정치에서 소위 문화정치의 회유책으로 전환됨에 따라 《창조(創造)》《폐허(廢墟)》《백조(白潮)》《장미촌(薔薇村)》《금성(金星)》《영대(靈臺)》 등의 문예동인지가 나오고, 순문학지로 《조선문단(朝鮮文壇)》, 종합지로 《개벽(開闢)》 등이 발간되고, 여기에 또한 《조선일보(朝鮮日報)》《동아일보(東亞日報)》《시대일보(時代日報)》등 일간지가 발간됨에 따라 다수의 문인이 총출하여 비로소 문단이 형성되고 작품 창작도 활발하여졌으며, 문예사조에 대한 비판 내지 자각적 의식도 점차 고조되었으므로, 자연히 작품에 대한 비평 안식이 첨예화하여 이로 말미암아 본격적인 비평문학이 대두되게끔 되었다.

특히 김동인, 현진건(玄鎭健), 염상섭(廉想涉) 등에 의하여 근대적인 단편소설이 정립되었고, 이들 작가와 더불어 전영택(田榮澤), 나빈(羅彬) 등 이 시기의 여러 작가에 의하여 좋은 단편이 다수 창작되었음은 문학사적으로 특기할 만한 사실이라 하겠다.

김동인은 이 시기의 자기 자신을 회고하여,

전인(前人)인 춘원(春園)이거나 국초(菊初)(이인직)거나 그밖의 다른 사람들도 다 거저 「순화 못 된 구어체로 과거사 현재사의 무자각적 혼용」으로 소설 용어에 대해서는 아무런 고심도 하지 않았다. (……) 창작으로서의 고심과 아울러 그 고심에 못하지 않은 「용어의 고심」까지, 이 두 가지 고심의 결정인 처녀작 「약한 자의 슬픔」을 써서 「4천 년 조선에 신문학 나간다」고 천하를 향하여 큰소리로 외치고 싶은 충동을 막을 수 없었다.

—「문단 30년의 자취」

고 술회하였듯이 그야말로 기고만장했던 것이다.

김동인은 자기 자신에만 한한 것이 아니라, 자기 뒤를 따라 나온 염상섭의 처녀작인 「표본실의 청개구리」가 발표되었을 때, 그는 다음과 같은 시기와 불안과 찬양이 얽힌 탄성을 발하였다.

상섭(想涉)이 1921년(一九二一年)에 개벽지상(開闢誌上)에 「표본실

(標本室)의 청(靑)개구리」라는 소설(小說)을 발표(發表)하였다. 이 사람이 소설(小說)을 썼다. 이러한 마음으로 나는 그 작품(作品)을 보았다. 그러나 연속물(連續物)의 제1회(第一回)를 볼 때 벌써 필자(筆者)의 마음에는 큰 불안(不安)을 느꼈다. 강적(强敵)이 나타났다는 것을 직각(直覺)하였다. 이인직의 독무대(獨舞臺)를 지나서 춘원(春園)의 독무대(獨舞臺), 그 뒤 이,삼년(二,三年)은 필자(筆者)의 독무대(獨舞臺)에 다름 없었다. (……) 과도기(過渡期)의 청년(青年)이 받는 불안(不安)과 공포(恐怖)의 번민(煩悶)—「표본실(標本室)의 청(菁)개구리」에 나타난 것은 그것이었다. 필자(筆者)는 상섭(想涉)의 출현(出現)에 몹시 불안(不安)을 느끼면서도 이 새로운 하므레트의 출현(出現)에 통쾌감(痛快感)을 금(禁)할 수 없었다.

―「조선근대소설고(朝鮮近代小說考)」

한편 이 시기의 장편소설은 거의 다 신문 연재의 형식으로 발표되었다. 이 땅의 장편소설은 이인직의 신소설에서부터 신문 연재로 시작하여, 조일재(趙一齋)의 번안소설「장한몽(長恨夢)」, 그리고 춘원, 동인, 상섭 등의 장편을 거쳐 오늘날에 이르기까지 그 주요한 발표방법으로 되어 오고 있는 만큼, 1920년대 당시의 작가가 지녔던 신문소설관을 엿보는 것은 그대로 오늘날의 신문소설의 공과를 논하는 데도 하나의 참고자료가 되리라 생각된다.

김동인은 이 문제에 대하여 다음과 같이 서술하였다.

그때 《동아일보(東亞日報)》에 『허생전(許生傳)』 『일설춘향전(一說春香傳)』 『재생(再生)』 등을 쓴 것이 춘원(春園) 자신의 뜻이었는지 혹은 동아일보 사장 고하(古下) 송진우(宋鎭禹)의 뜻을 받음이었는지는 따져보지 못하였지만, 이 사실 때문에 바야흐로 싹트려던 조선 신문학이 받은 바 타격은 막대하다. 이 책임을 오직 춘원(春園)에게 뒤집어씌우는 내가 오히려 비겁하다.

파산(破産), 실처(失妻) 등 쓰라린 사고에 부딪쳐서 붓을 던지고 숨어 있던 내가 다시 붓을 잡은 것은 「동아일보」 지상에 『젊은 그들』이었다. 아직껏 청초하고 고결함을 자랑하던 나였었지만, 몇푼의 원고료(原稿料)를 받아서 생활을 유지하기 위하여 입대껏 거절해 오던 동아일보 집필을 종래 수락한 것이었다. 춘원(春園)은 어차피 그 출발이 신문소설(新聞小說)이었던 사람이었지만, 이 나의 훼절(毀節)이야말로 온 조선 사회에 크게 영향되었다. 어떤 사람은 이 훼절을 나무래고, 어떤 사람은 욕했지만, 그보다도 많은 추수자(追隨者)가 뒤따른 것이었다. 「신문소설(新聞小說)을 써도 괜찮다」, 김동인도 쓰지 않느냐, 신문 소설을 쓰는 것은 결코 흠절이 안된다. 이런 생각을 들게 하여 신문학 발전에 큰 지장을 준 허물은 입이 백(百)개라도 변명할 여지가 없는 바이다.

－「문단(文壇) 30년의 자취」

또한 이 시기의 문학에 대하여 《백조》하면 낭만주의, 《폐허》하면 퇴폐주의(頹廢主義)라고 일률적으로 규정하는 경향이 없지 않은 것 같으니, 이도 좀 더 개개의 작가나 작품을 근거로 분석 검토할 문제라고 생각된다.

자연주의의 경우만 하더라도, 염상섭하면, 덮어놓고 자연주의 작가로 선입관적인 단안을 내리는 일이 적지 않은 것 같다.

다음에 상섭 자신의 이에 대한 술회를 들어보기로 하겠다.

1919년(一九一九年)의 제1차(第一次) 독립운동(獨立運動)이 있던 익년(翌年)에 필자(筆者)와 여러 동호자(同好者)가 동인지(同人誌) 「폐허(廢墟)」를 창간(創刊)하게 된 뒤부터 신문학운동(新文學運動)은 본격(本格)

적 궤도(軌道)에 오르는 동시(同時)에 자연주의문학(自然主義文學)(방점(傍點)-필자(筆者))의 대두(擡頭)와 기치(旗幟)는 뚜렷하여진 것이요, 또한 여기에서 현대문학(現代文學)의 토대(土臺)는 잡혀진 것이라 하겠다.

—「한국(韓國)의 현대문학(現代文學)」

내가 「개벽(開闢)」지(誌)에 처녀작(處女作) 「표본실(標本室)의 청(靑)개고리」를 발표(發表)한 것은 그 이듬해(1921(一九二一)) 봄 일이거니와, 우리 문단(文壇)에 자연주의(自然主義) 문학(文學)이 수립(樹立)된 것도 결(決)코 의식(意識)적으로 조작(造作)한 것도 아니요, 수입(輸入)한 것도 아닌 것이다. 물론 우리가 구미문학(歐美文學)이나 일본문단(日本文壇)의 영향을 받은 것을 부인(否認)하는 바 아니오, 당시(當時)의 일본문단(日本文壇)이 자연주의(自然主義)의 난숙기(爛熟期)였던 것도 사실(事實)이지마는, 작품(作品)의 모방(模倣)으로 되는 것이 아닌 이상(以上), 수입(輸入)이나 작위(作爲)로서 한 경향(傾向)이 형성(形成)되고 등장(登場)하는 것은 아니다. 작가(作家)의 질(質)과 시대상(時代相)이 서로 어울려서 한 경향(傾向)이 나타나고 이것이 주류화(主流化)하는 것이다. 위에서 한때의 세기말(世紀末)적 퇴폐(頹廢) 현상(現象)을 설명할 때 언급(言及)한 바와 같이 사회상(社會相)이라든지, 주위환경(周圍環境)이라든지 시대(時代)적 성격(性格)에서 저절로 빚어진 조선문학(朝鮮文學) 독자(獨自)의 자연주의(自然主義)였다 할 것이다. 여하간 이와같이 하여 폐허시대(廢墟時代)란 것이 있다 하면, 그리고 이 시대(時代)의 공적(功績)이 있었다 하면, 시문학(詩文學)이나 창작(創作)에 있어서나 본격(本格)적 순수문학(純粹文學)을 수립(樹立)하면서 그 보급(普及)에 노력(努力)하는 일방(一方), 인도주의(人道主義)적 허무주의(虛無主義)적인 양경향(兩傾向)을 좌우(左右)의 안벽(岸壁)으로 삼으면서 자연주의문학(自然主義文學)을 수립(樹立)한 데에 중점(重點)

이 놓여 있었다 할 것이다.

—「나와 폐허시대(廢虛時代)」

요는 어느 작가 개인이나, 또는 어떤 그룹이, 우리들은 이제부터 무슨 주의로 글을 쓰겠다든지, 썼다고 할 때, 그것을 작품비평이나 문학사의 정리 면에 어떻게 받아들이느냐 하는 문제가 남는 것으로, 이는 전기한 낭만주의니 퇴폐주의니 하는 경우도 궤(軌)를 같이하는 것이다.

아니 그뿐만 아니라 오늘날의 현대작가가 나는 지금부터 실존주의를 바탕으로 작품을 쓴다든지, 혹은 내 작품은 실존주의 문학이다 할 때, 동시대의 비평가나 후일의 문학사가가 그러한 작가변(作家辯)을 액면 그대로, 아무런 분석적인 비평도 없이 받아들이겠느냐 하는 문제와 동류의 것으로 연역되기도 하는 것이다.

5

제1차 세계대전 말기에 러시아혁명이 일어나 소비에트 사회주의 공화국 연방이 성립됨에 따라 그 여파는 전세계에 물결쳤고, 그것이 문학작품의 창조이념에도 영향을 주어, 그 사조는 급기야 우리나라에까지도 파급되었다. 그리하여 1925년에는 '조선프롤레타리아예술동맹(약칭 카프—KAPF)'이 결성되어 1935년 해체될 때까지 10년간 존속함으로써 우리 문단에는 이념적인 투쟁은 물론, 작품창작 면에도 적지 않은 영향을 끼쳤다.

대체로 문학작품의 창조 면에서 정치나 종교상의 사상적인 목적의식이 선행하여 그 주장하는 바를 작품 속에 표현 유도하는 경우, 이것을 경향문학이라고 일컫거니와, 우리의 경우는 이러한 사회주의적 경향을 띤 문학 전반을 통칭하여 신경향파문학이라고 불렀고, 특히 조직 속에서의 당성을 띤 적극적인 방향의 문학을 프로문학이라 불렀다.

이 이념의 선봉적인 도입 및 주창자는 김팔봉(金八峰), 박영희(朴英熙) 등을 들 수 있거니와, 그 뒤를 이어 많은 작가들이 이에 가담 내지 동조하여 신경향파시대라는 한 시기를 이루었다. 그러나 이 시기에도 문학의 본질적인 순수성이나 사회주의 이념에 대치되는 민족주의 문학이념을 내세워 직접 대결한 문인들도 적지 않았다.

아무튼 얼마 동안 일세(一世)를 풍미한 듯한 이 불결을 10년 후 결국 그 최초의 주동자의 한사람인 박영희(朴英熙)의 "얻은 것은 이데올로기이요 잃은 것은 예술이다"라는 역사적인 발언을 전후하여 점차 퇴조를 보였으나 실지에 있어서 이론 면의 치열한 투쟁에 비하면 작품의 창작성과는 그렇게 큰 수확 없이 끝난 결과로 되었다.

다만, 그러한 경향에 직접 참여했다든가 또는 그에 동조했다는 사실 그 자체만으로, 곧장 그들 작가의 작품을 일도양단식으로 프로문학이라고 규정하는 것은 비평에 있어서의 정도(正道)라고 볼 수는 없는 것이므로, 그러한 재단(裁斷)적인 선입관에 앞서, 개개작품을 분석 검토하는 기본적인 비평작업이 이루어져야만 할 것 같다.

왜냐하면 빈궁한 농민생활이나 핍박한 서민생활은 이 땅의 소설에 일관하여 흐르고 있는 소재 내지 주제의 대상이므로, 조직화된 계급의식의 바탕 위에서 프롤레타리아 독재체제를 쟁취하고 그것을 투쟁목표로 구가 선동하는 작품이 아닌 한, 그러한 선입관적인 속단은 작품이나 작가를 한 곳으로 몰아 오단(誤斷)하기 쉬운 폐단을 적잖이 내포하고 있기 때문이다.

6

1930년대에 들어와서는 문학조류 및 창작 면에 몇 가지 두드러진 양상이 나타났음을 볼 수 있다.

그 하나로 우선 농촌을 소재로 한 농민문학을 들 수 있겠다. 이 시기는 외적으로 '브나로드', 즉 '농민 속으로'라는 슬로건을 내세운 외래풍의 농촌운동과, 총독부의 농촌시책에 따르는 '농촌진흥(農村振興) 자력갱생(自力更生)'의 표어 아래 대(對) 농민정책(農民政策)이 병행되던 때였다.

작가가 이러한 시류(時流)의 풍조나 정책에 편승했건 혹은 독자적인 작가의식의 결과였건, 아무튼 심훈(沈熏)의 「상록수(常綠樹)」, 이광수의 「흙」, 민촌(民村)의 「고향」, 이무영(李無影)의 「흙의 노예(奴隷)」 및 「제일과(第一課) 제일장(第一章)」 등은 이 시기에 창작된 작품들이다.

이들 작품은 농촌에 대한 일제 압제와 수탈, 그에 대한 항거, 농민의 자각 촉구 및 자체 역량의 배양, 농촌 재건, 인텔리의 농촌 속으로의 귀농 등 농민계몽 내지 농촌개발에 대한 주제를 다루어 작품마다 그 나름의 특색을 지녔고, 독자에게 준 감명의 도(度)도 깊었다. 그러나 거개의 작가는 그 주인공이 외세의 압력이든 자체 역량의 미흡이든 간에 좌절되는 과정을 그리고 만 결과로 된 혐(嫌)이 없지 않았다.

다음으로 나타난 작품의 특징으로는 소설의 예술성, 말하자면 소설 미학에 대한 관심이었다. 효석(孝石), 상허(尙虛), 구보(仇甫) 등 구인회(九人會)의 멤버를 비롯하여 여러 작가들이 이에 관심을 가져 외적인 묘사보다 내적 자의식의 세계로 파고들어 주지주의니 신심리주의니 하는 이름으로 불리어졌다. 이러한 결과로 작품의 주제에만 기울어지기 쉬웠던 종래의 창작방법이 문장의 표현 및 작품의 형식적 구조미(構造美) 등에 더욱 치중되게 되어 문장의 조탁에는 상허(尙虛), 효석(孝石), 구보(仇甫) 등, 그리고 내적인 심리분석에는 이상(李箱)(「날개」), 최명익(崔明翊)(「심문(心紋)」) 등이 그 심도를 보여주었다.

여기에는 1920년대 후반기에 나타난 해외문학파의 외국 문학작품의 본격적 소개, 그리고 1930년대에 주지주의를 내세우고 외국 문예사조를 도

입 소개한 최재서(崔載瑞)의 영향도 적지 않은 바 있었다. 최재서(崔載瑞)는 이 시기에 발표된 「천변풍경(川邊風景)」(구보)과 「날개」(이상)에 대하여 '리얼리즘의 확대(擴大)와 심화(深化)'라는 부제 하에 이 작품들의 예술적 가치를 높게 사서 평가한 바 있다.

한편 1930년대에는 일간신문의 신춘문예를 통하여 박영준(朴榮濬) 김유정(金裕貞), 김동리(金東里), 정비석(鄭飛石), 김정한(金廷漢), 최인욱(崔仁旭), 김영수(金永壽), 그리고 문예지《문장(文章)》 추천을 통해서 최태응(崔泰應), 곽하신(郭夏信), 임옥인(林玉仁) 등의 재기발랄한 젊은 작가가 다수 등장했으므로 문단은 일제의 극악한 탄압 속에서도 해방 전 최후의 흥륭기를 보여, 주옥 같은 작품의 수확도 거둘 수 있었거니와 이렇게 풍성하게 대두된 신인들의 신진세력은 급기야 기성세대와 맞부딪치고야 말았다.

그것이 유명한 '세대론(世代論)'의 논쟁으로 신인은 기성세대에 대하여 "기성불가외(旣成不可畏)"라는 기치를 내걸었고, 기성은 신인에 대하여 "신인불가공(新人不可恐)"이라고 응수하고 나섰다. 그러나 이 세대론의 논쟁은 문학이념이나 창조기법상의 본질적인 논전이라기보다는, 연령의 차 내지 문단 경력의 차에서 오는 기성관념적인 신구 대립의 경지를 멀리 벗어나지 못한 감이 없지 않았다.

1940년 태평양전쟁의 서전(序戰)이 비등(沸騰)하게 되자, 일제의 단말마적 식민지정책은 지원병 및 창씨개명에 병행하여 조선어말살정책의 일환으로 중학교 및 국민학교에서까지 조선어과목을 폐지하고, 이와 거의 때를 같이 하여《조선(朝鮮)》《동아(東亞)》의 양대 조선어 일간지를 폐간시키고, 최후의 문예지인《문장(文章)》《인문평론(人文評論)》마저 강제 폐간시킴으로써, 발표지를 완전 상실하고 창작의 자유마저 박탈당한 작가들은 붓을 꺾고 은둔하거나 근로보국대(勤勞報國隊)나 징용으로 동원될 수밖에 없었으므로 작품활동은 이로써 일단 종말을 고한 셈으로 되었다.

7

8·15 해방 후, 국권회복과 더불어 창작활동은 다시 시작되었으나, 38선을 경계선으로 남북에 각각 미소 양군의 주둔은, 문학의 사조 면에 직접적인 반응을 보여, 문학단체는 양분되었고, 작가의 작품활동도 능동 피동 양면에서 그 경향을 달리할 수밖에 없었다.

그러나 공산당이 불법화되고 보도연맹에 의하여 잔류 좌경작가를 포섭함에 따라 문단은 일시 하나로 뭉쳐지는 것 같았으나, 6·25동란으로 다시 백지화의 상태에 놓였다가, 1953년의 수복과 더불어 창작활동도 점차 본궤도에 오르기 시작하였다.

8·15 이전의 소설은 일제에 대한 항거에 따르는 민족의식의 고취 그것 하나만으로도, 작가의 자세로나 작품의 가치비중으로나 작품창작상의 가장 중요한 일면을 담당하였을 뿐만 아니라 독자에게 감명으로 주는 반응의 도(度)도 큰 것이었다.

그러나 일제의 기반(羈絆)에서 벗어나 자주독립의 과정에 놓인 8·15 후는 일제라는 투쟁대상이 없어졌으므로, 반일항거의 민족의식은 벌써 소설 주제의 핵심에서 멀어져 갈 수밖에 있었다.

따라서 8·15 후부터 6·25까지는 제2차 대전 말기의 상황 및 광복된 조국의 현실을 다룬 작품이 많았고, 6·25 후는 전란의 피비린내 나는 참상과 간난의 체험 및 양대 진영의 첨예화한 사상적 대립을 그린 작품이 많았다.

8·15 이후 등단한 작가, 특히 6·25를 전후한 시기부터 1960년대까지 새로 나온 작가는 상당수에 달하며 여기에 해방 전의 기성작가를 합치면, 현재 백여 명의 소설가가 가동되고 있는 풍성한 작단(作壇)을 이루고 있다.

그러나 8·15부터 6·25 동란에까지 작가의 사상적 성분으로나 기발표 작품의 경향으로나 전연 좌경적 요소를 띠지 않은 몇몇 유능한 작가가 월북 내지 납북된 사실은 자못 애석한 일이라 하지 않을 수 없다.

현재 각 작가들의 창작 경향을 대별하여 보면, 과거의 역사적인 사실을 소재로 한 속칭 역사소설만을 주로 쓰는 작가, 인간문제의 본질적인 심부를 파고들어 휴머니즘을 내세우는 소위 순수소설파, 사회의 현실 면에 직접, 또는 작품 속에서 참여하여 현실과의 대결을 주로 그리는 참여문학파, 그리고 프랑스의 실존주의 문학을 비롯하여 앙띠 로망, 영국의 비틀즈문학, 일본의 태양족문학(太陽族文學) 등 외국의 첨단적인 사조나 작품 경향에 재빨리 눈을 돌려 그 창작이념이나 방법을 도입 시도하는 젊은 세대 등, 어떠한 주류를 이룬다기보다 다양한 방법이 다각도로 전개되고 있는 실정이다.

그러나 어떠한 사조나 방법의 영향을 받았다손치더라도 한국적인 주체성의 확립 및 전통의 모색 계승에 대한 관심은 모든 작가가 지니고 있는 공통적 과제인 듯하다.

이상이 개화 이후 현재까지 한국소설 60년의 역정 속에서 더듬어 본 사적(史的) 기복 및 현황의 개관이다.

8

그러면 과거를 회고하고 현실을 응시하며 미래를 전망하는 종합적인 시점에서, 한국소설이 당면하고 있는 문제점은 대체 어떠한 것인가를 살펴보기로 하자.

첫째로 개화기 이후 오늘날에 이르기까지 한국소설의 중추는 장편 보다 단편 쪽에 놓여져 있었다. 그것은 과거의 소설을 정리해 볼 때, 문학사적으로 논의의 대상이 될 만한 작품이 장편에는 근소한 데 비해 단편에는 상당량의 수작(秀作)을 골라낼 수 있다는 점에서도 손쉽게 판단될 수 있는 일이다.

그렇게 될 수밖에 없었던 중요한 이유의 하나는 대부분의 장편이 일간 신문의 연재 방법을 통하여 발표되었다는 데 기인된다고 하겠다. 신문소설은 지면구성상의 구색으로, 그리고 독자의 흥미를 끌어 독자를 확보하기 위한 기업상의 방편으로 연재하는 것이 그 제1차적 목적이요, 문학작품의 예술성이나 질적 향상을 위한 문학 자체의 본질적인 욕구는 그 부수적인 의도에 불과하거나 전연 도외시되는 것이 일반적인 통례로 되어 있고 신문소설의 독자 또한 연재소설에서 그 이상의 욕망을 바라지 않으며, 이에 따라 작자 또한 그러한 조건을 시인하고 들지 않으면 안 된다는 실정에 놓여 있기 때문이다. 그러나 근래에는 그 여건이 조금 달라져 해방 전에는 춘원의 「사랑」 「세종대왕(世宗大王)」을 비롯하여 당선작인 심훈의 「상록수」, 한인택(韓仁澤)의 「선풍시대(旋風時代)」, 박계주(朴啓周)의 「순애보(殉愛譜)」 등 전작 장편이 수편에 불과하던 것이, 1950년대부터 60년대에 걸쳐 많은 전작 장편이 경쟁적으로 출간 발표되었고, 현재도 계속 발표중에 있으며, 작가들의 관심도 장편에 상당히 역점을 두고 있는 실정이므로, 한국소설도 단편에서 장편으로 비중이 옮겨져 가는 과정에 있다고 보아 민족서사문학으로서의 거작의 출현을 예기케 하는 징조를 보이고 있음은 지극히 다행한 일이라 하겠다.

둘째는 소설의 형식과 내용의 상관관계의 문제다. 말할 것도 없이 작품의 형식은 내용을 규제하고 내용은 그에 알맞은 형식의 표현을 요구한다. 잘된 작품이란 형식과 내용이 각각 완성의 미를 가지면서도 그것이 혼연일체로 조화되어 형식이니 내용이니 하고 구분되지 않는 경지를 말하는 것이므로, 형식과 내용을 분리하여 이야기하는 그 자체가 논리 전개의 모순일지도 모른다.

그러나 몇 해 전에도 '무엇을' 쓰느냐(주제), '어떻게' 쓰느냐(표현) 하는 문제가 한참 논쟁의 대상이 되었던 일도 있으므로 편의상 그렇게 붙여

본 것이다. 그때도 '어떻게'에 중점을 둔 논조에 대하여 '무엇이'에 더 중점을 두어야 한다고 반론을 내세운 양극적 논쟁이 있었거니와, 이 양자의 조화의 절대성은 앞에서 이야기한 바와 같지만, 문학작품 특히 소설에서는 '무엇이' 선행되고 그 '무엇'에 알맞은 '어떻게'의 그릇을 찾아야만 할 것 같다. 그것은 '무엇'은 시간과 공간을 초월하여 그 유동성이 비교적 덜하지만, '어떻게'는 '무엇'보다 시간과 공간에 따라 시도적인 가변성이 더 따르게 마련일뿐더러 미술에서는 추상회화가 가능하지만, 구체적인 형상화를 통한 이해, 공감, 심미의 향수 과정을 요구하는 산문문학인 소설에서는 미술의 경우와는 전연 이질적인 특질을 지니고 있기 때문이다.

특히 문장의 표현 면에 있어서는 근대 시민정신의 바탕 위에서 산문을 표현 모체로 하고 있는 소설인만큼, 확립된 기초문장의 토대 위에 선 풍요한 예술적인 문장표현이 전제로 되어야 할 것이다. 이유 없는 문법적 모순이나 몰각은, 한걸음 앞선 재치 있는 기교로 받아들여지기보다는 무식으로 통해져야 하고 어휘나 어구의 오용이 개재된 문장은 문장 이전의 것으로 해석되어져야만 할 것이다. 그러기 위하여는 국민 전체의 기초문장의 확립이 선행되어야 하고 다음으로 작가로서의 적극적인 문장수련 과정이 부수되어야 할 것이다.

우리의 근대화과정에 있어서 해방 후 20여 년간처럼 개아(個我)에 대한 의식이 투철하게 나타난 시기는 일찍이 없었을 것이다. 철저한 개아의식(個我意識)은 자연발생적인 각자의 문체에, 다시 의식적인 작품표현수단으로서의 독자적인 문체의 특색을 첨가하는 계기를 마련하여 주기도 할 것이다.

셋째로 고전 유산의 천착에 의한 전통의 계승문제 및 외래 문예사조의 수용에 따르는 동화, 섭취문제를 들지 않을 수 없겠다.

고전작품의 연구는 이 방면의 전문적인 학자의 소임에 속하는 일이지만 이와 병행하여 현대작가나 평론가의 현대적 조명에 의한 분석 평가 및 그렇게 하여 추출된 전통의 계승이 또한 절실히 요망되는 것이다. 그것은 아무리 문학의 세계성을 표방하고 나선다 할지라도 결국 하나의 문학작품은 미술이나 음악의 경우와는 달리, 그 민족 특유의 문자로 표현될 수밖에 없다는 언어의 한계성을 지니고 있는 이상, 더욱 그 민족문학의 전통을 바탕으로 한 개별적인 특수성에서 완전히 해탈될 수는 없기 때문이다. 그러나 대부분의 작가나 평론가들은 이 문제에 대하여 그렇게 깊은 관심을 기울이고 있지 않는 것 같으니 말이다. 이러한 견해는 자칫하면 문학의 국수주의(國粹主義)로 곡해되기 쉬우나 그러한 편협한 아집에서 하는 이야기는 아니다.

따라서 이 문제는 외래사조의 도입과 상호연관을 가지게 되는 것이다. 개화기도 그러했지만, 재래적인 자기 본래의 것은 '구(舊)', 즉 낡은 것이라고 해석하여 무조건 배척하고, 외래적인 남의 것은 '신(新)', 즉 새로운 것으로 해석하여 덮어놓고 좋다는 폐단은 아직도 남아 있어, 이 무비판 무자각적인 문학의 사대주의는 오늘날까지도 난치의 후유증을 남기고 있음을 우리는 너무도 절감하고 있는 실정이다. 그러므로 사조나 기법의 도입에는 자기가 발을 디디고 서 있는 위치에 대한 확고한 주체성의 의식 위에서 신래(新來)의 것을 냉철히 검토 비판하여 자기에게 알맞은 여부를 가리고, 다시 그것을 완전히 소화하여 수박 겉핥기가 아닌 동화 섭취의 치밀한 단계를 거쳐 우리 문학의 참된 영양소가 될 수 있는 과정을 밟아야만 할 것 같다.

넷째는 근간에도 자주 논쟁의 대상으로 되고 있는 문학의 사회참여 문제다. 이 사회참여는 작가의 직접적인 행동에 의한 참여와 작가가 작품을 통하여 간접적으로 참여하는 경우로 구분될 수 있을 것이다. 이것을 문학사에서 더듬어 보면, 신소설이 개화, 즉 근대화에 대한 사상을 고취하여 반일사상(反日思想)에 점화한 것들도 넓은 의미의 사회참여로 볼 것이요, 1920년대에서 30년대에 걸친 신경향파 내지 프로문학운동은 행동 및 작품 창작 면에서 적극적인 목적의식을 가진 사회참여로 해석될 수 있을 것이다. 그뿐만 아니라 민주(民主)와 자유(自由)의 국시(國是) 위에 건국된 대한민국에서는 반공의 기치를 높이 들고 행동으로나 작품에 반영시킨 것도 사회참여라 아니할 수 없을 것이다.

그런데 이제 와서 굳이 사회참여를 '앙가주망'의 외래어로만 표현하려 들고, 그 경향을 마치 전인미답(前人未踏)의 새로운 경지 내지 신발명의 특허품인 양 새삼스럽게 치켜들고, 서슬이 퍼래 악을 쓰는 것은 좀 이상한 감이 없지 않다. 설령 그것이 작품창작의 최고의 방법이요, 지상의 과제라 할지라도 모든 작가의 모든 작품이 천편일률적으로 그 길만을 걸어야만 한다는 것도 좀 생각해 볼 문제인 것만 같다.

다섯째로 창작이론 및 작품평가 그리고 번역 문제에 대하여 일언하고자 한다.

대체 좋은 작품이 많이 나올 수 있는 때는 작품창작과 그에 뒷받침되는 문학론이 활발하게 병행되고, 작품에 대한 정당한 비판정신이 고조된 때라고 생각된다. 한 작가에 있어서도 후세에 남는 걸작을 쓴 작가들은 거의 다 자기의 굳건한 문학론의 기반 위에서 출발한 것 같다. 그것이 20세기에 들어와서는 그 현상이 더욱 두드러졌음을 보게 된다.

그러나 우리의 경우 문학양식의 어느 부문보다 평론 부문이 부진하고, 그것도 자기 철학의 바탕이 없고 이론의 근거가 빈번이 유동되고 있는 현상을 시인하지 않을 수 없는 실정이다. 특히 작품의 평가에 있어서는 관점의 기준이 없이, 외국평론가의 이론을 기계적으로 답습 적용하는 듯한 얄팍한 재기가 간지럽게 엿보여, 평가(評價)에 대한 신뢰도가 훨씬 박약해짐을 느끼는 때가 적지 않은 것 같다.

이와 아울러 외국 문학작품의 좋은 번역이 점차 나오게 된 것은 기쁜 일이나, 아직도 외국작품의 번안물(飜案物)이 버젓이 문학의 행세를 하고 그것이 일류 일간지에까지 떳떳이 연재되고 있는 사실은 문학의 전진에 대한 역행적 현상이라고 보지 않을 수 없겠다. 또한 여기에 덧붙이고 싶은 것은 우리 작품의 외국에 대한 번역 소개에도 좀더 관심을 기울여, 외국문학과의 상호 교류 속에 진정한 의미의 세계문학의 일환으로서의 한국문학의 토대를 한 단계씩 구축해 나가야만 할 것 같다.

끝으로 작가의 사생활과 작품과의 관계에 대하여 한 마디 언급하고자 한다.

현재 작가의 창작활동에 직접 간접으로 영향을 주는 중요한 문제는 고료, 발표지, 그리고 사상성 및 윤리성에 관계되는 창작상의 제약 등이라고 생각된다. 우선 고료에 대하여 일례를 들면 1950년대 후반기, 당시 모 종합지의 고료는 구화 3백환이었고 지대(誌代) 또한 3백환이었으며, 좀 속된 비유일지 모르나 비어홀 맥주 한 병이 3백환이었다. 그것이 지대 8백환까지는 상호 병행되었던 것 같다. 그러나 오늘날의 실정은 그와 달라 지대와 같은 고료를 지불하는 잡지는 거의 없고 그와는 대조적으로 지대와 맥주의 값은 거의 동률이니, 이것만으로도 작가가 얼마나 저율의 정신적 노역을 감수하고 있는가를 짐작할 수 있을 것이다. 뿐만 아니라 신문연재료도 형편없어 후일을 위한 여유는 고사하고, 연재중에도 당장 생계를 유지할 수 없으니, 아무리 제가 좋아서 하는 일이라 할지라도, 이렇게쯤 되면 힘들인 역작의 창작을 기대하기란 어려운 일이 아닌가 생각된다.

다음으로 현재 종합지는 몇 개 되지만, 순문예지는 월간이 단 하나뿐으로, 1950년대 일시 3개의 문예지가 경쟁하던 시절에 비하면 작가에겐 발표의 기회가 적게 되고 그것이 신진의 경우일수록 그 타격은 더욱 큰 것 같다.

작품에 나타난 사상성 및 윤리성의 문제는 어느 시대, 어느 사회에서도 전연 제약이 없는 경우는 거의 없었으나, 한 작품 전체를 검토하여 그속에 반영된 작가의 의도를 이해하기보다, 자극적인 문구나 구절만을 적출(摘出)하여 그것으로 전편을 난도질하려는 근시안적인 제약방법은 자유로운 창작활동에 지장을 주는 점이 적지 않다고 보아진다.

아무튼 창작이 어떠한 방향으로 어떻게 흘러가든, 문학작품의 직접적인 표현매체인 우리말 우리글을 어떻게 조탁하여 세련되게 표현하고, 그러한 그릇 속에 남들이 못 가진 우리의 독특한 것이로되 그것이 세계문학의 공통성 내지 보편성과 통할 수 있는 공감된 내용을 담아야 한다는 일은 우리 작품창작의 영원한 기본 과제로서 불변할 것이리라.

(1968)

한국 작가(作家)의 사회적 지위

1. 서언

한국에 있어서 문학작품의 창작가로서의 작가(作家)라는 현대적인 명칭이 성립된 것은 20세기에 들어와 서구문학의 영향 아래 이루어진 근대문학 형성과정 이후의 일이라고 할 수 있을 것이다.

그 이전은 학문(學問)과 창작(創作)의 양식상의 분류가 그렇게 뚜렷하지 않았을 뿐더러 한학자(漢學者)에 의하여 써진 한문(漢文)이나 한시(漢詩)는 양반계급에서는 귀중하게 다루어졌지만, 한글, 즉 당대의 호칭인 '언문(諺文)'으로 써진 글들은 실은 서민의 생활과 감정을 가장 진실하고도 적나라하게 표현한 것임에도 불구하고, 그것이 그 당시의 사회에서 그렇게 소중하게 아껴지지 못하였으므로, 오늘날 전하는 것 중에도 작자 미상의 작품이 많고 또한 이들 작자 스스로도 창작가로서의 자긍(自矜)을 그렇게 가지지 못하고 있는 데도 '작가(作家)'라는 명칭의 고정이나 작가적 지위의 확립이 이루어지지 못한 요인이 있었던 것 같다.

그것이 한국에 있어서의 근대적 혁신의 제도적 기점이라고 할 수 있는 1894년의 갑오경장이 있은 후 1900년대에 들어와서는 순한글 내지 국한문 혼용체로 작품을 쓴 사람들이 스스로 창작가로서의 자부와 긍지를 가지고 시대의 선구자로 임하였으며 일반 대중 또한 그들을 계몽적인 선각자로 인정, 숭앙함으로써, 비로소 한국에 자타 공히 인정하는 근대적인 작가의 성립이 가능하였던 것이다.

따라서 여기에서는 한국에 있어서 근대적 의미에서의 '작가'가 성립된 이후 오늘날에 이르기까지의 작가의 사회적 지위의 변천 과정을 살핌에 있어 작가의 대(對)사회적 권위와 현실에 있어서의 작가의 경제적 조건의 양면에서 사적 고찰을 하고자 한다.

2. 작가의 사회적 권위

1 작가의 자세

20세기에 들어와서 한국 근대소설의 초기 소설양식이라고 불리어지는 '신소설(新小說)' 작품을 창작한 작가들, 이를테면 이인직, 이해조(李海朝), 최찬식(崔瓚植), 안국선(安國善) 등은 작품을 쓰는 데 있어서 그 예술적인 형상화보다는 사회 개량의 계몽적인 교훈에 의식을 더 투철하게 가졌기 때문에 그들 작가 스스로가 새로운 시대의 선구자로 자처하였을 뿐더러, 독자 내지 일반 대중 또한 그러한 눈으로 작가를 보았던 것이다.

다음에 소설 「자유종(自由鐘)」의 작자인 이해조(1869~1927)의 예를 들어보면 그는 자기 작품 「화(花)의 혈(血)」 및 「탄금대(彈琴臺)」의 후기에서 각각 다음과 같이 그의 소신을 술회하고 있음을 볼 수 있다.

기자 왈 소설이라 하는 것은 매양 빙공착영(憑空捉影)으로 인정에 맞도록 편급하여 풍속을 교정하고 사회를 경성하는 것이 제일 목적인 중, 그와 방불한 사람과 방불한 사실이 있고 보면 애독하시는 열위 부인 신사의 진진한 자미가 일층 더 생길 것이오, 그 사람이 회개하

고 그 사실을 경계하는 좋은 영향도 없지 아니할지라, 고로 본 기자
는 이 소설을 기록하매 스사로 그 자미와 그 영향이 있음을 바라고
또 바라노라.

　　　　　　　　　　　　　　　　　—「화(花)의 혈(血)」, 후기(後記)

　한갓 결심하기를 아모쪼록 힘과 정신을 일층 더하여 악한 자를 징
계하고 착한 자를 찬양하며 혹 직설도 하며 혹 풍자도 하여 사람의
칠정에 각축될만한 공전전후의 신소설을 서술코자 하나, 매양 붓을
들고 종이에 임하매 생각이 삭막하고 문견이 고루하여 마음과 글이
같지 못하므로 애독 제씨의 진진한 취미를 돕지 못하였도다. 혹자의
말을 들은즉 본기자의 저술한 바 소설이 취미는 없지 아니하나 매양
허탄무고하고 후분을 다 말하지 아니하는 두 가지 결점이 있다 하나
이는 결코 생각지 못한 언론이라 하노니, 어찌하여 그러냐 하면 소설
의 성질이 눈에 보이고 귀에 들리는 실적만 들어 기록하면 취미도 없
을 뿐 아니라, 한 기사에 지나지 못할 터인즉 소설이라 명칭할 것이
없고, 또는 기자의 서술한 소설 삼십여 종이 확실한 소역사가 없는
자는 별로 없으니, 볼지어다.

　　　　　　　　　　　　　　　　　—「탄금대(彈琴臺)」, 후기(後記)

　여기에서 우리는 작자 이해조가 작품창작에 있어서 소설과 실화(實話)
를 구분하고 소설의 허구성에 관심을 가졌을 뿐더러, 풍속을 교정하고 사
회를 경성(警醒)케 하려는 사회 개량의 교훈적인 목적을 제일로 내세우고
있음을 알 수 있는 것이다.

　한편 그는 이러한 자기 의도를 이론으로만 내세운 것이 아니라, 「자유
종」, 「춘외춘(春外春)」 등의 자기 작품을 통하여 반영시켰던 것이다.

　이러한 사실은 비단 이해조의 경우에 한한 것이 아니다. 이인직(1862~1916)

은 소설 「혈의 누」에서 자주독립, 신교육의 필요성 및 여권 존중을, 최찬식(1881~1951)은 소설 「추월색(秋月色)」에서 신교육과 자유로운 애정을, 안국선(1878~1926)은 「금수회의록(禽獸會議錄)」에서 현실정치의 혁신을 주장하여, 각각 작품을 통하여 시대적인 요구를 대중에게 부르짖었음을 볼 수 있다.

이러한 경향이 이광수(1892~?)에 와서는 더욱 고조되어 그는 문학의 예술성을 줄곧 제창하면서도, 한편 대중에 대한 계몽성과 반일적인 민족의식의 고취에 끝까지 집년하였던 것이다.

우선 다음에서 문학에 대한 그의 초기 이론을 살펴보기로 하겠다.

『문학(文學)』이라는 자(字)의 유래(由來)는 심(甚)히 요원(遼遠)하여 확실(確實)히 기(其) 출처(出處)와 시대(時代)는 고(考)키 난(難)하나 여하(如何)튼 기(其) 의의(意義)는 본래(本來) 「일반학문(一般學問)」이려니, 인지(人智)가 점진(漸進)하여 학문(學問)이 점점(漸漸) 복잡(複雜)히 되매 『문학(文學)』도 차차(次次) 독립(獨立)이 되어 기(其) 의의(意義)가 명료(明瞭)히 되어, 시가(詩歌) 소설(小說) 등 정(情)의 분자(分子)를 포함(包含)한 문장(文章)을 문학(文學)이라 칭(稱)하게 지(至)하였으며 (이상(以上)은 동양(東洋)), 영어(英語)에 「literature」(문학(文學))이라는 자(字)도 또한 전자(前者)와 약동(略同)한 역사(歷史)를 유(有)한 자(者)라. (⋯⋯)

석일(昔日) 시가(詩歌) 소설(小說)은 다만 소한견민(銷閑遣悶)의 오락적(娛樂的) 문자(文字)에 불과(不過)하며, 또 기(其) 작자(作者)도 여등(如等)한 목적(目的)에 불외(不外)하였으나 (실개(悉皆) 그러하다 함은 아니나 기(其) 대부분(大部分)은) 금일(今日)의 시가(詩歌) 소설(小說)은 결(決)코 불연(不然)하여 인생(人生)과 우주(宇宙)의 진리(眞理)를 천발(闡發)하며, 인생(人生)의 행로(行路)를 연구(研究)하며, 인생(人

生)의 정적(情的) 상태(狀態) (즉(卽) 심리상(心理上) 급(及) 변천(變遷)
을 공구(攻究)하며, 또 기(其) 작자(作者)도 가장 침중(沈重)한 태도(態
度)와 정밀(精密)한 관찰(觀察)과 심원(深遠)한 상상(想像)으로 심혈(心
血)을 경주(傾注)하나니, 석일(昔日)의 문학(文學)과 금일(今日)의 문학
(文學)을 혼동(混同)치 못할지로다. 연(然)하거늘, 아한동포(我韓同胞)
대다수(大多數)는 차(此)를 혼동(混同)하여 문학(文學)이라 하면 곧 일
개(一箇) 오락(娛樂)으로 사유(思惟)하니 참 개탄(慨歎)할 바로다.
―「문학(文學)의 가치(價値)」 1910년 《대한흥학보(大韓興學報)》 제11호
소재

　　문학(文學)은 실(實)로 학(學)이 아니니, 대개(大槪) 학(學)이라 하면
모사(某事), 혹(惑)은 모물(某物)을 대상(對象)으로 하여 기사물(其事物)
의 구조(構造), 성질(性質), 기원(起源), 발전(發展)을 연구(研究)하는 것
이로되, 문학(文學)은 모(某) 사물(事物)을 연구(研究)함이 아니라 감각
(感覺)함이니, 고(故)로 문학자(文學者)라 하면 인(人)에게 모(某) 사물
(事物)에 관(關)한 지식(知識)을 교(敎)하는 자(者)가 아니요, 인(人)으
로 하여금 미감(美感)과 쾌감(快感)을 발(發)케 할 만한 서적(書籍)을
작(作)하는 인(人)이니, 과학(科學)이 인(人)의 지(知)를 만족(滿足)케
하는 학문(學文)이라 하면 문학(文學)은 인(人)의 정(情)을 만족(滿足)
케 하는 서적(書籍)이니라. (……)
　　종래(從來) 조선(朝鮮)에서는 문학(文學)이라 하면 반드시 유교식(儒
敎式) 도덕(道德)을 고취(鼓吹)하는 자(者), 권선징악(勸善懲惡)을 풍유
(諷諭)하는 자(者)로만 사(思)하여, 차준승(此準繩) 외(外)에 출(出)하는
자(者)는 타기(唾棄)하였나니, 시내(是乃) 조선(朝鮮)에 문학(文學)이
발달(發達)치 못한 최대(最大)의 원인(原因)이라. (……)
　　즉(卽) 모종(某種) 특정(特定)한 도덕(道德)을 고취(鼓吹)하기 위(爲)

하여, 우(又)는 권선징악(勸善懲惡)의 효과(效果)를 대(待)하기 위(爲)하여 문학(文學)을 작(作)하지 말고 일체(一切)의 도덕(道德), 규구(規矩), 준승(準繩)을 불용(不用)하고 실재(實在)한 사상(思想)과 감정(感情)과 생활(生活)을 여실(如實)하게 만인의 안전(眼前)에 재현(再現)케 하라 함이라.

　—「문학(文學)이란 하(何)오」, 《매일신보(每日申報)》1916. 11. 10~23 연재

　이상춘군(李常春君)의 「기로(岐路)」보다도 김명순(金明淳) 여사(女史)의 「의심(疑心)의 소녀(少女)」는 가장 이 점(點)에 있어서는 특출(特出)하외다. 거기는 교훈(敎訓)같은 흔적(痕跡)은 조금도 없으면서 그러면서도 재미있고, 또 그 재미가 결(決)코 비열(卑劣)한 재미가 아니요, 고상(高尙)한 재미외다. 이 작품(作品)에서 만일 교훈(敎訓)을 구(求)한다 하면 그는 실패(失敗)되리라. 그러나 나는 조선문단(朝鮮文壇)에서 교훈적(敎訓的)이라는 분투(奮套)를 완전(完全)히 탈각(脫却)한 소설(小說)로는 외람(猥濫)하나마 내 「무정(無情)」과 진순성군(秦瞬星君)의 「부르짖음」(학지광(學之光) 제(第)×호(號) 소재(所載))과 그 다음에는 이 「의심(疑心)의 소녀(少女)」뿐인가 합니다.

　주요한군(朱耀翰君)의 「농가(農家)」도 그러하지요. 그러나 간혹(間或) 설교(說敎)를 하려하는 점(點)이 있었오. 주군(朱君)께서는 그 신식(新式) 문체(文體)와 착상(着想)이 참 놀랍읍니다.

　물론 「교훈적(敎訓的)」만 탈(脫)하면 그만이라는 것은 아니로되, 이것이 적어도 조선문단(朝鮮文壇)에서는 혁신(革新)의 제일보(第一步)인가 하옵니다.

　—「현상소설고선여언(懸賞小說考選餘言)」, 1918년 3월 《청춘(靑春)》 제
　12호 소재

언제부터 예술은 배부르고 한가한 계급의 소일거리도 아니요, 청년 남녀의 하염없는 공상의 양식도 아니요, 이상하고 신기한 것을 좋아하는 자들의 장난감도 아니다. 인제부터 예술은 몸에 눈보다도 더 흰 제복을 입고, 손에 하늘에 오르는 향로를 들고, 그리고도 사람의 아들과 딸들의 싸늘한 영혼에 하늘 불을 붙이는 엄숙하고도 정다운 여신(女神)이라 한다.

「인생을 위한 예술」, 「거룩한 사랑의 예술」, 우리는 오직 이것을 믿고 이것만을 믿는다. 지극히 슬픈 처지에 있어 지극히 뜨거운 피와 눈물을 가진 우리 조선의 어린 아들과 딸들은 반듯시 이 소리를 들을 줄 믿는다.

    – 《조선문단(朝鮮文壇)》 창간호, 「권두사(卷頭辭)」 1924년 10월

이상 이광수의 소론(所論)에서 보여주는 바와 같이 그는 작가로서의 출발 초기부터 문학의 본질을 밝히고 예술성의 앙양을 주장하고 교훈적인 것은 부정하면서도, 기실 그는 작품 창작에 있어서는 사회 개량 및 민족의식의 고취를 위한 계몽적이요 설교적인 태도로 시종일관하였음은 그의 남겨진 작품들이 웅변으로 예증해 주는 바와 같다.

그의 초기 단편인 「어린 벗에게」를 비롯하여 장편 「무정」 「개척자」 「이순신(李舜臣)」 「마의태자(麻衣太子)」 그리고 「흙」 등은 다 그러한 의도에서 씌어진 작품들이며 이러한 그의 작가적 자세는 작품의 가치평가는 별개로 하고, 일제 식민지 통치하에서 그를 숭배하고 추종하는 많은 청소년 독자를 가지게 하였으며, 일반 민중 또한 그를 존경하여 마지않았던 것이다.

한편 김동인(1900~1951)의 경우는 이와 달라 이광수의 작가적 자세에 반기를 들고 문학을 위한 문학, 즉 예술성 위주의 문학을 주장하고 그러한 자기 의도를 그대로 작품 창작에 반영시킨 경우에 속하니, 그의 문학이론에서 이러한 관점에 연관되는 것을 추려보면 다음과 같은 것이 있다.

통속소설에서 우리는 비(卑)하고 열(劣)하고 오(汚)하고 추(醜)한 것 밖에는 아무것도 발견 못하오. 거기는 독창의 섬(閃)이 없오, 사상의 봉(烽)이 없오, 사랑의 움(芽)이 없오, 아무것도 없오, 독자를 끌려는 비열(卑劣)한 아첨의 사상이 있을 뿐이오. 이러한 저급(低級)소설을 보아서 유익이 없오. 우리는 소설에 대한 오해의 사상을 고치고, 즉 유치한 통속소설에 건전한 문학적 소설로 대(代)하고 소설과 문화를 연상하는 사상으로 화(化)하여 우리 사회를 순예술화(純藝術化)한 사회로 만듭시다.

　　─「소설(小說)에 대한 조선(朝鮮) 사람의 사상(思想)을」, 1919년 1월호
　　　《학지광(學之光)》 소재

이렇듯 우리는 소설(小說)의 취재(取材)를 구구(區區)한 조선사회(朝鮮社會) 풍속개량(風俗改良)에 두지 않고 〈인생(人生)〉이라 하는 문제와 살아가는 고통(苦痛)을 그려 보려 하였다. 권선징악(勸善懲惡)에서 조선(朝鮮) 사회문제(社會問題) 제시(提示)로─다시 일전(一轉)하여 조선사회(朝鮮社會) 교화(敎化)─이러한 도정(途程)을 밟은 조선소설(朝鮮小說)은 마침내 인생문제(人生問題) 제시(提示)라는 (小說)의 본무대(本舞臺)에 올라섰다.

　　　　　─「조선근대소설고(朝鮮近代小說考)」, 1929년

우리는 우리의 전인(前人)인 춘원(春園) 이광수(李光洙)의 밟은 문학 발자욱을 옳다 보지 않았다. 춘원은 문학을 일종의 사회 개혁의 무기로 썼다. 이상(理想) 건설의 선전 기관으로 썼다. 그 태도 내지 주의를 우리는 옳게 보지 않은 것이다. (그런 관계로 춘원이 《창조》 동인으로 있는 2년 남아 《창조》에서는 춘원에게 소설을 부탁하지 않았다.)

권선징악을 목적으로 한 소설을 용납할 관대성을 못가진 것과 같

은 의미로 사회 개혁을 목표로 한 소설도 용납할 수가 없었다. 문학은 오직 문학을 위한 문학이 존재할 뿐이지, 다른 목적을 가진 것은 문학으로 인정하지 못한다는 것이 우리의 주장이었다.

그리고 또 〈리알〉이라는 것이 소설구성의 최대 요소로 여기었다. 독자에게 아첨하기 위하여 흥미 중심의 소설을 쓰는 것은 문학자로서 부끄러히 여길 일이라 보았다. 그런지라 우리가 그때 산출한 소설이라는 것은 대중적 흥미는 아주 무시한 생경(生硬)하고 까다롭고 싱거운 것 뿐이었다. 우리는 이 생경한 〈이야기〉를 소위 〈문학〉이라 하여 대중에게 〈맛있게 먹기〉를 강요한 것이었다.

—「문학(文學) 30년의 자취」, 1948년 《신천지(新天地)》 소재

이상과 같이 김동인은 문학이 지니는 사회 풍속개량 또는 권선징악의 계몽성이나 목적소설적인 요소를 배격하고 문학의 순수성 내지 예술성을 주장하고 나섰음에도 불구하고, 뒤에 예증하겠지만 그도 또한 작품 속에서 일제에 대한 항거적인 자세를 강력하게 반영하였으므로 대중의 그에 대한 숭앙 또한 적지 않은 것이 있었던 것이다.

한편 염상섭(廉想涉)(1897~1963)은 자연주의를 표방하고 나선 작가로서, 그는 그러한 자기 주장을 일관하여 작품 창작에 임한 작가이기도 하지만, 그의 초기 문학이론의 단편(斷片)을 더듬어 보면 다음과 같은 것이 있다.

소설(小說)이란 것이 인생(人生)과 그 종속적(從屬的) 제상(諸相)을 묘사(描寫)하는 것인 이상(以上) 인간(人間)이 어떻게 고민(苦悶)하는가를 그리는 것은 물론(勿論)이다. 소설(小說)에 예술적(藝術的) 생명(生命)을 불어넣어 주는 것은 연극적(演劇的), 음악적(音樂的), 회화적(繪畵的), 조각적(彫刻的) 요소(要素)를 어떻게 안배(按排)하여 약동(躍動)하도록 그리겠냐는 문제(問題)지만, 기초적(基礎的) 조건(條件)은 역

시(亦是) 사람은 어찌하여 어떻게 얼마나 고민(苦憫)하는가, 또는 그 고민(苦憫)이 어떻게 원인(原因)되며 어떻게 처리(處理)되는가를 묘사(描寫)함에 있다. 물론(勿論) 그 고민(苦憫)에도 시대적(時代的), 개인적(個人的), 또는 작자(作者) 자신(自身)의 성격(性格)과 견해(見解)라는 여러 가지 배경(背景)이 있지만 결국(結局)은 이 모순(矛盾)과 분열(分裂)에 고민(苦憫)하는 양(樣)을 그대로 묘사(描寫)하여 강(强)한 인상(印象)을 줌으로써 인생(人生)에게 대(對)하여 일개(一個)의 제안(提案)을 하든가 혹(或)은 우리에게 해결(解決)을 주어서 인격(人格)과 사상(思想)의 통일(統一)과 완성(完成)을 기극(企劇)함에 그 대부분(大部分)의 사명(使命)이 있다고 나는 생각한다.

이러한 의미(意味)로 나의 처음 발간(發刊)하는 단편집(短篇集)에 대(對)하여 야차(夜叉)의 마음을 가진 고민(苦憫)을 의미(意味)하는 「견우화(牽牛花)」라는 표제(表題)를 택(擇)하였거니와(……)

  − 『견우화(牽牛花)』의 서문 1924년 간(刊)

그는 소설에 예술적 생명을 불어넣어 참다운 인생을 그리려고 애쓴 작가이지만 그의 작품에도 일제에 대한 항거적인 자세가 다분히 풍겨져 있음을 볼 수 있으니 이것은 다음 항목에서 예증하기로 하겠다.

이상 예시한 몇몇 작가뿐만이 아니라 개화기에서부터 1910년대에 걸친 대부분의 작가들은 민중을 계발하여 근대화를 촉진하고 민족의식을 고무하여 자주성을 확립하려고 선구자적이요 지도자적인 작가의식을 크나 작으나간에 지니고 있었고, 이것은 그대로 대중에게 선도자적인 상징으로 받아지게 되었던 것이다.

2 반일제(反日帝)의 사명감

1876년 한국과 일본 사이에는 근대적인 외교관계인 병자수호조약이 체결되어 국교가 열렸고, 그후 청일(淸日), 로일(露日)의 두 전쟁을 겪는 사이에 한국에 있어서의 일본의 정치 및 경제적 권한은 점차 확대되었고, 드디어 1905년에는 한국의 외교권을 박탈하는 을사보호조약이 일본의 일방적인 강제로 성립되고, 결국 1910년에는 한국 주권을 말살하는 한일합방이 성립됨으로써 한국은 일본의 식민지로 강점되고 말았다.

그 후 1919년 한국 민족의 거족적인 항일투쟁인 기미독립운동, 1926년의 항일투쟁인 6·10만세 사건, 그리고 1929년의 학생 주동의 항일투쟁인 광주학생사건 등 대규모의 항일투쟁을 비롯하여 군소 반일사건이 계속 야기되었으므로, 식민지 치하에서의 일제의 학정에 대한 민중의 사고와 감정, 그리고 식민지 인민의 일제 수탈에 대한 빈곤상은 자연히 문학 작품의 소재 및 주제로 다루어질 수밖에 없어, 1920년대부터 1930년대까지 창작된 작품들은 직접 또는 간접적으로 민족의식의 고취 내지는 반일적인 내용을 담은 것이 적지 않게 나타나게 되었고, 따라서 이러한 경향은 한편에서는 조국이 국난에 처한 작가로서의 사명감의 발로요, 다른 한편 독자측으로 보면, 울분을 토하고 공명 공감을 일으킬 수 있는 절호의 계기로서 작가는 그대로 민족의 순교자처럼 숭앙되기도 했던 것이다.

이제 다음에 1920년대에 발표된 이 경향의 문학작품(시·소설) 속에서 몇 대목을 뽑아 보기로 하겠다.

첫째 시의 경우를 예로 들면 이상화(李相和)(1901~1943)의 「빼앗긴 들에도 봄은 오는가」, 변영로(卞榮魯)(1898~1961)의 「조선(朝鮮)의 마음」과 「논개(論介)」, 한용운(韓龍雲)(1879~1944)의 「논개(論介)의 애인(愛人)이 되어서 그 묘(廟) 앞에」 및 김동환(金東煥)(1901~?)의 서사시 「국경(國境)의 밤」 등이 우선 손꼽히는 작품들이다.

지금은 남의 땅—빼앗긴 들에도 봄은 오는가

나는 온 몸에 햇살을 받고

푸른 하늘 푸른 들이 맞붙은 곳으로

가르마 같은 논길을 따라 꿈속을 가듯 걸어만 간다. (초연(初聯))

나는 온 몸에 풋내를 띠고

푸른 웃음 푸른 설움이 어우러진 사이로

다리를 절며 하루를 걷는다

아마도 봄신명이 접혔나 보다

그러나 지금은 들을 빼앗겨 봄조차 빼앗기겠네 (종연(終聯))

　　　　　　　　　　　　－이상화(李相和),「빼앗긴 들에도 봄은 오는가」

조선의 마음을 어디 가서 찾을까

조선의 마음을 어디 가서 찾을까

굴 속을 엿볼까, 바다 밑을 뒤져볼까

빽빽한 버들가지 틈을 헤쳐볼까

아득한 하늘 가나 바라다볼까

아, 조선의 마음을 어디가서 찾아볼까

조선의 마음은 지향할 수 없는 마음

설운 마음!

　　　　　　　　　　　　－변영로(卞榮魯),「조선(朝鮮)의 마음」

거룩한 분노는

종교보다도 깊고

불붙는 정열은

사랑보다도 강하다

아, 강낭콩꽃보다도 더 푸른 그 물결 위에
양귀비 꽃보다도 더 붉은 그 「마음」 흘러라!

아릿답던 그 아미(娥眉)
높게 흔들리우며
그 자류(柘榴) 속 같은 입술
「죽음」을 입맞추었네!
(후렴 2행 약(略))

흐르는 강(江)물은
길이길이 푸르리니
그대의 꽃다운 혼
어이 아니 붉으랴
(후렴 2행 약(略))

– 변영로(卞榮魯), 「논개(論介)」

낮과 밤으로 흐르고 흐르는 남강(南江)은 가지 않습니다.
　바람과 비에 우두커니 섰는 촉석루(矗石樓)는 살같은 광음(光陰)을
따라서 달음질칩니다.
　논개(論介)여, 나에게 울음과 웃음을 동시(同時)에 주는 사랑하는
논개(論介)여
　그대는 조선(朝鮮)의 무덤 가운데 피었던 좋은 꽃의 하나이다. 그래
서 그 향기(香氣)는 썩지 않는다.
　나는 시인(詩人)으로 그대의 애인(愛人)이 되었노라.
　– 한용운(韓龍雲), 「논개(論介)의 애인(愛人)이 되어서 그 묘(廟) 앞
　　에」의 첫 부분

전선(電線)이 운다 잉잉 하고

국교(國交)하러 가는 전신(電信)줄이 몹시도 운다.

집도 백양(白楊)도 산곡(山谷)도 오양깐 당나귀도 따라서 운다.

이렇게 춥길래

오늘따라 간도(間島) 이사(移徙)꾼도 별로 없지

어름짱 깔린 강(江)바닥을

바가지 달아메고 건너는

밤마다 저녁마다 외로이 건너는

함경도(咸鏡道) 이사꾼도 별로 안보이지.

회령(會寧)서는 벌써 마지막 차(車)고동이 텄는데.

　　　　　　　－ 김동환(金東煥), 「국경(國境)의 밤」 제6연

「빼앗긴 들에도 봄은 오는가」는 전편에 망국한(亡國恨)의 울분과 비애가 차 있지만 특히 맨 처음의 "지금은 남의 땅―빼앗긴 들에도 봄은 오는가"와 맨 끝줄의 "그러나 지금은 들을 빼앗겨 봄조차 빼앗기겠네"는 가슴 속을 후벼 가는 원한의 절규에 사무쳐 있음을 느끼게 한다.

「조선의 마음」에서는 이젠 적에게 빼앗겨 찾을 길 없는 조선의 마음, 지향할 수 없는 서러운 마음의 아득한 비분이 읊어졌음을 볼 수 있으며, 「논개(論介)」와 「논개(論介)의 애인(愛人)이 되어서 그 묘(廟) 앞에」의 2편은 다 임진왜란 때 적장을 얼싸안고 나라를 위한 단심(丹心)으로 진주 남강에 감연히 투신한 기생 논개의 애국충절을 상징하여 민족정기에 호소한 사상을 절실하게 그린 시편(詩篇)들이다.

그리고 「국경(國境)의 밤」에서는 일제의 식민지 수탈로 야윌 대로 야위고 헐벗어, 하는 수 없이 정처 없이 간도로 떠나가는 애처로운 이사꾼을 내세워 꺼져 가는 겨레의 마음속에 한 줄기 기름불을 당기려는 작자의 의도를 절감하게 되는 것이다.

이처럼 위의 시들은 한결같이 일제에 대한 항거와 민족의식의 고취에 초점을 둔 작품들로서 이밖의 많은 작품들이 또한 직접, 간접으로 이같은 주제를 다루었던 것이다.

다음, 소설에서 항일운동 중 전적으로 3·1운동을 소재로 다룬 작품은 전영택(田榮澤)의 「생명(生命)의 봄」이 있고 희곡으로는 유치진(柳致眞)의 「조국(祖國)」이 있다.

「생명(生命)의 봄」은 기미운동에 직접 참가한 여주인공이 투옥되었다가 재감중 병으로 보석되어 가출옥하기까지의 과정을 그린 작품이요, 「조국(祖國)」은 대학생이 3·1의거에 직접 가담하여 만세를 부르다가 적에게 피살되는 내용을 그린 작품이다.

한편 3·1운동을 전후한 시기에 일제의 탄압과 약탈에 견디지 못하여 외지로 쫓겨가는 내용이 담긴 소설에 염상섭의 「만세전(萬歲前)」, 김동인의 「붉은 산(山)」, 그리고 조명희(趙明熙)의 「농촌(農村) 사람들」 및 「낙동강(洛東江)」 등이 있다. 다음에 이 작품들의 한 장면씩을 예시하기로 하겠다.

몇 천(千) 몇 백년(百年) 동안 그들의 조상(祖上)이 근기(根氣)있는 노력(努力)으로 조금씩 조금씩 다져 놓은 이 토지(土地)를 다른 사람의 손에 내던지고 시외(市外)로 쫓겨나가거나 촌(村)으로 기어 들어갈 제, 자기(自己) 혼자만 떠나가는 것 같고 자기(自己) 혼자만 촌(村)으로 들어가는 것 같았을 것이다. 땅마지기나 있던 것을 까불려버리고 집 한 채 지녔던 것이나마 문서(文書)가 이 사람 저 사람의 손으로 넘어다니다가 변리(邊利)에 변리(邊利)가 늘어서 내놓고 나가게 될 때라도 사람이 살랴면 이런 꼴도 보고 저런 꼴도 보는 것이지 하며 이것도 내 팔자소관(八字所關)이라는 안가(安價)한 낙천(樂天)이나 단념(斷念)으로 대대(代代)로 지켜내려 오던 고향(故鄕)을 등지고 문(門)밖으로 나가고 산(山)으로 기어들 뿐이오, 이것이 어떠한 세력(勢力)에 밀리기 때문이거나, 혹(或)은 자기(自己)가 견실(堅實)치 못하거나, 자제력(自制力)과 인내력(忍耐力)이 없어서 깝살리고 만 것이라는 생각은 꿈에도 없다.

— 염상섭(廉想涉), 「만세전(萬歲前)」

그는 입을 움직였다. 그러나 말이 안나왔다. 기운이 부족한 모양이었다. 잠시 뒤에 그는 또 다시 입을 움직이었다. 무슨 소리가 그의 입에서 나왔다.

「무얼?」

「보구 싶어요. 붉은 산이—그리고 흰 옷이!」

아아, 죽음에 임하여 그는 고국과 동포가 생각난 것이었다. 여는 힘있게 감았던 눈을 고즈너기 떴다. 그때의 「삵」의 눈도 번쩍 뜨이었다. 그는 손을 들려고 하였다. 그러나 이미 부러진 그의 손은 들리우지 않았다. 그는 머리를 돌이키려 하였다. 그러나 그 힘이 없었다. 그의 마지막 힘을 혀 끝에 모아가지고 입을 열었다.

「선생님!」

「왜」

「저것—저것—」

「무얼?」

「저기 붉은 산이—그리고 흰 옷이—선생님 저게 뭐에요!」

여는 돌아 보았다. 그러나 거기는 황막한 만주의 벌판이 전개되어 있을 뿐이었다.

「선생님 노래를 불러주세요. 마지막 소원—노래를 해 주세요. 동해물과 백두산이 마르고 닳도록—」

여는 머리를 끄덕이고 눈을 감았다. 그리고 입을 열었다. 여의 입에서는 창가가 흘러 나왔다. 여는 고즈너기 불렀다.

「동해물과 백두산이……」

고즈너기 부르는 여의 창가 소리에 뒤에 돌아섰던 다른 사람의 입에서도 숭엄한 코러스는 울리어 나왔다.

「무궁화 삼천리 화려강산—」

           —김동인, 「붉은 산(山)」

이해에도 늦은 가을이다. 어느날 이른 아침에 이 마을에서도 가물가물하게 멀리 보이는 들건너 북망산 고개길에는 이 마을에서 떠나가는 한 떼의 무리가 있었다. 봇짐 지고 어린아이 업고 바가지 찬 젊은 이 사내 여편네 적지 않은 떼가 몰려간다. 그들은 서간도로 가는 이삿군이다. 이 고개마루턱을 다 넘을 때까지 그들은 서로서로 번갈아 가며 두 걸음에 한 번씩 아득히 보이는 자기네 살던 마을을 우두커니 서서 바라다보고는 걷고 한다. 울어서 눈갗이 부숙부숙한 여자도 있다.

           —조명희(趙明熙), 「농촌(農村) 사람들」

천년을 산 만년을 산
낙동강! 낙동강!
하늘가에 간들
꿈에나 잊을소냐—
잊힐소냐 아—하—야.

어느 해 이른 봄에 이땅을 하직하고 멀리 서북간도로 몰려가는 한 떼의 무리가, 마지막 이 강을 건널 제, 그네들 틈에 같이 끼어가는 한 청년이 있어 뱃전을 두드리며 구슬프게 이 노래를 불러서, 가뜩이 어슬퍼하는 이삿군들로 하여금 눈물을 자아내게 하였다 한다.

과연 그네는 뭇 강아지 떼같이 이땅 어머니의 젖곡지에 메달려 오

래오래동안 살아왔다. 그러나 그 젖꼭지는 벌써 자기네 것이 아니기
시작한 지도 오래였다.

― 조명희(趙明熙), 「낙동강(洛東江)」

「만세전」에는 일제의 농촌 수탈로 말미암아 고리대금에 견딜 수 없어
고향을 떠나는 이야기가 들어 있고, 「붉은 산」에는 만주로 이민간 주인공
이 조국의 붉은 산 및 백의민족이 그리워 죽어 가는 순간 '동해물과 백두
산이'의 애국가를 불러 달라는 민족의 비애와 조국에 대한 충정이 그려져
있고, 「농촌 사람들」 및 「낙동강」에는 일제로 말미암아 빈궁의 극에 달한
농민이 고향을 등지고 서간도(西間島), 북간도(北間島)로 이민가는 민족의
비애가 각각 담겨 있다.

이러한 일제 식민지 치하의 민족적인 비애와 항일의식을 그린 작품은
이밖에도 수없이 예시할 수 있는 것이므로, 그만큼 이 시기의 작가들은
쓰러져 가는 조국의 정신적인 지주의 역할을 했던 것이다. 즉 이 시기의
작가들은 반일적이요 항일적인 내용을 작품 속에 담았다는 그것만으로도
작가로서의 사명감의 일단을 채울 수 있었고, 독자 또한 그러한 민족의식
에 대한 공감만으로도 작품에서 얻는 예술적인 감흥 이상의 의의를 발견
하고 또한 느낄 수 있었던 것이다.

그러나 제2차대전 종식과 더불어 일제가 물러가고 조국이 광복되자,
일제에 대한 항거는 현실적으로 필요 없어졌을 뿐만 아니라, 문학작품의
소재나 주제로도 그 의의가 희박해져, 작가들의 이에 대한 사명감 같은
것도 자동적으로 해소되고 독자의 이 문제에 대한 관심도 점차 사라져
가기 시작했다.

따라서 작품들은 조국 앞에 벌어진 전환되는 현실에 적극 관심을 가지
면서 각자 자기 나름의 창작 방향을 모색하여 새로운 각도에서 작품 창
작에 임하게끔 되었다. 그러한 결과는 전에 다분히 민족적인 연대의식을

다루려던 경향과는 달리 개인적인 생활의 깊이를 파고들어 자기 발산 및 자기 고백에 따르는 심리의 내부세계를 그리려는 경향이 적지 않게 나타나게 되었다.

그러한 예로 해방 후에 등장한 작가의 한 사람인 손창섭(孫昌涉)(1922~)의 「작가(作家)의 변(辯)」을 들어 보기로 하겠다.

좀더 내키어 말하면 규격(規格)에 맞는 소설 같은 소설을 쓰고 싶지는 않은 것이다. 소설이 돼도 좋고 안 돼도 좋다. 반드시 독자(讀者)를 향해서가 아니라, 허공(虛空)을 향해서라도 나 자신을 발산해 버리면 그것으로 만족이니까 말이다. (……)

자 그러면 여기에 문제가 있다. 도대체 이러한 내가 써 낸 작품이란 무엇이겠느냐 하는 점이다. 어떤 가치가 얼마만한 가치가 있으며, 단 몇 사람이라도 독자가 있다면 그들은 무엇에 끌려 읽을 것인가 하는 점이다. 말하자면 나의 작품은 소설의 형식을 빌은 작자의 정신적 수기(手記)요, 도회(韜晦) 취미를 띤 자기(自己) 고백(告白)의 과장된 기록인 것이다. 기형적인 개성의 특이성을 바탕으로 불우한 역경에서 형성된 굴곡된 정신 내용의 역설적 고백—이것이 내 작품의 정체(正體)인 것이다.

—손창섭(孫昌涉), 「아마츄어 작가(作家)의 변(辯)」, 1965. 11. 30간(刊)
『현대한국문학전집(現代韓國文學全集)』 수록

여기서 보여주는 바와 같이 작가는 자기만을 생각하고 작품을 쓰면 그만이지 민족이나 국가 같은 것은 아랑곳없고, 극도에 가서는 독자조차 안중에 없다는 것이다.

이것은 8·15 이전의 작가가 일반적으로 개체와 국가 내지 민족을 공동운명체의 연대의식으로 생각하던 것과는 엄청나게 거리가 먼 대조적인 작가의 자세를 보여주는 것이다.

이러한 결과는 8·15 이전의 작가를 선비, 문사(文士) 그리고 애국적 선구자나 지도자로 보고, 또 작자 스스로도 어느 의미에선 그렇게 자처하게끔 만들던 독자 대 작자의 관계를 완전히 변화시켜, 작자를 글쓰는 한 직업인 또는 문인으로 보고, 작가 또한 그러한 자기의 위치를 스스로 긍정할 수밖에 없게 되었으므로, 현실적인 한국 작가의 권위는 진정한 창작가로서의 예술가가 되는 이외에, 배설, 고백 내지 카타르시스에 의한 자기 만족의 경지를 멀리 벗어나지 못하는 위치에 놓여있다고 할 수밖에 없는 것이다.

3. 작가의 경제적 조건

한국 작가의 원고료나 인세(印稅)라는 것은 그들의 생활을 유지하는데 특수한 몇몇 예외의 경우를 제외하고는 그리 큰 도움이 되지 않는 것으로 사료된다.

한국에 있어서 가장 총체적인 문인단체인 한국문인협회의 회원 총수는 1969년 1월 현재 600여 명이며 그 중 원고료 수입의 중요한 대상 부문이라고 생각되는 소설분과에 속하는 작가의 수는 150여 명이지만, 이 가운데서 원고료 내지 인세로 생활이 가능한 작가는 신문 연재소설을 쓰는 십여 명에 불과하다. 이러한 통계적인 계수만 보아도 한국 작가는 원고료를 벌기 위하여서만은 글을 쓸 수 없다는 현실적인 실정을 짐작 할 수 있게 하는 것이다.

따라서 대다수의 한국 작가는 글을 쓴다는 본직 외에 생활수단을 위한 부직을 가져야만 하고, 또한 실지로 가지고 있는 것이다. 그들의 부직은 교원, 저널리스트, 출판사원, 회사원 등 각양각색이다.

그러므로 밥을 먹여 주는 부직이 본직인지 생명을 걸고 작품을 창작하려는 작가가 정말 본직인지, 사회적인 호칭이나 직업 분류에서도 선뜻 구분이 안 갈 정도로 한국 작가의 직업은 미묘한 위치에 놓여 있는 것이다.

근대화의 초기에 나타난 소위 '신소설(新小說)' 작가들은 일정한 고료가 없이 작품을 써서 출판사에 넘기면 몇 푼 안 되는 돈을 받았고, 당시는 또한 출판법도 제정되지 않아 작자의 권익도 옹호할 길이 없었지만 그들은 그런대로 경제적 보상보다는 작품을 창작하고 민족의 선구자 구실을 하는 데 더 보람을 느꼈고, 또한 그들의 대부분은 저널리스트로서 생계를 유지할 수 있었던 것이다.

비교적 조건이 갖춰진 근대적인 최초의 장편 「무정」(1917)을 쓴 이광수는 그 당시의 원고료에 대하여 다음과 같은 기록을 남기고 있다.

> 나의 최초(最初)의 저서(著書)는 「무정(無情)」입니다. 「무정(無情)」을 쓰던 때의 일은 지금도 잊히지 않습니다. 그것은 아마 내가 몹시 고생(苦生)하던 때 일이 되어 그러한 듯합니다.
>
> 그때에 나는 배고파서 정신(情神)을 잃은 적도 한두 번이 아니었고, 교과서(敎科書)를 못사는 것은 둘째로 당장 수업료(授業料)를 바치지 못해서 학교(學校)에도 못가던 때가 빈빈(頻頻)하였을 그 시기(時期)였읍니다.
>
> 이렇게 고생(苦生)하면서도 이 소설(小說)만은 꾸준히 완결(完結)시켰읍니다. 첫회(回)부터 끝회(回)까지 즉(卽) 삼백회(三百回) 동안 「매일신보(每日申報)」에 연재(連載)하였는데, 원고료(原稿料)는 처음엔 한 달에 5원식(圓式) 보내 주더니 나중에 10원식(圓式) 보내 주더이다.
> —「나의 최초(最初)의 저서(著書)」, 1932년 2월호 《삼천리(三千里)》 소재

> 문(問) 「무정(無情)」을 쓸 때의 사생활(私生活)은 어땠어요?

답(答) 동경(東京) 와세다대학(早稻田大學)에 다니던 일학생(一學生)이었지요. 학비(學費)라고 매달 20원(圓)씩 중앙학교(中央學校)에서 보내주었는데 내용은 김성수씨(金性洙氏)가 대었는지 잘 모르겠으나, 늘 그때 학감(學監)이던 안재홍씨(安在鴻氏) 이름으로 오더구만―. 그 뒤 중앙학교(中央學校)에 대(對)하여 나는 이 학비(學費)의 은공(恩功)을 갚아드리지 못한 것이 지금까지 마음에 걸려요. 앞으로도 무슨 기회(機會)에든지 잊지 말고 기어이 보답(報答)하려 생각하고 있어요.

문(問) 그때 소설(小說)을 써서 그 고료(稿料)를 가지고 학비(學費)에 보태임이 되었어요?

답(答) 5원식(圓式)이었으니까 매일신보사(每日申報社)에서 매달 주는 고료(稿料)가요, 하루에 20전(錢)폭도 못되지요. 그러다가 처음 시험(試驗)한 이 신문소설(新聞小說)이 인기(人氣)가 났던지, 「무정(無情)」을 끝내자 곧 계속해서 무얼 하나 더 쓰라고 하기에 다시 붓을 잡아 「개척자(開拓者)」를 쓰기 시작하였더니 그때에는 일약(一躍) 20원(圓)을 주더구만. 4배(倍) 폭등(暴騰)이지요. 매월(每月)에…… 가가(呵呵).

문(問) 「청춘(靑春)」에도 「윤광호(尹光浩)」등 단편(短篇)을 많이 발표(發表)하였지요. 육당(六堂)도 고료(稿料)를 보내주셨어요?

답(答) 2,3천부(千部) 박는 잡지(雜誌)에서 어떻게 고료(稿料)까지 줘요?

― 이광수(李光洙)와 기자의 대담, 1937년 1월 《삼천리(三千里)》 소재

「무정」은 이광수가 동경(東京) 와세다대학(早稻田大學) 재학중에 《매일신보(每日申報)》에 연재한 작품이다. 동경 유학생의 1개월 학비가 적어도 20원 드는 시기에 작품 게재료가 1개월에 처음은 5원밖에 안 되고 나중에 10원이 되었다니 그 비중은 대략 짐작할 수 있는 일이다.

이광수는 또한 위의 글에서 수업료 및 교과서대도 지불하기 힘든 학창

생활을 하였다고 술회했지만, 이에 대한 같은 시대의 작가 김동인의 견해
를 들어 보면 다음과 같다.

「무정(無情)」을 발표(發表)한 기관(機關)은 대한매일신보(大韓每日申
報)의 후신(後身)이요 당시(當時)의 유일(唯一)한 조선문신문(朝鮮文新
聞)이던 매일신보(每日申報)였다.
　　춘원(春園)은 「무정(無情)」의 대부분(大部分)을 동경(東京) 조선유학
생(朝鮮留學生) 기숙회(寄宿會)에서 썼다. 쓴 동기는 물론 한 가지로는
문학적(文學的) 창작욕(創作慾)이나 또 한편으로는 약소(略少)한 고료
(稿料)로나마 학비(學費)를 좀 벌어보겠다는 욕망(慾望)에서였다.
　　　　　　　　　　　－ 김동인, 「춘원연구(春園硏究)」, 1939년

「無情」이 완결(完結)된지 얼마 지나서 역시 매일신보(每日申報) 지
상(紙上)에 춘원(春園)의 제(第)2장편(長篇) 「개척자(開拓者)」가 실렸다.
　　그러나 이 「개척자(開拓者)」는 론(論)치 않는 편이 도리어 점잖지
않을까.
　　「무정(無情)」을 게재(揭載)하여 대중(大衆)의 환영을 받았는지라 매
일신보(每日申報)는 판매(販賣) 정책상(政策上) 춘원(春園)에게 또 소설
(小說)을 써달라고 부탁을 하였을 것이다. 춘원(春園)은 용돈이라도
얻어 쓰느라고 집필(執筆)을 한 것이지 그 이상 아무것도 없다.
　　　　　　　　　　　－ 김동인, 「춘원연구(春園硏究)」, 1939년

이 글에서 김동인은 이광수를 좀 깎듯이 말하고 있기는 하지만, 장편
연재를 하여도 경제적으로 그렇게 큰 도움은 되지 않았던 그 당시의 실
정을 엿볼 수 있는 기록이라고 보아진다.
　　한편 김동인은 본격적인 예술작품의 창작과 신문 연재의 소위 대중소

설과를 어떻게 보고, 또한 그에 연관되는 원고료와 경제적 조건을 어떻게 비판하고 어떻게 체험했는지 그의 솔직한 회고담에 잠시 귀를 기울이기로 하겠다.

이보다 조금 앞서 나는 동아일보에 연재소설을 쓰기로 승낙을 한 것이었다. 동아일보에 연재소설의 요구는 늘 받아왔지만 일체로 신문소설은 거절해 오던 나로서도 결혼을 앞두고 경제문제 해결책으로 승낙을 한 것이다. 이것이 나에게 있어서 첫 훼절이었다. 아직껏 누가 무슨 소리를 하던간에 나는 내 길을 닦아 나아간다던 그 주장은 꺾이고 대중소설에 손을 댄 나의 첫 번의 훼절이었다. 이리하여 첫 번 신문소설을 쓰기 위하여 용강온천(龍岡溫泉)에 가서 「젊은 그들」의 첫 머리를 좀 써서 동아일보로 보내자 동아일보는 그만 무기정간이 되어 버렸다.

　　　　　－「문단(文壇) 30년의 자취」, 1948년 《신천지(新天地)》 소재

그때 동아일보에 「허생전」 「일설 춘향전」 「재생」 등을 쓴 것이 춘원 자신의 뜻이었는지 혹은 동아일보 사장 고하(古下) 송진우(宋鎭禹)의 뜻을 받음이었는지는 따져보지 못하였지만, 이 사실 때문에 바야흐로 싹트려던 조선 신문학이 받은 바의 타격은 막대하다. 이 책임을 오직 춘원에게 뒤집어 씌우는 내가 오히려 비겁하다.

파산 실처(失妻) 등 쓰라린 사고에 부딪쳐서 붓을 던지고 숨어 있던 내가 다시 붓을 잡은 것은 동아일보 지상에 「젊은 그들」이었다. 아직껏 청초하고 고결함을 자랑하던 나였었지만 몇 푼의 원고료를 받아서 생활을 유지하기 위하여 입대껏 거절해오던 동아일보 집필을 종래 수락한 것이었다. 춘원은 어차피 그 출발이 신문소설이었던 사람이었지만, 이 나의 훼절이야말로 온 조선 사회에 크게 영향되었다. 어

떤 사람은 이 훼절을 나므래고 어떤 사람은 욕했지만 그보다도 많은 추수자가 뒤따른 것이었다. 「신문소설을 써도 괜치 않다. 김동인도 쓰지 않느냐, 신문소설을 쓰는 것은 결코 흠절이 안 된다.」 이런 생각을 들게 하여 신문학 발전에 큰 지장을 준 허물을 입이 백(百)개라도 변명할 여지가 없는 바이다.

물론 신문소설이란 것은 대중을 신문소설 영역에까지 끌어 올리는 역할을 하지만, 그 반면에 문학을 또한 하는 것이라, 조선 문학은 신문소설의 창성으로 하여 뒷걸음친 것이었다. 신흥문단에서는 춘원이 홀로 「허생전」이며 「재생」들을 쓸 동안은 춘원은 문단인이 아니라 하여 불관심하여 버렸었지만, 김동인이까지 신문소설을 쓰고 보니 신문소설을 쓰는 것이 문사로서 결코 흠이 안 된다 보게 되고, 그것이 차차 신문소설을 쓰려는 요구로 변하게까지 되었다.

－「문단(文壇) 30년의 자취」, 1948년 《신천지(新天地)》 소재

김동인은 이광수의 신문 연재소설의 저속성을 비난했지만 그도 어쩔 수 없이 고료를 위해 신문 연재소설을 쓸 수밖에 없었고, 자신의 신문소설도 통속소설을 면치 못했다는 그의 고백을 들으며, 우리는 오늘날의 신문소설의 대중성과 작가가 그렇게 독자에게 본의 아니게 영합하면서도 저액의 신문연재 고료로 경제적 조건도 충족되지 못하면서 그래도 쓸 수밖에 없는 현실을 대조하여 보게 되는 것이다.

또한 당대의 부호로 일컬어진 방인근(方仁根)이 문학잡지 《조선문단(朝鮮文壇)》을 1924년에 창간하여 수년간 이 잡지를 계속 발간하는 사이 가산을 완전히 탕진하고 그 후 결국 재기하지 못해 오늘날 70이 넘은 노구를 이끌고 가두를 방황하는 심정의 고백을 들어 봄도 "문학(文學)과 고료(稿料)와 생활(生活)"의 상관관계를 논하는 데 일조가 됨직한 일이라고 생각된다.

「조선문단(朝鮮文壇)」은 더 해나갈 수가 없이 어려워져 이제는 집을 팔아서 몇 호(號)를 더 내었다. 그 후엔 기진 맥진해서 더 계속할 수가 없었다. 친구에게 돈을 더 꿀 수도 없었다. 그렇다고 누구 하나 도와주는 사람 없고, 전화(電話) 팔고 집 팔고 빈털터리가 되었다. 눈물을 머금으며 발간(發刊)할 수밖에 없었다. 그야말로 일제시대(日帝時代)이니 나라에 바랄 수도 없고, 꼼짝없이 「조선문단(朝鮮文壇)」을 죽이고 나니 어린아이 죽은 것을 보는 것 같아 가슴 아프고 쓰리었다.

나는 미친 듯 술만 날마다 먹고 거리를 헤매었다. 울면 무슨 소용이 있으리요. 아이를 죽이고 난 후에도 이렇게 슬프지는 아니할 것이다.

나는 하는 수 없이 평북(平北) 영변중학교(寧邊中學校)에 선생으로 가서 지냈다. (……)

그후 다시 서울 와서 동아일보(東亞日報)에 「마도(魔都)의 향(香)불」, 조선일보(朝鮮日報)에 「쌍홍무(雙虹舞)」, 매일신보(每日申報)에 「새벽길」 등속을 많이 내서 대중소설(大衆小說)로 전향한 것은 원고료 문제도 있었다.

　　―「조선문단(朝鮮文壇)의 회고(回顧)」, 1969년 2월호《월간문학(月刊文學)》소재

이같은 작품과 원고료 문제에 대하여 작가 이효석(李孝石)(1907~1942)도 일찍이 그의 솔직한 고백과 견해를 털어놓은 일이 있다.

　신문소설 고료의 규정이 어느 때부터 어느 정도로 정연하게 섰던지는 모르나 잡지 문학의 고료의 개념이 확고하게 생긴 것은 4,5년 전부터라고 기억한다.

「조광(朝光)」「중앙(中央)」「신동아(新東亞)」「여성(女性)」「사해공론(四海公論)」 등이 발간되자 소설로부터 잡문에 이르기까지 일정한 고료

를 보내게 되었고, 이후부터 신간되는 잡지도 그 예를 본받게 되어 어떤 잡지는 종래의 관습을 깨뜨리고 새로운 개념을 수립하기 위해서 원고를 청하는 서장 끝에 반드시 「사규정(社規定)의 사례(謝禮)를 드리겠읍니다.」의 한 줄을 첨가하게 되었다. 이 한 줄이 문학의 새시대를 잡아들게 된 성언(聲言)이 아닐까도 생각된다.

이 일군의 잡지 이전에도 「해방(解放)」「신소설(新小說)」 등에서 고료라고 이름 붙는 것을 보내기는 했으나 극히 편파적인 것이었다. 그 이전 「개벽(開闢)」시대의 경우는 알 바가 없으나, 어떻든 불규칙하고 편벽된 것이 아니고 본식으로 고료의 규정이 생긴 것은 「조광(朝光)」 등 일련의 잡지로부터 비롯해진 것이며 그런 의미로만도 차등지(此等誌)의 공헌은 적지 않다고 본다.

두말할 것 없이 문학의 사회적 인식이 커지자 수용이 더하고 상품가치가 는 결과, 작품에 처음으로 시장가격이 붙게 된 것이니 이런 점으로 보면 고료의 확립이 시대적인 뜻을 가진다.

한 좌석의 술이나 만찬으로 작가의 노고를 때워버리는 원시적인 방법이 청산되고 원고의 매수를 따져 화폐로 교환하게 된 것이니, 여기에 근대적인 의의가 있고 발전이 있다. 고료의 확립을 계기로 해서 문학성과에 일단의 진전이 시작되었다고는 볼 수 없으나 작품이 작품으로서 취급되게 되고 그것을 창작하는 작가의 심정에 변화가 생겼음이 자연의 이치일 때, 문학에 격이 서고 문단의 자리가 잡힌 것도 사실이다.

이 고료 확립의 일행이 조선 문학사의 측면적 고찰의 한 계점(契點)이라고도 볼 수 있다. (……)

「조광(朝光)」 이후 소설이든 수필이든 잘되었든 못되었든간에 일매에 50전의 고료를 받아오는 것이 많지도 않고 적지도 않은 현금의 시세인 듯하여 당분간은 아마 이 고료의 운영과 몸을 같이할 수밖에는 없을 듯하다.

—「첫 고료(稿料)」 1939년 10월호《박문(博文)》소재

이밖에 1930년대 작가 중에서 가장 특이한 작품으로 알려지고, 그 문학적 역량이 크게 인정되어 미래에 대한 촉망이 컸으면서도 결국은 빈궁과 병마에 시달려 요절한 김유정(金裕貞)(1908~1937)과 이상(李箱)(1910~1937)의 경제적인 사생활의 단면을 이야기해 주는 그들의 사신(私信) 한 장씩을 추려 보기로 하겠다.

형(兄)아

나는 날로 몸이 꺼진다. 이제는 자리에서 일어나기조차 자유롭지가 못하다. 밤에는 불면증(不眠症)으로 하여 괴로운 시간(時間)을 원망(怨望)하고 누워 있다. 그리고 맹열(猛熱)이다. 아무리 생각하여도 딱한 일이다. 이러다가는 안 되겠다. 달리 도리(道理)를 채리지 않으면 이 몸을 다시 일으키기가 어렵겠다.

형(兄)아

나는 참말로 일어나고 싶다. 지금 나는 병마(病魔)와 최후(最後) 담판(談判)이다. 흥패(興敗)가 이 고비에 달려 있음을 내가 잘 안다. 나에게는 돈이 시급(時急)히 필요(必要)하다. 그 돈이 없는 것이다.

내가 돈 백원(百圓)을 만들어 볼 작정이다. 동무를 사랑하는 마음으로 네가 좀 조력(助力)하여 주기 바란다. 또다시 탐정소설(探偵小說)을 번역(飜譯)하여 보고 싶다. 그 외(外)에는 다른 길이 없는 것이다. 허니 네가 보던 중(中) 아주 대중화(大衆化)되고 흥미(興味)있는 걸로 한 뒤 권(卷) 보내주기 바란다. 그러면 내 50일(日) 이내(以內)로 역(譯)하여 너의 손으로 가게 하여 주마. 하거던 네가 극력(極力) 주선(周旋)하여 돈으로 바꿔서 보내다오.

형(兄)아!

물론(勿論) 이것이 무리(無理)임을 잘 안다. 무리(無理)를 하면 병(病)을 더친다. 그러나 그 병(病)을 위하여 엎집어 무리(無理)를 하지 않으면 안 되는 나의 몸이다.

그 돈이 되면 우선(于先) 닭을 30마리 고아 먹겠다. 그리고, 땅군을 드려 살모사, 구렁이를 10여(餘)뭇 먹어 보겠다. 그래야 내가 다시 살아날 것이다. 그리고, 궁둥이가 쑥쑤구리 돈을 잡아먹는다, 돈 , 돈, 슬픈 일이다.

형(兄)아

나는 지금 막다른 골목에 맞닥드렸다. 나로 하여금 너의 팔에 의지(依支)하여 광명(光明)을 찾게 하여다우.

나는 요즘 가끔 울고 누워 있다. 모두가 답답한 사정이다.

반가운 소식 전해다우. 기다리마.

> 3월 18일(日) 김유정(金裕貞)으로부터
> – 김유정(金裕貞)의 사신(私信)

과거(過去)를 돌아보니 회한(悔恨)뿐입니다. 저는 제 자신(自身)을 속여 왔나 봅니다. 정직(正直)하게 살아 왔거니 하던 제 생활(生活)이 지금 와 보니 비겁(卑怯)한 회피(回避)의 생활(生活)이었나 봅니다.

정직(正直)하게 살겠읍니다. 고독(孤獨)과 싸우면서 오직 그것만을 생각하며 있읍니다. 오늘은 음력(陰曆)으로 제야(除夜)입니다. 빈자떡, 수정과, 약주, 너비아니, 이 모든 기갈(飢渴)의 향수(鄕愁)가 저를 못살게 굽니다. 생리적(生理的)입니다. 이길 수가 없읍니다.

> 1936년 음(陰) 12월 말일(末日)
> – 이상(李箱)이 H형(兄)에게 보낸 서신(書信)

이상의 여러 자료에서 보여주는 바와 같이, 한국 작가의 경제적 생활 조건은 8·15 후에 와서 그 전보다 다소 나아졌다고는 하나, 작가로서의 원고료 및 인세 수입으로서는 대체로 그 생활이 유지될 수 없다는 비관적인 결론에 도달할 수밖에 없게 되는 것이다.

4. 결어

이상 한국 작가의 사회적 지위의 변천과정을 근대화 초기 이후 오늘에 이르기까지 작가의 사회적 권위 및 경제적 조건의 양면에 걸쳐서 사적(史的)으로 대충 훑어보았거니와 오늘날에도 한국 작가는 이 문제를 앞에 놓고 적잖은 고민을 지속하고 있다는 것이 솔직한 고백이다.

전래해 오는 유교적 영향하의 한국 문사의 사고방식은 "선비는 돈에 악착해서는 안 되고, 모든 각박한 현실에 초연해야 한다"는 것이다. 이러한 전래의 사고방식은, 자본주의의 근대적 세례를 받아 개인의 존엄성을 뒷받침할 경제적 자립이 현대생활의 필수적 요건이 되어 있는 현실적 실정을 이해하면서도, 여전히 선비의 계열에 속하는 학자나 교사나 문인은 돈에 관심을 가지지 말아야 진정한 인격자로 평가되는 듯한 관념을 아직도 완전히 불식하지 못하게 하고 있음을 볼 수 있다. 또한 학문이나 창작에 종사하는 당사자들도 '돈' 이야기를 하면 비속하고 천한 것처럼 여기는 경향을 완전히 버리지 못하고 있는 실정이기도 하다.

그러한 결과는 신문, 잡지대에 비하면 너무나 저렴한 원고료, 서적대에 비해 저율의 인세, 특히 책이 많이 팔릴수록 인세율을 낮추어 간다는 체감제(遞減制) 인세율(印稅率)의 적용 등 모순을 자아내고, 그것마저도 제때에 또박또박 지불되지 않는 현실적 여건을 빚어 놓게끔 한 요인이 되기도 했다.

그것은 또한 육체노동의 보수보다 정신노동의 보상이 더 가볍게 다루어지고 있다는 현실의 일단면을 반영하기도 하는 것이다.

그러나 근래에 와서 전작 장편소설의 집필을 격려하기 위하여 아시아 재단 및 한국(韓國) 개인독지가(個人篤志家)의 특지(特志)로 작가에 대한 약간의 창작기금이 설정되고 정부에서도 이 방면에 관심을 가지기 시작한 것은 여상(如上)의 불우한 조건 속에서도 하나의 고무적인 서광이라고 하지 않을 수 없겠다.

끝으로 필자는 졸고를 끝맺음에 즈음하여 다음과 같은 말로 결론을 짓고자 한다.

작가는 모름지기 예술성을 지닌 훌륭한 작품을 쓰는 데 여전히 최선의 노력을 경주할 수밖에 없는 동시에, 그 작품이 교환가치를 지니고 상품으로서 잡지사나 출판사로 넘어갈 때에는 노동 대가에 대한 응분의 보상이 돌아오도록 제가끔 투쟁하라. 그 다음에 정부시책이나 그 밖의 언론, 출판관계자의 반성에 의한 사회적 여건의 해결을 기다릴 수밖에 없다고…….

결국 작품을 써서 얼마나 많은 돈을 벌었느냐 하는 문제보다는 얼마나 좋은 작품을 남겼느냐가 후세의 이야기로 남을 수밖에 없는 일이니까 말이다.

(1970)

최근 1세기 동안의 한중(韓中) 문학교류(文學交流)

1. 서언

한국의 고전문학을 다루는 데 있어서는 그 배경적 이념이나 사상적 원류의 일환을 이룬다고 보는 전통적인 토속신앙과 더불어, 외래적인 도교, 불교, 유교 등이 작가 및 작품에 미친 영향을 중요시하지 않을 수 없게 된다. 또한 이 경우 도교, 불교, 유교 등은 그 발상지 내지 경유지가 중국이었던 만큼, 필연적으로 한국문학과 중국문학이 삼국시대 이래 장구한 세월에 걸쳐 상호 밀접한 관계에 놓이지 않을 수 없었던 사실(史實)을 간과할 수 없게 한다.

근자에 와서 비교문학적 연구방법으로 이들 양자의 영향관계를 구명하려는 시도가 활발하게 집중됨은 여상(如上)한 사적(史的) 경위에 비추어 볼 때 당연한 추세라고 하지 않을 수 없겠다.

그러나 19세기 후반에 들어서면, 이러한 문학사적인 기존의 흐름은 그 양상을 달리하게 된다. 즉 우리 문화에 대한 외래문화의 주되는 영향권의 대상이 중국으로부터 서구 내지 일본으로 급선회의 전환을 가져오게 되는 것이다. 뿐만 아니라, 중국 자체도 이 시기를 전후하여 본격적으로 서구문화 및 아세아에서는 먼저 개화한 일본문화의 접촉에 적극성을 보이게 된다. 따라서 19세기 말엽부터 근래 100년간의 한국문학과 중국문학의 상관관계는 비교적 소원(疎遠), 영성(零星)한 상황에 놓일 수밖에 없었다.

본고는 이러한 역사적 과정에 비추어 근래 100년간의 한국문학과 중국문학의 교류관계를 살펴보려는 것이다.

2. 문자(文字)와 문학

문학은 언어와 문자를 그 표현매체로 하는 예술이다. 그럼에도 불구하고 한국문학은 15세기 전반까지 자체 언어의 표현매체인 자기 문자를 가지지 못하였다.

중국의 한자(漢字)가 전래되어 교육에 실용된 것은 고구려 제 17대 소수림왕대(서기 372년)로 학자들은 추정하고 있다.[1] 이때부터 우리 문자인 훈민정음(訓民正音)이 창제된 15세기 중엽까지 일천여 년간 한국문학은 한자에 의한 한문만으로 기록될 수밖에 없었다. 이는 한국문학이 중국문학과 밀접한 상관관계를 지닐 수밖에 없었던 숙명적 일면을 실증하는 사실(史實)이기도 한 것이다.

그러나 언어와 문자의 불일치는 표현면에서 여러 가지 난점과 미진함을 수반할 수밖에 없었다. 이러한 고충은 한자의 음(音)과 훈(訓)을 교착한 이두문자(吏讀文字)를 창안할 수밖에 없었던 궁여지책에서도 엿볼 수 있는 것이다.

따라서 훈민정음의 창제(1446)는 한국문화는 물론, 특히 한국문학의 창작면에 있어서 획기적인 전환점을 가져온 계기가 된 것이다. 이 결과로 구전되어 오던 고려의 가요가 국한문 혼용 또는 순한글로 기사(記寫), 정

---

1 이병도(李丙燾), 국사대관(『國史大觀』), 수정 9판, 백영사(白映社), 1953, p.92.

착될 수 있었고, 조선시대 초기 이래의 악장(樂章), 가사(歌辭), 시조(時調) 작품이 언어와 일치되는 표기로 점차 창작 발표되었다. 특히 소설은 거의 전부가 순한글로 기술되어 왔다. 또한 유교 경전 및 불경을 비롯한 많은 한문전적(漢文典籍)의 언해본(諺解本)이 출간되기도 하였다.

그러나 오랜 기간에 걸친 한문 표기의 관성(慣性)은 용이하게 탈피될 수 없었고, 특히 양반 지배층에 있어서의 자국 문자 표기에 대한 거부반응은 끈질기게 지속되어 왔다.

그러다가 훈민정음이 창제된 450년 후인 19세기 말엽의 갑오경장(1894)에 이르러서야 비로소 공문서에 국한문혼용체(國漢文混用體) 사용을 용인한 제도적 시책이 마련되었던 것이다.

국가나 사회의 영도력을 지닌 식자층의 선구자마저도, 한문 표기를 국한문 혼용으로 전환하는 데 어느 정도의 고충과 진통을 겪어야 했던가는 1895년에 출간된 유길준(俞吉濬)의 『서유견문(西遊見聞)』 서(序)에 나타난 구절에서도 엿볼 수 있게 한다.

아문(我文)과 한자(漢字)를 혼집(混集)ᄒ야 문장(文章)의 체재(體裁)를 불식(不飾)ᄒ고 속어(俗語)를 무용(務用)ᄒ야 기의(其意)를 달(達)ᄒ기로 주(主)ᄒ니 (……) 서(書) 기성(旣成) 유일(有日)에 우인(友人)에게 시(示)ᄒ고 기(其) 비평(批評)을 걸(乞)ᄒ니 우인(友人)이 왈(曰) 자(子)의 지(志)는 양고(良苦)ᄒ나 아문(我文)과 한자(漢字)의 혼용(混用)홈이 문가(文家)의 궤도(軌道)를 월(越)ᄒ야 구안자(具眼者)의 기소(譏笑)를 미면(未免)ᄒ리로다. 여(余) 응(應)ᄒ야 왈(曰) 시(是)는 기(其) 고(故)가 유(有)ᄒ니 일(一)은 어의(語意)의 평순(平順)홈을 취(取)ᄒ야 문자(文字)를 약해(略解)ᄒᄂ 자(者)라도 역지(易知)ᄒ기를 위(爲)홈이오, 이(二)는 여(余)가 서(書)를 독(讀)홈이 소(少)ᄒ야 작문(作文)ᄒᄂ 법(法)에 미숙(未熟)ᄒ 고(故)로 기사(記寫)의 편이(便易)홈을 위(爲)홈이오, 삼(三)은 아방(我邦) 칠서언해(七書諺解)의 법(法)을 대략(大略) 효칙(傚則)ᄒ야 상명(詳明)홈을 위(爲)홈이라. 차(且) 우내(宇內)의 만방(萬邦)을 환순(環順)ᄒ건듸 약략(略) 기방(其邦)의 언어(言語)가 수이(殊異)ᄒ 고(故)로 문자(文字)가 역종(亦從)ᄒ야 부동(不同)ᄒ니 개(盖) 언어(言語)ᄂ 인(人)의 사려(思慮)가 성음(聲音)으로 발(發)홈이오 문자(文字)ᄂ 인(人)의 사려(思慮)가 형상(形象)으로 현(顯)홈이라. 시이(是以)로 언어(言語)와 문자(文字)ᄂ 분(分)ᄒ 칙(則) 이(二)며 합(合)ᄒ칙(則) 일(一)이니 아문(我文)은 즉(卽) 선왕조(先王朝)의 병조(邤造)ᄒ신 인문(人文)이오 한자(漢字)ᄂ 중국(中國)과 통용(通用)ᄒᄂ 자(者)라.[2]

한자 문장에 토(吐)를 단 범위를 크게 벗어나지 못한 이 일문(一文)을 보면, 이 시기의 "구안자(具眼者)"란 양반 사대부를 뜻하는 것이요, 개화기에 외유(外遊)까지 한 선각자인 저자는 "여(余)가 서(書)를 독(讀)홈이 소(小)ᄒ야 작문(作文)ᄒᄂ 법(法)에 미숙(未熟)ᄒ 고(故)로……" 운운하여, 표면 겸양의 의(意)를 보이는 듯하면서도 실은 그 이면에 복재(伏在)한 문장 개혁의 의지와 한문 전용 고수파에 대한 비꼬임마저 나타내고 있음을 규지(窺知)할 수 있게 한다.

이 『서유견문(西遊見聞)』 이후에 발간된 《독립신문》(1896)은 순한글을 썼고, 그 외의 신문 잡지들도 거의 국한문혼용체를 일제히 사용하였을 뿐더러, 오늘날 현재까지 우리 문장의 표기는 국한문혼용과 순 한글의 두 가지로 대별할 수 있게 되어, 순한문 문장이란 거의 찾아볼 수 없을 정도로 변모하여 왔다.

그러한 상황 속에서도 특히 소설은 전통적으로 고대소설에서부터 오늘

---

2 유길준(兪吉濬), 『서유견문(西遊見聞)』, 일본(日本), 교순사(交詢社), 1895. pp.5~6.

날 현재의 작품에 이르기까지 거의 순한글의 표기로 일관되어 왔고, 한편 근일에 와서는 수필, 평론, 논문 등 많은 창작물 및 연구서가 순한글로 출간됨을 보게 된다.

그러나 국어사전에 등재(登載)된 어휘의 과반수가 한자어라는 실증에 상도(想到)할 때, 비록 그 표기는 한글로 되었다 할지라도 우리 언어 내지 문자에 침투 동화된 한자의 영향은 거의 해탈 불능의 숙명적인 것이라고 보지 않을 수 없고, 아울러 언어와 문자를 매개로 할 수밖에 없는 문학임에랴, 한국문학과 중국문학의 상관관계는, 시대의 흐름에 따라 그 농도에 소밀(疎密)의 차는 있다 하더라도, 뗄 수 없는 긴밀성을 지닌다고 보지 않을 수 없는 것이다.

3. 개항기 이후의 한 · 중문학의 교류

1876년의 강화도조약(병자수호조약(丙子修好條約))으로 한국은 쇄국의 문을 열어 일본에 선제(先制)의 우선권을 공여(供與)한 결과로 되었다.

그 뒤 갑신정변(1884), 갑오경장 등의 변혁으로 일본세는 더욱 깊숙이 침입, 확산되었다. 동학란(1894)을 거쳐 청일전쟁(1894~5)의 종결로 누백년(累百年)에 걸친 중국세는 후퇴 · 쇠미의 역(域)에 달했으며, 이로써 일본은 한국을 노리는 열강의 각축 속에서 공고한 식민의 거점을 확보하게 되었다.

다시 러일전쟁(1904~5)의 결과로 일본은 러시아의 동진정책마저 저지시키고 한일합방(1910)의 국권탈취까지 이르게 되어, 한국은 일본 제국주의 독무대로 화하고 급기야 만주와 중국 본토의 침략 전초기지로서의 궁지에까지 몰리게 되고 말았다. 그 후 3 · 1운동(1919)의 거족적인 의거마저 무위로 돌아가 결국 8 · 15 광복을 피동적으로 맞는 결과로 되었다.

이 기간에 있어서 중국도 아편전쟁(1840) 이후 청일전쟁, 무술정변 (1898), 그리고 태평양전쟁 등 한국과 유사한 내우외환을 겪었으나, 국권을 약탈당하는 파국적 비극에까지는 이르지 않았다.

이같은 한국에 대한 중국세의 후퇴는 문화 내지 문학 면에 있어서도 한국을 그 영향권에서 멀어져 가게 하는 요인의 하나로 되게 하였다.

개항 이후의 한국은 일본세의 팽창에 겹쳐 구미 제국과 국교를 맺게 되어 그 문화권의 영향하에 서서히 들어갈 수밖에 없게 되었다. 즉, 서구식 교육기관의 설치, 그 신문, 잡지의 체재를 따른 저널리즘의 도입, 거기에다 서구문화의 이념적 기반을 이루고 있는 기독교의 포교 등은 선진된 서구문물의 접촉에 매개적 구실을 하였고, 이러한 생활여건의 변화는 한편 새로운 문학 창조의 배경으로서의 원천 전달의 기능으로 작용하기까지에 이르렀다.

또한 이러한 서구적인 이념이나 제도나 문물은 그 원천지에서 직접적으로 수용된 비중보다, 이를 먼저 수용한 일본을 거쳐 일본적으로 굴절된 양태로 받아들인 비중이 적지 않게 때문에, 이 시기에 있어서의 일본 문화 내지 문학의 영향을 도외시할 수 없는 복합적인 특수성을 지니기도 하는 것이다.

이러한 시대적 변이 속에서 미미하게나마 지속되어 온 한·중 양국 문학의 교류관계를 살펴보고자 하는 것은 한국문학의 전통성의 추이를 구명하는 데 보조적인 일면의 작업이 될 수도 있겠다는 생각에서이다.

개항기에서 1970년대까지의 100여 년간에 걸치는 이 기간은 상술(上述)한 바와 같이 한국의 정치, 사회 및 문화 면에 걸쳐 일대 격변기였던 만큼, 한·중 양국 문학의 교류관계도 그러한 배경적 여건에 의거, 점차 소원해 가는 과정 속에서 적지 않은 기복을 보였으므로, 이를 개화기와 일제 식민지시대 그리고 광복 후의 3단계로 나누어 일별하고자 한다.

개화기에 중국을 거쳐 역술(譯述) 간행된 작품은 「서사건국지(瑞士建國

誌)」「라란부인전」「십오소호걸(十五小豪傑)」 등이며, 이밖에 사서(史書),
전기류(傳記類)로는 「월남망국사(越南亡國史)」「이태리건국삼걸전(伊太利建
國三傑傳)」「흉아리애국자갈소사전(匈牙利愛國者葛蘇士傳)」「보법전기(普法
戰記)」 등이다.

한편 개화기의 계몽성 및 역술(譯述)의 방향에 시사적인 영향을 미쳤다
고 보는 양계초(梁啓超)의 소작(所作)으로는 전기한 「월남망국사(越南亡國
史)」「이태리건국삼걸전(伊太利建國三傑傳)」「흉아리애국자갈소사전(匈牙利
愛國者葛蘇士傳)」 외에 「일본지조선(日本之朝鮮)」「청국무술정변기(淸國戊戌
政變記)」「멸국신법론(滅國新法論)」「중국혼(中國魂)」「음빙실자유서(飮氷室
自由書)」「생계학설(生計學說)」 등이 역술(譯述) 출간되었다.[3]

단편소설 「서사건국지(瑞士建國誌)」[4]는 독일 작가 쉴러Friedrich von
shiller의 원작(原作) 희곡 「빌헬름 텔Willhelm Tell」을 중국 광동(廣東)의
정철관(鄭哲貫)이 소설체로 의역한 것을 박은식(朴殷植)이 이 중국본을 대
본으로 하여 국한문 혼용체로 역술(譯述)한 것이다. 한편 원작자(原作者)
는 밝혀 있지 않지만, 같은 중국본을 대본으로 한 듯한, 김병현의 한글
번역으로 된 「정치쇼셜 셔사건국지」가 같은 해에 출간되었다.[5]

「서사건국지(瑞士建國誌)」의 역술자(譯述者)인 박은식(朴殷植)은 동서(同
書)의 서(序)에서 역출(譯出)의 의도와 소설에 대한 소견을 다음과 같이
개진(開陳)하고 있다.

■

3   김병철(金秉喆), 『한국근대번역문학사연구(韓國近代飜譯文學史研究)』, 을유문화사(乙酉文化社), 1975,
pp.170〜73, pp.200〜57
4   「정치소설(政治小說) 서사건국지(瑞士建國誌)」는 광동(廣東) 정철관공(鄭哲貫公) 저(著), 한성(漢城) 박
은식(朴殷植) 역술(譯述)(대한매일신보사(大韓每日申報社) 번간(繙刊), 광무(光武) 11년(1907)간(刊))로 되어
있음.
5   김병철, 전게서, p.238.

부(夫) 소설자(小說者)는 감인(感人)이 최이(最易)ᄒ고 입인(入人)이 최심(最深)ᄒ야 풍속(風俗) 계급(階級)과 교화(敎化) 정도(程度)에 관계(關係)가 심거(甚鉅)흔지라 고(故)로 태서(泰西) 철학가(哲學家)가 유언(有言)ᄒ되 기국(其國)에 입(入)ᄒ야 소설(小說)의 하종(何種)이 성행(盛行)ᄒ는 것을 문(問)ᄒ면 가(可)히 기국(其國)의 인심(人心) 풍속(風俗)과 정치(政治) 사상(思想)이 여하(如何)흔 것을 도(覩)ᄒ리라 ᄒ엿스니 선재(善哉)라 언호(言乎)여. 소이(所以)로 영(英) 법(法) 덕(德) 미(美) 각국(各國)에 학숙(學塾)이 임립(林立)ᄒ고 서루(書樓)가 운옹(雲擁)ᄒ야 일절(一切) 유민(牖民) 진화(進化)의 방법(方法)이 지의(至矣) 진의(盡矣)로디 유(愈) 기소설(其小說)의 선본(善本)으로써 필부필부(匹夫匹婦)의 경종(警鐘)과 독립(獨立) 자유(自由)의 대표(代表)를 작(作)ᄒ고 동양(東洋)의 일본(日本)도 유신지시(維新之時)에 일반(一般) 학사(學士)가 개(皆) 어소설(於小說)에 급급용력(汲汲用力)ᄒ야 국성(國性)을 배양(培養)ᄒ고 민지(民智)를 계도(啓導)ᄒ얏스니 기위공야(其爲功也)ㅣ 고불위(顧不偉)아. (……) 현금(現今) 경쟁시국(競爭時局)을 당(當)ᄒ야 국력(國力)이 위패(萎敗)ᄒ고 국권(國權)이 추락(墜落)ᄒ야 구경(究竟) 타인(他人)의 노예(奴隷)가 된 원인(原因)은 즉(卽) 아국민(我國民)의 애국사상(愛國思想)이 천박(淺薄)흔 연고(緣故)라. 동시(同是) 원로방지(圓顱方趾)의 관대지족(冠帶之族)으로 독(獨)히 애국사상(愛國思想)이 천박(淺薄)흔 것은 일즉(一則) 학사대부지죄(學士大夫之罪)오 이즉(二則) 학사대부지죄(學士大夫之罪)라. 여(余)가 간상(間嘗) 동지(同志)를 대(對)ᄒ야 소설(小說) 저작(著作)을 의의(擬議)ᄒ나 현방보관(現方報舘)에 집역(執役)홈으로 가극(暇隙)이 고무(苦無)홀뿐더러 또 차등(此等) 저작(著作)에 기능(技能)이 불급(不及)흔지라 포지막수(抱志莫遂)에 피심개탄(彼沈慨嘆)터니 적이(適以) 미질(微疾)로 위돈상제(委頓牀第) 십여일(十餘日)이라. 정신(精神)이 불심혼몽(不甚昏曚)홀 시(時)에는 패상(敗箱)의 잔서(殘書)를 추(抽)호야써 우목(寓目)홀식 맛참 지나학가(支那學家) 정치소설(政治小說)의 서사건국지(瑞士建國誌) 일책(一冊)을 득(得)호니 피열(彼閱) 수일(數日)에 태호망병(殆乎忘病)이라. (……) 천하(天下) 후세(後世)에 자(玆) 서사건국지(瑞士建國誌)를 독(讀)호는 자(者)는 수(誰)가 애국사상(愛國思想)과 구민혈심(救民血心)이 분발(奮發)치 아니호리오. 여(余) 내병(乃病)을 강(强)호며 망(忙)을 발(撥)호고 국한문(國漢文)을 화(和)호야 역술(譯述)을 준료(竣了)에 위지인포(爲之印布)호야 아동포(我同胞)의 다반열독(茶飯閱讀)을 공(供)호노니 유아국민(惟我國民)은 구래소설(舊來小說)의 제종(諸種)은 진행속각(盡行束閣)호고 차등(此等) 전기(傳奇)가 대행우세(代行于世)호며 유지(牖智) 진화(進化)에 비익(裨益)이 확유(確有)홀지라. 이일(異日) 아한(我韓)도 피(彼) 서사(瑞士)와 여(如)히 흘연(屹然)히 열강지간(列强之間)에 표치(標置)호야 독립자주(獨立自主)를 공고(鞏固)히 호면 아동포(我同胞)의 생활(生活)이 편시(便是) 지옥(地獄)을 리(離)호고 천국(天國)에 제(躋)홈이니 기(豈) 불락재(不樂哉)아. 차목적(此目的)을 달(達)코저 호면 유시(惟是) 애국열심(愛國熱心)이 타성일단(打成一團)에 재(在)호다 호노라.

이같이 역자는 소설이 풍속 계급과 교화 정도에 관계가 깊음을 내세우고, 태서(泰西) 각국이나 동양의 일본이 소설에 용력(用力), 국성(國性)을 배양하고 민지(民智)를 계도(啓導)하는 데 공(功)됨이 큼을 밝혀 소설의 효용성을 강조하였으며, 자신이 망병(忘病)할 정도로 심취된 「서사건국지(瑞士建國誌)」 역출(譯出)의 의도를 현시(顯示), 이를 읽는 독자로 하여금 애국사상과 구민혈심(救民血心)이 분발하여 열강 속에서 자주독립의 의지를 공고히 할 것을 경성(警醒)하고 있음을 볼 수 있다.

「라란부인전」은 원작자(原作者) 미상이며 일인 춘내옥롱(春迺屋朧)(평내웅장(坪內雄藏))이 역술(譯述)한 「랑란부인전(朗蘭夫人傳)」은 중국의 양계초(梁啓超)가 「근세제일여걸(近世第一女傑) 라란부인전(羅蘭夫人傳)」의 이름으로 초역술(抄譯述)한 것을 대본으로 하여 1907년 한글로 번역 대한매일신보사(大韓每日申報社)에서 출간한 것으로 역자 또한 미상이다.[7]

이 작품은 프랑스를 무대로 한 라란(羅蘭)부인의 여걸적인 일대기를 서술한 것으로 양씨(梁氏)의 서문을 번역한 일절(一節)을 인용하면 다음과 같다.

서문에 왈 오호라 즈유여 즈유여 텬하 고금에 네 일흠을 빌어 힝흔 죄악이 얼마나 만으뇨 ᄒ엿스니 이 말은 법국 데일 여중 영웅 라란부인이 림종시에 ᄒᆫ 말이라. 라란부인은 엇던 사름인고 뎌가 즈유에서 살고 즈유에셔 죽엇스며 라란부인은 뎌가 나파륜에게도 어미라 홀지니 질졍ᄒ야 말홀진디 십구세긔의 구쥬 딕륙에 일졀 인물이 라란부인을 어미 삼지 아님이 업고 십구세긔의 구쥬 대륙에 일졀 문명이 라란부인을 어미 삼지 아닐 수 없도다. 무삼 연고요 법국의 대혁명은 구쥬 십구세긔의 어미가 되고 라란 부인은 법국 대혁명의 어미가 된 까닭이라 ᄒ노라.

결국 여기서 양계초(梁啓超)가 원작의 작중인물에 의빙(依憑)하여 외친 '자유'는 그 당시의 중국이나 한국에 공통되는 시대적 절규였음을 알 수 있게 한다.

「모험소설(冒險小說) 십오소호걸(十五小豪傑)」은 프랑스 작가 쥘 베른Jules Verne의 Deux ans de vacances의 영역인 「A Two Years Vacation」을 일본의 삼전사헌(森田思軒)이 「모험기담(冒險奇談) 십오소년(十五少年)」의 제(題)

■

6 김병철, 상게서, p.171에는 〈그레이스원작(原作)〉이라 하였으나 p.231에는 원작자 미상으로 되어 있음.
7 김병철, 상게서, p.231.

로 중역(重譯)한 것을[8] 중국의 「소년중국지소년(少年中國之少年)」「양계초 (梁啓超)의 필명)과 「피발생(披髮生)」(라보(羅普))이 공역으로 출간하였고,[9] 이 중국본을 대본으로 하여[10] 민준호(閔濬鎬)가 한글로 역술한 것이다 (1912년 동양서원(東洋書院) 간(刊)).

이 작품은 15명의 소년이 무인도에 표류하여 2년간 온갖 고초를 겪다 가 귀국한다는 내용으로, 소년들의 진취적 모험심과 자주정신을 고취한 것이다.

한편 전기(前記)한 사서(史書) 전기류(傳記類)의 역서 중에서 개화기에 가장 많이 애독된 것은 「월남망국사(越南亡國史)」로 추측된다. 본서는 1906년부터 7년까지의 1년여 사이에 수삼종의 역술본이 출간되었고, 특 히 박은식(朴殷植)의 역본은 초판 6개월 후 다시 재간되었음에 비추어 저 간(這間)의 사정을 짐작할 수 있게 한다.

「월남망국사(越南亡國史)」는 월남 망명객 소남자(巢南子)의 술회한 바를 양계초(梁啓超)가 찬(纂)한 것으로, 이를 대본으로 하여 개화기에 수삼 종 의 역서가 나왔고 해방 후에도 신역(新譯) 1종이 출간된 바 있다.

처음 출간된 것은 국한문 혼용으로 된 현채(玄采) 역(譯)의 「월남망국 사」[11]이고, 다음은 주시경(周時經) 번역의 「월남망국사(越南亡國史)」[12]이 며, 그 다음 것은 이상익(李相益) 역(譯)의 「월남망국ᄉ」[13]로서 후자 2종 은 모두 한글로 표기되었다. 그리고 해방 후에 출간된 김진성(金振聲) 번

---

8 김병철, 상계서, p.328.

9 아영(阿英) 저(著) 『만청소설사(晚淸小說史)』를 일본(日本)의 반총랑(飯塚朗)과 중야미대자(中野美代子) 가 공역(共譯)한 일본역판(日本譯版), 동경(東京), 평범사(平凡社), 1979, p.328

10 섭건곤(葉乾坤), 전게서, p.184

11 「월남망국사(越南亡國史)」는 월남 망명객 소남자(巢南子) 술(述), 지나(支那) 양계초(梁啓超) 찬(纂), 한 국 현채(玄采) 역으로 되어있으며, 광무(光武) 10년(1906)에 초판이 출간되었음.

12 김병철, 상계서, p.116.

13 김병철, 상계서, p.217.

역의 「월남망국사(越南亡國史)」[14]도 양씨본(梁氏本)을 대본으로 하여 국한문으로 역출(譯出)되었다.

「월남망국사(越南亡國史)」 양계초(梁啓超) 서(序)의 박은식(朴殷植) 역문(譯文)은 다음과 같다.

세계(世界)에 공리(公理)가 하유(何有)ᄒ리오. 오작 강권(强權)뿐이라. 역사상(歷史上)에 국명(國名)이 천(千)으로 수(數)ᄒ든 자(者)ㅣ 금(今)에는 소여(所餘)가 수십(數十)이오. 차수십중(此數十中)에도 위망(危亡)에 빈(濱)ᄒ 자(者)ㅣ 십(十)에칠팔(七八)이오, 또 차위망(此危亡)에 빈(濱)ᄒ자(者)ㅣ 아(我)와 격원(隔遠)한 국(國)이 아니라 곳 계견(鷄犬)이 상문(相聞)ᄒᄂ 린국(隣國)이러니 금(今)에 차수국(此數國)이 또 안재(安在)ᄒᄂ뇨. 불과(不過) 수십년래(數十年來)로 기사(其社)ᄂ 옥(屋)이 되고 궁(宮)은 저(瀦)를 성(成)ᄒ야 맥수(麥秀)ᄒ기 점점(漸漸)ᄒ고 화서(禾黍)가 유유(油油)ᄒ도다. 근일(近日)에 월남(越南) 망국객 (亡國客) 소남자(巢南子)가 아(我)의게 래(來)ᄒ야 기국(其國) 사상(事狀)을 언(言)ᄒ미 아(我)로 ᄒ야곰 체사(涕泗)가 종횡(縱橫)흠을 불각(不覺)ᄒ겟도다. 연(然)이나 아(我)가 자애(自哀)치 아니ᄒ고 타인(他人)을 애(哀)ᄒᄂ지 타인(他人)이 장차(將且) 아(我)를 애(哀)ᄒ지라 유원(惟願) 아국인(我國人)은 차편(此編)을 독(讀)ᄒ고 자애심(自哀心)을 변(變)ᄒ야 자구심(自懼心)을 생(生)ᄒ면 국가(國家)가 기혹서기(其或庶幾)ᄒ진져.

「월남망국사(越南亡國史)」가 역간(譯刊)된 이 시기는 소남자(巢南子)의 조국 월남이 프랑스의 보호령으로 신음하고 있을 뿐만 아니라, 양계초(梁

━

14 「월남망국사(越南亡國史)」는 월남 망명객 소남자(巢南子) 술(述), 지나(支那) 양계초(梁啓超) 저(著), 한국 김진성(金振聲) 역(譯)으로 되어 있으며, 1949년 홍문관(弘文館)에서 출간되었음.

啓超)의 조국인 중국도 열강의 침공으로 국세가 누란(累卵)의 위기에 처해 있는 때였고, 한국 또한 을사보호조약 후 일제의 강압으로 국권이 풍전등화격으로 되어 있던 때인만큼, 본서에 담긴 국난의 기록이나 국민의 각성을 촉구하는 경종은 그대로 삼국의 공통되는 비운에 대한 비분강개와 경성을 불러일으켰고 아울러 새로운 결의의 촉진제 구실을 했을 것으로 해석된다.

이밖에 「멸국신법론(滅國新法論)」「청국무술정변기(淸國戊戌政變記)」「일본지조선(日本之朝鮮)」「조선망국사략(朝鮮亡國史略)」「이태리건국삼걸전(伊太利建國三傑傳)」을 비롯한 수다(數多)한 양계초(梁啓超)의 소작(所作)이 이 시기에 역출(譯出)되어 개화기인의 계몽의식에 측면적인 영향을 준 점은 여러 학자에 의하여 논증되고 있음을 볼 수 있다.[15]

그러나 문학작품에 있어서는 19세기 말엽부터 20세기 초에 걸쳐 벌써 많은 인사들이 일본으로 유학하여 서구 작품을 직접 접하든가 또는 일본어를 매개로 하여 흡수하게 되는 비중이 컸던만큼, 개화기의 신소설이나 신시에 있어서도 중국을 매체로 한 영향은 미소한 것으로 나타나는 것이다.

한편 개화기의 한시(漢詩)를 비롯한 한국 한문학이 중국문학의 전고(典故)에 연관을 가지는 면이 없지 않았으나, 이때는 이미 언문일치의 문장표기가 작품 창작의 주류를 이루고 있는 시기였던만큼, 새로운 안목의 문학사적인 관점에서는 그것이 그렇게 중요시되는 위치에는 놓이지 못하였다.

1910년 한일합방으로 국권이 강탈(强呑)되자 식민지 시책은 문화 면에서 언어정책에 가장 예각적으로 나타났다.

즉, 학교 교육에 있어서는 한국어에 대하여 극도의 위축책으로 나와 일본어 위주의 교과과정이 편성되었고, 일제(日帝)말기에는 한국어 및 한

---

15 이재선(李在銑), 전게서, p.172.
    섭건곤, 전게서, p.225.

국문자 말살의 극단적인 시책에까지 이르렀다.

여기에 겹쳐 언론 출판에 대한 극도의 제재가 가해져 한국 문자에 의한 저작은 연명하기조차 급급할 정도였다.

이러한 결과는 모든 분야에 있어서 외래문화의 수용은 일본어를 매체로 할 수밖에 없게 하였으며, 문학에 있어서도 일본 문자를 매개로 한 문학작품의 접촉을 불가피하게 하였고, 따라서 일본어를 통하여 세계의 명작을 습득할 수밖에 없는 일방통행으로 굳어져 갔다.

한편 중국 자체도 이 시기에는 새로운 문학의 공급원이 될 서구(西歐)의 자료를 충분히 갖추지 못한 실정에 놓여 있었다.

이러한 양면적인 환경 조건으로 일제 식민지 치하의 36년간은 한국과 중국 양국 문학의 직접적인 접촉은 거의 없었고, 간혹 중국의 신작을 접한대야 일본역(日本譯)을 통한 우회의 통로뿐이었다.

따라서 이 시기의 출판물에서 찾아볼 수 있는 것은 기껏 사서언해(四書諺解)나 언문현토(諺文懸吐) 「전등신화(剪燈新話)」 정도였다.

8·15 광복 후는 일어(日語) 및 일본적인 것의 거부반응 속에서 한·중 양국문학의 교류에 새로운 서광이 보이기 시작했으나, 한국 현대문학의 원류적 수용 대상의 방향이 주로 서구지향적인 면으로 기울어져 있었기 때문에 그것도 그렇게 흥성한 현상으로 나타나지는 못하였다.

해방 후 초기에 번역 소개된 중국문학 작품은 김광주(金光洲)의 역으로 된 노신(魯迅)의 「아큐정전(阿Q正傳)」 「광인일기(狂人日記)」 등이었다.[16] 노신(魯迅)의 작품은 이미 일본어역으로 출간되어 일제시대의 독자에게는 접촉의 기회를 가지게 하였으나, 해방 후의 일어(日語) 미해독(未解讀)의 젊은 독자층에는 한국어판의 이들 새로운 역서가 열광적으로 받아들여졌다.

---

16 『세계(世界)의 문학(文學) 대전집(大全集)』 7, 노신(魯迅) 편 김광주(金光洲) 역, 동화출판공사(同和出版公社), 1970, 해방직후에 역출(譯出)된 것을 재록(再錄)한 것임.

그리고 이 무렵 역시 김광주(金光洲)의 번역으로 출간된 조우(曹遇)의 희곡「뇌우(雷雨)」[17]는 작품으로도 환호를 받았지만, 특히 극단(劇團) '신협(新協)'에 의한 무대상연으로 호평리(好評裡)에 절찬을 받으며 관객에게 깊은 감명을 주기도 하였다.

또한 『생활의 지혜』를 비롯한 임어당(林語堂)의 저작은 다수 역출(譯出)되어[18] 현재까지도 많은 독자 대상을 지니고 있다.

한편 이 시기에는 유교의 경서, 고전 시가 및 소설 등이 이 분야의 전문가들에 의하여 평이한 현대 문장으로 된 본격적 번역으로 출간되어 한문 해독력이 미흡한 새로운 세대에게 중국 고전 섭취의 계기를 마련하여 주기도 했다.

즉 『논어』『맹자』『중용』『대학』등 사서(四書)와 『시경(詩經)』을 비롯하여 도연명(陶淵明), 백낙천(白樂天), 이백(李白), 두보(杜甫), 소식(蘇軾) 등의 한시가 현대문, 현대시형으로 번역되고, 또한「삼국지」「수호지」「서유기」「금병매」「서상기」「홍루몽」등의 소설도 전문적인 학자 및 문인에 의하여 특색 있는 현대역으로 여러 출판사에서 출간되어 마치 중국 고전 부흥의 양상을 보이는 듯했다.

다른 한편 한국 작품으로 중국에 번역 소개된 것은 조병화(趙炳華)의 시집 『석아화(石阿花)』[19]를 들 수 있으며 필자의 소설「꺼삐딴 리」를 비롯한 단편 수편이 자유중국의 한국문학 전공 학자들에 의하여 번역되어 대북(臺北)의 일간지에 발표 소개되기도 했다.

---

17 『뇌우(雷雨)』, 조우(曹遇) 원작 김광주(金光洲) 역, 선문사(宣文社) 출판부(出版部), 1946

18 『세계(世界)의 문학(文學) 대전집(大全集)』7, 임어당(林語堂) 편 김광주(金光洲) 역, 동화출판공사(同和出版公社), 1970.

　 『임어당(林語堂)에세이선(選)』, 윤영춘(尹永春) 역, 서문당(瑞文堂) 1974.

19 『석아화(石阿花)』, 조병화시선(趙炳華詩選), 곽의동(郭衣洞) 역, 대만(臺灣), 중국문학출판사(中國文學出版社), 1959.

4. 한·중문학의 비교문학적 연구

1950년대에 새로 도입된 비교문학적 연구방법론은 한국문학 연구의 시야를 넓히고, 한국문학과 외국문학과의 영향 및 상관관계를 구명하는 데 새로운 국면을 전개시키게 하였다.

이 초창기에 출간된 이경선(李慶善)의 『비교문학』[20] 및 김동욱(金東旭)이 불어로 된 방띠겜Van Tieghem의 원저 『La Littérature Conparée』를 역출(譯出)한 『비교문학』[21] 등은 비교문학적 연구에 대하여 거의 황무지에 가까웠던 이 분야에 새로운 지식원(知識源)이 되기도 했다.

그 후 이 새로운 연구방법론은 한국문학 연구에는 다각도적인 적용으로 시도되어 왔다.

한국문학과 중국문학의 상호 연관성을 구명하려는 작업에도 이 방법론은 광범위하게 원용되어 수다(數多)한 업적의 소산을 보게 되었다.

그 중에서도 이경선(李慶善)의 「삼국지연의」와 「구운몽」 및 「옥루몽」을 비교 검토한 「삼국지연의(三國志演義)의 비교문학적 연구」 및 가사(歌辭)와 사부(辭賦)의 비교연구를 비롯한 수편의 논문을 소재(所載)한 『한국비교문학논고(韓國比較文學論考)』, 김현룡(金鉉龍)의 「태평광기(太平廣記)」와 한국 설화, 가전체(假傳體)소설 및 고전소설과의 대비고찰을 시도한 『한중소설설화비교연구(韓中小說說話比較硏究)』 및 이재선(李在銑)의 「개화기소설의 형성과정과 양계초(梁啓超)」 등 소저(所著)는 주목할 만한 노작(勞作)들이다.

사실 8·15 이전까지 현대적인 안목과 방법론으로 한·중문학을 본격적으로 비교 검토한 것은 김태준(金台俊)의 『조선소설사(朝鮮小說史)』[22]

---

20 이경선(李慶善), 『비교문학(比較文學)』, 국제신보(國際新報) 출판부(出版部), 1957.
21 『비교문학(比較文學)』, 방 띠겜 著 김동욱(金東旭) 역, 신양사(新陽社), 1939.

및 조윤제(趙潤濟)의 『조선시가사강(朝鮮詩歌史綱)』[23]에 불과한 정도였다.

한편 전기(前記)한 외에 비교문학적 관점에서 한·중문학을 고구한 논문들을 개관하면 아래와 같다.

한·중 양국 문학의 사상적 배경을 살핀 것으로는 정범진(丁範鎭)의 「고대한중소설(古代韓中小說)의 사상적 대비」, 김기동(金起東)의 「국문학상(國文學上)의 도교사상」, 정수동(鄭銖東)의 「김시습(金時習)의 귀신관(鬼神觀)과 도교관(道敎觀)」, 정래동(丁來東)의 「중국문학과 조선문학」, 박성의(朴晟義)의 「국문학에 나타난 허유관(許由觀)」 등이다.

작품 속에 나타난 전고(典故)의 영향을 살핀 것으로는 정재호(鄭在鎬)의 「가사(歌辭)에 나타난 중국인명고(名攷)」, 정헌교(鄭憲敎)의 「고시조에서 본 중국 고사성어 및 사물명(事物名)」, 최동원(崔東元)의 「고시조에서 본 중국 인물」, 정래동(丁來東)의 「한중목련고사(韓中木蓮故事)의 비교」 등이다.

한국과 중국의 시가를 비교한 것으로는 서수생(徐首生)의 「시경문학연구서설(詩經文學研究序說)」과 「시경문학의 내용적 고찰」, 박종화(朴鐘和)의 「시경(詩經)연구」, 최세형(崔世衡)의 「국문학의 이태백(李太白)」, 박노춘(朴魯春)의 「시경(詩經)」, 조종업(趙鐘業)의 「고려시론지당송시풍영향연구(高麗詩論之唐宋詩風影響研究)」, 이창룡(李昌龍)의 「고려시인과 도연명」, 이병주(李丙疇)의 「두보시(杜甫詩)연구」, 손팔주(孫八洲)의 「이태백(李太白)연구」와 「국문학상(上)의 백향산(白香山)」, 박노춘(朴魯春)의 「국문학에 영향을 준 중국 고전 해제(당시(唐詩))」, 박을수(朴乙洙)의 「시조문학에 끼친 한문학의 영향」, 이능우(李能雨)의 「한중(韓中) 율문(律文)의 비교」, 성원경(成元慶)의 「관동별곡(關東別曲)과 적벽부(赤壁賦)의 비교연구」, 이영우(李英雨)의 「중국에 소개된 허균(許筠)과 허난설헌(許蘭雪軒)」, 임동권(任東權)

22 김태준(金台俊), 『조선소설사(朝鮮小說史)』, 학예사(學藝社), 1939.

23 조윤제(趙潤濟), 『조선시가사강(朝鮮詩歌史綱)』.

의 「중국민요고(中國民謠考)」 등이다.

한·중 양국의 소설 비교에 있어서는 「금오신화(金鰲新話)」와 「전등신화(剪燈新話)」의 관계를 추구한 것이 가장 많아 박성의(朴晟義)의 「비교문학적 견지에서 본 금오신화(金鰲新話)와 전등신화(剪燈新話)」, 이상익(李相翊)의 「한·중소설의 비교연구(금오신화(金鰲新話)와 전등신화(剪燈新話))」 및 「홍길동전(洪吉童傳)과 수호전(水滸傳)과의 비교연구」, 한노환(韓勞煥)의 「등목취유취경원기(滕穆醉遊聚景園記)와 만복사저포기(萬福寺樗蒲記)의 구성적 비교」 및 「영고선명몽록(令孤譔冥夢錄)과 남염부주지(南炎浮洲志)의 구성적 비교」, 김수성(金琇成)의 「이생규장전(李生窺墙傳)과 전등신화(剪燈新話)의 비교연구」 등이 있고, 이밖에 정규복(丁奎福)의 「한국 군담소설(軍談小說)에 끼친 삼국지연의(三國志演義)의 영향 서설(序說)」 「구운몽의 비교문학적 고찰」 「당대전기소설론서설(唐代傳奇小說論序說)」 및 「한국 비교문학의 연구」 최근덕(崔根德)의 「군담소설(軍談小說)과 삼국지연의(三國志演義)의 인물고(人物考)」, 이명구(李明九)의 「고대소설의 비교문학적 연구」, 이병한(李炳漢)의 「중국과 한국의 고전소설」, 이능우(李能雨)의 「중국소설류(中國小說類)의 한래기사(韓來記事)」, 정래동(丁來東)의 「중국소설이 한국문학에 끼친 영향」, 홍응표(洪應杓)의 「한국고대소설의 발달과 중국소설의 영향」, 전인초(全寅初)의 「한당전기소설연구(漢唐傳記小說研究)」, 김일근(金一根)의 「태평광기상절(太平廣記詳節)에 대하여」, 이혜순(李慧淳)의 「중국소설의 한국소설에 미친 영향」 「수호전(水滸傳)연구」 등이 있고, 판소리 관계로는 김학주(金學主)의 「중국강창문학(中國講唱文學)과 판소리」가 있다.

악부(樂府), 사부(辭賦), 송사(宋詞)에 관련되는 것으로는 박성의(朴晟義)의 「악부연구(樂府研究)」, 이경선(李慶善)의 「가사(歌辭)와 사부(辭賦)의 비교연구」, 윤귀섭(尹貴燮)의 「고려속요와 송사(宋詞)와의 비교 시론」 등이 있다.

한편 중국 학자로서 한국문학을 전공하여 괄목할 만한 업적을 낸 것으로는 섭건곤(葉乾坤)의, 양계초(梁啓超)의 한국 개화기문학에 끼친 영향관계를 고구한『양계초(梁啓超)와 구한말문학(舊韓末文學)』및「춘향전(春香傳)」연구의 일환을 이루는「춘향전(春香傳)과 제궁조(諸宮調) 서상기(西廂記)에 대한 비교연구」가 있고, 이밖에 임명덕(林明德)의『한중몽환소설(韓中夢幻小說)의 연구』, 오수미(吳秀美)의『삼국지연의(三國志演義)의 연변(演變) 및 비교문학적인 연구』, 호계건(胡啓建)의『한·중 양국의 근대초기문학 비교연구』등이 있다.

또한 비교문학적 연구의 기초작업의 하나로 개화기 이후의 외국문학 번역작품에 대한 광범한 자료를 수집, 정확한 고증을 거쳐, 연대적으로 체계를 세우는 한편 각 작품에 대한 해제와 도입 및 번역 과정을 밝힌 김병철(金秉喆)의 거저(巨著)『한국근대번역문학사연구(韓國近代飜譯文學史研究)』『한국근대서양문학이입사연구(韓國近代西洋文學移入史硏究)』및『서양문학번역론저연표(西洋文學飜譯論著年表)』등 3부작은 비교문학 연구의 기본자료로서 귀중한 문헌적 가치를 지니는 저작이다.

이상과 같은 다각도적인 비교문학적 연구는 한국문학과 중국문학의 수용과정 및 그 영향관계를 구명하는 데 효율적인 성과를 거두게 하고 있다.

5. 결어

이상 개항기 이래 약 100년 간에 걸친 한중문학의 교류 과정을 살펴보았다.

이 시기는 일본의 한국 침공 및 서구 열강의 청국 침략에 따라, 한국 내에서의 청국세의 약화로 일본세가 우세하게 되었고, 결국 한국의 일본 식민지화라는 극한조건하에서 한국 문화 내지 문학에 대한 영향권에 일대 변이를 가져오게 하였다.

즉 한국문학은 장구한 세월에 걸친 중국문학의 영향권에서 벗어나, 일본의 식민지 정책에 수반된 일본문화의 영향 및 개항 이후 침투된 서구문화의 영향하에서 주로 서구문학에 접촉하려는 지향성을 지녔지만, 결국 서구문학의 직접적인 도입보다는 일본을 거쳐 일본적으로 굴절된 서구문학의 수용 비중이 더 클 수밖에 없는 현실에 직면하게 되었다.

따라서 이 시기 이후의 한국문학과 중국문학의 교류관계는 미소하고도 영성(零星)한 경지를 멀리 벗어나지 못하였다. 다만 한국과 중국이 외침에 의한 수난이라는 공통적인 비운에 대하여, 그 타개책의 일환으로 민중을 계몽하고 경성(警醒)하려는 염원의 일치에서 오는 계몽성에 대한 한중 양국 상호간의 이념적 교접이 불가피함에 따르는, 얼마간의 영향관계를 지속할 정도였다.

이러한 배경적 여건의 변화로 개화기에는 중국문학이, 그것도 대부분 외국문학 작품의 중역(重譯)이라는 비정통적 형태로 몇몇 작품이 도입되는 정도에 불과하였다.

그러나 그것마저도 한일합방 이후 일본적인 교육과 식민지 문화정책의 여파 및 중국문학 자체의 공급원으로서의 자원(資源)의 결핍으로 인하여 일제 36년간은 한국문학과 중국문학의 교류가 거의 단절되는 상황에 놓이게 되었다.

그러나 8·15 광복을 맞아 5·4운동 이후의 중국 현대문학 작품이 다소 번역 소개되기는 하였으나, 오히려 전대의 고전작품의 현대역 보급이 더 우세한 양상을 나타내었을 뿐, 이미 한국문학의 풍토가 그 공급 원천을 서구지향적으로 다져 가고 있는 실정이었으므로 중국문학과의 교접은 미미한 상태를 지속할 수밖에 없었다. 다만 근자에 와서 극소수의 양국 작품이 상호 번역 소개되고는 있으나 그것을 양국문학의 발전에 상호 영향을 줄 만한 큰 비중은 지니지 못하고 있음이 오늘날까지의 문학 풍토적 현상이라고 하겠다.

그러나 1950년대 이후 비교문학적 연구방법론이 도입됨에 따라 기존의 한·중 양국 문학에 대한 영향관계를 고구(考究)하려는 열의가 전공 학자들간에 팽배하여 그 방면에서는 상당한 실적을 보이고 있음을 실감하게 된다. 또한 이러한 문제에 대한 관심과 구명하려는 노력은 그대로 한국문학의 전통성 모색에도 그 기초 작업으로서의 효율적인 의의를 충분히 지닌다고 보는 것이다.

(1980)

전통(傳統)의 계승과 창작(創作)의 방향

한국의 현대문학처럼 자기 유산의 부정에서 시작하고 남의 고전의 숭상 속에 전개된 문학은 일찍이 그 유례가 없을 것이요, 또한 그것이 응당 당연한 것처럼 시인되고 그러한 생각을 오래 지속하는 속에 창작이 계속 이루어진 경우도 드물 것이다.

이러한 역사적인 현상은 한국 현대문학의 특질을 규정짓는 근간적인 요소가 되는 동시에 새로운 전통의 계기(繼起)를 기형화하는 치명적인 소인(素因)이 되기도 하였다.

여기에서 이야기하는 문학적인 유산이나 고전이나 전통이라는 것은 물론 일련의 연관성을 가지고 있음은 말할 나위도 없는 일이다.

새로운 역사의 진전은 그 정도의 차이는 있을지언정 지난 것을 그대로 받아들이든가 이에 반발하든가 하는 둘 중의 하나에 속한다고 볼 수 있겠다. 문학의 창조 또한 역사진전의 이러한 현상에서 완전히 그 궤도를 벗어날 수는 없는 것이다. 그러나 새로운 문학의 창조가 이루어질 때에 있어서 그것이 기존문학에 대한 하나의 반발로 시도된다 할지라도 대부분의 경우에 있어서, 있어온 바 과거의 유산을 어느 정도 발판으로 하고 있음은 통례적인 사실이다. 소위 암흑기라고 하는 중세문학에서 반발한 유럽 근대문학은 문예부흥의 치열한 절규와 각성 속에 인간의 존엄성과 개성의 존귀함을 부르짖고, 이로 말미암은 기다(幾多)의 문학 조류가 전변 교체되는 가운데 새로운 사조(思潮)는 기존 사조를 부정하면서도 그것을 터전으로 하여 다음 단계로 진전하였으며, 산업혁명과 불란서혁명 등 여러 고비를 거치는 동안 근대 과학에 기반을 둔 인민의 권리와 인간의 자유를 피로 쟁취하여 이러한 역사의 저류를 근거로 하여 문학 또한 18세기 문학에서 19세기 문학 그리고 20세기 문학으로 지양 발전을 하였으나, 이 또한 전세기의 문학이나 자기 유산에 대한 확고한 지반을 가졌음은 말할 것도 없다.

그러나 갑오경장 이후 한국의 소위 현대문학은 서구의 그것과 같은 점진적인 투쟁·지양의 과정이 없었더니 만큼 졸지에 서로 받아들인 서구 사조에 발판을 둔 새로운 문학은 자체의 유산에 뿌리를 박기보다는 서구의 문학을 그대로 옮겨 놓은, 그것도 비판이나 절차가 없는, 말하자면 미숙한 모방의 영역에 속하는 수용이었기 때문에 자기의 기존문학에 대한 유산이나 전통이라는 의식은 거의 등한시되었으며 심지어는 의식적으로 거세하는 정도에까지 이르렀다.

즉 자체 역량의 성장에 의한 자기 부정을 하면서 자기들이 쌓아올린 과거의 실적에서 발전 지양된 것이 아니라, 자기 모멸(侮蔑)의 극도한 비굴감과 외래(外來) 숭상의 과도한 선망(羨望) 의식이 정확한 자기 반발도 시도하여 보지 못한 채 남의 축조한 조류 속으로 호기(好奇)와 황홀과 감탄 속에 덮어놓고 뛰어들었던 것이다.

여기에 한국 현대문학의 새로운 창조를 위한 반세기 후의 비극은 이미 배태되었던 것이다.

이러한 일련의 사실은 서구에 있어서 희랍 서사시가 근대소설의 계보적 원천이 되고, 밀턴이 엘리엇으로 통하고 라부레가 지드에 연결되고 레싱이 괴테를 거쳐 헤세로 이어지고, 심지어는 「오디세이」에서 「율리시즈」

에 선이 닿는 것까지에 생각이 미치면, 셰익스피어와 거의 같은 시기의 송강(松江)을 우리 현대 시인이 알려는바 아니고, 「춘향전」을 현대 작가가 골동품(骨董品) 정도의 가치를 부여하기에도 인색한 이 마당에 있어서 향가의 운율이 어떻고 여요(麗謠)의 소박한 정서가 약하(若何)하고, 하는 일 따위는 오히려 먼 이방인의 잠꼬대에 불과한 현실 이야기로 되고 만 감이 없지 않다.

2

문학작품의 구성요소를 형식과 내용으로 대별할 수 있다면, 무슨 말로 씌어졌느냐 하는 것, 즉 어느 나라 민족의 언어로 표현되었느냐 하는 것은 그 작품의 형식적인 요소에 있어서 과반의 비중을 차지한다고 보아야 할 것이다. 왜냐하면 번역 문학가들이 흔히 "하나의 시(詩)를 그 이외의 다른 말로 옮긴다는 것은 거의 불가능한 일이다"라고 거듭 개탄하고 있는 사실을 목격할 수 있는 한가지의 실례(實例)에 비추어 보아도 알 수 있는 일이다. 이것은 사소한 일례에 불과하지만 표현형식에 있어서의 언어가 지니는 우위성은 아무도 부인할 수 없는 일일 것이다.

이러한 관점에서 우리말로 표현된 작품으로 문제를 돌이킬 때 그것이 서구의 여하한 사조의 경향을 띠었고 외국의 어느 작가의 작풍, 수법에 영향을 받았던 간에 우리말로 씌어졌다는 형식면에 있어서의 언어의 우위성을 부정할 수 없다는 말이 된다.

또한 내용 면에 있어서 작자의 취재는 무한대 무제한한 것이어서 어느 나라 어느 민족의 역사나 현실에서도 그 소재를 찾아낼 수 있는 일이지만, 우리의 현실적인 과제는 우리 현실 속에 비쳐진 우리 겨레와 이 속에 나타난 우리의 전형적 인물을 창조하는 것이 더 시급한 일로 되어 있다.

펄벅이 중국을 무대로 하였고 헤밍웨이가 남아(南阿)의 킬리만자로에서 사건을 전개시킨 바 없지 않으나 우리는 이러한 경우에 마커스 칸리푸가 『미국문학사』를 끝맺으면서 말한 다음 구절을 상기하여야 하겠다.

여하간에 미국(美國)의 여러 현실을 무대로 하여 미국(美國)의 놀랍게 대조적인 면을 이용하고도, 어떤 이익을 제공하려는 사회적인 의도가 없는 소설(小說)이 나와야 겠다. (……) 미국소설가(美國小說家) 또는 시인(詩人) 혹은 극작가(劇作家)가 하여야 할 일은 다만 미국(美國)의 유재(遺財)를 지니는 것이다. 이러한 전통(傳統)의 구성요소가 무엇인가 하는 문제는 자신이 결정할 수밖에 없다.

한편 처녀작 「약(弱)한 자(者)의 슬픔」을 써놓고 "4천년 조선에 신문학 나간다"고 기고만장하였을 뿐만 아니라 서구적인 단편소설은 자기가 제일 먼저 썼고 조선에서 만약 노벨 문학상을 탈 수 있다면 응당 자기가 수상되어야만 한다고 자부하던 동인(東仁)도 이 땅의 독특한 풍토가 풍기는 한국적인 전통이라는 데는 지대한 관심을 가졌으니 「근대소설고(近代小說考)」속에서 이인직의 「귀(鬼)의 성(聲)」을 평하여,

하여(何如)튼 이 「귀(鬼)의 성(聲)」뿐으로도 이 작자(作者)를 조선(朝鮮) 근대소설(近代小說) 작가(作家)의 조(祖)라고 서슴치 않고 명언(明言)할 수 있다. 더구나 우리가 자랑하고 싶은 것은 서양(西洋)의 아무런 주의(主義)에도 영향을 받지 않았다는 점(點)이다. 「귀(鬼)의 성(聲)」에 나타난 사조(思潮)는 조선(朝鮮) 사조(思潮)다. 그 감정(感情)은 조선(朝鮮) 사람만 가질 수 있는 감정(感情)이다. 「귀(鬼)의 성(聲)」에 그려진 사회(社會)는 당시의 조선(朝鮮) 사회(社會)다. 거기 나타난 몇 가지의 성격(性格)은 조선(朝鮮) 사람 특유(特有)의 성격(性格)이다. 누가 이 「귀

(鬼)의 성(聲)」을 가리켜서 외국(外國)의 영향을 받았다 할까.

T. S. 엘리엇은 이 '전통'이란 말을 지극히 엄격한 의식에서 보았다.

　영어(英語)의 술작(述作)에 있어서 우리는 〈전통(傳統)〉을 말함이
매우 드물다. —따는 혹시 그것의 결핍을 탄식하는 경우에 그 명호(名
號)를 적용하는 수가 있으나 우리는 〈그 전통(傳統)〉 혹은 〈한 전통
(傳統)〉이라 말할 수 없다. 고작해야 우리는 어느 누구의 시(詩)가
〈전통적(傳統的)〉이라거나 내지 〈너무 전통적(傳統的)〉이라 말할 때에
이 말을 형용사(形容詞)로 사용한다. 아마 이 말은 비난의 어구(語句)
이외에는 나타나지 않는다. 만일 그렇지 않다면 이 말은 어느 좋은
작품(作品)에 대하여 어떤 대견한 고고학적(考古學的) 재건(再建)을 가
졌다는 의미로서 막연한 시인(是認)을 뜻한다. 이 말이 영국(英國) 사
람의 귀에 유쾌하게 들리려면 반드시 고고학(考古學)이란 든든한 학문
에의 안심할 만한 언급을 요한다.
　　　　　　　　　　　　—「전통(傳統)과 개인적(個人的) 재능(才能)」

그는 전통이라는 말이 지니는 술어적인 개념은 고고학(考古學)의 학문
적인 배경 위에서만 안심하고 쓸 수 있다는 영국인 특유의 자랑할 만한
전통의 유산 속에 호흡하는 생리의 전모를 표백하였거니와 또한 전통은
가만히 앉아서 상속이나 전수로 받아질 것이 아니라 쟁취하여야 한다고
경고를 발하고 있다.

　전통(傳統)은 훨씬 더 넓은 의의를 가진 물건이다. 그것은 계승될
수 없는 것이요 따라서 만일 우리가 그것을 원한다면 우리는 큰 노역
(勞役)으로서 그것을 획득하여야 한다. (……) 어떠한 시인(詩人)도 어

느 예술(藝術)의 어떠한 예술가(藝術家)도 혼자서 자기의 완전한 의미를 가질 수는 없다. 그의 의의 그의 평가(評價)는 과거의 시인(詩人)들과 예술가(藝術家)들에 대한 그의 관계의 평가(評價)이다. 우리는 그를 단독으로 평가(評價)할 수는 없다. 우리는 대조(對照)와 비교(比較)를 위하여 그를 과거인(過去人) 사이에 정치(定置)하여야 한다. 나의 이 말은 역사적(歷史的) 비평(批評)뿐 아니라 미학적(美學的) 비평(批評)의 원리로서도 그러한 것이다. 그가 전체(全體) 하여야 할, 그가 점착(粘着)하여야 할 필요성은 일방적만이 아니다. 한 새로운 예술작품(藝術作品)이 창작될 때에 발생하는 것은 그것보다 선행(先行)된 모든 예술(藝術)의 작품들에게 동시적(同時的)으로 발생하는 것이다

엘리엇의 이러한 이야기는 작품의 가치 기준에 있어서의 전통을 통시성(通時性)과 공시성(共時性)의 양면에서 논술한 것으로 한 시인의 의의나 가치를 과거의 시인과 대조 비교하는 위치에서 평가해야 한다는 것을 말하고 있으니, 우리 문학의 현실면에 이것을 원용하여 볼 때, 과거의 유산인 가사나 시조와 현대시를 여하히 통시적인 면에서 가치 비중을 따질까 하는, 즉 대조 비교하여야 할 양자의 너무나도 이질적인 난관에 봉착하고야 만다. 이러한 난점은 비단 시에 대한 것이 아니라 소설에 있어서도 고대소설과 현대소설의 문학사적인 가치를 정립하려는 때나 '판소리'의 대본인 소리 '여섯마당', 예를 들면 「박타령」과 현대 희곡을 어떻게 견줄 것인가 하는 난점이 역시 개재하게 된다.

그러나 문학작품의 가치 결정에 있어서 일정한 형식의 동류의 작품만이 대조 비교될 수 있다는 일률적인 논법이 부동으로 고정되는 것도 아닌만큼, 형식에 있어서의 기간요소(基幹要素)인 표현언어가 동일하다는 우위성을 전제로 한다면 그 내용이 지니는 작품적인 가치의 위치를 전혀 정립할 수 없는 바도 아니니, 여기에서 우리는 신문학 이후의 작품이 아

무리 서구를 조상으로 한 듯한 이식문학에 불과하다 할지라도 그 내용에 취급된 한국적인 현실과 작품의 저류(低流)로 흐르는 한국적 정서와 그 분위기 속에서 움직이는 한국적 인간상의 창조 속에서 갑오경장 이전의 작품과 대조할 수 있는 가능성을 발견할 수 있는 동시에 신문학에 선행된 제 작품의 전통적인 가치를 정치(定置)할 수 있는 가능성도 찾아낼 수 있는 것이다.

한 잔(盞) 먹새그려 또 한 잔(盞) 먹새그려
꽃꺾어 산(算)놓고 무진무진(無盡無盡) 먹새그려
이몸 죽은 후면 지게 우에 거적 덮어 주리혀 매여가나 유소보장(流蘇寶帳)에 만인(萬人)이 울어예나
어욱새 속새 덥가나무 백양(白楊) 숲에 가기곳 가면
누른 해 흰 달 가는 비 굵은 눈 소소리 바람 불제 뉘 한 잔(盞) 먹자 할고
하물며 무덤 우에 잰나비 파람 불제 니우친들 어찌리
　　　　　　　　　　　　　　　　　—「장진주사(將進酒辭)」

고비 고사리 더덕순 도라지꽃 취 삭갓나물 석용(石茸) 별과 같은 방울을 달은 고산식물(高山植物)을 색이며 취(醉)하여 자며 한다.
백록담(白鹿潭) 조찰한 물을 그리며 산맥(山脈) 우에서 짓는 행렬(行列)이 구름보다 장엄(壯嚴)하다. 소나기 놋낫 맞으며 무지개에 말리우며 궁둥이에 꽃물 익여 붙인채로 살이 붓는다.
　　　　　　　　　　　　　　　　　—「백록담(白鹿潭)」

위에 인용한 이조(李朝) 중엽 16세기의 작가 정송강(鄭松江)의 「장진주사(將進酒辭)」와 현대시의 한편인 정지용의 「백록담(白鹿潭)」 1절에서 우

리는 정녕 비교대조의 맥락을 찾아볼 수 없을 것이겠는가.

3

문학유산으로서의 '계승'이 아니라, 큰 "노역(勞役)으로서 획득"할 만한 대상이 될 작품은 시간의 흐름에 따라 고전이 되고, 이 고전이 누적되는 속에 '고고학(考古學)적 재건(再建)'을 가질 전통이 이루어지는 것이다.

부륜티에르는 이와 같은 고전 문예가 나타날 수 있는 필연조건으로 다음의 다섯 가지를 들고 있다.

첫째는, 인간 제 기능의 완전한 평형을 얻은 발달을 할 상태에 사람들이 놓여 있어야만 한다.

둘째는, 국어의 완성으로 국어가 아직 발생기에 속하여 어맥(語脈), 어법(語法)이 얽히고 신어(新語)가 조성되고, 표현법이 난잡하게 되어 있는 시대에서는 안 된다.

셋째는, 국민적 독립으로 타로부터의 사상적 영향이 심대하고 그 섭취가 아직도 진행되고 있는 시대, 정신적으로 타에 의하여 압도당하고 있는 시대는 아직 고전작품이 나올 수 없다.

넷째는, 문예 예술 제 종류의 완성이니 시작(時作)에만 쏠리든지, 산문 문학에만 기울든지 함이 없이, 문예 예술의 모든 종류가 자유스럽게 충분히 발달하고 그 종합된 모습을 구현할 수 있는 그런 시대.

다섯째는, 사람들이 가지는 흥취가 광범하여 공통적인 것을 조건으로 한다.

이러한 그의 방법론을 맹목적으로 다소곳이 우리의 문학에 적용시킬 것은 아니지만 만약 어떤 대조가 성립할 수가 있다면 우리의 현실은 이러한 제조건에 너무나 거리가 멀리 있음을 느끼지 않을 수 없다.

우리는 현재 조국이 양단되고 있고 전란(戰亂)으로 인하여 국민경제를 비롯한 모든 생활이 파행(跛行)되고 있으며, 민주주의는 영아(嬰兒)의 울음처럼 발악을 치고 있는 현실에서 "인간 제기능의 완전한 평형"은 바랄 염도 못할 것이고, 국어는 오랫동안 기능적으로 또한 피동적으로 그 발달이 저지되었을 뿐만 아니라, 생경한 외래어에 의한 신어가 조성 과정에 있어, 본연한 국어의 정화가 아직 이루어지지 못하였고 어휘 및 어법의 미정리는 아직 자기 모국어의 자유로운 구사를 부자유스럽게 하는 경우가 적잖고, 한편 완전한 통일, 자주독립은 쟁취 과정에 있을뿐더러 정치, 경제, 문화 등 물질, 정신 양면에 걸쳐, 압도적인 타의 지배를 받고 있는 수난의 시기에 처하여 있느니만큼, 기여(其餘)의 타조건은 제외하고라도 하나도 미래의 고전이 될 새로운 문학의 창조를 예기할 수 있는 조건은 갖추지 못하고 있다.

그렇다고 우리는 여기에서 새로운 문학작품 창조에 대한 포기 상태에 들어가기는 너무 조급하다.

사실 위대한 문학 내지 문화의 난숙한 황금시대는 그 창조를 위한 모든 여건이 구비되었을 때에만 이루어질 수 있는 것이요, 또한 이와 같은 전체적이요, 집단적인 기초 토대가 완성된 후에도 위대한 천재의 출현을 기다려서 그 획기적인 결실을 기대할 수 있음은 과거의 문학사가 이를 웅변으로 증명하는 사실이다.

그러나 문학작품에 대하여 '어떻게 쓰느냐'하는 문제보다는 '무엇을 이야기 하려느냐'하는 것이 더 소홀히 취급되지 못할 점에 있어서, 우리는 처참한 현실에 부딪힌 대가로 얻은 인간의 삶에 대한 뼈저리고도 생생한 체험이, 우리에게 소재의 우위성을 부여하고 있음을 자족(自足)하고, 양대 사조의 피비린내 나는 첨단에서 인간의 삶을 모색 전취하는 적나라한 현실 속에서, 남이 얻지 못하는 귀중한 자료를 발굴해야 하겠다.

우리들이 전인류의 문제를 앞에 놓고 각축을 겨누는 소용돌이 속에서 인간의 삶을 어떻게 보고, 이같이 가열한 투쟁 속에서 새로운 인간의 모습을 어떻게 창조할 것인가 하는, 그것이 우리들에게 주어진 사명이라고 억지로라도 자위하여, 피의 대가로 얻어진 귀중하고 고가한 자료를 살림이 현하의 중요한 과제의 하나이다. 앙드레 말로가 유네스코 주최의 강연회에서 "유일의 참된 문제는 우리들이 어떠한 모습으로 인간을 다시 창조할 수 있을 것인가를 알 일이다"라고 말한 일구(一句)는 우리의 현실에 비추어 다시 한 번 음미하여야 할 경구이다.

4

요새 역사소설들이 터무니없이 많이 쏟아져 나온다. 물론 작고한 작가들의 이름들을 '고(故)' 자(字)도 붙이지 않고 재탕하여 그들이 아직도 지하에서 창작을 계속하고 있는 듯한 착각을 주게까지 하는, 말하자면 필명(筆名)의 도용인지, 기발표작품(既發表作品)의 파렴치한 재록인지는 분간할 수 없어도, 아무튼 야담(野談)이나 사담류(史譚類)에 속하는 이런 등속은 제외하고라도, 버젓이 소설의 명(銘)을 붙여서 나오는 작품 중에서 과연 작품으로서 값어치를 지니는 것이 얼마나 되는지 사실 문제이다. 일제 시대만 하여도, 단순한 민족의식의 계발 고취 등으로 역사소설이 지니는 계몽적인 존재 가치가 문학 자체의 본질적인 가치 이외로 하나의 존재를 용인(容認)하는 아량이나 구실이 될 수 있었지만, 해방 후 오늘의 역사소설은 문학의 근원적인 가치 기준을 떠나서는 허용되기 곤란한 문제이다.

물론 과거의 사실(史實)을 문학작품으로 읽힐 수 있게 정리한다든가, 고전을 현대작품으로 재현한다든가 하는 갸륵한 의도를 소홀히 넘기려는 것은 아니다. 그러나 아무리 그러한 의도라 할지라도 문학적 가치가 선행되어야 할 것이고, 정리나 재현의 기록적인 의의는 다 부수적인 문제에 속할 것이며, 역사적인 사실(史實)이 왜곡되거나 지나치게 부연된 작품이 작품으로도 쓸모가 없고, 사료(史料)에도 거리가 멀다면 이는 양두구육(羊頭狗肉)격에 불과할 것이요, 고전의 재현이 고전이 지녔던 빛조차 낼 수 없다면 그렇지 않아도 영세한 고전의, 개악(改惡)을 초래하는 결과가 되지 않으리라고 어찌 단언할 수 있으리오.

동인(東仁)이 「춘원연구(春園研究)」에서,

마의태자(麻衣太子), 단종애사(端宗哀史), 이순신(李舜臣)의 삼편(三編)은 또한 사화(史話)라는 특수(特殊)한 부류(部類)에 집어 넣을 수밖에 없다. 이것은 소설(小說)로 되기에는 너무도 사실(史實)에 충실(忠實)하여 작자(作者)의 주관(主觀)이 제거(除去)되었으며, 소설(小說)로서의 말미(末尾)도 미비(未備)하고 (사실적(史實的) 말미(末尾)가 있을 뿐) 사담(史譚)으로 보기에도 아직 「담(譚)」으로서의 전개(展開)가 없으니 사화(史話)(외사(外史))로 볼 밖에는 없다.

고 춘원(春園)의 역사소설을 혹평한 대목은, 그대로 오늘날의 우리문단에도 더 엄격히 적용될 경구(警句)가 아닌지 일고(一考)의 여지가 있는 이야기이다.

결국 오늘날의 우리 문단의 역사소설은 현실과의 대결을 외구(畏懼)히 생각하거나, 의식적으로 기피하려는 작가의식의 외형적인 발현이라고 단정한다면 너무도 과도한 망단이 될 것인가.

한편 거개(擧皆)의 작품이, 특히 연재물이 독자의 말초신경을 자극하는 관능적인 면을 건드려, 호기와 격정을 유발하는 내용이 범람하는 경향이 우심하여, 이들 작가는 흔히 로렌스의 「채털리 부인의 연인(戀人)」을 인용하여 자기 변호의 도구로 삼으려 하나, 독자의 구미를 노리고 관능적인 자극을 위주로 한 작품과 노골적인 성(性)의 표현이 있을지라도 작품의 주체 속에 흐르는 주축을 위한 파생적으로 된 성적 묘사와는 근본적으로 그 의의가 다를 것이다.

이러한 성문제에 대하여 라르 나끄도 『현대불란서문학(現代佛蘭西文學)』 속에서,

　　이들 실망한 사람들(작가(作家))에 있어서도 유일의 빠질 길이 생겨진 모양이다. 성교(性交)의 흥분이 그것이다. (……) 생활상태가 어쩔 수 없이 된 절망의 망각을 관능(官能)의 도취 속에 찾아내기 위하여 에로스의 숭배에 몸을 바치는 작중인물(作中人物)은 점차로 그 수를 증가하고 있다.

고 말하여 관능적인 작품의 점증함을 슬그머니 개탄하고 있음이 발견된다.

확실히 소설은 독자를 얻기에 어려워지는 것 같다.

D. H. 로렌스도 그의 『문학론』 속에서,

　　나 자신(自身)도 근대소설(近代小說)에 어지간히 지루하다. 어떤 근대소설(近代小說)도 그 〈전체(全體)〉를 읽는다는 것은 점점 어려워져왔다. 조금만 읽으면 뒤는 읽지 않아도 알게 된다. 그렇지 않으면 그이상 알겠다고 생각지 않는다. 이것은 슬퍼해야 할 일이다. 그러나 되풀이해서 말하거니와 그것이 소설(小說)의 죄(罪)는 아니다. 오히려 소설가(小說家)의 죄(罪)이다.

라고 심증을 토로한 것을 보면 온갖 자극에 거의 만성이 된 현대인의 감각에 촉발적인 관능 충격이 우연 아닌 선물로 돌아간 인과관계도 짐작되는 바 없지 않으나, 작품 자체의 본질적인 가치의 비중보다 관능의 자극이 선수를 써서는 곤란한 문제일 것이다.

현재 우리 문단은 너무나 '새로운 것'에 현혹한 나머지, '값 있는 것'과 '새로운 것'을 혼동하고 있는 성싶다.

사실 덮어놓고 '새로운 것'만을 찾는다는 것은 덜 익고 건방진 얘기다. 그렇다고 '새로운 것'이 무턱대고 나쁘다는 것은, 물론 아니다.

엘리엇의 말대로,

그러나 만일 전통(傳統)이란 것의 넘겨주고 받는 것의 유일한 형태(形態)가 우리 직전(直前)의 세대(世代)의 성공에 맹목적으로 또한 겁약(怯弱)하게 부착(附着)함으로써 그 세대(世代)의 방식들을 그대로 따라가는 데 있다면 〈전통(傳統)〉은 그야말로 참으로 실의(失意)할 것이다. 우리는 그러한 많은 조류(潮流)가 이내 사중(沙中)에 매몰됨을 보았다. 그리하여 신기(新奇)는 되풀이보다 나은 것이다.

이같이 신기는 허술한 전통의 되풀이보다 났다는 명언을 따를 필요를 느끼지 않는바 아니지만, 우리 문단은 솔직히 말하여 아직 번역문학기도 거치지 못하고 번안 내지 중역(重譯)문학기에 처하여 있다고 하여도 용감히 일축할 사람은 없을 것이다. 새롭다는 것이 아니다. 남이 새롭다는 것을 그대로 그렇거니 하고 수긍하는 정도에 머무르는 실정에서 남이 무어라고 했는지 올바른 제 말로 남이 이야기하고자 한 뜻을 완전하고 확실하게 옮겨 놓고서야 비로소 새로우니, 낡으니, 참되니, 거짓이니, 아름다우니, 궂으니, 시비곡직(是非曲直)이 캐어질 것이다.

물론 두 말할 것도 없이 낡은 것보다는 새로운 것이 낫다. 그것을 모르는 바 아니다. 그러나 새롭다고 하면 덮어놓고 혈안이 되어 비판의 여유도 없이 감탄하고 찬사를 보내고 견강부회(牽強附會)하는 것은 삼가야 하겠다. 이런 점은 젊은이보다 차라리 대가에게 이런 속단적 경향이 농후한 것 같다.

그렇게 하려면 우리 문단은 이제부터 충실하고 본격적인 번역문학시대를 거쳐야 하겠다. 기술적인 번역가의 출현도 좋겠지만, 가급적이면 현역작가나 새로 나올 작가에게 이러한 능력이 겸비된다면 그 이상 이상적인 경우는 없을 것이다. 그리하여 과도적이요 잠정적이라는 구실로 공로를 자처하면서 범람하는 번안, 중역, 오역이 자연도태 되는 날에야 비로소 내가 아니고 남이 새롭다고 하는 것을, 정말 내가 새롭고 값있다고 충심으로 긍정하는 시기가 올 것이요, 그 단계를 지나야만 내가 새롭게 생각하는 것을 남이 아닌 내가 써서 참말 내 것으로 새롭고 값있게 아는 시간이 도래할 것이다. D. H. 로렌스가 애드거 앨런 포 논(論)에서,

　도덕가(道德家)들은 항상 포우의 〈병적(病的)인〉 이야기를 무엇 때문에 씌어질 필요가 있었느냐고 무익(無益)하게도 의심하여 왔다. 그러나 그러한 이야기는 낡은 물건은 멸망하여, 붕괴할 필요가 있으므로 쓰여질 수밖에 없었던 것이요, 낡고 생기 없는 영혼(靈魂)은 다른 새로운 것이 나타나기 전에 서서히 파괴되지 않으면 안 되기 때문이다.

고 한 말이 과거의 미적지근한 전통을 깨뜨리고 참말로 미래의 고전이 될 수 있는 값있고 참되고 새로운 것에 적용되는 것임을 명기하여야 할 것이다.

6

　진정한 의미에 있어서 값있고 새로운 것, 즉 신기(新奇)나 우발(偶發)과

혼동되지 않는 새로운 것은 낡은 사람보다는 우리의 착잡하고 처절하고 심각한 현실을 애초부터 그 분위기 속에서 자라 생리적으로 체득하고 심리적으로 느끼고, 다시 신랄하고 첨예화한 의식으로 판단, 섭취할 수 있는 새로운 세대에게 기대하여야 할 것이다.

물론 기성작가라 할지라도 연대를 초월하여 이러한 조건을 갖추고만 있다면 그들의 창작적인 체험은 젊은이와 정열로 겨누는 경우의 '핸디캡'을 능히 극복하고 새로운 대열에 참가할 수 있을 것이다.

그러나 그것은 적잖이 어려운 일에 속할 것이다. 서구 작가들보다 비교적 조로하는 습벽을 가지며 점잖음을 긍지로 삼기 쉬운 이 땅의 전통 아닌 전통이 버젓이 있기 때문이다.

다음의 십년간(十年間)에 으뜸가는 작품(作品)을 쓸 사람은 과거(過去)에 좋은 작품(作品)을 쓴 작가(作家)들로부터 나오지는 않을 것이 거의 틀림없다. 이러한 작가(作家)들(으뜸가는 작품(作品)을 쓸 사람들)은 훈련을 받아서 규율이 몸이 박혔을 뿐만 아니라 말할 만한 내용(內容)과 그것을 표현(表現)할 수 있는 가장 좋은 수단을 명백히 파악하고 있는 신진작가(新進作家)들 사이에서 나타날 것이 추측된다.

호프만이 『미국현대소설론(美國現代小說論)』에서 말한 간단명료하고 직절적(直截的)인 이 한 구절은 미국보다 훨씬 조로(早老)하기 쉬운 습성을 가진 이 땅 문단에, 현실적으로 더 확률 높은 적중이 되지 않을까 생각된다.

그러나 새로운 신진작가에 기대하기란 또한 불안하기 짝이 없다. 왜그러냐하면 한 마디로 말하여 그들은 자칫하면 자기 능력을 과신하고 새로운 것에 지나치게 도취하기 쉽기 때문이다.

앞에서도 이미 말하였거니와 번안과 중역을 통해서 수박 겉핥기로 얻어진 아직 완전한 영양도 되지 못한 미소화 상태의 소위 새롭다는 지식의 조박(糟粕)을 가지고 안하무인격의 호들갑스러운 유아독존을 부리려고 하니, 이것은 자신의 전진을 위하여서도 백해무익일 것이다.

물론 젊은이의 상징이다시피 되는 정열이나 의기의 고의적 억압을 강요하는 것은 아니나, 다분히 시세(時勢)가 외국어 단어 풀이 몇 마디로 새로운 문학조류 수입의 특허적인 루트나 얻은 것처럼 과대망상하는 경향이 적잖기 때문이다. 이것은 물론 일부 기성측에서 약간 새롭다고만 여겨지면 입에 침도 마를 사이 없이 덮어놓고 극구 찬양해 온 과실의 득죄(得罪)도 없는바 아니다.

오늘날이야말로 우리들은 대망(待望)의 시기에 처했다고 말할 수 있으리라 생각한다. 현실(現實)을 멸시하고 우리들을 형이상학적(形而上學的) 사유(思惟)의 번쇄(煩瑣)한 유희에 집어넣고 오직 줄곧 새로운 형체(形體), 아직 들은 일 없는 교향곡(交響曲)만을 찾아서, 말을 엮고 소리를 어우르는 새로운 예술가(藝術家)를, 우리들은 내일의 대가(大家)로서 우러러볼 것인가? 의식(意識)의 현오(玄奧), 의식하(意識下)의 심연(深淵)을 끝없이 파고 드는 데만 락(樂)을 찾아낼 것인가? 그렇잖으면 노동자(勞動者) 농민(農民)과 형제를 맺어 그들과 더불어 공통되는 환희(歡喜)의 건설을 목표로 하여 일하고 무지(無知)에는 손을 뻗쳐서 이것을 지식에까지 높이고 예술(藝術)의 불감증(不感症)에는 뛰어가서 미(美)의 취미(趣味)를 깨닫게 하는 작가(作家)들을 존경으로써 맞이할 것인가? 문학예술(文學藝術)의 장래는 밀접하게 사회(社會)의 역사(歷史)와 연결되어 있다.

작가(作家)도 화가(畫家)도 표현(表現)의 형식(形式)을 제멋대로 움직여가는 것이 아니고, 또한 그 생각 내키는 대로 표현(表現)하는 것도 아니다. 시대에 앞선다고 보여지는 사람 또는 역류(逆流)에 수로(水路)를 헤치는 사람들까지도 경제적, 사회적, 변화에 연결되는 사상

감정(思想感情)의 진화(進化)에 참여하고 있는 것이다.

이것은 전게한 『현대불란서문학』 속에서 저자가 이제 창조될 문학의 총체적인 제시로서 말한 부분으로 오늘의 우리 문단에서 형이상학이나 의식의 심각성 같은 단편적인 방법론으로 새로운 것이라 의기양양해 하는 사람들의 숙독할 대목이라고 생각되는 동시에, 이러한 서구인의 고민상(苦悶相)에 우리는 다시 우리의 역사적인 사회적 현실의 특수성을 항상 가미한 속에서, 새로운 방법론을 모색하여야 할 것이라는 것을 굳이 첨가하고 싶다.

7

한국문단에 있어서 과거의 선배들은 학업의 중단이 기연이 되어 문학을 시작한 사람이 많다. 그것은 민족운동이건, 학교 공부가 소득이 없기 때문이었건, 혹은 애정문제건, 건강조건이건, 가정사정이건, 젊은 정열의 과잉으로 인한 인생관의 소망이건, 아무튼 통계 숫자를 내보아도 알겠지만 정상적인 학업을 마친 이보다는 그렇지 않은 분이 압도적인 다수였다. 물론 문학이나 예술의 천재는 정상적이 아닌 기형적인 과정에서 더 배출된다고들 말한다.

그러나 그것은 벌써 과거의 이야기다. 신출귀몰의 천재가 아닌 바에야 똑같은 재질의 경우에는 그 길의 정통적인 수련을 더 닦은 사람편이 우세할 것이 당연한 사실이 아니겠는가.

기적이나 이례를 자처하거나 기대하지 말라. 금후 문학을 하여 그것도 값있고 새로운 문학을 창조하려는 의욕에 불타는 사람은 첫째로 대학까지 정통적인 교육을 받아야 할 것이다. 그리고 그 기간에 사고의 바탕이 될 철학과, 외래문학을 자력으로 저작(咀嚼) 소화할 수 있는 어학력을 갖추어야 하겠다. 자기 고전의 꾸준한 습득을 비롯한 독서와 습작이 겸비해야 함은 불문가지이다.

이러한 똑같은 조건 위에서 그 다음에 실력과 재질의 우열이 나타날 것이다.

다른 나라는 어떻든 적어도 우리의 현실에서는 금후의 문학은 이러한 토대 위에서만이 무성한 결실을 바랄 수 있을 것이다.

이러한 조건에 대한 선배들의 구비 여부를 묻지 말라. 현재까지는 허용되던 여러 가지 관용도가 금후의 문단에선 자연히 긴축될 시기가 올 것이니 새로 등장하는 신진은 완전무장에서 출발한 후 비로소 피차의 전투력을 겨눌 것이다.

정신적(精神的) 저작(著作)은 정신만으로서 나오는 것이 아니라 인간(人間) 전부가 그 생성(生成)에 관여하는 것이다. 성격(性格), 교육(教育)과 생애(生涯), 과거(過去)와 현재(現在), 정열(情熱)과 능력(能力), 미덕(美德)과 악덕(惡德), 등 작자(作者)의 영혼(靈魂)과 행위(行爲)의 모든 부분이 그가 생각하거나 쓰는 것 속에 그 흔적을 남기는 것이다.

지금 보면 다소 진부한 것 같지만 이와 같은 테느의 한 마디는 우리로서 일고(一考)의 가치가 있을 성싶다.

사실 기적이 아닌 한 한 작가에 있어서 인간성 총합의 절대치를 초월하는 작품은 나타날 수 없는 것이다.

문학이나 예술을 소중히 여길 줄도 모르고 이 일에 관여하는 사람들을 아낄 줄도 모르는 슬픈 조국의 현실이다.

그러나 이럴 때일수록 이제 올 이 땅의 새로운 르네상스의 전조(前兆)

를 위하여 칼라일의 만고(萬古)의 명언을 새삼스럽게 가슴에 새겨 보기로
하겠다. "인도제국은 상실할지라도 셰익스피어는 놓칠 수 없다"라고.

(1956)

한국어 문장(文章)의 시대적 변모

1

우리의 문장은 우리말과 직접 관련이 있는 동시에 또한 우리 문학과 불가분(不可分)의 관계에 놓여져 있는 것이다.

따라서 한국어 문장의 시대적인 변모과정을 살피는 데에는 순수한 우리글인 '훈민정음(訓民正音)'의 반포 이후를 기점으로 다룰 수밖에 없다는 전제가 불가피하여지게 되는 것이다.

그것은 그 이전에 순한문식 문장이나 이두식의 문장이 없었던 것은 아니지만 그들은 국한문 내지 순한글로 표현되는 현대 문장까지의 발전 계보에서는 약간의 이질적인 구조로 이루어진 비정통적인 한국어 문장이라는 해석이 가능하기 때문이다.

따라서 본고에서는 훈민정음 반포 이후 오늘날에 이르기까지의 우리 문장의 변모되어 온 양상을 시대적인 특징의 추출에 의하여 살펴보고자 한다.

훈민정음이 창제된 것은 세종(世宗) 25년(1443))이고, 그것이 반포된 것은 3년 후인 세종 28년(1446)이며 이 새로운 문자의 창제와 더불어 초기에 이뤄진 중요한 문헌으로는『용비어천가(龍飛御天歌)』『석보상절(釋譜詳節)』『월인청강지곡(月印千江之曲)』『불경언해(佛經諺解)』『경서언해(經書諺解)』『두시언해(杜詩諺解)』등이 있다.

나랏말ᄊᆞ미 중국(中國)에 달아 문자(文字)와로 서르 ᄉᆞᄆᆞᆺ디 아니ᄒᆞᆯ
씨 이런 젼ᄎᆞ로 어린 백성(百姓)이 니르고져 홂배 이셔도 ᄆᆞᄎᆞᆷ내 제ᄠᅳ
들 시러 펴디 몯ᄒᆞᇙ 노미 하니라 내 이ᄅᆞᆯ 위(爲)ᄒᆞ야 어엿비 너겨 새로
스물 여듧자(字)ᄅᆞᆯ 맹ᄀᆞ노니 사ᄅᆞᆷ마다 히여 수비 니겨 날로 ᄡᅮ메 편안
(便安)킈 ᄒᆞ고져 홂 ᄯᆞᄅᆞ미니라.

-『훈민정음(訓民正音)』 서문(序文)

부톄 삼계(三界) 옛존(尊)이 ᄃᆞ외야 겨샤 중생(衆生)ᄋᆞᆯ 너비 제도(濟
度)ᄒᆞ시ᄂᆞ니 그지 업서 몯내 혜ᅀᆞ볼 공(功)과 덕(德)괘 사ᄅᆞᆷ들콰 하ᄂᆞᆯ
들히 내내 기리ᅀᆞᆸ디 몯ᄒᆞᅀᆞᆸ논 배시니라.
세간(世間)에 부텻 도리(道理) 빈호ᅀᆞᄫᆞ리 부텨 나아 ᄃᆞ니시며 ᄀᆞ마
니 겨시던 처ᅀᆞᆷ ᄆᆞᄎᆞᆯ 알리노니 비록 알오져 ᄒᆞ리라도 ᄯᅩ 팔상(八相)
ᄋᆞᆯ 넘디 아니ᄒᆞ야셔 마ᄂᆞ니라. 근간(近間)애 추천(追薦)ᄒᆞ ᅀᆞ볼ᄃᆞᆯ 인
(因)ᄒᆞᅀᆞᄫᅡ 이저긔 여러 경(經)에 준ᄒᆞ여 내야 명별(名別)히 ᄒᆞ 그를
밍ᄀᆞ라 일훔지어 ᄀᆞ로디 석보상절(釋譜詳節)이라 ᄒᆞ고 ᄒᆞ마 차제(次第)
혜여 밍ᄀᆞ론 바ᄅᆞᆯ 브터 세존인도(世尊人道) 일우샨 이릐 양ᄌᆞᄅᆞᆯ 그려
일우ᅀᆞᆸ고 ᄯᅩ 정음(正音)으로 곧 인(因)ᄒᆞ야 더 번역(飜譯)ᄒᆞ야 사기노
니 사ᄅᆞᆷ마다 수비 아라 삼보(三寶)애 나ᅀᅡ가 븓긧고 ᄇᆞ라노라.
정통(正統) 12년(十二年) 7월(七月) 25일(二十五日)에 수양군(首陽君)
휘(諱) 서(序)ᄒᆞ노라.

-『석보상절(釋譜詳節)』 서(序)

위에 예시한 『훈민정음(訓民正音)』 서문이나 『석보상절(釋譜詳節)』 서
(序)에서 보여주는 바와 같이 이들 문장은 그 표기법이 현대 문장과는 엄
청나게 다를뿐더러 단어나 문맥도 독특한 특색을 지니고 있으므로 이같
은 계열의 문장 및 이같은 사어(死語), 폐어(廢語) 등은 고문(古文), 고어

(古語)로 다루어지고 있다.

2

훈민정음(訓民正音) 창제 후 성종(成宗)에 이르는 약 백년간은 궁중을 위시하여 일반백성에 이르기까지 문장에 있어서의 '언문(諺文)', 즉 '한글'의 활용이 적극적으로 이루어져, 말하자면 '언해(諺解)' 사업 같은 것도 활발하게 진행되었던 것이다.

그러나 연산조(燕山朝)에 와서 왕권에 의한 탄압으로 한글의 사용이 제약을 받게 된 이후는 다시 조정(朝廷)을 비롯하여 사대부 사이에서는 한문을 전용하게 되었고 한글은 부녀자를 대상으로 하는 규방문자(閨房文字)로 잠적하게 되었다.

따라서 임진왜란 전은 시조(時調), 가사(歌辭) 등 시가(詩歌) 외에 일반 산문에서는 한글로 된 것을 찾아보기 힘들고 임란 후 왕권 및 양반계급의 권세가 쇠퇴되고 평민의식이 대두됨에 따라 소위 '이야기책'이라고 불리는 부녀자 상대의 고대소설이나 내간에서 한글 문장의 영성(零星)한 명맥을 발견할 수 있을 뿐, 저 유명한 근대의식의 요람인 실학(實學) 저서의 대부분도 모두 한문으로 서술되었으니 안타깝기 짝이 없는 일이다.

오늘날 연산군 이후 갑오경장까지에 이르는 기간의 시가, 소설 등을 제외한 일반 산문의 문장으로 된 서책을 발견하기 힘든 연유도 이런데 있는 것이다. 또한 한글로 기록되어 있는 문학작품 속에서 많은 사설시조 및 고대소설이 그 작자가 밝혀지지 않은 채로 전해오는 것도 한글사용을 의식적으로 기피했거나 천시한 데서 유래한 결과였던 것이다.

만력임인년(萬曆壬寅年)의 듕뎐(中殿)이 아기 겨오시다 듯고 뉴긔(柳

哥) 낙틱(落胎)호실 일을 호노라 놀녀오되 궐닉(闕內)의 물맥질도 호고 익뎡(掖庭)사람을 사괴여 닉인(內人) 측간(厠間)의 구무 쑮고, 남그로 뿌시며 녀염쳐(閭閻處)의 명화강도(明火强盜) 낫다 소문내니 기시에 궁듕(宮中)의 셔도 뉴가를 의심호더라.

계묘년(癸卯年)의 공쥬(公主)를 탄싱호오시니 분발(分撥)가져간재 오뎐(誤傳)호야 대군(大君)이라 듯고 되답 아니 호다가 공쥬 나시다 듯고 무엇주더라 호니 더브러 믜워호믈 알니러라

—「계축일기(癸丑日記)」

함흥 만세교와 낙민뉘 유명호다 호더니 긔튝년(己丑年) 팔월 넘 ᄉ 일 낙을 써나 구월 초 이일 함흥을 오니 만세교(萬歲橋)는 댱마의 문 허지고 낙민누는 서흐로 성밧긘되 누하문 전형은 서울 홍인 모양을 의디호야시되 둥골고 적어 계유 독교가 간신이 드러가더라.

그 문을 인호여 성밧그로 쎄그어 누를 지엇ᄂ되 두층으로 대를 무 으고 아ᄋ라이 쎠올려 그 우희 누를 지어시니 단청과 난간이 다 퇴락 호야시되 경치는 정쇄호야 누우희 올라 서편을 보니 성첨강(城川江)이 크기 한강만호고 물결이 심히 묽고 됴촐흔되 새로 지은 만세교 물밧 그로 눕희 대여 자히나 소소 노혀시니 거동이 무디게 휘온듯호고 기 릭는 니르기를 이편으로셔 저편ᄭ지 가기 오리라호되 그릴리는 업서 삼ᄉ니는 족호여 뵈더라.

— 의유당(意幽堂) 「관북유람일기(關北遊覽日記)」

위에 인용한 「계축일기(癸丑日記)」는 선조(宣祖)의 계비인 인목대비(仁 穆大妃)의 내인(內人)이 대비의 소생으로 광해군(光海君)에 의하여 억울한 죽음을 당한 영창대군의 사적을 기록한 것이요, 「의유당일기(意幽堂日記)」 는 순조(純祖) 때 이희찬의 부인 연안 김씨가 부군이 함흥 판관으로 부임

할 때 따라가 북도의 풍물을 보고 느낀 대로 기록한 글로 둘 다 여인에 의한 소작이다.

이밖에 이 시기에 된 「한중록(閑中錄)」이나 「인현왕후전(仁顯王后傳)」 같은 것도 다 여인의 손에 의하여 이루어진 작품임을 곁들여 생각할 때, 이 시기의 한글 활용의 추세는 가히 짐작하고도 남음이 있는 일이라 하겠다.

위의 두 예문에서 보여주는 바와 같이 이 시기의 문장은 이조 초기의 문장에 비하면 어휘나 문맥에 약간의 차이를 발견할 수 있으나, 갑오경장 이후의 문장과 대조하면 단어나 어법이나 문체에 현격한 차이가 있음을 느끼게 되는 것이다.

3

고종조(高宗朝)에 들어와 1876년 일본과의 사이에서 이루어진 최초의 근대적인 외교인 병자수호조약이 체결된 후는 능동이든 피동이든 간에 공적으로 해외의 문물을 받아들이게 되고, 1894년에는 그러한 근대화과정이 세칭 갑오경장이라고 불리는 공식적인 제도상의 개혁을 단행하게 됨에 따라, 문자 정책도 공사문서에 국한문(國漢文)을 쓰게끔 확정되어 우리의 문장 발달사에는 일대 변혁을 가져오게끔 되었다.

다음에 이 시기의 문장을 예시해 보기로 하겠다.

집록(集錄)

지리초보(地理初步) 제오장(第五章) 자전(自轉)

지구(地球)가 남북(南北)으로써 축(軸)을 솜아 매일일(每一日)에 자서향동(自西向東)ᄒ여 일전(一轉)ᄒ니 그 향일처(向日處)은 위주(爲晝)요 그 반일처(反日處)은 위야(爲夜)니 소이(所以) 주야지상분지(晝夜之

相分地)라 쏘 점장향일(漸將向日)을 위지조(謂之朝)요 점장반일(漸將反日)을 위지석(謂之夕)이라 ᄒᆞᄂᆞ니라.

— 《한성주보(漢城周報)》

(……) 이십편(二十編)의 서(書)를 성립(成立)되 아문(我文)과 한자(漢子)를 혼집(混集)ᄒᆞ야 문장(文章)의 체재(體裁)를 불식(不飾)ᄒᆞ고 속어(俗語)를 무용(務用)ᄒᆞ야 기의(其意)를 달(達)하기로 주(主)ᄒᆞ니 (……) 서(書) 기셩(旣成) 유일(有日)에 우인(友人)에게 시(示)ᄒᆞ고 기(其) 비평(批評)을 걸(乞)ᄒᆞ니 우인(友人)이 왈(曰) 자(子)의 지(志)ᄂᆞᆫ 양고(良苦)ᄒᆞ나 아문(我文)과 한자(漢子)의 혼용(混用)홈이 문가(文家)의 궤도(軌道)를 월(越)ᄒᆞ야 구안자(具眼者)의 기소(譏笑)를 미면(未免)ᄒᆞ리로다 여응(余應)ᄒᆞ야 왈(曰) 시(是)ᄂᆞᆫ 기고(其故)가 유(有)하니 일(一)은 어의(語意)가 평순(平順)홈을 취(取)ᄒᆞ야 문자(文字)를 약해(略解)ᄒᆞᄂᆞᆫ 자(者)라도 이지(易知)ᄒᆞ기를 위(爲)홈이오 이(二)ᄂᆞᆫ 여(余)가 서(書)를 독(讀)홈이 소(少)ᄒᆞ야 작문(作文)ᄒᆞᄂᆞᆫ 법(法)에 미숙(未熟)ᄒᆞᆫ 고(故)로 기사(記寫)의 편이(便易)홈을 위(爲)홈이오, 삼(三)은 아방(我邦) 칠서언해(七書諺解)의 법(法)을 대략(大略) 효칙(傚則)ᄒᆞ야 상명(詳明)홈을 위(爲)홈이라. 차(且) 우내(宇內)의 만방(萬邦)을 환순(環順)ᄒᆞ건되 약(略) 기방(其邦)의 언어(言語)가 수이(殊異)ᄒᆞᆫ 고(故)로 문자(文字)가 역종(亦從)ᄒᆞ야 부동(不同)ᄒᆞ니 개(盖) 언어(言語)ᄂᆞᆫ 인(人)의 사려(思慮)가 성음(聲音)으로 발(發)홈이오 문자(文字)ᄂᆞᆫ 인(人)의 사려(思慮)가 형상(形象)으로 현(顯)홈이라. 시이(是以)로 언어(言語)와 문자(文字)ᄂᆞᆫ 분(分)ᄒᆞᆫ 칙(則) 이(二)며 합(合)ᄒᆞᆫ칙(則) 일(一)이니 (……)

— 『서유견문(西遊見聞)』

《한성주보(漢城周報)》는 1886년에 창간되었으며, 1883년에 창간된 우리나라 근대적인 신문의 효시인 《한성순보(漢城旬報)》의 뒤를 이은 것으로, '국한문혼용체(國漢文混用體)'의 문장을 이미 갑오경장 8년 전에 처음으로 시도한 신문이다.

그러나 이 신문도 처음에는 순한문으로 된 문장을 썼으나 제26호(1886.8.30 일자)에 와서야 비로소 국한문 혼용체의 문장을 썼으며 이 초기의 국한문체는 한자 숙어에 토(吐)를 단 정도에 불과하다는 것을 또한 발견하게 되는 것이다.

한편 『서유견문(西遊見聞)』은 한말(韓末)의 외교관이요, 문법학자인 유길준(兪吉濬)의 작(作)으로 1895년 일본 횡빈(橫濱)에서 발간되었으며 국한문혼용체로 된 가장 초기의 단행본에 속하는 것이다.

위에 인용한 예문에서 보여주는 바와 같이 문장은 《한성주보(漢城周報)》의 경우와 같이 한자에 토(吐)를 단 정도에 지나지 않으나 그 내용에 담긴 한자와 한글의 혼용, 속어, 즉 일상용어의 사용, 언어와 문자를 합하여 하나로 본 언문일치론의 주장 등은 선구적인 탁견이라고 보지 않을 수 없는 것이다.

갑오경장 후는 많은 신문 잡지가 발간되었고, 이들은 대부분 국한문혼용체의 문장을 사용하였으며, 극소 부분이 순한글 문장을 사용하였던 것이다.

다음해 1890년 말기에 발행된 《독립신문》과 《황성신문(皇城新聞)》의 경우를 예로 들어 보기로 하겠다.

우리가 독닙신문을 오늘 처음으로 출판 ᄒᆞᄂᆞᆫᄃᆡ 조선속에 잇는 ᄂᆡ외국 인민의게 우리 쥬의를 미리 말삼ᄒᆞ여 아시게 ᄒᆞ노라.
우리는 첫지 편벽되지 아니ᄒᆞᆫ고로 무슴 당에도 상관이업고 상하귀쳔을 달니 디졉 아니ᄒᆞ고 모도 죠션 사람으로만 알고 죠션만 위ᄒᆞ며 공평이 인민의게 말ᄒᆞᆯ터인ᄃᆡ 우리가 서울 빅셩만 위ᄒᆞᆯ게 아니라 죠션

전국 인민을 위하여 무슴 일이든지 디언하여 주랴홈 정부에서 하시는
일을 빅셩의게 전홀터이오 빅셩의 졍셰을 졍부에 젼홀 터이니 만일
빅셩이 졍부 일을 자셰이 알고 졍부에서 빅셩에 일을 자셰이 아시면
피츳에 유익호 일만이 잇슬터이요 불평호 무옴과 의심호는 싱각이 업
서질 터이옴. 우리가 이 신문 출판호기는 취리호랴 는게 아닌 고로
갑슬 헐허도록 호엿고 모도 언문으로 쓰기는 남녀샹하 귀쳔이 모도
보게홈이요 또 귀졀을 쩨여 쓰기는 알어보기 쉽도록 홈이라.

               – 《독립신문》 창간호(創刊號), 논설(論說)

　세종대왕(世宗大王)끠셔 별(別)로 일종(一種) 문자(文字)를 창조(創
造)하샤 우부우부(愚夫愚婦)로 무불개명(無不開明)케 하시니 왈(曰) 국
문(國文)이라. 기문(其文)이 극간극이(克簡克易)하야 수동치아녀(雖童穉
兒女)라도 시월(時月)의 공(工)을 추(推)하면 가(可)히 평생(平生)의 용
(用)이 족(足)할지라 시(是)로 이(以)하야 일세(一世)에 전습(傳習)하는
자(者) 십(十)에 오륙(五六)에 지(至)하더니 흠유대황제계하(欽惟大皇帝
階下)끠셔 갑오중흥지지회(甲午中興之之會)를 적제(適際)하샤 자주독립
(自主獨立)하시고 기초(基礎)를 확정(確定)하시고 일신갱장(一新更張)하
시는 정령(政令)을 반포(頒布)하실시 특(特)히 기성(箕聖)의 유전(遺傳)
하신 문자(文字)와 선왕(先王)의 창조(創造)하신 문자(文字)로 병행(並
行)코져 하샤 공사첩(公私牒)을 국한문(國漢文)으로 혼용(混用)하라신
칙교(勅敎)를 하(下)하시니 백규(百揆)가 직(職)을 솔(率)하야 분주봉행
(奔走奉行)하니 근일(近日)에 관보(官報)와 각부군(各府郡)의 훈령지령
(訓令指令)과 각부(各府)에 청원서(請願書) 보고서(報告書)가 시(是)라.
현금(現今)에 본사(本社)에셔도 신문(新聞)을 확장(擴張)하는딕 몬져
국한문(國漢文)을 교용(交用)하는거슨 전(專)혀 대황제계하(大皇帝階下)
의 성칙(聖勅)을 식준(式遵)하는 본의(本意)오 기차(其次)는 고문(古文)

과 금문(今文)을 병전(幷傳)코져 홈이오 기차(其次)는 첨군자(僉君子)의
공람(供覽)ᄒ시ᄂᆞ듸 편이(便易)홈을 취(取)홈이로다.

— 《황성신문(皇城新聞)》 창간호(創刊號), 사설(社說)

《독립신문》은 1896년 창간된 최초의 민간신문이자 일간신문이며 순한
글을 사용하였고 제4면에는 영문판을 붙이기도 했었다.

우리는 위의 예문에서 《독립신문》에 사용된 순한글 문체가 그 이전의
문장에 비하여 평이하고 부드러우며 그 내용에 담긴 평민의식의 시대정
신 및 언문 사용, 띄어쓰기 등의 새로운 주장이 이 시기로서는 얼마나 혁
신적인 기획이었던가를 추단할 수 있게 되는 것이다.

한편 《황성신문(皇城新聞)》은 1898년 창간되었으며 국한문 혼용체의
문장을 썼다. 그러나 이 문장은 『서유견문(西遊見聞)』의 경우와 같이 한자
숙어에 토(吐)를 단 정도에서 멀리 벗어나지 못하였음을 알 수 있으나, 자
주독립 및 국한문혼용체의 주장 등의 자립정신은 충분히 규지(窺知)할 수
있는 것이다.

4

1900년대에 들어와서 《소년(少年)》 《청춘(靑春)》 등 문학과 관련이 있
는 종합잡지가 발간되고, 신체시, 신소설 등의 문학작품이 창작 발표됨에
따라 문장은 조금씩 다듬어지기 시작하였고, 국한문 혼용체와 순한글 두
가지 문장이 병행하게 되었다.

그런데 국한문 혼용체는 주로 논설조의 문장에 쓰여 경체(硬體)를 이루
고 순한글 문장은 소설이나 수상 등에 쓰여 대체로 부드러운 연체(軟體)
를 이루었다.

다음에 이 두 가지의 경우를 예시하기로 하겠다.

〈소년문단(少年文壇)〉은 우리 독자제군(讀者諸君)의 하해(河海)를 경(傾)하고 풍도(風濤)를 구(驅)한 단장(壇場)이라, 감회(感懷)를 서(書) 함도 가(可)하고 견문(見聞)을 기(記)함도 가(可)하고 일기(日記)를 기(寄)함도 가(可)하고 과문(課文)을 역(役)함도 가(可)하고 선배(先輩)의 경역(經歷)을 록(錄)함도 가(可)하고 시사(詩詞)도 가(可)하고 서한(書翰)도 기(可)하니 행문걸사(行文結辭)하닌 시이에 힘써 진경(眞境)을 그리고 실지(實地)를 일타말디니 집필인(執筆人)은 사조(詞藻)에 당(當) 한 것도 취(取)티아니할 것이오 결구(結構)에 묘(妙)한 것도 택(擇)티 아니하며 다만 거딧말 아닌듯 한것과 수미(首尾)가 상접(相接)하야 이 르랴 한 쯧이 낫타난것이면 쏩을터이니 이에 착념(着念)하시여 이러 한 글이면 속속(續續) 투고(投稿)하야 집필인(執筆人)으로 하여금 울연(蔚然)히 요(曜)하는 린봉(麟鳳)과 장연(鏘然)히 명(鳴)하난 소정(韶釘) 에 경심(驚心) 경안(驚眼)케 하시오

— 《소년(少年)》 창간호(創刊號), 「소년문단(少年文壇)」

아모라도 배화야 합니다. 그런대 우리는 더욱 배화야 하며 더 배화 야 합니다.

이제 우리는 다른 아모것보다도 더욱 배홈에서 못합니다. 엇더케 말하면 배홈 한아가 못하야 다 못하다 하오리다.

우리의 배홈도 컷섯지마는 다른이 배홈에 더 나아감이 잇스며 우리의 배호던 것도 조핫지마는 남의 배호는 것에 더 조흔 것이 잇스니 이는 얼마 아닌 동안 허고 아니함으로서 생긴 틀님이외다.

우리들이 쌔칩시다. 배홈이 남만 못한 것을 쌔치며 오늘에 가장 밧 븐 일이 배홈임을 쌔치며 아울너 배홈에도 잘할만 함을 쌔칩시다. 우

리 속에 가득한 배홈을 잘할 만흔 힘을 집어냅시다.

—《청춘(靑春)》 창간호(創刊號), 권두언(券頭言)

위의 예문에서 보여주는 바와 같이 「소년문단(少年文壇)」의 경우는 한자에 토를 단 것 같은 구투의 어감이 아직도 남아 있고 《청춘》 권두언(券頭言)의 경우는 일상용어에 접근된 부드러운 문장임을 느낄 수 있는 것이다. 그러나 전자의 문장 위주의 주장이나 후자의 '배움'의 주장은 다 시대정신의 공통된 반영임을 알 수 있게 하는 동시에 이 시기 집필자들의 문장에 대한 관심도 또한 어느 정도인가 하는 것을 엿볼 수 있게 하는 구절이다.

전게한 「소년문단(少年文壇)」이나 《청춘》의 권두언(券頭言)은 대체로 육당(六堂) 최남선(崔南善)의 집필이라고 추측될 수 있는 것이므로 다음에 예시하는 춘원(春園) 이광수(李光洙)의 현대어, 일용어에 의한 평이한 문장의 주장과 대조하여 보면 이 개화기 선구자들의 문장에 대한 부심도(腐心度)를 가히 짐작할 수 있는 것이다.

문학(文學)이란 내용(內容)을 담는 기(器)요 문(文)이라. 조선(朝鮮)서는 고래(古來)로 한문(漢文)이 아니면 문(文)이 아닌 줄로 사(思)하였으며 문(文) 즉(卽) 문학(文學)으로 사(思)였나니 차(此)가 문학발달(文學發達)을 저해(沮害)한 대장애(大障碍)니라. (……)

현대(現代)에 재(在)하여 현대(現代)를 묘사(描寫)함에는 생명(生命) 있는 현대어(現代語)를 용(用)하여야 할지니, 가령(假令) 「공부(工夫)」라 할 것을 구태 형설(螢雪)이니, 탁마(琢磨)니, 마저(磨杵)니 하는 폐어(廢語)를 용(用)할 필요(必要)가 하(何)이며, 「에그 좋아라」할 것을 구태 강희자전(康熙字典)에서 취(取)하여 발표(發表)할 것이 하(何)리오. 근래(近來) 조선소설(朝鮮小說)이 순국문(純國文), 순현대어(純現代語)를 사용(使用)함은 여(余)의 흔희불기(欣喜不己)하는 바이나, 여차

(如此)히 생명(生命) 있는 문체(文體)가 더욱 왕성(旺盛)하기를 망(望)하며 국한문(國漢文)을 용(用)하더라도 말하는 모양(模樣)으로 최(最)히 평이(平易)하게 최(最)히 일용어(日用語)답게 할 것이니라.

고(故)로 신문학(新文學)은 반드시 순현대어(純現代語)·일용어(日用語)·즉(即) 금(今) 하인(何人)이나 지(知)하고 용(用)하는 어(語)로 작(作)할 것이니라.

－「문학(文學)이란 하(何)오」, 1919년 11월 《매일신보(每日申報)》 소재

5

기미운동(己未運動)을 계기로 하여 한국어 문장은 훨씬 평이하고도 일상용어에 접근하게 되어 소위 언문일치의 거의 완전한 경지로 접어들게 된다. 그것은 육당(六堂), 춘원(春園) 등 소수문학인의 시대를 지나, 동인지에 의한 특색 있는 새로운 문인의 다량 등장으로 문단이 형성되고, 이들이 또한 새로운 문장 내지 각자의 특색 있는 문체를 이룩하려는 의식적인 노력을 지속한 데 기인되는 것이다. 이 무렵의 문장을 다음에 예시하기로 하겠다.

현금 조선사람 중에 대개는 아직 가정소설(家庭小說)을 좋아하오. 통속소설(通俗小說)도 좋아하오. 흥미 중심 소설도 좋아하오. 참예술적 작품, 참문학적 소설은 읽으려하지도 아니하오. 그 뿐만 아니라 이것을 경멸하고 조롱(嘲弄)하고 불용품(不用品)이라 생각하고 심한 사람은 그것을 읽으면 구역증이 난다고까지 말하오.

그들은 소설(小說) 가운데서 소설의 생명, 소설의 예술적(藝術的) 가치, 소설의 내용의 미(美), 소설의 조화된 정도, 작자의 사상(思想),

작자의 정신, 작자의 요구, 작자의 독창(獨創), 작중인물(作中人物)의 각 개성의 발휘에 대한 묘사(描寫), 심리(心理)와 동작과 언어(言語)에 대한 묘사(描寫), 작중인물(作中人物)의 사회에 대한 분투(奮鬪)와 활동 등을 요구하지 아니하고 한 흥미를 구하오.

　　－「소설(小說)에 대한 조선(朝鮮) 사람의 사상(思想)을」, 1919년 1월
　　　《학지광(學之光)》 소재

　우리의 속에서 니러니는 미을 수 없는 요구(要求)로 인(因)히여 이 잡지(雜誌)가 생겨 낫습니다. 각(各)가지 곡해(曲解)와 오해(誤解)는 처음부터 올 줄 믿고 있습니다. 그러나 우리는 다만 참으로 우리 쓸 알아주시는 적은 부분(部分)의 손을 잡고 나아가려 합니다. 우리의 가는 길이 곳을 동안은 우리는 아모런 암초(暗礁)도 두려워하지 안씀니다. 우리는 모든 핍박(逼迫)과 모욕(侮辱)의 길로라도 더욱 용감(勇敢)하게 나아가겠습니다.

　우리 길을 막을 자(者)가 누굼니까.

　　　－《창조(創造)》 창간호(創刊號), 편집후기(編輯後記)

　앞의 것은 김동인의 글로 그의 소설에 대한 소신(所信) 및 문장 표현에 대한 주장을 엿볼 수 있으며, 그는 이밖에도 문장어미의 시제(時制)유별(하노라, 하더라, 하도다→한다, 하였다, 하셨다), 3인칭 단수의 사용 등 우리 문장의 발전 면에 적극적인 노력을 기울인 작가다.

　한편 뒤의 《창조(創造)》 창간호의 문장은 오늘날 우리가 쓰고 있는 현대 문장에 훨씬 접근한 형식임을 또한 알 수 있는 것이다.

1930년대에 들어오면 새로운 젊은 작가들에 의하여 문장의 감각적인 표현은 훨씬 세련되어 갈 뿐만 아니라, 〈한글 맞춤법 통일안〉〈표준말 모음〉〈외래어 표기법〉 등의 제정으로 한글 표기법의 획기적 통일을 보게 되어 문장의 표현은 비로소 정연한 본궤도에 오르게끔 되었다.

따라서 문학작품 창작에서의 참신한 표현이 시도되었을 뿐만 아니라 일반 국민문장이 수준도 보편적으로 상승하게끔 되어 갔다.

다음에 이 시기의 문장에 각기 특색을 남긴 이효석(李孝石), 이상(李霜), 김유정(金裕貞) 등의 문장을 예시하기로 하겠다.

효석의 문장 기술에 대한 주장, 이상의 감각적인 문장, 유정의 향토적인 문장의 맛을 느낄 수 있을 것이다.

작가(作家)들의 일반(一般)으로 부족(不足)한 것은 표현(表現)과 그 기술(技術)이다. 아무리 진미(珍味)라도 그것을 담은 그릇이 흉하면 미각(味覺)을 상하는 법이다. 소재(素材)가 아무리 훌륭하더라도 그것을 표현(表現)하는 기술(技術)이 부족(不足)하면 작품(作品)의 맛과 값은 상살(傷殺)되는 것이다. 아니 표현(表現)이 부실한 곳에는 작품(作品)의 값은새로 그의 존립(存立)조차 의심(疑心)되는 것이다. 표현(表現)이 조잡(粗雜)한 것은 떳떳한 한 편(篇)의 작품(作品)이라고 할 수는 없다.

조선(朝鮮)에는 표현(表現)에 주의(注意)하고 애쓰는 작가(作家)가 극(極)히 희소(稀少)하다. 거개(擧皆) 표현(表現)이 거칠고 필치(筆致)가 어지럽다. 도대체 창작(創作)이라는 것을 퍽 쉬운 재주로 아는 듯하며 지극(至極)히 가벼운 태도(態度)와 부실한 준비(準備)로 창작(創作)의 붓을 드는 듯하다. 따라서 작품(作品)의 구성(構成)이 어색하고 묘사(描寫)가 날림이요 문장(文章)이 망측하고 묘사(描寫)가 조잡(粗雜)

하고 용어(用語)가 중복(重複)되고— 습작(習作)한 미완성품(未完成品)의 경지(境地)를 벗어나지 못하는 작품(作品)이 되어버리고 만다.

　　　　　　　　　　　　　−이효석(李孝石), 「과거(過去) 일년간(一年間)의 문예(文藝)」

　지난 여름 뒷산(山) 머루를 많이 따 먹고 입술이 젖꼭지 빛으로 까맣게 물든 것을 보았습니다. 지금 토실토실한 살 속으로 따끈따끈 포도주(葡萄酒)가 흐릅니다. 단 한 사람을 위한 잔치, 단 한 번 잔치를 위하여 예비(豫備)된 이 병, 마개를 뽑기는 커녕 아무나 만져보는 것도 아닙니다. 그러나 자색(紫色) 복스 피부(皮膚)에서 겨울내(乃) 목초(牧草)내가 향(香)긋하니 납니다.

　　　　　　　　　　　　　　　　−이상(李霜), 「여상(女像)」

　나의 고향은 저 강원도 산골이다. 춘천읍에서 한 이십리 가량 산(山)을 끼고 꼬불꼬불 돌아 들어가면 내닫는 조그마한 마을이다. 앞뒤 좌우에 굵직굵직한 산(山)들이 빽 둘러섰고, 그 속에 묻힌 아늑한 마을이다. 그 산(山)에 묻힌 모양이 마치 옴팍한 떡시루같다 하여 동명(洞名)을 「실레」라 부른다. 집이라야 대개 쓰러질 듯한 헌 초가요, 그나마도 50호(五〇戶) 밖에 못되는 말하자면 아주 빈약한 촌락이다.

　그러나 산천(山川)의 풍경으로 따지면 하나 흠잡을 데 없는 귀여운 전원이다. 산에는 기화이초(奇花異草)로 바닥을 틀었고, 여기저기에 쫄쫄거리며 내솟는 약수(藥水)도 맑고 그리고 우리의 머리 위에서 골골거리며 까치와 시비(是非)를 하는 꾀꼬리도 좋다.

　주위가 이렇게 시적(詩的)이니만치 그들의 생활도 어디인가 시적(詩的)이다. 어수룩하고 꾸물꾸물 일만 하는 그들을 대하면 딴 세상을 보는 듯하다.

　　　　　　　　　　　　−김유정(金裕貞), 「내가 그리는 신녹향(新綠鄉)」

해방 후는 심신의 억압에서 풀려남과 아울러 자기 말 자기 글을 찾은 감격적인 현실에서, 우리 문장은 비로소 주체적인 의식 아래 국어로서의 대우를 받는 한국어 문장으로의 정상적인 길을 밟게 되었다.

이하 해방 직후, 1950년대 및 1960년대 문장을 예시하기로 하겠다. 우리 문장의 아름다움이 더욱 세련되어 감을 느낄 것이다.

오늘 이 자리에는 헌병(憲兵)도 고등계(高等係) 형사(刑事)도 보이지 않습니다. 여러분과 나 사이를 저해(沮害)하고 차단(遮斷)할 아무런 감시자(監視者)도 여기는 없습니다. 이렇게 구애 없는 마음으로— 이렇게 자유(自由)롭게 여러분과 자리를 같이해서 흉중(胸中)의 소회(所懷)를 털어 내놓을 수 있다는 기적(奇蹟)이 꿈같기만 해서 쉽사리 믿어지지 않습니다.

삼십육년(三十六年)의 긴 밤이 물러가고 지금 우리 앞에는 해방(解放)의 새아침이 찾아왔습니다. 반세기(半世紀)의 쇠사슬에서 풀린지 아직도 한 달이 채 못되었습니다. 지금 우리는 여광여취(如狂如醉)해서 꿈인지 생시인지 이 기쁨을 감당치 못하는 형편입니다. 태극기(太極旗)로 둘러싼 트럭이 독립만세(獨立萬歲)를 연달아 외치면서 먼지를 날리고 달려갑니다. 마을마다 동리마다 꽹과리 소리가 요란합니다. 거리 거리에는 성급(性急)하게 내붙인 속보(速報)들이 눈에 뜨입니다. 내각(內閣)의 수반(首班)이 오늘은 누구 내일은 또 누구하고 매일(每日)같이 바뀌어집니다마는 그것을 나무랄 사람은 없습니다. 감격(感激)과 환호(歡呼)의 아비규환(阿鼻叫喚) 속에서 삼천리(三千里)가 온통 열병(熱病)에 걸린 것 같습니다.

　　-김소운(金素雲), 「겨레를 어떻게 사랑할까」, 1945년 9월

영감(靈感)으로 오든지 주의력에서 오든지 이미 시(詩)의 생명이 될 생각이 마련되고 비장하거나 우아(優雅)하거나 관조하거나 간(間)에 이미 시(詩)의 피가 되는 느낌이 마련되면 필연적으로 한 편의 시(詩)는 형성되고 마는 법이다. 왜 그러냐 하면 시(詩)의 생명이 될 생각은 춤추는 관념(觀念)이요, 시(詩)의 피가 되는 느낌은 외부에 튀어나오려는 언어(言語)이기 때문이다. 이 춤추는 관념을 튀어나오려는 언어(言語)와 합일시켜 춤추는 언어(言語)를 만들므로써 튀어나오려는 관념을 잠재시킬 때 새로운 생명을 지닌 시(詩)의 형자(形姿)가 탄생하는 것이다. 그러므로 시인(詩人)에게는 무엇을 쓸 것인가는 문제 밖의 것이요, 차라리 무엇을 안쓸 것인가가 문제되는 것이다.

　　　　　　　　　　　　－조지훈(趙芝薰), 「시(詩)의 원리(原理)」, 1959년

고향에 돌아온 지 어언 여러 해가 된다. 흔히 항간에서는 낙향(落鄕)이라들 말하지만, 낙향(落鄕)이 아니라, 귀향(歸鄕)이요 귀거래전(歸去來前)의 심정에서 옛 보금자리를 찾아왔던 것이다.

새소리에 날이 밝아 오고, 파도처럼 밀려오는 송뢰(松籟)에 해가 저무는 속에 나는 오늘도 담담(淡淡)히 잔을 기울이다가 그만 하루해를 보내고 있다. 매화(梅花)도 늙고 보면 성근 가지에 한두 송이 꽃을 꾸며 족(足)하듯이, 이제 나는 허울을 다 떨어버린 한그루 고매(古梅)로 그저 무념무상(無念無想)이면 넉넉하다.

회고(回顧)하면 모두 아득한 옛날, 내 주변(周邊)을 지켜주고 보살펴 주던 친구들의 소식은 이젠 저 산(山) 너머 오고가는 한 점 구름처럼 내 마음의 한 구석을 지나가는 그림자요, 산(山)골을 흘러내리는 물 위에 떠가는 꽃이파리들이다.

　　　　　　　　　　　　－이병기(李秉岐), 『가람문선(文選)』 서(序), 1966년

우리는 민족 중흥의 역사적 사명을 띠고 이 땅에 태어났다. 조상의 빛난 얼을 오늘에 되살려 안으로 자주독립의 자세를 확립하고 밖으로 인류 공영에 이바지할 때다. 이에 우리의 나아갈 바를 밝혀 교육의 지표로 삼는다.

-「국민교육헌장」

전주(全州)는 둘레의 언덕들이나 개울물이 눈과 어름에 덮인 겨울날에두 눈굴헝을 헤치고 캐어낸 향기로 쑥국을 행용 술국으로 해 먹을 수 있는 일을 비롯해서 그 산과 들녘과 바다의 술안주가 술집에 갖추어 있는 것도 썩 좋지만 그런 술집에 나오는 여자들 속에는 아직도 육자배기 같은 옛 노래를 꽤 잘하는 사람들이 드문드문 끼어있고 거문고나 가야금을 탈 줄 아는 여자들도 섭섭지 않게 있고, 또 그런 말하자면 모든 것이 두루 불쌍하게만 보여져야 할 여자들이 그런 느낌을 주지 않고, 꼭 무슨 어린 때부터의 흉허물 없는 친구처럼만 느껴지는 것이 재미있는 곳이다.

-서정주(徐廷柱),「천지유정(天地有情)」 1970년
11월 《월간문학(月刊文學)》 소재

맨 끝의 두 편의 예문 중 먼저 것은 「국민교육헌장」의 일부로 이 문장은 한국의 석학들이 근 1년에 걸쳐 여러 차례 회합을 갖고 광범위하게 국민의 여론을 받아들여 기초한 글인만큼 문장의 규범으로 하나의 참고가 될 줄로 안다.

뒤의 것은 아주 최근에 문학지에 발표된 문장이므로 현시점의 한국어 문장이 도달한 지점을 어렴풋이나마 짐작할 수 있겠기에 참고로 인용하였다.

훈민정음 반포 후 민족의 운명과 더불어 수난이 많았던 우리글은 고문

체(古文體) · 아속체(雅俗體) · 현대문어체(現代文語體) 및 구어체(口語體) 등 여러 단계의 흐름을 더듬어 보았지만, 기실 그 문장 흐름의 변천이 정상적인 발전과정을 밟지 못했고, 특히 일제에 의한 근 반세기간의 말살정책은 우리 언어와 문장에 씻기 힘든 상흔을 남겼으므로, 그로 말미암은 조잡한 여흔(餘痕)을 제거하고 우리의 의사를 충분하고도 완전하게 담을 수 있는 훌륭한 문장으로 이룩하려면 아직도 많은 조탁의 시련이 겪어져야만 할 것이다.

(1970)

한국 현대소설의 향방(向方)

1

시대적 개념을 지닌 소설양식의 분류에 있어서 20세기의 한국소설은 일반적으로 현대소설(現代小說)이라고 지칭되어 오고 있다.

그러나 논자에 따라서는 이 시기의 소설을 의식적인 구분을 지어 근대소설(近代小說)과 현대소설(現代小說)로 나누어 논하는 사례도 없지 않다.[1] 근대나 현대라는 개념은 우리 문학의 전통의식의 흐름 속에서 추출될 수도 있는 것이지만, 그 용어 자체는 서구 사조의 수용과정에서 도입된 술어이며, 일반사에 준하여 문학사에서도 이 어휘가 그대로 원용된 경우에 속하는 것이다.

우리 문학사에 있어서 근대의 시발점에 대하여는 여러 가지 논의가 있다. 즉 18세기 영·정조의 실학에 거점을 둔 근대의 시발설이 그 하나이다.[2] 그런데 그 사상성의 연원 자체에 대하여는 긍정이 가지만, 그것이 한 시대의 섬광적인 현상으로, 후대로 계승 지속되지 못하였고, 또한 그

---

1 이병기(李秉岐)·백철(白鐵), 『국문학전사(國文學全史)』, 신구문화사(新丘文化社), 1975.
2 임화(林和), 『개설신문학사(槪說新文學史)』
　김윤식(金允植)·김현, 『한국문학사(韓國文學史)』, 민음사(民音社), 1973.

주동이 주로 양반 지배층 학자에 머물렀을 뿐 시민계층의 토대 위에 선 대중화로 연결되지 못하였다는 점에서, 근대적인 싹을 보였다는 의의에 멈추고 마는 것 같다. 이와는 달리 전통성의 발전과정에서 서구사조의 영향이 가미된 19세기 후반 이후의 근대화의 움직임은, 어느 정도의 피동성은 부인할 수 없지만, 근대 자본주의의 접촉과 자아 각성에 의한 일반 민중의 참여를 얻어 지속적으로 발전 성장해오고 있기 때문에, 이 시기를 좀더 본격적인 근대화의 시발점으로 보려는 관점은 많은 학자들의 호응 내지 동조를 얻고 있는 것이다.[3]

한국의 20세기 소설은 이러한 시대적인 배경을 바탕으로 전통적인 소설양식과 서구소설의 영향이 교차되는 시점에서 발아하게 되었으며, 새로운 교육제도의 실시, 기독교에 의한 성경, 찬송가의 보급, 신문 잡지 등 저널리즘의 발전, 문법의 체계화를 비롯한 어문 연구 및 자국어에 대한 자각 등은 새로운 문학작품의 창작 및 광범위한 새로운 독자층 확대에 직접 간접으로 촉진제의 구실을 했던 것이다.

2

개화기에 나온 신소설(新小說)은 서구소설의 영향을 받아 씌어진 근대소설적인 첫 시도라 하겠다.

---

3 한우근(韓㳓劤), 『한국통사(韓國通史)』, 을유문화사(乙酉文化史), 1970.
   이기백(李基白), 『한국사신론(韓國史新論)』, 일조각(一潮閣), 1967.
   조윤제(趙潤濟), 『한국문학사(韓國文學史)』, 동국문화사(東國文化史), 1963.
   김사엽(金思燁), 『개고국문학사(改稿國文學史)』, 정음사(正音社), 1954.
   이병기(李秉岐) · 백철(白鐵), 『국문학전사(國文學全史)』, 신구문화사(新丘文化社), 1957.
   장덕순(張德順), 『한국문학사(韓國文學史)』, 동화문화사(同和文化社), 1975.

19세기 말엽부터 20세기 초에 걸쳐 나타난 새로운 문물 또는 현상에 대해서는 '신(新)'자가 붙기 마련이어서, 신교육, 신학문, 신문학, 신여성 등이 그런 예에 속하며, 문학 및 예술양식에 있어서도 신시(新詩), 신연극 (新演劇) 그리고 신소설(新小說) 등의 명칭이 나오게 된 것이다. 이것은 당시의 시대적 흐름이 기성의 것, 전래적인 것은 모두 낡은 '구(舊)'에 속하고, 새로운 것 특히 서양식 색체를 띤 것은 모두 참신하고 혁신적이라는 신구의 대립개념, 이를테면 기존 문화에 대한 거부반응 및 새로운 것에 대한 경이와 호기가 곁들인 시대적 상황의 발로라고 할 수 있는 것이었다.

　　이리하여 신소설(新小說)이라는 명칭이 나오게 되고,[4] 그것은 또한 반세기 여의 시간이 흘러가는 사이에, 소설양식에 있어서의 개화기소설을 표징하는 명칭으로 굳어져, 문학사적인 술어로 정착되었으므로, '이야기책'으로 불려지던 고대소설과 서구적인 소설의 체제를 거의 갖추어 가는 현대소설과의 중간단계에 놓이는 소설양식으로 된 것이다.

　　신소설 작품은 순수한 창작물, 외국 작품의 번안물, 고대소설을 개작한 것[5] 등 수백 종을 헤아릴 수 있으며, 그 작가 또한 유명 무명의 허다한 이름들을 발견할 수 있다. 그러나 순수한 창작이라고 추정되어 온 작품 속에도 전혀 번안(飜案)이 없다고 단정하기 어렵고, 실지의 작자가 있음에도 불구하고 판권란에 출판사주(出版社主)가 저작 겸 발행자로 기록된 것이 있는가 하면, 작자인지 출판사주인지 미상(未詳)한 것이 있을뿐더러,

---

4　김하명(金河明), 「신소설(新小說)과 혈의 누와 이인직」, 《문학(文學)》〈백민(白民)〉 개제(改題) 제22호, 1950.

　　전광용(全光鏞), 「한국소설발달사(韓國小說發達史)」, 『한국문화사대계(韓國文化史大系)』 5, 고대(高大) 민족문화연구소, 1967.

　　이재선(李在銑), 『한국개화기소설연구(韓國開化期小說研究)』, 일조각(一潮閣), 1972.

5　전광용, 전게서.

개중에는 초판에는 실지의 작자 이름이 명기되어 있으나 재판 또는 지사(地社)가 새로 그 작품을 출판할 때는 출판사주가 임의로 저작자가 되어 있는 것도 있어, 그 정확한 판별에 적지 않은 혼란을 일으키고 있다. 따라서 순수한 창작작품으로 그 가치가 어느 수준에 달한다고 인정되는 작품은 그리 많지 않으며, 이에 따라 논의의 대상이 될 만한 작가도 그렇게 많은 수에 달하는 것은 아니다.

현재 그 작품이 평가의 대상에 오르고 있는 작가로는 이인직을 비롯하여 이해조(李海朝), 최찬식(催瓚植), 안국선(安國善), 김교제(金敎濟) 등이며, 주로 번안에 종사한 사람으로 구연학(具然學), 조일재(趙一齋), 이상협(李相協), 민태원(閔泰瑗) 등을 들 수 있다.

이인직[6]은 「혈의 누」를 비롯하여 「모란봉(牧丹峰)」(「혈의 누」의 하편) 「귀(鬼)의 성(聲)」 「치악산(雉岳山)」(상권) 「은세계(銀世界)」 등을 쓴 신소설의 대표적 작가이며, 이해조는 「고목화(枯木花)」 「자유종(自由鐘)」 「화(花)의 혈(血)」 등 20여 편을 낸 가장 다작의 작가인 동시에 소설에 대한 단편적 이론을 제시한 작가이기도 하다. 최찬식은 「추월색(秋月色)」 「안(雁)의 성(聲)」 「춘몽(春夢)」 등 주로 애정소설을 썼으며, 김교제는 「치악산(雉岳山)」(하권)을 비롯하여 「현미경(顯微鏡)」 「비행선(飛行船)」 등을 썼고, 안국선은 사회비판의식을 담은 우화(偶話)소설 「금수회의록(禽獸會議錄)」과 단편집 『공진회(共進會)』(단편 삼편 수록)를 내놓았다.

신소설은 대체로 개화기에 있어서의 계몽성을 띠고 자주독립, 신교육, 민중계발, 자유결혼, 계급 타파 등 근대적인 의식을 다루려고 애쓴 흔적 및 언문일치의 문장에 접근하려는 시도 등을 보여 문학사적인 주요한 의의를 지니고 있으나, 작가의식의 미확립, 작품에 대한 예술성의 무자각

6 전광용, 「이인직연구」, 《서울대학교논문집》 인문사회과학 제6(六)집, 서울대학교, 1957.

등 미흡한 점이 적지 않아, 고대소설에서는 진일보하였다고는 하나 근대소설로서의 면모를 완전히 갖추지는 못했다.

3

1910년 한일합방으로 국권이 상실되어 일본 식민지하에 놓이게 되자, 언론, 출판, 집회, 결사의 자유는 규제되고 우리말로 된 모든 신문은 강제 폐간되어, 유일하게 남은 일간지는 총독부 기관지로 바뀐 《매일신보(每日申報)》뿐이었다. 그리고 주로 문학작품의 발표지로서의 구실을 한 잡지는 국내에서는 《소년(少年)》《청춘(靑春)》 등이었고, 해외에서는 일본 유학생들이 발간한 《학지광(學之光)》《태서문예신보(泰西文藝新報)》 등이었다.

이러한 여건 속에서 1910년대에 활약한 작가는 춘원(春園) 이광수(李光洙)이다. 그는 습작이나 다름없는 초기의 소품 시기를 거쳐, 1917년부터 기미 이전까지에 육친간의 이성애를 그린 「소년(少年)의 비애(悲哀)」, 동성연애를 다룬 「윤광호(尹光浩)」, 자유결혼과 민족계몽을 부르짖는 「어린 벗에게」 등의 단편 및 「무정(無情)」 「개척자(開拓者)」 등의 초기 장편을 발표하였다.

「무정」은 민족의식과 삼각애정을 다룬 것으로, 여러 면에서 그의 대표작의 하나로 꼽히는 동시에, 한국문학사 내지 소설사에도 하나의 문제작으로 거론되어 오는 작품이며, 「개척자」는 과학도를 주인공으로 한 작품이나 후반의 내용이 애정문제로 흐려져 일관성을 잃고 있다.

춘원은 기미 이후 1930년대까지에 「유정(有情)」 「혁명가(革命家)의 아내」 「그 여자의 일생」 「흙」 「사랑」 등의 장편 및 역사적 소재를 다룬 「이순신(李舜臣)」 「마의태자(麻衣太子)」 「단종애사(端宗哀史)」 「원효대사(元曉大師)」 그리고 단편 「무명(無明)」 등 수십 편에 달하는 장·단편을 발표하였으며,

가장 다작의 작가로서 당대에 군림한 대표적 작가이며, 가장 많은 독자를 가진 작가이기도 하다.

그는 소설 외에 시, 시조, 희곡, 수필, 기행문, 문학평론, 문화비평 등 문학의 각 분야에 걸쳐 집필하여 가장 폭넓은 작품활동을 하였으며, 민족주의와 인도주의에 입각한 계몽성을 작가의식의 주축으로 하였다.

그의 작품에 대한 평가는 시간의 흐름에 따라 찬반양론이 거듭되어 오고 있는데, 특히 일제치하에 있어서의 말년의 민족적 훼절은 그의 작품의 가치 평가에 적지 않은 영향을 주고 있어, 작품만의 객관적 평가와 작품에 작자의 행위를 결부시키는 복합적인 타당성 여부가 논의의 대상이 되기도 하는 것이다.

4

3·1운동은 우리 문학사에 있어서 하나의 분계선을 이룬다.

거족적인 의거의 실패는 좌절과 절망을 안겨다 주었지만, 이에 따른 일제의 회유책은 언론 출판에 대한 약간의 완화로 신문 잡지의 출간이 허용되어 《조선일보(朝鮮日報)》《동아일보(東亞日報)》《중외일보(中外日報)》(후의 《조선중앙일보(朝鮮中央日報)》) 등의 발행, 《창조(創造)》《폐허(廢墟)》《백조(白潮)》《조선문단(朝鮮文壇)》 등 문예지 및 《개벽(開闢)》을 비롯한 많은 종합지의 발간은, 침체되었던 문화면에 얼마간의 활기를 불어넣었고, 많은 문인들이 등장하여 비로소 문단의 형성을 보게 되었다.

따라서 소설에 있어서도 유능한 소설가가 배출되어 문학사적인 문제작이 속속 창작 발표되었다.

서구문학에서 통용되는 근대문학의 개념을 우리의 문학사적 현실을 감안한 전제 위에서 준용한다면, 본격적인 근대소설의 정립은 김동인에 의

해서 이루어졌다고 하여도 과언은 아닐 것이다. 《창조》 창립 동인의 한 사람인 김동인은 처녀작 「약(弱)한 자(者)의 슬픔」을 비롯하여 「배따라기」 「감자」 「광화사(狂畵師)」 「광염(狂炎) 쏘나타」 「발가락이 닮았다」 「김연실전(金姸實傳)」 등의 가편(佳篇)을 남겼다.

그는 소설의 문장에 유독히 관심을 가져, 삼인칭 단수인 '그'의 의식적인 사용 제창, 문장 어미의 시제 문제, 즉 '하노라', '하도다' 등 시제의 막연한 표현을 지양하여 '한다', '하였다', '하겠다' 등 과거, 현재, 미래의 확연한 시제에 의한 문장표현을 주장하고, 그것을 스스로 실천에 옮겼다. 그는 이와 같이 문장의 정확하고 참신한 표현과 아울러 현대적 감수성에 의한 작품의 심리적인 표현을 내세우고 문학의 예술성에 중점을 둔 작가이다. 그리고 문학평론 및 작가연구에도 힘을 기울여 「조선근대소설고(朝鮮近代小說考)」 「춘원연구(春園研究)」 등의 무게 있는 업적을 남기기도 했다.

김동인과 더불어 초기 한국 단편소설의 정립에 기여한 작가로 현진건(玄鎭健)과 염상섭(廉想涉)을 들어야 한다.

현진건은 《백조(白潮)》 동인으로 「빈처(貧妻)」 「술 권(勸)하는 사회(社會)」 「타락자(墮落者)」 등 초기작품을 거쳐, 「운수 좋은 날」 「불」 「할머니의 죽음」 「B사감(舍監)과 러브레터」 등 짜임새 있는 단편을 발표하였으며, 불국사 석가탑 건립을 소재로 한 역사소설 「무영탑(無影塔)」을 남겼다. 그는 특히 문장 표현에 재기가 있어, 이 시기에 있어 가장 치밀하고 사실적(寫實的)인 묘사를 하는 작가로 꼽혔다.

염상섭은 1920년대에 나온 작가 중에서 가장 많은 작품활동을 한 작가인 동시에, 문학사적인 비중이 가장 무겁게 다루어지고 있는 작가의 한 사람이기도 하다. 그는 첫 작품 「표본실(標本室)의 청(靑)개구리」를 비롯하여 「암야(闇夜)」 「제야(除夜)」 등 초기작품에서부터 문제성을 제기했으며, 중편 「만세전(萬歲前)」, 장편 「삼대(三代)」에 이르러서는 그 건실한 작가의식과 중후한 문장표현으로 작가적 특색을 보였다. 특히 그의 해방 후의 작품인 「임종(臨終)」 「두 파산(破産)」 등의 단편은 그의 원숙한 경지를 보여주었다. 그런데 그가 출발점에서부터 내세워, 자신의 문학을 자연주의로 자처한 문학사조적 주장은, 자연주의의 본질과 한국문학에 있어서의 자연주의 수용과정의 상관관계에서 구명되어야 할 여러 가지 문제를 남겨 주고 있다.

김동인과 함께 《창조(創造)》 동인으로 나온 전영택(田榮澤)은 「생명(生命)의 봄」 「혜선(惠善)의 사(死)」 「화수분」 등 기독교적인 인도주의에 바탕을 둔 작품을 썼고, 26세로 요절한 나빈(羅彬)은 「물레방아」 「벙어리 삼룡(三龍)이」 등 학대받는 서민의 애환을 그렸다.

최학송(崔鶴松)은 자신의 체험을 소재로 하여 생활의 참상을 부각시킨 「탈출기(脫出記)」 「고국(故國)」 등의 작품을 남겼다.

한편 1925년 조선프롤레타리아예술동맹(KAPF)이 결성된 시기를 전후하여, 무산계급을 소재로 한 작품들이 나오게 되었다. 이것을 문학사에서는 프로문학 및 신경향파문학으로 다루고 있다.

그러나 이 시기의 좌경적인 사조는, 외국에서의 그 경우와 달라 우리의 현실에서는 일제에 항거하는 반항정신과 혼효되어 있으며, 항일통합체격인 신간회(新幹會)도 조직되었던 만큼, 일률적인 형식적 분류로 논단할 수만은 없는 역사적인 특이성을 지니고 있는 것이다. 따라서 오늘날의 안목으로 그 당시의 작품을 면밀하게 분석해 보면, 과연 프로문학의 본질에 부합되는 작품이 어느 정도인가 하는 의아를 품지 않을 수 없게 되는 것이다.

이 시기의 이론적인 선도자는 박영희(朴英熙), 김팔봉(金八峯) 등이나 이들은 1930년대에 들어와서 전향하였고, 특히 박영희는 "얻은 것은 이데올로기요, 잃은 것은 예술이다"라는 문학사에 흔히 인용되는 경구를 남기었다.

그만큼 프로문학이나 신경향파문학은 이론적인 주장에 비하여 그를 뒷받침할 만한 뚜렷한 작품은 생산되지 못하였고, 기껏 조포석(趙抱石)의 「낙동강(洛東江)」을 예증할 정도에 불과한 것이다.

5

1930년대는 일본이 만주를 강점하고 다시 중국에 진입하여 결국은 태평양전쟁으로 확대되는 도화선을 만든 시기여서, 식민지에 대한 억압과 수탈은 더욱 가혹해졌으므로, 작품의 창작도 그에 따라 극도의 제약을 받게 되었다.

그러한 현실적인 배경은, 작가로 하여금 현실에서 외면하여, 순수문학의 이름 아래 사회성이 거세된 예술성 위주의 작품활동으로 돌아가게 하거나, 또는 멀리 역사적 소재를 택하여 거기에 작가의식을 상징적으로 반영하거나 하게 했으며, 한편으로는 농촌의 현실에 눈을 돌리는 소극적 항거의 방향으로 변모하게끔 만들기도 하였다.

1920년대에 등단하여 주로 30년대에 활약한 채만식(蔡萬植)은 「치숙(痴叔)」 「레디메이드 인생(人生)」 등의 단편 및 「탁류(濁流)」 「태평천하(太平天下)」 등의 장편을 발표하였다. 그는 작품 속에서 현실을 직설적으로 표현하지 않고 우회적으로 풍자하는 수법을 주로 택하였다.

이효석(李孝石)과 유진오(俞鎭午)도 20년대 말기에 문단에 나와 30년대에 주로 작품을 발표한 작가다. 이들은 프로문학이나 신경향파문학에 약간 동조적이거나 그들 작가와 밀접하다는 면에서 세칭 동반자작가(同伴者作家)로 불리고 있으나, 그들의 작품 속에서 그러한 경향을 찾아보기는 꽤 어려울 정도로, 그들의 대표작에는 그러한 색채가 거의 발견되지 않는다.

이효석은 그의 대표작인 「메밀꽃 필 무렵」을 비롯하여 「돈(豚)」 「자류(柘榴)」 「산(山)」 「들」 「개살구」 「분녀(粉女)」 등의 단편을 발표했다. 그는 서정적인 참신한 감각의 세련된 문장 표현을 하였으며, 이국정서와 성(性)의 육감적 묘사에 따른 에로티시즘으로 그의 문학의 특색을 나타내었다.

유진오는 이효석과 동창으로 거의 같은 시기에 문단에 나와, 「김강사(金講師)와 T교수」「창랑정기(滄浪亭記)」 등 주로 식민지 하에 놓인 지성인의 고민을 그렸다.

1930년대에 나와 이색적인 작품활동을 하다가 전후하여 요절한 작가에 이상(李箱)과 김유정(金裕貞)이 있다.

이상은 「닐개」를 비롯하여 「동해(童骸)」「봉별기(逢別記)」「종생기(終生記)」「지주회시(蜘蛛會豕)」 등의 단편을 발표하였으며, 자학적 자의식의 세계에서 심리적 심층을 파고든 특색있는 작품을 남겼다.

김유정은 「소나기」「동백꽃」「산골 나그네」「금(金)따는 콩밭」 등의 단편을 발표하였으며, 주로 벽지 농촌의 소박한 인물을 등장시켜 토속적인 어휘 구사로 향토색이 짙은 독자의 경지를 개척하였다.

한편 1930년대의 배경적인 특색의 하나는 '브 나로드', 즉 '민중 속으로'의 기치 아래, 농촌계몽운동이 활발하게 전개되어, 때마침 저널리즘의 가세를 얻은 이 운동은, 열기를 띠고 전국 방방곡곡으로 파급되었다. 이러한 사회적인 현상은 작품 창작에도 영향을 미쳐, 이른바 농민문학(農民文學) 또는 농촌소설(農村小說)로 불리는 많은 작품들을 낳게 하였다.

이광수의 「흙」, 심훈의 「상록수(常綠樹)」, 민촌(民村)의 「고향(故鄕)」 등은 넓은 뜻에서 이 계열에 속하는 작품들이다.

이 경우와는 조금 거리가 있지만, 이무영(李無影)은 농촌계몽의 뜻과는 달리, 작가 자신이 스스로 농촌으로 뛰어들어가, 농민들과 접촉하며 농사를 짓고 농촌 생활을 하면서, 그 체험을 소재로 하여 이른바 '흙의 문학' 또는 '귀농문학(歸農文學)'이라고 불리는 농민문학의 독자적인 경지를 이룩하였다. 그의 이러한 의도는, 「흙의 노예」「제일과(第一課) 제일장(第一章)」을 비롯한 많은 작품 속에 반영되어 농민작가로 불리게끔 되었다.

1930년대 후반에 주로 작품활동을 한 작가로 계용묵(桂鎔黙), 김동리(金東里), 정비석(鄭飛石) 등을 들 수 있다.

계용묵은 「백치(白痴) 아다다」 「병풍(屛風)에 그린 닭이」 등 불구나 이색적인 인물을 등장시켜 현실을 암시적으로 풍자하는 작품을 발표하였다.

김동리는 「화랑(花郎)의 후예(後裔)」 「바위」 「무녀도(巫女圖)」 「역마(驛馬)」 등의 단편을 발표하였으며, 그는 주로 샤머니즘을 비롯한 토속적 또는 종교적인 소재를 다루어, 그 속에 휴머니즘을 부각시키려는 의식적인 노력을 하여 왔다. 8·15 후의 그의 주요한 작품으로는 단편에 「흥남철수(興南撤收)」 「등신불(等身佛)」, 장편에 「사반의 십자가(十字架)」 등이 있다.

정비석은 「성황당(城隍堂)」 「졸곡제(卒哭祭)」 「제신제(諸神祭)」 등 단편을 발표하였으며, 그의 작품은 자연의 순수성에 결합된 인간의 본능을 그린 것이 두드러져, 후일에는 애정문제를 다룬 신문 연재소설을 주로 썼다.

6

1940년을 전후한 시기는 우리 문학이 어쩔 수 없는 궁지에 몰린 가장 불우한 수난기였다. 우리 국어인 '조선어(朝鮮語)' 시간이 중학교 교과과정에서 제거된 뒤를 이어, 다시 국민학교에서도 사라지고, 일본어 전용으로 교육하려는 조선어 말살정책이 강행되게 되었다. 이러한 일제의 시책은 결국 《조선일보》《동아일보》 등 민족지를 1940년 8월 10일자를 끝으로 강제 폐간시켰고, 계속하여 순문예지인 《문장(文章)》 및 《인문평론(人文評論)》마저도 자진 폐간할 수밖에 없게끔 만들었다.

그뿐만 아니라, 우리말로 된 많은 서책의 발행 내지 판매 금지 조처를 단행하였고, 급기야는 우리말 사전을 편찬 중에 있던 '조선어학회' 학자들을 체포 투옥하는 단말마적인 사태를 빚기까지 하였다.

이러한 결과로 우리말로 된 문학작품은 발표지를 거의 상실하였을 뿐 아니라, 작가에 대한 제약과 압박도 날로 심하여져, 붓을 꺾고 자취를 감춘 문인이 많았고, 징용으로 끌려가거나 구금상태에 놓인 문인도 적지 않았으므로, 문학작품의 자유로운 창작활동은 불가능한 상황에 놓이게 되었다.

문학사에서 일제 말엽의 이 시기를 소위 암흑기(暗黑期)라는 이름으로 다루는 소이(所以)도 여기에 있는 것이다.

이상 개화기부터 8·15해방까지의 소설의 향방에 대하여 개관하였거니와, 이 반세기의 시대적 배경이 식민지 치하였던 만큼, 민족의 계몽과 일제에 대한 저항정신이 문학의 주축을 이루었고, 거기에 다시 다양한 사조적 경향이 수반되게 되었던 것이다. 또한 소설의 양식 면에서 볼 때, 장편소설보다 단편소설이 우위에 놓인다는 점이다. 그것은 이 시기의 대부분의 장편소설이 신문에 연재 발표된 신문소설이라는 특수 조건의 제약에도 연유되는 것이지만, 우리 장편소설이 아직 완전히 정립되지 못한 성장과정에 있었다는 점에도 유의해야 할 것이다.

7

8·15해방에 의한 국권회복은 우리 역사에 일대 전기를 가져오게 되었다. 그러나 국토의 분단과 사상의 대립으로 인하여 민족의 분열이라는 새로운 비극이 초래되었고, 끝내는 6·25와 같은 참변을 낳기에 이르렀다.

광복에서부터 6·25전란까지 좌우익의 사상적 대립으로 인한 정치사회적 혼란은 문단에도 그대로 파급되었다. 작가들이 좌우로 양분되고 문학단체가 분립되었을 뿐만 아니라, 발표되는 작품도 이데올로기에 편향되는 경향이 적지 않았다. 그러나 6·25를 전후하여 대부분의 좌경작가가 월북 또는 그 밖의 이유로 잠적하였으므로, 문단에서의 표면적인 좌우의 사상적 대립은 드러나지 않게 되었다.

6 · 25의 비극이 가져온 엄청난 희생은 작가로 하여금 국가의 분단이라는 상황적 여건을 뼈저리게 인식시키는 계기가 되었으며, 공산주의 이데올로기에 대한 비판적인 안목에서 작품 창작에 임할 수 있도록 자극하게 되었다. 또한 이 전란의 와중에서 겪은 처절한 현실체험과 전후의 후유증은 인간의 삶의 본질을 천착하고자 하는 작가들의 관심과 직결되어 1950년대 소설의 중요한 제재 및 주제로 폭넓게 다루어졌다.

이와 같은 상황 속에서도 소설문단에는 작가들의 새로운 모색과 의욕적인 시도로 많은 문제작이 발표되었다. 특히 해방을 전후하여 6 · 25를 거치는 동안 젊고 유능한 새로운 작가들이 등장하여, 개성적인 작품세계를 보여주게 되었다.

해방을 전후하여 소설문단에 주목을 받은 새로운 작가로서 안수길(安壽吉)과 황순원(黃順元)을 우선 손꼽을 수 있겠다.

안수길은 「차축기(次畜記)」 「북원(北原)」 등을 발표한 데 이어 6 · 25 후에는 「제삼인간형(第三人間型)」과 장편소설 「북간도(北間島)」를 통해 그의 작가적 역량을 발휘하였다.

황순원(黃順元)은 「별」 「기러기」 「독짓는 늙은이」 등의 단편을 통해 인간의 내면세계의 미묘한 갈등을 묘파하였다. 그는 또한 「카인의 후예(後裔)」 「인간접목(人間接木)」 등의 장편소설을 발표하면서 그 자신의 소설적 관심을 사회적 현실의 제반 문제로 폭넓게 확대시켜 나아갔다.

해방 전부터 작품활동을 전개했던 최태응(崔泰應) · 곽하신(郭夏信) · 임옥인(林玉仁) 등에 이어 손소희(孫素熙) · 오영수(吳永壽) · 김성한(金聲翰) · 한무숙(韓戊淑) · 강신재(康信哉) · 장용학(張龍鶴) · 손창섭(孫昌涉) · 유주현(柳周鉉) · 박연희(朴淵禧) · 곽학송(郭鶴松) · 정한숙(鄭漢淑) · 전광식(全光植) · 전광용(全光鏞) 등이 등장함으로써 소설문단은 더욱 융성하게 되었다. 1950

년대 중반을 넘어서면서 이범선(李範宣)·선우휘(鮮于煇)·송병수(宋炳洙)·
박경리(朴景利)·이호철(李浩哲)·서기원(徐基源)·한말숙(韓末淑)·최인훈(崔
仁勳) 등도 전후의 소설적 경향에 더욱 새로운 방향을 제시하고자 노력하였
다. 1960년대 이후 이들의 작품활동은 더욱 활발하게 전개되었다.

(1977)

전후(戰後) 한국문학의 특색

1. 서언

1945년 8월 15일 조국광복은 한국 현대문학에 있어서 그 전후를 가르는 문학사적 분기점을 이루고 있다.

1910년의 한일합방 이후 1945년까지의 30여 년에 걸친 국권상실 기간은 말할 것도 없거니와, 현실적인 면에 있어서는, 1876년의 병자수호조약(丙子修護條約)이 일본의 강요로 체결된 이후부터 일본세력의 한국 침투는 이미 시작되었으며, 특히 1894년의 청일전쟁이 일본의 승리로 돌아간 후는 한국에 대한 일본의 침략이 본격화되어 한국은 일본의 지배권 내에 속하게 되었으므로, 19세기 말엽부터 20세기 중반까지 반세기 여에 걸쳐, 한국은 자국문화의 정통적인 발전을 이루어 올 수 없었다.

이러한 현상은 문학분야에서 더욱 두드러지게 나타났다. 그것은 문학이 가장 구체적인 의사표시의 매체인 문자로 표현되는 예술양식이라는 문학 자체의 속성에 기인되는 것이었다.

■

* 본고(本稿)는 1981년 11월 중화민국(中華民國) 대북(臺北)에서 개최된 제1차 한중작가협의(韓中作家會議)에서 발표한 것임.

일제는 한국 민족정신의 거세를 전제로 한 한국어 및 한국문자의 말살을 기도하는 정책을 일관하여, 1940년에는《조선일보(朝鮮日報)》《동아일보(東亞日報)》등의 민족 일간지를 폐간시키고, 뒤를 이어《문장(文章)》,《인문평론(人文評論)》 등의 문학지도 아울러 강제 폐간시켰으며, 다시 중학교 및 국민학교에 약간 잔존하여 겨우 명맥을 유지하던 한국어 과목을 완전히 철폐시키는 등 문화에 대한 암흑정책을 강행하고, 이에 대치하는 일본어 상용을 강요, 실천케 하였다.

따라서 극심한 표현의 제약 속에서 진행된 문학작품의 창작활동은 자연히 암시나 상징의 표현방법을 빌 수밖에 없었고, 현실 취재의 한계성은 그 타개의 궁여지책으로 전원적 소재나 시간적 거리를 둔 역사적 소재의 발굴에 착안하는, 이른바 후일의 비평가에 의하여 도피적 문학행위라는 규정을 받는, 기형적 방향으로 쏠리는 경향으로 나타나기까지 했다.

그러한 속에서도 8 · 15 이전에 나타난 작가의 자세나 작품의 공통성은 일제에 대한 항거가 그 주류를 이루었다는 점에 있었고, 이는 또한 민족적 염원에 공감을 주는 창조 작업이기도 하였다.

그러나 조국광복 후는 문학 창작의 양상이 전혀 달라졌다.

그것은 첫째로 일제라는 저항의 벽이 무너져 문학의 소재로나 주제로서의 큰 대상의 하나가 제거된 점, 다음으로 국토를 양단한 민주주의와 공산주의의 대결로 말미암은 사상성의 문제, 셋째로 이 사상성에 연관되어 외군의 가세마저 불러일으킨 민족상잔의 비극인 6 · 25동란, 그리고 다른 하나는 2차대전 후 서구의 새로운 문예사조의 접촉에 따르는 창작상의 영향 문제 등 여러 가지 요인이 새로운 작품 창작면에 작용하게끔 된 배경적 사실이다.

2. 문학과 사상

한국의 전통적인 고전문학은 민중의 토속신앙과 깊은 연관을 지니고 있는 한편, 전래된 불교, 유교 및 도교의 영향을 받은 비중이 크다.

즉 신화, 전설, 민담 등의 설화문학은 고대의 제천의식(祭天儀式) 및 민간에 전승하는 다양한 토속적인 신앙에 그 연관을 둔 것이 많고, 불교의 전래는 궁중, 민간할 것 없이 민족 전체의 신앙에 변모를 가져왔으며, 문학작품에 있어서두 향가(鄕歌) 및 고전소설에 저지 않은 영향을 끼쳤다.

한편 유교는 정치제도, 사회구조, 윤리관 및 민간생활에 하나의 규범을 이룰 만큼 지대한 영향을 끼쳤고, 문학작품 창작 면에도 그 침투성이 농후하였다.

특히 한자 및 한문학은 한국이 아직 자체 언어의 표기문자를 가지지 못한 15세기 이전까지의 장구한 기간에 걸쳐 표현매체로서의 구실을 전담하였을뿐더러, 한국 한문학에 깊은 영향을 주었다.

그러나 한국어 자체의 표기문자인 '훈민정음(訓民正音)'이 창제된 이후는 한문전용의 표기는 점차 쇠퇴되어 갔고, 국한문혼용에서는 단어로서만의 존재구실을 해오다가, 이제는 '한글'만으로의 표기가 점진적으로 주류를 이루어감에 따라 문장에서 한자의 노출도는 아주 미약한 추세를 보이고 있으나, 어원적인 단어 자체의 기능은 현대문장에 있어서도 경시할 수 없는 비중을 차지하고 있는 실정이다.

한편 19세기 말엽 기독교가 본격적으로 유입됨에 따라 그 이후 점차적으로 종교적인 면에서 기독교가 차지하는 비중은 계속 상승일로에 있거니와, 그보다는 기독교에 연관되는 서구 사조의 수용이 한국문학에 일대 전환의 계기를 가져왔다는 점이 문학사적으로는 더 중요시 되는 것이다.

한국문학은 대체로 19세기 후반기를 계선(界線)으로 하여, 그 이전의 고전문학과 그 이후의 근대문학 내지 현대문학으로 양분하는 분류방법을 취하고 있는 것이 문학사적인 분기(分期)의 통념으로 되어 있다.

따라서 전기한 바와 같이 한국의 고전문학이 전승적인 자체 전통과 동양문화의 접촉 속에서 이루어졌다면, 현대문학은 그러한 기존문학의 흐름에 다시 서구문화의 영향이 가미된 이른바 동서문화의 접촉선상에서 이루어진 문학이라고 할 수 있는 것이다.

3. 전쟁과 문학

제2차 세계대전의 종식으로 한국은 국권을 회복하였고, 광복 이후 얼마 안 되어 1950년 6 · 25동란의 참변을 겪게 되었다.

조국의 해방은 정치, 경제, 사회, 문화 등 전반에 걸쳐 일대 변혁을 가져왔지만, 문학에 있어서는 유린된 자기 언어와 문자를 도로 찾았다는 이른바 표현매체의 복권이라는 가장 중요한 문제에 접하게 되었다.

일제치하에 있어서는 한국어로 말하고 한국문자로 표현한다는 그 자체가 대내적으로는 애국운동 및 민족적 저항의 일환을 이루는 실천적 행동으로 공감될 수 있는 반면, 대외적, 즉 일제에게 있어서는 불온사상 내지 독립운동에 직결시키려는 역이용의 구실로 되었던 것이다.

실지에 있어서, 20세기 초부터 모국어에 대한 주체의식의 발로는, 개인 또는 학회에 의하여, 문법적인 체계화, 실천적인 통일화 및 현대적 세련화 등에 연관되는 연구와 보급 활용의 양면적 모색으로 나타났다. 그리하여 〈조선어학회(朝鮮語學會)〉(현 한글학회)의 〈한글 맞춤법 통일안〉(표준말 모음) 및 〈외래어 표기법〉 제정과 『우리말 큰사전』의 편찬사업 등은 일제 강압의 제약을 초극하면서 이룩한 주체적 의지 발현의 구체적인 성과였던 것이다.

그러나 학교 교육의 중추가 일본어 매체로 이루어졌고, 대부분의 독서 대상의 서책을 비롯한 간행물이 일본어로 되어 있을뿐더러, 한국어로 된 출판물의 억제와 그 구독마저도 제재를 당하는 당대의 실정으로는, 뜻 있는 개인이나 학회의 피눈물나는 전기한 업적의 소산물도 민족에게 기여할 기회를 박탈당하여 사물화(死物化)되는 처지에 놓일 수밖에 없었다.

따라서 8·15 후는 맨 먼저 모국어의 재활 운동이 요원의 불길처럼 퍼지기 시작하였다. '한글 강습회'의 광고는 곳곳에 나붙었고 어린이고 어른이고 할 것 없이 모두가 자기나라 말, 자기 문자를 처음부터 배우고 익히기에 여념이 없었다.

이에 병행하여 모국어를 아무의 제재도 없이 자유롭게 쓸 수 있는 문학작품 창작도 활발히 진행되었다. 어떤 의미에서는 이때부터 현대 한국 문학은 재출발하였다고 하여도 과언이 아닐 것이다.

그러나 미소 양군의 분할 점령에 의한 국토의 남북분단은 다시 새로운 장애물로 가로놓였다.

미국을 배경으로 한 민주주의와 소련을 발판으로 한 공산주의는 극렬한 사상적 대립을 가져와, 문단은 삽시간에 양분되었고, 창작 자유의 진폭은 반으로 감축되고 말았다. 따라서 새로운 창작의 꽃은 피기도 전에 서리를 맞은 격으로 되었다.

이 치열한 사상적 대립은 결국 광복 5년 후에 6·25동란의 비극을 몰아왔으므로, 천도(遷都)와 수복의 3년을 거친 후에야 문학도 다른 모든 분야와 마찬가지로 폐허에서의 재생을 시도할 수밖에 없었다.

따라서 전란 후의 문학은 1950년대에서 60년대에 걸쳐, 전쟁의 현장이나 후방을 무대로 한 전란 소재의 작품이 압도적인 수를 차지하게 되었다.

또한 이 시기에는 잠재되었던 신인의 배출이 기성문인의 수를 능가할 정도로 다채로웠고 많은 문제작이 발표되어 질식상태의 문단에 새로운 활기를 불러일으키기도 하였다.

4. 문학과 사회

해방 직후 및 6·25를 전후한 시기에 등단한 작가들도 그 동안 30여 년의 세월이 경과하는 사이에 이제 중견 내지 노장의 경지에 이르는 시점에 와 있고, 또 젊은 세대의 신진작가는 계속적으로 배출되고 있다. 이에 비하여 8·15 이전에 문단에 나와 지금까지 작품활동을 지속하고 있는 작가의 수는 아주 영성(零星)한 비율을 차지하고 있는 것이 한국 현문단에 있어서의 작가층의 분포 양상이다.

국가 사회의 변혁과 이같은 작가층의 세대적 교체는 작가의식의 대사회관에도 변모를 가져왔다. 8·15 광복부터 6·25전란까지의 사이에는 좌우익의 사상적 대립으로 말미암은 정치적 및 사회적 혼란이 그대로 문단에 파급되어, 작가들이 좌우로 양분되고 문학단체가 분립되었을 뿐만 아니라, 발표되는 작품도 이데올로기에 편중되는 경향이 적지 않았으며, 심지어 발표 잡지마저도 좌우의 유별적(類別的) 색채를 띠게끔 되어갔다.

그러나 6·25전란 후는 대부분의 좌경작가가 월북 또는 그 밖의 이유로 잠적하였으므로, 문단에 있어서의 좌우의 상대적 대립은 종식되었지만, 분단된 국가라는 배경적 여건 및 전란의 막중한 희생은 작가로 하여금 공산주의 이데올로기에 대하여 반공 내지 비판적인 안목에서의 작품 창작을 자극하게 하였다.

또한 이 전란의 와중에서 극한상황에 처한 처절한 체험, 전장(戰場)과 후방의 참담한 현상 및 전후의 후유증 등은, 국가와 민족, 개인과 집단체제, 인간 대 인간, 혈연, 개체의 생명 등 인간의 삶의 본질을 천착하는 핵심적 초점에 연결되어, 1950년에서부터 1980년에 이르기까지 많은 작가에 의하여 작품 소재 및 주제로 다루어졌다.

다음으로 주목될 것은 정치체제에 대한 비판과 행동 의지의 표현인 사회참여의 문제이다. 젊은 세대를 주축으로 한 이같은 대 사회의식은 현실

면에서 1960년의 4·19 의거로 자유당 독재정권을 붕괴시켰고, 1970년대에 와서는 유신체제에 대한 도전으로 나타나기도 했다. 이같은 정치체제에 대한 비판과 행동성은 일부 작가의 작품에 의도적으로 반영되었음을 볼 수 있다.

또 다른 하나는 1970년대에 와서 작품 속에 반영된 인간의 소외문제이다. 서구에 있어서의 인간의 소외문제는 고도로 발전된 현대문명의 와중에서 그리고 군중 속에서의 지적 인간의 고독을 논하는 것이 그 주되는 방향이지만, 현 단계의 한국 작품에 나타나는 인간소외는, 다분히 계층 간의 괴리에 연유되는 소외, 이를테면 도시인과 농민, 가진 자와 못가진 자, 권력이 있는 자와 없는 자 등의 대립 관념에 그 기조를 두는 경향이 농후함을 느끼게 한다.

그러나 다른 한편 인간의 삶의 본질, 즉 '휴머니즘'에 입각한 문학이라야 참다운 순수문학이라고 주장하며 이러한 작가의식을 작품 속에 반영하는 이른바 전통파에 속하는 일군의 작가도 있다.

5. 작자와 독자

일제하에 있어서는 작품 속에 투영된 민족의식에 대하여 대다수의 독자들이 감동과 공명을 금치 못하였으며, 그것은 당위적인 가치관의 영역으로도 해석될 수 있었다.

그러나 8·15 해방 후는 일제라는 항거의 벽이 무너졌기 때문에 민족의식에 대한 관심도가 점차 퇴색 내지 변질되어 가는 한편, 정치적인 절실감보다는 관념으로 흐르는 감이 없지 않았다.

또한 이데올로기의 대립에 연관되는 국토의 분단과 통일문제에 있어서도, 작품 속에서의 원칙적인 반공론의 주장이나 단일민족을 앞세우는 조국통일의 계몽적인 당위론보다는, 이산가족의 비극성, 인간관계의 비리와 배신, 그리고 인간의 생사 등 절박한 현장성을 다룬 작품이 독자에 대한 호소력이 더 큼을 실증으로 보여주기도 하였다. 그러나 6·25전란은 그 비극성이 너무도 처열(悽烈)하고 시간적으로도 먼 거리를 두지 않아, 목격자나 체험자의 충격이 아직도 생생할뿐더러, 이데올로기를 다루는 데 있어서의 창작상의 불가피한 제약적 여건 등으로 말미암아, 아직 만족할 만한 성과는 거두지 못하고 있는 실정이다.

한편 1970년대에 들어와서 문단의 중요한 논거로 된 것은 작품의 통속화 내지 대중성의 문제와 사회참여 및 소외론에 연관되는 사회계급의식의 문제이다.

통속화의 문제는 속칭 신진 인기작가들의 말초신경을 자극하는 과도한 성적 노출로 독자의 구미에 영합하려는 이른바 작품의 저속화경향에 대한 비판과, 그에 관련되는 작가나 그를 옹호하려는 평자들의 전기(前記) 비판에 대한 반론의 거듭된 논쟁을 말한다. 이는 문학의 속성이나 목적과도 연관되는 문제로, 일도양단의 단정을 내릴 수 없는 상대성적인 성질을 띠는 것이므로 두고두고 논란될 것으로 예기(豫期)된다.

한편 사회참여 내지 소외론에 연관되는 계층 문제를 다룬 작가나 이를 두둔하는 논조에 대하여, 한때 좌경적인 우려마저 시사한 논평이 있어 이에 대한 당사자들의 변명 및 반론이 오가기도 했지만, 그러한 추단은 작가의 신상에 본의 아닌 위해감을 줄 의구가 수반되므로, 피차의 논박이 정돈된 상태에 있다.

그러나 이러한 문제는 현명한 독자들의 공명성(共鳴性)과 판별의식에 의하여 더 선명한 해답을 가기(可期)할 수도 있는 문단 일부의 변이적인 흐름이라고도 볼 수 있겠다.

6. 결어

한국 현대문학에 있어서 창작의 지향은 늘 '무엇'을 쓰는가와 '어떻게' 쓰는가의 문제, 즉 주제와 표현의 우선론 내지 상관성이 논의의 초점으로 되어 왔다. 20세기 초에서부터 1910년대에 이르는 시기의 계몽성과 1920년대 후반부터 1930년대 전반에 걸친 프롤레타리아문학 범람기의 목적성은 '무엇'이 작품 창작의 거의 우선적 절대 조건으로 되었고, 1920년대 초의 문학 동인지 총출(叢出) 시대와 1930년대 전반의 일부에서부터 후반에 걸쳐서는 '어떻게'에 역점을 둔 창작 방향이 모색되었다고 볼 수 있는 것이다.

그러나 8·15에서 6·25까지의 혼미기를 거쳐, 1950년대에서부터 오늘에 이르기까지는, 이 주제와 표현의 문제는 상호보완적인 면에서 작가의 의식에 접맥되고 있다.

한편 1970년대 이후부터는 단편이 주류를 이루어 온 종전의 소설사적 흐름에 변모를 가져오기 시작하여, 중편 및 장편이 의욕적으로 창작 발표되고, 또한 이를 뒷받침하여 잡지사, 출판사가 이러한 각도에서 편집 출간의 방향을 설정, 작가를 독려하고 있는 것은 한국문학의 앞날을 위하여 매우 고무적인 현상이라고 하지 않을 수 없다.

결국 작품의 창작은 작가 혼자서 하는 작업이므로, 재능있고 근면 성실한 작가로 하여금 표현의 자유에 제약됨이 없이, 그리고 창작 외적인 일에 신경을 과다히 쓰거나 정력을 낭비함이 없이, 안정된 자세에서 창작에 전념하여 그 역량을 충분히 발휘할 수 있도록 여건의 조성이 병행되어야, 비로소 위대한 작품의 출현을 가기(可期)할 수 있을 것이다.

(1981)

분단극복(分斷克服)과 문학의 과제

1

조국통일은 현시점의 우리 민족에게 있어서는 무엇보다도 우선되어야 만 하는 지상과제요, 또한 5천만 겨레의 한결같은 염원이기도 한 것이다.

따라서 조국통일과 문학의 문제도 조국과 문학, 민족과 문학, 정치와 문학, 또한 전쟁과 문학 등등의 일반적인 상관관계보다 훨씬 더 구체적인 면에서 절박하고 절실한 대상으로 되어 있는 것이다.

8·15 이후, 국토가 분단된 지 30여 년, 단일민족이라는 관념적인 원칙 론에서가 아니라, 직접적 혈육(血肉)인 부모 형제 처자가 피동적으로 본의 아니게 서로 갈라져 한 세대의 시간이 흘러간 만큼, 한 국가로서의 통일의 필연성과 더불어 육친(肉親)의 재결합 문제가 여타의 어느 문제보다도 절 박하고도 시급하기 때문에 문학작품의 창작 면에 있어서도 이 문제가 논 의되고 또한 다루어지지 않을 수 없는 당위성을 내포하고 있는 것이다.

문학작품이 지니는 특성 중에서 인간의 삶에 바탕을 두고 현실을 반영 하는 것이 그 주요한 기능 중의 하나라는 점에서나, 문학이 사회 현상의 어떤 고비에서 전환의 선구적 내지 전초적인 구실을 할 수 있고 또한 해 야만 한다는 문학의 긍정적인 효용성에 비추어도 국토분단에 따르는 비 극적인 소재의 발굴과 내일에의 가능한 희망을 전제한 통일의 지향에 대한 모색은, 현 단계의 우리 문학에 있어서, 문학의 예술성과 더불어 또는 그에 우선하여 시도되어야 할, 이 시대에 생을 영위하여 문학작품의 창조에 연관을 가지는 작가들의 주체적인 사명감이요, 필수적인 작가의식의 발로라고 하지 않을 수 없는 것이다.

이같이 조국통일과 문학의 문제는 그 중요성이 가중되면 될 수록 문학작품으로서의 방향 설정이나 구상화 과정에서는 단순치 않은 여러 가지 난점이 수반되기도 하는 것이다.

대부분의 경우 정치적 또는 사회적인 목적의식을 지닌 소위 목적문학이나 목적소설이라고 이름 붙는 계열의 작품 창작은 지극히 어려운 것이어서 목적의식이 지나치게 선행되거나 노출되면 예술성을 상실하기 쉽고, 예술성에만 너무 비중을 두면 목적하는 바의 의도가 엷어지기 쉬워, 파행적인 결과가 나타나기 일쑤이고, 이 두 조건의 조화된 성과란 그만큼 이루어지기 힘들기도 한 것이다.

제2차대전 종료 후 국가와 민족이 양대분으로 갈라진 경우, 30년의 시간이 경과된 과정에서 우리는 두 가지의 표본적인 실례(實例)를 직접 목격하고 또한 그것이 우리의 현실에 끊임없이 물결쳐 오는 파동임을 의식하지 않을 수 없게 되었다.

그 하나의 선례는 동서독의 경우로서 이들은 각기 하나의 독립적 부분국가로 상대의 독자적인 존재성(存在性)을 인정하면서, 우선은 양립하는 체제를 취한 것이요, 다른 하나인 월남의 경우로, 섣부른 민주주의(民主主義)의 패배로 말미암아 상대에 말려들어 결국은 국권을 잃고 완전히 공산화의 비운을 초래한 비극적인 결과를 목도(目睹)한 사실이다.

그러면 우리의 경우는 어떠한가. 우리는 제2차대전 직후 전승국인 미(美)·소(蘇) 양군의 주둔기지가 되자 모스크바 3상회담 결과에 의한 신탁통치 문제에 직면하여 찬탁과 반탁의 소용돌이에 휘말려들어 가면서 미·소 공동위원회의 결말 없는 장기간 입씨름이 지속되는 사이 남북협상, 좌우합작의 시도를 거듭하였으나 이렇다 할 성과는 얻은 바 없이, 국토의 양단에 덧붙여 이데올로기에 따른 민족 분열의 극화(極化) 현상을 초래하였고, 그것이 다시 6·25 남침으로 말미암아 전란의 극한 상황으로 몰려가 민족의 상흔(傷痕)과 양분화의 심연은 치유되거나 극복되기 어려운 정점에까지 치밀어 올라가고 말았다.

따라서 이러한 결과는 종래의 방공(防共)이 절대적인 반공의 적대의식으로 격렬화했고, 그것이 다시 5·16혁명 후는 반공이 국시의 제일로 모든 것에 선행하는 지상과업으로 되었다. 그러던 것이 7·4공동성명의 극적인 방향 전환으로 다시 남북협상의 조짐은 보였으나 당국자의 성의어린 헌신적인 진력과 전 국민의 거족적인 갈망과 노력의 보람도 없이, 원점으로 돌아갔을 뿐만 아니라 오히려 남북의 현실적인 문제를 더 악화시킨 결과로밖에 해석될 수 없는 최악의 경우에 몰아넣어갔고 그러한 결과는 월남의 패망을 비롯하여 급변한 동남아 사태의 여파가 겹쳐 국민의 위기의식을 부채질하는 현상까지 양성하게 만들고야 말았다.

따라서 이제는 우리측의 마지막 양보선인, 상호의 정치적 존재를 시인하는 이데올로기를 초월한 공존, 그 구체적인 방안으로 UN에의 복수 가입과 남북한 상호불가침 협정 체결이라는 최후의 시안(試案)마저도 묵살당하는 어쩔 수 없는 결과로까지 비뚤어져 가는 형편으로 쏠리고 말았다.

이러한 정치적 변환의 배경적인 조건에 조감(照鑑)할 때, 이데올로기라는 절대적인 골격이 문제 해결의 밑바닥에 도사리고 있고, 우리 영토의 주둔국이었던 미·소 양국을 비롯한 소위 강대 열국의 입김이 태세를 좌우하려 하고, 거기에다 2차 대전 후에 우후죽순처럼 난립한 소위 비동맹 국가의 추파가 우리 국토통일에 적지 않은 영향력을 행사하려고 하여, 우리 힘으로 할 수 있는 가능성의 한계선조차도 능동과 피동의 비중을 헤아릴 수 없게 된 이 마당에서, 문학이 정치적 현실에 개입하거나 또한 초연하여 이러한 문제를 다룰 수 있는 한계선이란, 또한 극대화와 극소화의 양면을 살핀다 해도, 지극히 힘들고도 비좁은 좌표라고 하지 않을 수 없는 것이다.

혹자는 말하기를 그것은 작자의 역량의 문제거나, 또는 현실에 적극적으로 맞서든가 그렇지 않으면 소극적으로 도피적인 태도를 취하는 작가의 자세에 달린 것이 아닌가 하고, 힐난하는 경우도 없지 않으리라 생각된다.

그러나 여상(如上)한 국가 상호간의 이해득실에 따라 눈깜짝할 사이에 신출귀몰의 무쌍한 변화를 가져오는 국제정세 하에서 그리고 그 정세에 따라 소위 강대국이 기침만 해도 감기에 걸린다는 피동적인 정치정세 속에서 통일을 모색해야 하는 우리의 현실에서, 작가의 상상력이 활용될 수 있는 비중과 한계선은 극도의 제약 위에서 이루어질 수밖에 없다는 현실적 여건을 아무도 부정할 수는 없을 것이다.

따라서, 이러한 여건의 특수성으로 말미암아, 한국 작가의 창작면에 있어서의 이 문제에 대하는 자세에는, 고민어린 주저의 소극성과, 참여적인 진취의 적극성의 갈등이 혼재(混在)하게 되는 것이다.

2

문학작품의 표현매체는 일차적으로 언어요, 이차적으로는 언어를 표기하는 문자로 이루어진 문장이다. 따라서 문학은 '말'의 예술인 동시에 또한 '글'의 예술이라고 할 수 있는 것이다.

우리는 우리 민족이 생성될 때부터 우리 언어를 가지고 있고 또한 훈민정음 창제 이래 5백여 년간 우리 문자(文字)를 써왔기 때문에, 우리 문학의 표현매체는 '한글'로 표기된 '한국말'인 것이다.

흔히 한 나라 문학작품의 소속에 대한 속성을 따질 때, 어느 문자로 씌어졌는가 하는 것이 그 첫째 조건으로 따져지기도 할 만큼 문학작품과 표현된 문자의 관계는 가장 밀접한 연관성을 지니고 있는 것이다. 따라서 한국문학이란 한국 사람이 한국문자로 표기한 문학작품을 일차적으로 지칭하게 되는 것이다.

어떤 의미에서는, 문학작품의 소속을 따지는 속성에서 민족이라는 혈연(血緣)보다는 표현 언어나 문자의 문제가 더 선행될지도 모를 일이다. 왜냐하면 동일계열의 민족이라 할지라도, 그 쓰는 언어나 문자에 따라 별개의 문학권으로 유별될 수 있지만, 잡다한 민족의 집합체로 된 국가라 할지라도 동일 언어나 문자를 씀에서, 민족적 유별을 초탈한 단일문학권으로 다루어지고 있는 것이 현실적인 실정이기 때문이다.

그러한 각도에서 볼 때, 남북한은 비록 국토는 분단되고 정치체제는 다르다 할지라도 다 같은 언어와 문자를 사용하고 단일민족이므로 그 제작된 작품 내용이야 어떻든 국토가 통일되는 후일에는 하나의 문학권으로 이루어질 수밖에 없고, 또한 분단된 기간의 문학은 그것대로 어떠한 기준 하의 관점에서 사적 정리가 되어질 수밖에 없는 운명에 처해 있는 것이다.

그런데 마침 여기에 더하여 지극히 중대한 일이, 다행히도 8 · 15 이전에 이미 이루어져 있었다는 사실을 상기하지 않을 수 없다. 그것이 바로 〈한글 맞춤법 통일안〉이다.

〈한글 맞춤법 통일안〉은 1933년 당시의 〈조선어학회〉(현재의 〈한글학회〉)에서 제정한 것이다. 이 통일안이 완성되기까지에는 국어 국문학 관계의 학자는 물론, 학계, 교육계, 언론계, 예술계 그리고 정치, 경제, 사회, 민속 등 문화 각계각층 인사들 및 일반 대중의 여론을 통한 중지를 모아, 일제 식민지 하의 악랄한 '조선어 말살 정책' 하에서, 일제에 항거하는 민족의식의 결정으로 이루어진 것이다.

이 〈한글 맞춤법 통일안〉은 우리말 우리글의 표현에 대한 기본 원칙을 정한, 말하자면 한국어의 기본 헌법이다.

문학작품의 창작은 문장의 정확한 표현에서부터 시작된다. 이 정확한 문장표현의 기본 법전이, 남북이 갈라지기 이전에 이미 성문화되었다는 것은 남북 분단의 비극 속에서도 얼마나 기적적으로 요행스러운 일인가.

물론 8·15 이후 남한에서도 〈한글 맞춤법 통일안〉에 몇 차례에 걸쳐 현실적인 적용면에서 약간의 수정이 가해지지 않은 것은 아니지만, 그것은 극히 사소한, 부분적인 것에 지나지 않는 것이요, 전체의 대원칙에는 하등의 변동도 없는 것이다.

비록 북한에서 민족어의 근본적 성격을 뒤비꿀 만큼 대대적인 언어 이 질화사업을 말다듬기 사업의 이름하에 단행했다지만 그것도 한국말이 지니는 언어적인 특성을 도외시(度外視)하는 엉뚱한 관점의 개정이 아닌 한에서는 통일된 후의 단일언어 체계나 문학적 표현을 위한 문장 표기에 큰 격차를 가져올 성질의 것은 아닐 거라는 예측을 가능하게 할 만큼, 〈한글 맞춤법 통일안〉의 원칙은 광범한 자료와 실례의 토대 위에서 귀납된 합리적 학술체계에 바탕을 둔 것이다.

따라서 남북 간의 언어나 문자정책에 있어서 원칙면에서의 언어구조의 돌연변이에 따르는 이질적 괴리 같은 것이 있다고 해도, 그것은 다만 상호의 체제가 다르고 거기에다 언어나 문학작품 교류의 단절된 시간이 너무 길어지는 데서 오는 신생어(新生語), 파생어(派生語) 등의 낯선 단어의 출현은 예견할 수 있는 것이 아닐까 추론되는 것이다(북한 언어의 변질상에 관한 자료 부족으로 정확한 추론은 곤란함).

3

다음 문학작품의 소재 및 주제면에서 몇 가지 점을 생각해 볼 필요가 있는 것 같다.

작품 창작에 있어서는 그 창조 과정에서 여러 가지 요소의 결합이 필요하게 되는 것이지만, 소재와 주제의 관계처럼 밀접한 연관을 가지는 것이 없고, 또한 이 두 가지 요소의 상관관계는 작품의 성공 여부를 결정짓는 관건의 구실을 한다고 하여도 그렇게 과장된 표현으로 되는 것은 아닐 정도로 중요한 것이다.

물론 우연한 기회에 어떤 소재를 발견하게 되어, 그것을 토대로 그러한 자료를 살릴 수 있는 주제의 선택에 골몰하는 경우도 있는가 하면, 반면 어떤 주제의 작품을 쓰겠다고, 의도적인 계획 하에 거기에 알맞은 소재를 일부러 찾아야 하는 경우도 있고 또한 자신의 체험의 결과에서든가 영감적인 암시에서 소재와 주제가 동시에 떠올라 자연적으로 결합되는 경우 등, 작품의 창작 모티브에는 여러 가지 경우가 있을 수 있지만, 소재와 주제의 관계는 그대로 작품의 골격을 이루는 기초작업이 되는 것이다.

그 중에서도 특히 소재의 선택은 작품 창작의 시발점이요, 제일 단계적인 작업에 속하는 것이다.

그것은 마치 우리의 일상생활에서 똑같은 기량이나 능력을 가지고 무슨 일을 할 때, 예를 들면 옷을 짓는 경우 좋은 감과 좋지 않은 감에서 오는 것과, 또한 밥을 짓는 경우 좋은 쌀과 좋지 않은 쌀에서 나타나는 결과 등 극히 상식적인 비유이지만, 이러한 경우와 마찬가지로 좋은 재료를 구한다는 것은 그만큼 출발에서부터 일의 성과를 좋은 방향으로 이끌어갈 수 있는 가능성을 선취하게 되는 것이다.

따라서 작가들은 일상적인 범상(凡常)한 재료, 남이 이미 다룬 재료 속에서도 새로운 안목으로 보고 새로운 해석을 내릴 수 있는 소재의 새로운 면을 발견하려고 노력하고, 또한 그보다 한 걸음 더 나아가서 남들이 지금껏 다루지 않았던 특이한 소재를 발굴하려고 끊임없는 노력을 하고 있는 것이다.

그러기에 작가들은 남들이 지금껏 발을 들여놓아 본 일이 없는 아프리

카의 오지(奧地)나 남양(南洋)의 밀림지대를 모험을 감행하여 탐색하고 격전장에 뛰어들어 전쟁의 와중에서 죽음을 실감할 수 있는 극한의 생생한 체험을 스스로 겪기도 하는 것이다.

특이한 소재는 미지의 세계에 대한 호기심을 유발하여 그만큼 독자에게 경이에 찬 감동을 줄 수 있고, 또한 이색적이라는 면에서 신비성이 깃들여 작품에 이끌리는 매력을 지니게 되는 것이다.

이 특이한 소재에 가장 직결되는 것으로 흔히 예증되는 것의 하나가 지방색, 즉 '로칸 칸라'의 특수성이요, 다른 하나가 극한적인 상황이다.

지방색의 특이성이 특수지대에 국한된 인간의 삶에 대한 감관적인 체험에 의한 소재라면 극한적인 상황은 국한된 특이한 조건 속에 놓인 인간의 사유과정(思惟過程)에 바탕을 둔 소재라고 할 수 있는 것이다.

그런데 이 로칼 칼라의 특수성은 어떤 특수지대의 지방성이요, 그것대로의 개별성이기도 한 것으로, 이는 또한 문학의 다른 속성인 보편성 내지 일반성에 통할 수 있을 때, 다른 문학권의 공감을 얻을 수 있고 문학의 세계성으로서의 일익으로 포괄될 수도 있는 것이다.

신기한 재료라고 하여 다 문학의 좋은 소재가 되는 것은 아니어서, 특이한 소재의 작품화 과정에서의 가용 한계성이 바로 여기에 있는 것이다.

8·15 후의 38선, 6·25전란, 그리고 그 후의 휴전선, 이것은 우리 민족사의 비운의 분계선인 동시에 전세계 인류의 이목을 집중시키고 있는 대상의 하나이기도 한 것이다.

따라서 38선과 휴전선과 판문점, 이들 역사적인 이름이 붙어 있는 지점은 말할 것도 없거니와, 이를 사이에 두고 벌어진 갈등, 타협, 분쟁, 절충, 전투, 휴전, 항의, 협상 등 갖가지 사건 및 이 제반 현상의 진원이 되고 있는 이데올로기의 상극 등, 이 세기적인 거창한 비극이 내포하고 있는 작품 소재로서의 진폭(振幅)은 너무도 큰 것이다.

그러므로 한국에서 만약 노벨문학상 수상 대상작이 나온다면 그것은 아마도 이세기의 비극을 다룬 작품 속에서 나올 것이라는, 작가들의 관심을 자극하는 풍자적인 화제도 나오고 있는 것이다.

그러나 문제는 그렇게 단순하지는 않다.

이 역사적인 거창한 사실은 종식되었거나 일단락이 지어진 것이 아니라, 현재 이 시간에도 지속되고 진행 중에 있다. 그리하여 그 종식의 시간과 상황을 예측할 수 없게 하고 있다. 또한 그와 같은 상황의 변천은 우리의 능동적인 힘보다는, 외부의 힘에 피동적으로 의존되거나 제재를 받는 비중이 적지 않기 때문에, 그 해결에는 더 많은 복잡성이 수반되게 되어 있다.

여기에 이 소재를 요리할 수 있는 요리사의 한계성이 필연적으로 수반되고 마는 것이다.

물론 이는 어떤 사건이 진행되고 있는 과정에서는 그것이 문학의 소재로 다루어질 수 없다는 부정론에서가 아니라, 다룰 수 있는 가능성의 한계론이다.

그러기에 우리작품의 경우, 8·15 이후의 이같은 사실들, 특히 6·25전란을 소재로 한 단편은 그 수를 헤아릴 수 없으나, 장편은 그렇게 많은 편수가 나오지 못하였을뿐더러 사실(史實) 자체의 핵심까지 파헤친 작품은 별로 없는 것도 그러한 연유에 기인한 것이다.

그만큼 역사적인 큰 사건은 그것이 종식된 뒤 얼마간의 시간을 두고, 객관적으로 냉정하게 비판할 수 있는 시기에 작품의 소재로서의 사료(史料)와 탐색할 수 있는 사실(史實)의 현장을 면밀히 검토한 후 작가의 독자적인 의식에 의하여 구상화(具象化)될 때 비로소 하나의 문제작으로 논의의 대상이 되게 되는 것이다.

그러나 민족의 수난 기록으로서의 사적 정리에 중점을 두는 각도의 집필이라면, 이는 또한 기록으로서의 별개의 의의를 그 나름대로 지니게 되는 것이다.

4

다음에 생각해야 할 것은 표현의 문제다. 문학작품의 형상화에 있어서 그 표현의 한계에 가장 신경을 써야 하는 것이 종교와 성(性)과 이데올로기의 경우가 아닌가 생각된다. 종교는 신과 인간간의 신앙문제이고, 성은 남녀의 윤리문제, 이데올로기는 인간과 인간의 삶의 방법의 문제이다. 그런데 이들은 개인 대 개인의 문제에 한정되지 않고, 주변에 영향을 끼치는 사회 대 국가 또는 개인 대 집단의 상관관계로 확산될 가능성을 내재하고 있는 인간관계의 문제들이다.

그러므로, 종교문제는 그 종교에 대하여 정통하지 않은 작가로서는 선불리 다룰 문제가 못될뿐더러, 설령 정통했다 하더라도 작품의 주제로 다루는 작가의 자세에 견강부회적인 독선이나 억지가 있어서는 안 되는 것이다.

다음 성(性)의 문제는 모든 사람이 본능적으로 관심을 가지는 문제여서, 정도(正道)를 밟은 이성간의 아름다운 애정은 성스러운 경지에까지 이끌어 올릴 수 있으나, 비정상적인 난륜(亂倫)은 인간에게 혐악(嫌惡)과 증오감(憎惡感)을 불러일으킬 뿐만 아니라 가장 추한 것으로 해석되며, 성의 노출 문제도 어느 한계선까지는 독자도 호기심과 스릴을 가지고 긍정적인 면에서 끌려 들어가지만, 그것이 과도한 노출일 때에는 독자에게 염증과 불쾌의 감을 일으킬 뿐만 아니라, 부도덕 비윤리적인 것으로 비난의 대상이 되게 되는 것이다.

그리고 이데올로기의 문제는 위의 두 경우보다는 당사자간의 상대적인 대치의식을 가장 치열하게 가지게 하는 것으로, 극단의 표현을 하면 적이냐 자기편이냐 하는 문제로 되며, 경우에 따라서는 한 인간의 어떠한 행위가 한쪽에서 보면 충신이나 애국자요, 다른 한쪽에서 보면 적이나 반역자로 규정되는 상대성을 지니게 되는 것이다. 그것이 혈연을 같이하는 동일민족의 경우에는 적용되는 비중이 더 크게 마련인 것이다.

따라서 위의 세 경우는 모두 표현 한계에 그처럼 적지 않은 제약이 따르는 만큼 작품화 과정이 그만큼 어려워지게 되는 것이다. 특히 그 속에서도 이데올로기의 문제는 더욱 다루기 어려운 쪽에 속한다 할 것이다. 왜냐하면 종교적 문제나 성(性)의 문제는 작가가 극단의 비판을 받는다 쳐도, 종교의 경우는 비신자에게는 아무런 영향도 없을 것이요, 신자의 경우라도 기껏 파국에 머무를 것이며, 성문제는 부도덕이라거나 비윤리적이라는 낙인이 찍힐 정도요, 법적 제재가 가해진다 해도 경미한 데 불과한 것이다. 그러나 이데올로기의 경우는 다르다. 이것은 작가가 의도한 바와 달리 해석되기 쉬워 극단적인 경우에는 이적행위로 몰려 극형의 처벌을 받는다 해도 더 호소할 길이 없는 것이다. 다만 그 작품을 쓰지만 않았으면 아무 일도 없었을 것을 하는 데까지 생각이 미치면 이건 참말 억울하기 짝이 없는 경우에 속하는 것이다. 그런데 더욱이 작품 전체의 지향하는 바는 차치(且置)하고, 어느 한 장면만을 들고 나오거나, 한 개한 개의 대화나 단어만을 끄집어내어 비위(非違)로 다스리게 되는 경우라면 그 작가는 꼼짝달싹 못하고 억울하게 그 제재를 감수할 수밖에 없게 되는 것이다. 물론 이 경우 그러한 작품 소재와 관계없는 타국인이 집필했을 때는 어떤 각도라도 자유롭게 다룰 수 있겠지만 자국 내의 현실을 직접 다루는 작가는 그러한 모험에 따르는 위기의식에서 완전히 초연할 수는 없는 것이 현실적인 실정이기도 한 것이다.

물론 7·4공동성명 이후 그리고 작금에 와서는 그러한 면이 많이 완화되기는 했다. 예를 들면 예전에는 입에 오르내리게 하기조차 꺼리던 조총련계의 간부급이 네 활개를 펴고 서울 거리를 활보하고 거기에다 겨레의 감격에 찬 융숭한 대접을 받고 있는 모습을 텔레비전 화면에서 보고 있노라면 감격스럽기도 하고, 어찌 보면 우습기도 하고 아무튼 격세지감을 금치 못하게 되는 것이다.

그러나 실지의 작품 창작에 있어서, 그들을 웃음으로 맞아들이는 관대성에 힘입어, 그렇게 과감하게 이데올로기에 관련되는 것을 다룰 때, 그것이 지금까지의 제약의 '타부'를 벗어 넘을 수 있을까 하는 것은 역시 아직도 의문시되지 않을 수 없는 것이다.

따라서 문학작품의 표현에 있어서, 특히 이데올로기를 다루는 작품에 있어서의 표현의 자율성은, 점차적으로 확대되어 가는 방향으로 지향하는 것이 바람직한 시책이 아닐까 하는 생각이 없지 않다.

5

싸움에 이기려면 우선 적을 알아야 한다는 말이 있다.

문학에도 이 말은 적용됨직하다. 그러기 위해서는 북한의 실정을 좀 더 알 수 있는 기회가 있어야 하겠고, 특히 북한에서 발표되는 문학작품을 직접 접할 계기가 마련되어야 할 것 같다. 특히 남북한의 문제를 다루려는 작가에게는 그러한 여건의 충족이 필수적인 것으로 되어야 할 것이다.

남북이 갈라진 지 30여 년, 우리는 그 동안 단 한 편의 북한작품도 접할 기회가 없었다. 문학작품은 어떤 의미에서는 그 사회가 가장 구체적으로 반영될 수 있는 축도이며, 또한 그 작품으로 말미암아 그 사회의 단면을 엿볼 수 있는 일면의 의의도 있기 때문에, 그 속에 아무리 가식이나 과장이 있다손치더라도 어떤 각도에서의 추측은 가능한 만큼 북한문학의 척도를 가름한다는 의의와 더불어 현실 파악에 일조(一助)가 될 것으로 예측된다.

또한 이 기회에 생각되는 것은 8 · 15 당시 북에 있었거나 6 · 25를 전후하여 월북한 작가들의 작품에 대한 문제이다.

신문 잡지의 단편적인 보도에 의하면 이들의 대부분은 숙청되었거나 사거(死去)하고, 남아서 작품활동을 하는 측은 몇 안되는 모양이다. 이들 속에는 극소수 8·15 이전에 프로문학에 관여한 작가도 있지만, 대부분은 민족적 입장에서 일제에 항거하는 작품을 썼거나 순수한 예술적인 작품 창작을 하던 작가이므로 이들의 예전 작품은 『문학전집(文學全集)』을 비롯한 문학사 정리 면에서의 출판물에 과거에 있었던 사실 그대로 수록해야 할 시점에 오지 않았는가 하는 생각이 없지 않다.

사실 이들 속에는 이데올로기의 면에서 8·15 이전, 전연 연관이 없었거나 깊이 물들지도 않았을 뿐만 아니라, 그의 예전 작품은 문학사적인 어떤 전환점의 구실을 하는 작품도 없지 않아, 이러한 작품은 문학사의 기술에도 필요하거니와 일반독자의 독서 대상으로도 좋은 작품이 될 수 있기 때문이다.

6

이제 우리 현대문학의 70년사에서 남북 분단의 30년사는 적지 않은 긴 역사를 차지하는 시간의 경과로 되고 말았다.

30년이면 한 세대의 과정이요, 10년이면 강산도 변한다는 우리의 속된 비유로 세 번 강산이 변하는 시간의 흐름이다.

정치는 실리를 앞세우지만 민족 통일의 염원은 감정이 선행되고 있는지도 모른다. 그러나 국토가 통일되고 민족이 결합되어야 하겠다는 감정이 세면 셀수록 그것은 정치적인 실리에 보탬은 될지언정 방해는 되지 않을 것이다.

이 실리의 현실적인 터전 위에 서면서도 이성과 감성의 교차점 위에서 상상의 날개를 펴 구상화되는 것이 문학작품이다.

따라서 작가는 현실을 응시하는 냉철한 혜안으로 겨레의 염원이 숨 쉬고 통일조국의 미래의 고전이 될 작품의 창작에 새로운 관심을 집중시킬 현시점에 서 있음을 스스로 다시금 다짐하며 창조적인 노력을 경주해야 할 것이다.

(1976)

찾아보기

작가 연보

1918년		음 9월 5일(호적부 1919년 3월 1일로 출생 신고) 咸南 北靑郡 居山面 下立石里 城川村 1011번지에서 부친 全周協 (본관 慶州)과 모친 李泳春(본관 靑海)의 2남 4녀 중 장남으로 출생.
1925년	4월	향리 소재 사립 又新學校 입학.
1929년	3월	又新學校 4학년 졸업.
	4월	北靑郡 陽化공립보통학교 제 5학년 편입.
1931년	3월	陽化공립보통학교 졸업.
1934년	4월	北靑공립농업학교 입학.
1937년	3월	北靑공립농업학교 졸업.
1939년	1월	동아일보 신춘문예에 「별나라 공주와 토끼」 입선. 동화 「별나라 공주와 토끼」(東亞日報, 1939.1)
1943년	10월	專檢 합격.
1944년	11월	韓貞子(본관 淸州)와 결혼.
1945년	9월	京城經濟專門學校(서울대학교 상과대학) 경제학과 입학.
1947년	7월	서울대학교 상과대학 2년 수료.
	9월	서울대학교 문리과대학 국어국문학과 입학. 高明중학교 야간부 교사 취임(사임 1949.10). 희곡 「물레방아」(公演, 1947.1)
1948년	11월	鄭漢淑, 鄭漢模, 南相圭, 金鳳赫 諸友와 『酒幕』 동인 창립.

1949년 10월	漢城日報 기자 취임(사임 1950.12).
	단편 「鴨綠江」(大學新聞, 1949.3)
1951년 9월	서울대학교 문리과대학 졸업.
	서울대학교 대학원 국어국문학과 입학.
1952년 4월	숙명여자고등학교 교사 취임(사임 1953.3).
11월	부산 피난지에서 國語國文學會 창립에 참여.
1953년 4월	휘문고등학교 교사 취임(사임 1954.6).
	서울대학교 문리과대학 강사 피촉.
9월	서울대학교 대학원 수료.
1954년 4월	덕성여자대학 강사 피촉(사임 1960.3).
6월	서울대학교 사범대학 부속고등학교 교사 취임(사임 1955.3).
	논문 「昭陽亭攷」(국어국문학 10, 1954)
1955년 1월	조선일보 신춘문예에 단편소설 「黑山島」 당선.
4월	수도여자사범대학 교수 취임(사임 1957.3).
11월	서울대학교 문리과대학 조교수 취임.
	논문 「黑山島民謠研究」(思想界, 1955.1)
	「雪中梅」(思想界, 1955.10)
	「雉岳山」(思想界, 1955.11)
	단편 「黑山島」(朝鮮日報, 1955.1)
	「鹿苑圈」(文學藝術, 1955.8)
1956년 4월	학술논문 「雪中梅」 사상계 논문상 수상.
	서울대학교 음악대학 및 서울문리사범대학 강사 피촉 (사임 1961.9).
	논문 「遺産繼承과 創作의 方向」(自由文學, 1956.12)
	「鬼의 聲」(思想界, 1956.1)
	「銀世界」(思想界, 1956.2)
	「血의 淚」(思想界, 1956.3)
	「牧丹峰」(思想界, 1956.4)
	「花의 血」(思想界, 1956.6)
	「春外春」(思想界, 1956.7)
	「自由鍾」(思想界, 1956.8)

「秋月色」(思想界, 1956.9)

　　　　　　　단편「凍血人間」(朝鮮日報, 1956.1)

「硬動脈」(文學藝術, 1956.3)

1957년　3월　서울대학교에서「李人稙研究」로 문학석사 학위 받음.

　　　　4월　동덕여자대학(사임 1972.8), 외국어대학(사임 1959.3)
　　　　　　　및 수도여자사범대학(사임 1958.3) 강사 피촉.
　　　　　　　논문「李人稙研究」(서울大學校 論文集 6 人文社會科學, 1957)

1958년　　　　논문「祖國과 文學」(知性, 1958.가을)

「素月과 小說」(知性, 1958.겨울)

「玄鎭健論」(새벽, 1958)

　　　　　　　단편「地層」(思想界, 1958.6)

「海圖抄」(思潮, 1958.11)

「霹靂」(現代文學, 1958.12)

1959년　　　　단편집『黑山島』(乙酉文化社, 1959) 출간.

　　　　　　　단편「주봉氏」(自由公論, 1959.1)

「G.M.C.」(思想界, 1959.2)

「褪色된 勳章」(自由文學, 1959.2)

「영 1 2 3 4」(新太陽, 1959.3)

「射手」(現代文學, 1959.6)

「크라운莊」(思想界, 1959.9)

1960년　　　　단편「蟲媒花」(思想界, 1960.9)

「招魂曲」(現代文學, 1960.12)

1961년　4월　성균관대학교 강사 피촉(사임 1962.2).

1962년 10월　단편소설「꺼삐딴 리」로 제7회 東仁文學賞 수상.

　　　　　　　논문「'雁의 聲' 攷」(국어국문학 25, 1962)

　　　　　　　단편「반편들」(思想界, 1962.1,「바닷가에서」 개제)

「免許狀」(미사일, 1962.1)

「꺼삐딴 리」(思想界, 1962.7)

「郭書房」(週刊 새나라, 1962.7)

「南宮博士」(「擬古堂實記」 改題)(大學新聞, 1962.9)

1963년 11월　국제 P.E.N.클럽 한국본부 사무국장 취임(사임 1964.12).

논문 「解放後 文學 二十年」(解放二十年, 1963)

장편 「太白山脈」(新世界 連載, 1963.2 - 1964.3)

「裸身」(女苑 連載, 1963.5-1964.9)

단편 「죽음의 姿勢」(現代文學, 1963.7)

1964년　　논문 「古典文學에 나타난 庶民像」(韓國大觀, 1964)

단편 「모르모트의 反應」(思想界, 1964.5)

「第三者」(文學春秋, 1964.7)

1965년　　장편 『裸身』(徽文出版社, 1965) 출간.

단편 「세끼미」(思想界, 1965.4)

1966년　**3월**　서울대학교 미술대학(사임 1970.2) 및 서강대학(사임 1967.2) 강사 피촉.

논문 「常綠樹考」(東亞文化 5, 1966)

단편 「머루와 老人」(思想界, 1966.11)

장편 「젊은 소용돌이」(現代文學, 1966.6 - 1968.2)

1967년　　논문 「韓國小說發達史(新小說)」(韓國文化史大系 5, 1967)

장편 『窓과 壁』(乙酉文化社, 1967)

1968년　**3월**　서울대학교 문리대 의·치의예과부장 피촉(사임 1970.3).

9월　고려대학교 교육대학원(사임 1972.8) 및 단국대학교 대학원(사임 1969.2) 강사 피촉.

논문 「小說 六十年의 問題點」(新東亞, 1968.7)

1969년　**3월**　서울대학교 약학대학 강사 피촉(사임 1970.2).

6월　國語國文學科 대표이사 피선(사임 1971.5).

논문 「3·1運動의 文學創作面에 끼친 影響」(3·1運動 五十周年 紀念論文集, 1969)

1970년　**3월**　성심여자대학 강사 피촉(사임 1978.2).

제37차 국제 P.E.N. 대회(世界作家大會, 1970년 6월 27일 서울에서 개최) 준비사무국장 피촉.

논문 「韓國作家의 社會的 地位」(文化批評, 1970.1)

1971년　**3월**　숙명여자대학교 대학원 강사 피촉(사임 1977.8).

8월　아일랜드 더블린에서 개최된 제38차 국제 P.E.N. 대회에 한국 대표로 참석.

논문 「韓國語 文章의 時代的 變貌」(月刊文學, 1971.1)

1972년 3월   서울대학교 문리과대학 문학부장(사임 1974.3).

 6월   서울대학교 문리과대학 학장 직무대리(사임 1972.8).

1973년 2월   서울대학교에서 「新小說研究」로 문학박사 학위 받음.

 3월   이화여자대학교 대학원 강사 피촉(사임 1974.2).

논문 「新小說研究」(서울대학교박사학위논문, 1973)

「白翎島地方 民謠調査報告」(文理大學報 28, 1973)

1974년 1월   문교부 파견으로 중화민국 교육·문화계 시찰.

11월   국제 P.E.N.클럽 한국본부 부회장 피선.

12월   이스라엘 예루살렘에서 개최된 제39차 국제 P.E.N.대회에 한국 대표로 참석.

논문 「民族文學의 意義와 그 方向」(月刊文學, 1974.6)

「李光洙研究序說」(東洋學 4, 1974.10)

단편 「牡丹江行列車」(北韓, 1974.9)

1975년 4월   서울대학교 교수협의회 회장 피선(사임 1977.5).

 9월   명지대학 대학원 강사 피촉(사임 1976.2).

단편집 『꺼삐딴 리』(1975) 출간.

논문 「近代 初期 小說에 나타난 性倫理의 限界性」(藝術論文集 14, 1975)

1976년 1월   韓國比較文學會 부회장 피선.

 4월   중화민국 臺北에서 개최된 국제 P.E.N.아세아작가대회에 한국 대표로 참석.

 8월   영국 런던에서 개최된 제41차 국제 P.E.N.대회에 한국 대표로 참석.

편저 『新小說選集』(同和出判公社, 1976) 출간.

논문 「枯木花에 대하여」(국어국문학 71, 1976)

「祖國統一과 文學」(統一政策, 1976)

1977년   단편집 『凍血人間』(三中堂, 1977)

논문 「韓國現代小說의 向方」(冠岳語文研究 2, 1977)

「兒童文學과 歷史意識」(兒童文學評論, 1977)

「國語와 現代文學」(文協심포지움, 1977)

1978년	3월	인하대학교 교육대학원 강사 피촉(사임 1979.2).
	5월	스웨덴 스톡홀름에서 개최된 제43차 국제 P.E.N. 대회에 한국 대표로 참석.
	12월	韓國現代文學研究會 회장 피선.
		단편집 『牧丹江行列車』(泰昌出版社, 1978)
		장편 『太白山脈』(韓國現代文學全集)(三省出版社, 1978)
1979년	3월	서울대학교 含春苑에서 『白史全光鏞博士華甲紀念論叢』 봉정식 가짐(10일).
	7월	중화민국 臺北에서 개최된 韓·中 學者會議에 한국 대표로 참석.
	12월	소설 「郭書房」으로 대한민국문학상(흙의 문학상 부문) 수상.
		단편 「時計」(서울대학교 동창회보, 1979.6)
		「표범과 쥐 이야기」(韓國文學, 1979.8)
1980년	4월	韓國比較文學會 회장 피선.
	5월	한미 친선 관계로 미국 방문.
		논문 「독립신문에 나타난 近代的意識」(국어국문학 84, 1980)
		「百年來 韓中文學交流考」(比較文學 5, 1980)
1981년	3월	한국정신문화연구원의 한국학대학원 강사 피촉(사임 1981.8).
	8월	미국 피닉스에서 개최된 제15차 世界現代語文學大會에 한국 대표로 참석.
	10월	중화민국 臺北에서 개최된 제1차 韓·中作家會議에 한국 대표로 참석.
		논문 「李光洙의 文學史的 位置」(崔南善과 李光洙의 文學, 새문사, 1981)
		「李人稙의 生涯와 文學」(新文學과 時代意識, 새문사, 1981)
		「戰後 韓國文學의 特色」(比較文學 6, 1981)
1982년	8월	미국 뉴욕에서 개최된 제10차 世界比較文學大會에 한국 대표로 참석.
	9월	연세대학교 대학원 강사 피촉.

1983년	1월	서울시 교육회 주관 해외교육연수단 참가, 남태평양지역 교육 문화계 시찰.
	2월	北靑 民俗藝術保存會 이사장 피선.
	3월	문교부의 교류교수 계획에 의하여 청주사범대학에 1년간 근무차 부임(사임 1984.2).
	8월	중화민국 臺北에서 개최된 比較文學大會에 한국 대표로 참석.

편저 『韓國近代小說의 理解』(民音社, 1983)

논문 「金東仁의 創作觀」(金東仁研究, 새문사, 1982)

「韓國小說에 있어서의 漢字表記問題」(比較文學 8, 1983)

1984년	1월	서울시 교육회 주관 해외교육연수단 참가, 유럽 교육 문화계 시찰.
	8월	서울대학교 교수 정년퇴임. 국민훈장 동백장 수훈.
	9월	세종대학 초빙교수 취임.

北靑 民俗藝術保存會 등 5개 단체로 구성된 대한민국 民俗藝術公演團을 인솔, 일본 방문.

서울대학교 정년퇴임기념논문집 『韓國現代小說史研究』(民音社, 1984)를 편저 형식으로 발간.

1986년	저서 『韓國現代文學論攷』(民音社, 1986)
	『新小說研究』(새문사, 1986)
1988년	6월 21일 별세.